DE OORLOGEN VAN OBAMA

DE
OORLOGEN
VAN

BOB WOODWARD

OBAMA

UITGEVERIJ BALANS

Voor hen die dienen

Oorspronkelijke titel *Obama's Wars*
Uitgegeven door Simon & Schuster, New York
Copyright © 2010 Bob Woodward
Copyright Nederlandse vertaling © 2010 Uitgeverij Balans, Amsterdam

Omslagontwerp Nico Richter
Omslagfoto voorzijde © Getty Images News/AFP/Getty Images
Typografie en zetwerk Jos Bruystens, Maastricht
Druk Wilco, Amersfoort

ISBN 978 94 600 3305 6
NUR 680

www.uitgeverijbalans.nl

INHOUD

PERSOONLIJKE OPMERKING
VAN DE AUTEUR

Twee zeer uitzonderlijke mensen hebben me fulltime geholpen bij de verslaggeving voor, het schrijven en bewerken van en het nadenken over dit boek:

Josh Boak, die in 2001 cum laude afstudeerde aan Princeton en later eveneens cum laude het mastersprogramma in journalistiek afsloot aan Columbia University, kwam voor mij werken nadat hij als verslaggever had gewerkt bij *The Blade* in Toledo in Ohio, en de *Chicago Tribune*. Hij zou weleens de energiekste, vindingrijkste, onbevooroordeeldste en opgewektste jongeman kunnen zijn met wie ik ooit het genoegen heb gehad samen te werken. Op zijn cv beschreef hij zichzelf als 'bedreven in *shoe-leather reporting*', oftewel in informatie verzamelen door heel veel op pad te gaan, 'en in *phone jockeying*', dus in veel aan de telefoon hangen. Dat is helemaal waar, maar hij heeft nog veel meer in zijn mars. Josh stortte zich op alle details en nuances van de oorlog in Afghanistan, de regering-Obama en de landelijke politiek. Hij werd onderdeel van mijn hersenen – het betere deel. Bij tijd en wijle had ik het idee dat hij echt alles weet. Wat hij niet aan kennis paraat heeft, kan hij vrijwel onmiddellijk vinden. Hij is een vaardig schrijver en een uitmuntend onderzoeker. Ik verliet me op hem, en ik dreef hem voort zoals hij mij voortdreef. We hebben nog nooit zelfs maar een half en half gemeend geschil gehad. Het draaide allemaal uit op een onwankelbaar vertrouwen en een onwankelbare vriendschap. Zonder hem was er geen boek geweest – in de verste verte niet.

Evelyn M. Duffy werkte met me samen voor *The War Within: A Secret White House History 2006-2008*, en deed dat bij dit project opnieuw. God zij dank. Met al haar vijfentwintig jaar is ze in alles een kei: in nadenken, in porren, en in het uitschrijven van honderden uren opgenomen interviews met mensen als president Obama, generaals en functionarissen van inlichtingendiensten. In 2007 studeerde ze af aan de George Washington University in de Engelse taal en creatief schrijven, en ze is een uitgesproken begaafd schrijver. Ze heeft een eenakter op haar naam staan, *Nighthawks*, gebaseerd op het beroemde schilderij van Edward Hopper van een nachtrestaurant, en ze heeft het stuk ook geproduceerd. In haar vrije tijd heeft Evelyn een adembenemende roman voor jongvolwassenen geschreven, waarvan ik zeker weet dat hij gepubliceerd gaat worden zodra ik haar de tijd gun om afspraken te maken met agenten en redacteuren. Ze is zowel een intellectueel als een praktisch ingesteld mens, een combinatie die zich maar zelden voordoet. Ik ben diep onder de indruk van haar rijpheid, haar doorzettingsvermogen en haar onafhankelijke geest. Ze is een vriendin voor het leven en heeft haar keurmerk voor integriteit nagelaten op elk idee, elk geschetst tafereel en elke bladzijde van dit boek.

OPMERKING VOOR DE LEZERS

Een korte uitleg over de manier waarop de informatie in dit boek is verworven, beoordeeld en gebruikt. In dit boek beoog ik weer te geven wat er werkelijk is gebeurd, voor zover ik dat aan de hand van verslaggeving heb kunnen vaststellen. De kern van dit boek komt uit geschreven bronnen: notulen van vergaderingen van de Nationale Veiligheidsraad, persoonlijke aantekeningen, memo's, chronologische opsommingen, brieven, powerpointpresentaties, e-mails, rapporten, regeringscommunicaties, vergaderschema's, transcripties, dagboeken en kaarten.

De informatie in dit boek is verschaft door ruim honderd mensen die tijdens de eerste achttien maanden van de regering van president Barack Obama betrokken waren bij de oorlog in Afghanistan en de nationale veiligheid. Er werden interviews gehouden 'op de achtergrond', wat inhield dat de informatie gebruikt mocht worden maar de bronnen niet bij naam zouden worden genoemd. Veel zegslieden werden vijf of meer keer geïnterviewd. De meesten stonden me toe de interviews op te nemen, waarna deze opnamen werden uitgeschreven. Bij verscheidene bronnen beslaan de uitgeschreven interviews in totaal ruim driehonderd pagina's. Ik heb gepoogd het taalgebruik van de belangrijkste figuren en zegslieden zoveel mogelijk te handhaven, waarbij ik hun woorden ook heb gebruikt als ze niet rechtstreeks worden aangehaald, zodat hun karakteristieke manier van spreken en hun houding erin tot uitdrukking komen.

Vele sleutelfiguren in het Witte Huis zijn diepgaand geïnterviewd. Zij

9

maakten me deelgenoot van aantekeningen die ze tijdens vergaderingen hadden gemaakt, belangrijke documenten, herinneringen aan dingen die voor, tijdens en na vergaderingen plaatsvonden, en stonden mij terzijde met hun eigen interpretaties.

Hooggeplaatste functionarissen op strategische posten binnen leger, inlichtingendiensten en diplomatieke dienst hebben me eveneens voorzien van gedetailleerde herinneringen en aanhalingen uit hun aantekeningen en hebben me geholpen met documentatie.

De verslaggeving vond plaats in de loop van achttien maanden, wat inhoudt dat veel interviews werden gehouden binnen enige dagen tot zelfs enige uren na cruciale discussies. Vaak leverde dit een frisser en minder weloverwogen verslag op.

De dialogen zijn meestal ontleend aan geschreven verslagen, maar tevens aan deelnemers, en gewoonlijk aan meer dan een. Alle gedachten, conclusies of gevoelens die aan iemand worden toegeschreven, werden rechtstreeks aan die persoon ontleend, of anders aan aantekeningen of aan een collega aan wie de persoon in kwestie iets had verteld.

Af en toe zei iemand halverwege een gesprek dat iets 'off the record' was, wat inhield dat het niet kon worden gebruikt tenzij de informatie uit een andere bron kon worden verkregen. In veel gevallen lukte het me de informatie elders te krijgen, zodat deze in dit boek kon worden opgenomen. Sommige mensen denken dat ze kunnen voorkomen dat informatie wordt gepubliceerd door die 'off the record' te noemen, of door te zeggen dat ze niet willen dat het in het boek terechtkomt. Maar welke president er ook in het Witte Huis zit, vrijwel zonder uitzondering raken iemands zaken en opstellingen bij anderen bekend. Dus in de loop van vele uitgebreide interviews met direct betrokkenen bij cruciale beslissingen inzake de oorlog, werd de rol van de hoofdrolspelers langzamerhand toch duidelijk.

Gegeven de verscheidenheid aan bronnen, alles wat er op het spel staat en alle levens die ermee zijn gemoeid, is het onmogelijk een steriele versie van dit verhaal te schrijven.

President Obama heb ik *on the record* een uur en een kwartier lang geïnterviewd in het Oval Office, op zaterdag 10 juli 2010.

Bob Woodward
25 juli 2010
Washington

DE PERSONAGES

PRESIDENT VAN DE VERENIGDE STATEN
Barack H. Obama

VICEPRESIDENT VAN DE VERENIGDE STATEN
Joseph R. Biden

HET WITTE HUIS

Stafchef van het Witte Huis
Rahm I. Emanuel   20 januari 2009 – 1 oktober 2010
Hoogste adviseur van de president
David M. Axelrod
Woordvoerder van het Witte Huis
Robert L. Gibbs

NATIONALE VEILIGHEIDSRAAD

Adviseur Nationale Veiligheid
Generaal b.d. James L. Jones, Korps Mariniers van de VS
Plaatsvervangend adviseur Nationale Veiligheid
Thomas E. Donilon

Hoogste adviseur en coördinator voor Afghanistan-Pakistan
Luitenant-generaal b.d. Douglas E. Lute, Amerikaanse landmacht
Stafchef Nationale Veiligheidsraad
Mark W. Lippert   20 januari 2009 – 2 oktober 2009
Denis McDonough   2 oktober 2009 –
Assistent van de president voor Terrorismebestrijding en Binnenlandse
Veiligheid
John O. Brennan
Adviseur Nationale Veiligheid van de vicepresident
Antony J. Blinken
Plaatsvervangend adviseur Nationale Veiligheid voor Strategische
Communicaties
Benjamin Rhodes
Voorzitter Overkoepelende Commissie Beoordeling Strategie Afghani-
stan-Pakistan
Bruce O. Riedel   10 februari – 27 maart 2009

MINISTERIE VAN BUITENLANDSE ZAKEN

Minister van Buitenlandse Zaken
Hillary Rodham Clinton
Speciale gezant voor Afghanistan en Pakistan
Richard C. Holbrooke
Amerikaans ambassadeur in Afghanistan
Luitenant-generaal b.d. Karl W. Eikenberry, Amerikaanse landmacht
Amerikaans ambassadeur in Pakistan
Anne W. Patterson

MINISTERIE VAN DEFENSIE

Minister van Defensie
Robert M. Gates
Onderminister voor Beleid
Michèle A. Flournoy
Perschef Pentagon
Geoffrey S. Morrell

12

DE INLICHTINGENDIENSTEN

Directeur nationale inlichtingendiensten (DNI)
Vice-admiraal b.d. Michael McConnell,   13 februari 2007 – 29 januari 2009
Amerikaanse marine
Admiraal b.d. Dennis C. Blair,   29 januari 2009 – 28 mei 2009
Amerikaanse marine
Directeur van de Centrale Inlichtingendienst CIA
Generaal b.d. Michael V. Hayden,   30 mei 2006 – 19 februari 2009
Amerikaanse luchtmacht
Leon Panetta   19 februari 2009 –
Plaatsvervangend directeur van de CIA
Stephen R. Kappes   25 juli 2006 – 14 april 2010
Michael J. Morell   6 mei 2010 –
(eerder CIA-directeur inlichtingen, 2006-2010)

STRIJDKRACHTEN VERENIGDE STATEN

Bevelhebber Centraal Commando (CentCom) Verenigde Staten
Generaal David H. Petraeus,   31 oktober 2008 – 30 juni 2010
Amerikaanse landmacht

Bevelhebber Amerikaanse en NAVO-strijdkrachten, Afghanistan
Generaal David D. McKiernan,   3 juni 2008 – 15 juni 2009
Amerikaanse landmacht
Generaal Stanley A. McChrystal,   15 juni 2009 – 23 juni 2010
Amerikaanse landmacht
Generaal David H. Petraeus,   4 juli 2010 –
Amerikaanse landmacht
Voorzitter van de verenigde chefs van staven
Admiraal Michael G. Mullen, Amerikaanse marine
Vicevoorzitter van de verenigde chefs van staven
Generaal James E. 'Hoss' Cartwright, Amerikaans korps mariniers
Directeur kenniscentrum Afghanistan-Pakistan, Centraal Commando
Kolonel b.d. Derek Harvey, Amerikaanse landmacht
Woordvoerder van generaal Petraeus
Kolonel Erik Gunhus, Amerikaanse landmacht

AFGHANISTAN

President van Afghanistan
Hamid Karzai

Leider van de Provinciale Raad van Kandahar, halfbroer van de president
Ahmed Wali Karzai

PAKISTAN

President van Pakistan
Asif Ali Zardari

Stafchef der strijdkrachten van Pakistan
Generaal Ashfaq Kayani

Pakistaans ambassadeur in de Verenigde Staten
Hussain Haqqani

1

Donderdag 6 november 2008, twee dagen nadat hij was gekozen tot
president van de Verenigde Staten, had Senator Barack Obama een
afspraak met de directeur van de nationale inlichtingendiensten (DNI)
Mike McConnell.[1]

De vijfenzestigjarige McConnell was een gepensioneerde viceadmiraal
met gebogen schouders, sprieterig lichtbruin haar en een kwajongensach-
tige lach. Hij kwam details overbrengen van de geheimste operaties en capaciteiten van het omvangrijke geheel aan Amerikaanse spionageactivitei-
ten waaraan hij als DNI leiding gaf. Over slechts 75 dagen zou de enorme
macht van de staat in handen van de zevenenveertigjarige Obama rusten.
Binnenkort werd hij 'de eerste cliënt', zoals men de president in inlichtin-
genkringen noemde.

McConnell kwam vroeg aan bij het Kluczynski-gebouw, een strenge
Chicago-wolkenkrabber, in gezelschap van Michael J. Morell, die op
11 september 2001 de briefer van president George W. Bush was geweest,
en tegenwoordig leiding gaf aan de afdeling analyse van de CIA.

Ze werden begroet door twee leden van het overgangsteam van Senator
Obama die ook in de vorige Democratische regering hadden gezeten: Bill
Clintons stafchef gedurende de laatste twee jaren van zijn presidentschap,
John Podesta, en James Steinberg, een voormalig plaatsvervangend advi-
seur nationale veiligheid in het Witte Huis onder Clinton.

'We gaan mee naar de aanstaande president om te horen wat jullie te
zeggen hebben,' zei Podesta.

McConnell hield even ongemakkelijk de pas in. Hij had zijn instructies van president Bush ontvangen. 'Dit is mijn beslissing als president,' had Bush hem voorgehouden. 'Ik verbied dat er enige informatie wordt doorgegeven over de mate waarin we succes hebben en hoe dit allemaal werkt,' behalve aan de aanstaande president. McConnell wist dat Bush zich er nooit prettig bij had gevoeld om een term te hanteren als 'bronnen en methoden'. Wat de president bedoelde, was dat er niets mocht worden onthuld waarmee menselijke spionnen en nieuwe technieken aan het licht konden komen die ontwikkeld waren om Al-Qaida te infiltreren en aan te vallen, de oorlogen in Irak en Afghanistan te voeren en het land te verdedigen.

'Het spijt me, John,' zei McConnell. 'Ik zou jullie met alle liefde je zin geven, maar ik heb de regels nu eenmaal niet bedacht.' Hij vertelde welke instructies Bush hem had meegegeven – alleen de aanstaande president en mensen die op de nominatie stonden om een hoge kabinetspost binnen de nationale veiligheid te bekleden, mochten aanwezig zijn. 'Geen van beiden staan jullie op de nominatie. Dus ik kan het niet toestaan. Ik ga de instructies van de president niet schenden.'

'Oké, ik snap het,' zei Podesta met nauw verholen irritatie. Eerder had Podesta toegang gehad tot inlichtingen uit alle bronnen, en Steinberg eveneens. Hij vond dit niet erg handig voor Obama, die vrijwel geen ervaring had met briefing over inlichtingen.

Obama verscheen, nog duidelijk helemaal op de campagnetoer, met brede glimlach en alom handjes schudden. Hij gloeide nog na van de overwinningsroes.

Twee maanden daarvoor had Obama, na een routinematige briefing van McConnell over uiterst geheime informatie op het gebied van terreurdreigingen, half en half gekscherend gezegd: 'Ik heb me tot nu toe zorgen gemaakt dat ik deze verkiezingen ga verliezen. Maar nu ik jullie heb gesproken, begin ik me zorgen te maken dat ik deze verkiezingen ga winnen.'

'We moeten u even spreken, meneer de aanstaande president,' zei Podesta terwijl hij hem zachtjes in de richting van een privékamer duwde. Toen Obama terugkeerde, was zijn houding duidelijk veranderd. Hij was gereserveerder, en zelfs enigszins geïrriteerd. In de overgang van campagne voeren naar regeren – die toch al allerlei frustraties met zich meebracht – werd hij alweer voor een verrassing gesteld. De mensen uit zijn intieme kring tijdens de campagne en de adviesraad van Democraten die hij zo zorgvuldig had samengesteld om hem door zijn overgang te loodsen, werden buitengesloten. De aanstaande eerste cliënt stond er in dit geval dus alleen voor.

McConnell en Morell gingen met Obama in een aparte, beveiligde kamer zitten, een zogenaamde Sensitive Compartmented Information Facility (ruimte voor overdracht van gevoelige, gecategoriseerde informatie) of SCIF. Het was een ongewoon kleine ruimte in het midden van het gebouw, waar zich normaal gesproken toiletten zouden kunnen bevinden. De ruimte was ontworpen om afluisteren onmogelijk te maken, en riep door het ontbreken van ramen een gevoel van opgeslotenheid op, of zelfs claustrofobie.

Aanvankelijk was deze bijeenkomst bedoeld geweest als een soort voortzetting en uitbreiding van de eerdere briefing die McConnell kandidaat Obama had gegeven. Er waren 161.000 man Amerikaanse troepen in Irak oorlog aan het voeren, en in Afghanistan 38.000. De inlichtingendiensten leverden belangrijke bijdragen aan de oorlogsinspanningen. Toch waren de grootste bedreigingen voor de Verenigde Staten niet afkomstig uit deze oorlogsgebieden, maar uit Pakistan, een onstabiel land met een bevolking van 170 miljoen, een grens van 2300 kilometer lang met zuidelijk Afghanistan en een wapenarsenaal van zo'n honderd kernwapens.

De hoogste prioriteit van de directeur nationale inlichtingen, en nu dus van Obama, moest liggen in de onbestuurde stamgebieden langs de Pakistaans-Afghaanse grens, waar Osama bin Laden, zijn Al-Qaidanetwerk en vertakkingen van extremistische Taliban-verzetsgroeperingen zich in honderdvijftig trainingskampen en andere bases hadden geïnstalleerd.

Bij elkaar besloegen de zeven regio's, die de zogenaamde Federaal Bestuurde Stamgebieden (FBS) vormden, ongeveer de oppervlakte van New Jersey. De extremistische groeperingen en stamhoofden hadden het in het grootste deel van de FBS voor het zeggen, en daarnaast hadden zij steunpunten in de Northwest Frontier-provincie.

In september 2006 had Pakistan een verdrag ondertekend waarin het land de volledige zeggenschap in het gebied Noord-Waziristan van de FBS had overgedragen aan stamhoofden die banden onderhielden met de Taliban, waardoor er een soort Wilde Westen werd geschapen voor Al-Qaida en Talibanopstandelingen die aanvallen uitvoerden op de Amerikaanse strijdkrachten in Afghanistan.[2]

In die eerdere briefing had McConnell uitgelegd wat precies het probleem was met de omgang met Pakistan. Het was een onoprechte bondgenoot van de Verenigde Staten in de oorlog in Afghanistan. 'Het is één grote leugen,' had McConnell gezegd. In ruil voor vergoedingen van ongeveer twee miljard dollar per jaar van de Verenigde Staten, hielpen het machtige leger van Pakistan en de spionagedienst van het leger, de Inter-Service Intelligence (ISI), de Verenigde Staten, terwijl ze tegelijkertijd de Afghaanse Taliban clandestien van hulp, wapens en geld voorzagen. Ze hadden een 'kantoor waar je op meer paarden tegelijk kan wedden', zei McConnell.

Als je maar lang genoeg met de ISI te maken had, werd je stapeldol, had hij uitgelegd. Het leek wel of er zes, zeven verschillende persoonlijkheden schuilgingen achter de ISI. Een paar daarvan werden door de CIA geëxploiteerd en betaald, maar op zijn minst één afdeling – die bekendstond als Directoraat S – financierde en ondersteunde de Taliban en andere terreurgroepen. Dankzij dat geld van de CIA was het dan misschien mogelijk om delen van de ISI aan Amerika te binden, had McConnell gezegd, maar de spionagedienst kon of wilde zijn eigen mensen niet onder controle houden.

De leiders van Pakistan geloofden dat de Verenigde Staten uiteindelijk uit de regio zouden vertrekken, zoals ze dat tegen het eind van de Koude Oorlog hadden gedaan, zodra de sovjetbezettingsmacht zich in 1989 uit Afghanistan had teruggetrokken. Onbegrijpelijk was die paranoïde gedachtegang niet. Als Amerika vertrok, zouden India en Iran onmiddellijk het machtsvacuüm in Afghanistan vullen. En boven alles vreesde Pakistan India, dat al ruim zestig jaar zijn gezworen vijand was. Als groeiend economisch en militair machtscentrum had India binnen Afghanistan talrijke inlichtingenprogramma's lopen om zijn invloed uit te breiden. Pakistan was eerder bevreesd door India te worden omsingeld dan om ondermijnd te worden door extremisten binnen zijn grenzen.

De beste manier om dit probleem op te lossen zou zijn als Obama een of andere vorm van vrede voor elkaar zou weten te krijgen, had de DNI gezegd. Zodra Pakistan zich aanzienlijk veiliger zou voelen in zijn betrekkingen met India, zouden ze misschien ophouden met hun dodelijke spel met de Taliban.

In zijn overzicht voor september had McConnell daarnaast ook zaken aangekaart als de aanvallen met onbemande vliegtuigjes als Predators, die waren uitgerust met ultramoderne bewakingscamera's en Hellfire-raketten. De geheime operatie, die was goedgekeurd door president Bush, was gericht tegen Talibanleiders en andere groepen binnen Pakistan. Het programma was weliswaar geheim, maar er was in de Pakistaanse en Amerikaanse media uitgebreid over geschreven.[3]

In de eerste helft van 2008 waren er maar vier aanvallen uitgevoerd, kreeg Obama te horen. De Verenigde Staten hadden bewijzen aan het licht gebracht dat de Pakistanen geplande aanvallen uitstelden om Al-Qaida en de Afghaanse Taliban te kunnen waarschuwen, waarna de strijders zich uit de voeten maakten. In juni 2008 had McConnell inlichtingen meegenomen naar president Bush die waren ontleend aan mensen of met technische middelen waren verkregen, waaruit naar voren kwam dat er diverse gesprekken hadden plaatsgevonden tussen een kolonel van de ISI en Siraj Haqqani, een guerrillacommandant wiens netwerk gelieerd was aan de Afghaanse Taliban.

'Oké,' had Bush gezegd, 'dat spelletje spelen we niet meer mee. Die klootzakken zijn Amerikanen aan het vermoorden. Ik heb er genoeg van.' Hij gaf opdracht tot het opvoeren van de aanvallen met onbemande Predators op Al-Qaidaleiders en specifieke kampen, zogenaamde infrastructurele doelen. Het had wel wat van een aanval op een mierenhoop – achteraf renden de overlevenden alle kanten op. Die zogenaamde 'wegspuiters' werden gevolgd naar de volgende schuilplaats, zodat hun gegevens omtrent terroristische vluchtelingen weer verder konden worden uitgebreid.

Bush had opdracht gegeven dat Pakistan 'gelijktijdig in kennis gesteld' moest worden van deze aanvallen, wat inhield dat ze ervan op de hoogte werden gesteld zodra een aanval eenmaal aan de gang was, of voor alle zekerheid een paar minuten erna. Amerikaanse onbemande vliegtuigen waren nu heer en meester in het luchtruim boven Pakistan.

Daarnaast had McConnell Bush inlichtingen ter hand gesteld waaruit bleek dat de Pakistaanse ISI het netwerk van Haqqani had geholpen bij de aanval op de Indiase ambassade in Kabul op 7 juli, vier maanden daarvoor. De Verenigde Staten hadden India gewaarschuwd, waarna dat land zijn ambassade in staat van paraatheid had gebracht. Dat had helaas niet volstaan. Bij een zelfmoordaanslag waren achtenvijftig mensen omgekomen en waren ruim honderd gewonden gevallen.[4]

Daarna was McConnell tijdens de briefing van september overgeschakeld op een van de dringendste punten van bezorgdheid. Al-Qaida was mensen aan het rekruteren uit de vijfendertig landen die geen visum nodig hadden om de Verenigde Staten binnen te komen. Het terreurnetwerk betaalde hun flinke sommen geld en haalde hen met tientallen tegelijk naar de onbestuurde gebieden, waar ze werden getraind in alle aspecten van oorlogvoering – van explosieven tot chemische wapens – en men probeerde hen biologische wapens te laten bemachtigen.

'We zijn een reusachtige zeef,' zei McConnell. 'Ze proberen mensen binnen te halen met paspoorten waarvoor je geen visum nodig hebt om de Verenigde Staten binnen te komen.' Al-Qaida was er nog niet in geslaagd, maar men maakte er zich wel grote zorgen over. 'We kunnen nog geen cellen vinden in de Verenigde Staten, maar we vermoeden dat er wel een paar zijn.'

Daarmee kreeg hij Obama's volle aandacht. Sommige van de aanvallers op 11 september waren voorafgaand aan die aanval al achttien maanden actief geweest in de Verenigde Staten. Zoals hij aan het eind van die bijeenkomst had gezegd, had hij alle reden om zich zorgen te maken dat hij de verkiezingen ging winnen.

De briefing aan Obama van 6 november ging precies verder op het punt waar die eerdere presentatie was geëindigd. Inmiddels kon McConnell hem voorzien van een uitgebreidere beschrijving van de manier waarop de inlichtingendiensten informatie selecteerden en verzamelden.

'Wij kunnen alles aan u doorgeven, meneer de aanstaande president,' zei McConnell met dat sussende South Carolina-accent van hem.

Zo luidden de uiterst geheime codewoorden voor de operaties met onbemande Predators bijvoorbeeld SYLVAN-MAGNOLIA. Met deze codewoorden verschafte men zich toegang tot Sensitive Compartmented Information (SCI, gevoelige, gecategoriseerde informatie) die alleen toegankelijk was voor mensen met de allerhoogste betrouwbaarheidsverklaring en een zogenaamde 'noodzaak tot kennisneming'. Vanaf nu was de aanstaande president uiteraard een van die mensen.

Dankzij het combineren van twee inlichtingenculturen – te weten menselijke bronnen en technische inlichtingen ontleend aan onderschepte berichten en door satellieten en onbemande vliegtuigen verzamelde beelden – hadden de Verenigde Staten op inlichtingengebied een uitzonderlijke slag geslagen in de onbestuurde gebieden van Pakistan.

De werkelijke doorbraak, zei hij, hadden ze echter bereikt bij de menselijke bronnen. Dat was iets wat president Bush koste wat kost wilde beschermen. De onbemande vliegtuigen waren in feite van raketten voorziene vliegende videocamera's met een hoge resolutie. De enige manier waarop die onbemande toestellen zinvol op een doel konden worden gericht, was als je spionnen op de grond had die de CIA lieten weten waar ze moesten kijken, jagen en doden. Zonder die spionnen waren de videobeelden van de Predator even informatief als een leeg televisiescherm.

McConnell droeg uitgebreide details aan over deze menselijke bronnen, die in de loop van vijf jaar in een uiterst kostbaar en riskant programma waren verwikkeld. Die spionnen waren het echte geheim waarmee Obama vanaf dat moment zou rondlopen. In sommige opzichten waren zij cruciaal voor de bescherming van het land.

President Bush had buitengewoon stellige ideeën over de manier waarop die moesten worden beschermd. 'Hij heeft ons geïnstrueerd dat alleen u of iemand van degenen die u van plan bent in uw kabinet op te nemen deze informatie mag krijgen,' zei McConnell. President Bush wilde geen 'toeristen', zoals hij hen noemde, en geen 'professoren', die nu misschien deel uitmaakten van Obama's overgangsteam maar die later in een toespraak, een boek of een onbewaakt moment de spionnen zouden prijsgeven.

Obama gaf aan dat hij dat begreep.

De CIA is zo zuinig op zijn menselijke bronnen dat ieder van hen voorzien is van een willekeurig gekozen codenaam als MOONRISE. Als zo'n bron productief is en grote risico's neemt, zou daar weleens binnen de dienst over kunnen worden gepraat. Zo iemand is dan heel goed bezig, maar als te veel mensen van hem afweten, wordt hij uit de weg geruimd. Een begrafenisplechtigheid volgt, iedereen is treurig. MOONRISE heeft de hoogst mogelijke prijs betaald, zegt dan de CIA-medewerker onder wie hij valt. Behalve dan dat MOONRISE niet echt dood is. Zijn codenaam is veranderd. Nu heeft de CIA een andere bron, de zogenaamde SHOOTING STAR. Zelfde man, andere naam. MOONRISE is SHOOTING STAR. Het is een ingewikkelde en manipulatieve truc om MOONRISE de grootste bescherming te bieden – de dood.

Aan de technische kant, legde McConnell uit, had de National Security Agency (NSA), waar hij van 1992 tot 1996 leiding aan had gegeven, een doorbraak bereikt op afluistergebied. Jaren geleden waren ze daar begonnen met een project met de codenaam SHARKFINN, dat was opgezet om voor een versnelling te zorgen in het verwerven, opslaan, verspreiden en beschikbaar stellen van onderschepte communicatie, waaronder mobieletelefoongesprekken en e-mails. Dankzij het project, dat goed op gang kwam en algauw de naam RTIO kreeg, werd de snelheid in realtime opgevoerd met factoren van soms wel tien tot de tiende macht oftewel tien miljard maal. Vervolgens werd het project RTRG genoemd, voor Real Time, Regional Gateway. RTRG betekende dat er een manier was om alle data te pakken te krijgen, op te slaan en onmiddellijk ter beschikking te stellen aan analisten en uitvoerders, waardoor de Verenigde Staten snel konden reageren op een actie van de vijand.

In Afghanistan luidde de codenaam voor het programma JESTER. Specialistische eenheden, die JACKAL-teams werden genoemd, volgden in het hele land de ontwikkelingen onder opstandelingen.

'Zij praten, wij luisteren. Zij verplaatsen zich, wij observeren. Zodra we de kans krijgen, reageren we operationeel,' zei McConnell.

De menselijke en technische inlichtingen wezen overtuigend in de richting van de Quetta Shura-Taliban als de centrale opstandelingengroep in de oorlog in Afghanistan. 'Shura' is een Arabisch woord dat 'raad' betekent, een raad die werd voorgezeten door Mullah Muhammad Omar, de Talibanleider die na de Amerikaanse inval in zijn land volgend op 11 september uit Afghanistan was gevlucht. Een beloning van vijfentwintig miljoen dollar stond sindsdien op zijn hoofd.

Mullah Omar zat in de Pakistaanse stad Quetta, zo'n negentig kilometer van de Afghaanse grens in de provincie Baluchistan. In tegenstelling tot de uitgestrekte woestijn van de FBS, woonden er in Quetta bijna 900.000 mensen, wat een aanval met onbemande vliegtuigjes vrijwel onmogelijk maakte.

'Dat is het zwaartepunt,' zei McConnell.

'En wat doen we daaraan?' vroeg Obama.

Niet zo heel veel, liet McConnell blijken.

Het was lastig om Amerikaanse troepen de grens over en Pakistaanse steden in te sturen waar men niet met onbemande vliegtuigjes kon toeslaan. Net twee maanden daarvoor, op 3 september, een dag nadat McConnell zijn eerste briefing had afgestoken bij presidentskandidaat Obama, had president Bush toestemming gegeven voor een operatie over de grens in Pakistan. Het had een stille, snelle bliksemaanval op de grond moeten worden van zo'n twintig Navy SEAL's, op een huis dat naar men aannam in gebruik was bij Al-Qaida, in het stadje Angor Adda in de FBS. De bedoeling was dat de SEAL's documenten en computers van Al-Qaida te pakken zouden krijgen, hun 'spullen', zoals McConnell het noemde.

Maar in dat deel van de wereld renden mensen juist vaak in de richting van geweervuur van automatische wapens en explosies in plaats van ervandaan, omdat ze wilden zien wat er aan de hand was,[5] legde McConnell uit. Er kwamen burgers om bij de inval, waardoor de hel losbrak in de Pakistaanse pers.

De inval was slecht voorbereid en gecoördineerd, erkende McConnell. De Pakistaanse regering verklaarde woedend dat haar soevereiniteit was geschonden. Bush was hevig van streek vanwege de burgerslachtoffers en zei dat Amerika dit niet meer zou doen. Tijdens de regering-Bush zouden er geen operaties meer plaatsvinden op de grond over de grens van Pakistan, punt uit.

Een belangrijk geheim dat nooit in de media of elders was vermeld, was dat de CIA een geheim leger van drieduizend man in Afghanistan had gestationeerd. Deze zogenaamde CTPT'S, wat staat voor Counterterrorism Pursuit Teams, bestonden grotendeels uit Afghanen, en naar het oordeel van de CIA waren ze het neusje van de zalm. Deze achtervolgingsteams waren een betaald, getraind en functioneel onderdeel van de CIA, dat was goedgekeurd door president Bush. De teams voerden operaties uit die ten doel hadden Talibanstrijders te doden of gevangen te nemen, maar ze trokken vaak ook de stamgebieden in om rust te brengen en steun te verwerven.

Volgens McConnell vormde Al-Qaida in Jemen, gewoonlijk aangeduid als Al-Qaida-op-het-Arabisch-Schiereiland, of AQAP, een tweede ernstige dreiging.[6] De groep had toeristen aangevallen en in september 2008 twee autobommen tot ontploffing gebracht voor de Amerikaanse ambassade in Jemen, waarbij negentien mensen waren omgekomen, onder wie zes van de terroristen.

Daarna schakelden McConnell en Morell over op het Iraanse nucleaire programma. Het was alom bekend dat Iran aan kernwapens probeerde te komen. Sommige Iraanse nucleaire programma's waren weliswaar stilgelegd, maar andere gingen gewoon door of konden zo weer worden opgestart. McConnell zei dat hij ervan overtuigd was dat Iran een – naar alle waarschijnlijkheid tamelijk primitief – geweerachtig kernwapen zou ontwikkelen, en dan een dat met dramatisch effect in de woestijn kon worden afgeschoten. Naar zijn idee zou dat tussen 2010 – dus binnen twee jaar – en 2015 worden gedaan. Daarmee zou een ongelooflijk onstabiele situatie ontstaan in het Midden-Oosten. Saudi-Arabië zou waarschijnlijk zijn openstaande rekening presenteren bij Pakistan, dat olie van Saudi-Arabië kreeg, en hulp proberen te krijgen bij de ontwikkeling van een kernwapen. Egypte en andere landen in de regio konden alles uit de kast halen om hun eigen wapens te ontwikkelen.

Een andere belangrijke dreiging, zei McConnell, vormde Noord-Korea, dat genoeg kernmateriaal had voor zes bommen en intussen bezig was die hoeveelheid nog op te voeren. De Noord-Koreaanse leiders waren geschift. De kans was groot dat ze bij een hernieuwde poging om met het regime te onderhandelen hetzelfde zouden meemaken als de regering-Bush. Dat was een kwestie van 'onderhandelen, eromheen draaien, escaleren en opnieuw onderhandelen', zei hij. De Noord-Koreanen zouden praten, liegen, de zaak laten escaleren en dreigen weg te lopen, en dan proberen de onderhandelingen opnieuw te openen. 'Zo zal dat in zijn werk gaan,' zei McConnell gedecideerd.

Vanwege de geslotenheid van hun samenlevingen waren Iran en Noord-Korea met name lastige doelwitten voor het verzamelen van inlichtingen. Het ontbreken van een Amerikaanse ambassade in beide landen maakte spioneren extra lastig. De Amerikaanse inlichtingendiensten waren voor een deel doorgedrongen in de nucleaire programma's van beide, zei McConnell. Maar Iran en Noord-Korea vormden op de korte en de lange termijn een ernstige dreiging.

'En verder?' vroeg Obama.

'We hebben het nog helemaal niet gehad over de computerkant,' zei McConnell, 'wat de Chinezen u hebben aangedaan.'

De Chinezen hadden in de zomer van 2008 de computers gehackt van Obama's campagneorganisatie en hadden met een verbijsterende snelheid bestanden en documenten gekopieerd.[7]

'Ja,' zei Obama, 'ze hadden McCain ook te pakken.'

Ja, gaf McConnell toe. 'Waar het om gaat is wat ze met u en met McCain hebben gedaan. Ze hebben jullie gegevens te pakken gekregen. En ze zijn onhandig, dus ze werden betrapt.' De Amerikaanse inlichtingendiensten waren erachter gekomen, en de FBI had de beide campagneteams gewaarschuwd, waarna die een aantal stappen hadden ondernomen om hun computers af te schermen. 'Maar stel nou dat ze jullie gegevens hadden vernietigd?'

Dat zou een probleem zijn geweest, zei Obama.

'Oké,' zei McConnell, 'en vertaal dat nu eens naar het hele land.'

'Dit is belangrijk,' zei Obama.

McConnell legde uit dat de RTRG de NSA een geweldige capaciteit ver-

schafte voor het lezen van andermans post, het luisteren naar hun gesprekken en het uitzoeken van hun gegevens. Dat was tot nu toe altijd de
specialiteit geweest van de NSA. Daarnaast had Bush in 2007 tevens zijn
goedkeuring gegeven aan een aanvalscapaciteit tegen computers en com-
municatiemiddelen in Irak. De NSA had aangevoerd dat het een van de
krachtigste capaciteiten ter wereld was, dus dat er met de grootste zorgvuldigheid mee moest worden omgesprongen, om te voorkomen dat er
een cyberoorlog zou losbarsten.

De aanvalscapaciteit van de NSA, de zogenaamde Computer Network
Attack (CNA) was een uiterst geavanceerde vorm van heimelijk compu-
terhacken. Cyberteams konden inbreken in de computersystemen van
andere landen. Hun digitale werk leek in de verte wel wat op de gerichte
bliksemaanvallen van de Delta Force of een Navy SEAL-team. De uiterst
geheime operaties werden geleid via het Army Network Battalion van de
704e Military Intelligence Brigade in het hoofdkwartier van de NSA in
Fort Meade, even buiten Washington.

En er was nog een laag: Computer Network Defense (CND).

McConnell merkte op dat de Verenigde Staten gevoelig waren voor
computeraanvallen. Als de negentien terroristen van 11 september verstand van computers hadden gehad en één enkele bank hadden aangevallen, had dat veel verstrekkender gevolgen voor de Amerikaanse en de we-
reldeconomie gehad dan het omhalen van de twee torens van het World
Trade Center, zei hij. De Bank of New York en Citibank verwerken beide
per dag zo'n drie biljoen dollar aan financiële overschrijvingen. Om dat in
perspectief te plaatsen: de omvang van de complete Amerikaanse economie, het jaarlijkse bruto binnenlands product, beloopt veertien biljoen.
Mensen zouden niet aan hun geld kunnen komen, geen idee hebben of ze
dat geld wel hadden, en of ze bepaalde betalingen hadden verricht. Stel je
voor dat je dat proces zou verstoren. Rijkdom was meestal niet meer dan
iets wat op een computer is ingevoerd. Modern bankieren was gebaseerd
op garanties en het vertrouwen in die digitale boekingen in plaats van
goud en valuta. Een paar mensen konden de Verenigde Staten en de we-
reldeconomie ruïneren en het vertrouwen in de Amerikaanse dollar vernietigen, aldus McConnell. Elke werkelijke bescherming ontbrak, en het
systeem lag volkomen open voor aanvallen, zei hij. Elektriciteitsnetten,
telecommunicatielijnen, luchtverkeerscontrole – stuk voor stuk instanties
die compleet afhankelijk waren van computers – waren al even kwetsbaar
voor cyberaanvallen.

'Ik wil dat jullie mijn hele kabinet inseinen,' zei Obama. 'Ik wil van jullie een uitgestippelde route voor wat ons land moet doen.'

Hij bedankte McConnell en Morell.

Later zei Obama tegen een van zijn naaste adviseurs: 'Ik erf straks een wereld die elk moment op wel vijf manieren de lucht in kan gaan, en dan heb ik een paar krachtige maar beperkte, en misschien zelfs wel dubieuze middelen ter beschikking om te voorkomen dat dat gebeurt.'

In een interview in het Oval Office dat op 10 juli 2010 plaatsvond,[8] zei president Obama tegen mij dat hij geen specifieke uitspraken voor dit boek wilde bevestigen of ontkennen. 'Wat ik wel zal proberen, is u een overzicht geven van wat ik op een bepaald moment dacht.'

Hij zei dat het beeld dat McConnell schetste van de situatie in Afghanistan, Pakistan en in het gebied langs de grens tussen die landen 'ontnuchterend' was geweest, maar niet 'verrassend'.

De president legde uit: 'Het bevestigde een aantal van mijn ernstigste zorgen over het feit dat de Taliban sterker aan het worden waren, grotere delen van het gebied beheersten, en dat we in Pakistan geen strategie hadden voor de FBS en de noordwestelijke streek.'

Hij zei dat de briefings een bevestiging waren 'van het feit dat je de Taliban had, de Quetta Shura, het Haqqani-netwerk, een heel scala aan wat in essentie afdelingen van Al-Qaida waren, die uitermate agressief opereerden. En die zetten we niet bepaald erg onder druk.'

'En hebt u toen gezegd: oké, dit is een van de dingen die ik ga proberen recht te zetten?' vroeg ik.

'Ja,' zei hij.

Eveneens bevestigde hij in algemene termen de ideeën die hij had geuit in zijn commentaar tegen een medewerker over wat hij op het punt stond te erven. 'Wat daar gebeurt is één grote puinhoop,' zei Obama tegen me. 'Elk moment van de dag vinden er explosieve, tragische, afgrijselijke, gevaarlijke dingen plaats. Allemaal zaken waarvan je objectief beschouwd zou zeggen dat iemand er iets aan moet doen.'

Obama erkende dat de problemen in de wereld na de verkiezingen als zijn verantwoordelijkheid werden beschouwd. 'Mensen zeggen: u bent de machtigste man ter wereld. Waarom doet u daar niets aan?'

2

John Podesta had met grote kalmte leiding gegeven aan Obama's overgangsteam. Hij had een belangrijke boodschap voor de aanstaande president: eerst de staf van het Witte Huis kiezen, en dan pas het kabinet. De negenenvijftigjarige, tanige langeafstandsloper Podesta was in de jaren dat Clinton president was als lagergeplaatst adviseur begonnen, en volgens hem was een van de eerste vergissingen die Clinton had begaan dat hij zich volledig had toegelegd op het kiezen van zijn kabinet en bijna alsof het hem op het laatste moment nog te binnen schoot, Thomas 'Mack' McLarty had aangewezen als zijn eerste stafchef van het Witte Huis. De beminnelijke McLarty was lid van de raad van bestuur geweest bij een onderneming die zich bezighield met de winning van natuurlijk gas, en was al met Clinton bevriend sinds ze samen in Arkansas op de crèche zaten.

Podesta had het idee dat hij in zijn tijd als stafchef enige orde en discipline had weten aan te brengen. Overheidsbeleid diende te worden bepaald, georganiseerd en gecontroleerd via een gecentraliseerd Witte Huis-systeem.

Er bestonden twee basismodellen voor de stafchef van het Witte Huis, hield Podesta Obama voor. Het ene model is een nestor, iemand die gepokt en gemazeld is in Washington en wel iets weg heeft van het type voorzitter van een raad van bestuur. Het andere basismodel is een vechter, zo iemand die het in zich heeft om de vervelende klussen te klaren.

Obama zei dat hij een bepaalde persoon op het oog had: de achtenveer-

27

tigjarige afgevaardigde Rahm Emanuel, een Congreslid uit Chicago met drie ambtstermijnen achter de rug, en adviseur in het Witte Huis onder Clinton. De 1.72 meter lange, 66 kilo wegende Emanuel was een van de opvliegendste types in Washington en stond bekend om zijn van de vloeken vergeven scheldkanonnades. Politiek gezien had hij behoorlijk wat in de melk te brokkelen, aangezien hij inmiddels was opgeklommen tot de derde positie in het leiderschap in het Huis.

Een paar weken voor de verkiezingen had Obama voor het eerst de baan van stafchef aangekaart bij Emanuel. Die had twee belangrijke bedenkingen. Om te beginnen was hij aardig op weg om ooit voorzitter te worden van het Huis van Afgevaardigden, iets wat een persoonlijke ambitie van hem was. Ten tweede hadden zijn vrouw Amy Rule en hij afgesproken dat ze hun drie kinderen van negen, tien en elf jaar oud in Chicago zouden laten opgroeien, waar ze een prettig leven hadden opgebouwd. En een stafchef in het Witte Huis had helemaal geen leven, in Chicago noch in Washington.

Op de zaterdag voor de verkiezingen zei Obama tegen hem: 'Je moet het gewoon doen, Rahm.' Er was geen sprake meer van dat er nog iets te kiezen viel. 'Ik ga ervoor zorgen dat je het wel doet. Straks ben ik president van de Verenigde Staten. En ik zeg je dat je het moet doen.' Emanuel zag wel in dat dit een historisch moment was, dat het land in moeilijkheden verkeerde, en als stafchef van het Witte Huis kon hij in de juiste omstandigheden een soort plaatsvervangend president zijn. Obama en hij kwamen weliswaar allebei uit Chicago, maar ze kenden elkaar niet goed. Aan de ene kant was Emanuel nogal verbaasd dat hij zo'n cruciale taak kreeg aangeboden. Anderzijds bekende de om zijn neiging tot tieren bekend staande Emanuel tegenover medewerkers dat hij vooral werd gedreven door faalangst. Het leek wel of hij wist dat zijn hele carrière een gevaarlijk staaltje koorddansen was en dat hij nu gedwongen werd om dat koord nog hoger op te hangen, sneller te dansen en niet omlaag te kijken. Ondanks zijn bedenkingen zei hij uiteindelijk ja, en op donderdag 6 november werd zijn aanstelling bekendgemaakt[1], na de briefing van Obama door McConnell.

Tijdens de week van de presidentsverkiezingen zat generaal David H. Petraeus elf duizend kilometer van Washington vandaan, in Afghanistan en Pakistan. Misschien was die afstand wel symbolisch. De zesenvijftigjarige Petraeus deelde niet bepaald dat extatische gevoel van vernieuwing dat leefde onder Democraten en aanhangers van Obama, van wie er velen kritiek hadden uitgeoefend op de oorlog in Irak, onder wie niet in de laatste plaats de aanstaande president zelf.

Nog maar een paar maanden daarvoor had presidentskandidaat Obama Petraeus in Irak opgezocht.[2] Volgens Obama had hij tegen de generaal gezegd: 'Mocht mij de eer te beurt vallen opperbevelhebber te worden, dan wordt het mijn taak om naar het hele plaatje te kijken. Van u als bevelhebber van onze strijdkrachten in Irak verwacht ik dat u om alles zult vragen wat u nodig hebt en wat u verder nog ontbeert om ervoor te zorgen dat u slaagt. Dat bent u verplicht aan de troepen die onder uw bevel staan. En dan is het mijn taak, die in sommige opzichten nog lastiger is, om te kiezen. Omdat ik nu eenmaal niet over onbeperkte middelen beschik.'

Waar president Bush ja had gezegd tegen Petraeus, was Obama bereid nee te zeggen.

Inmiddels had Petraeus een zwaardere baan. Vlak voor de verkiezingen had hij het Centraal Commando overgenomen, waarmee hij bevelhebber werd over zowel de oorlog in Afghanistan als die in Irak.

In de loop van de twee voorafgaande jaren had Petraeus als bevelhebber in Irak leiding gegeven aan de inspanningen die tot een ommekeer hadden geleid in de oorlog, doordat het land aanzienlijk stabieler werd en het geweld enorm werd teruggedrongen. Het was het resultaat van de zogenaamde *surge*, de inzet van 30.000 extra manschappen en nieuwe, uiterst geheime operaties om opstandelingen op te sporen, op de korrel te nemen en te doden.

Petraeus had kans gezien bijna een compleet nieuwe invulling te geven aan het begrip oorlogvoering, door het nieuwe *Counterinsurgency Field Manuel* oftewel het veldhandboek verzetsbestrijding te schrijven en dat in Irak in praktijk te brengen.[3] In de eerste plaats was hij tot het inzicht gekomen dat de Verenigde Staten zich niet al moordend een weg door de oorlog konden banen. Ze moesten de bevolking beschermen, en voor zich zien te winnen door te midden van hen te wonen en hun veiligheid te bieden, waarin een stabiele en competente regering zou kunnen gedijen. Het nieuwe soort militair dat Petraeus voor ogen stond, moest een sociaal werker, een stadsplanner, een antropoloog en een psycholoog in zich verenigen.

Sinds generaal Dwight David Eisenhower na de overwinning in de Tweede Wereldoorlog was er misschien geen generaal in Amerika geweest die zo vrijwel alom in hoog aanzien stond als hij. Met zijn jonge uiterlijk en zijn bruine haar in een keurige scheiding kon Petraeus doorgaan voor iemand van vijfendertig. Hij had maar weinig hobby's, hij viste noch joeg of golfde. Wanneer hij hardliep, was dat 'lichamelijke oefening'. Hij deed zeveneneenhalve kilometer in ongeveer een half uur. Een gestaag tempo zorgde voor een goede stemming en hielp bij het slapen. 'Ik geef de voorkeur aan hardlopen boven een slaapmiddel,' had hij eens gezegd. Als hij een boek las, was het er vaak een over een beroemd generaal. Hij was gepromoveerd aan Princeton, waar hij zijn studie in de helft van de tijd, in krap twee jaar, had afgerond. Toen zijn vader van 92 in de zomer van 2008 overleed, was Petraeus niet aanwezig bij de begrafenis, maar bleef hij in Irak om toezicht te houden op de oorlog.[4]

Hij zag kans zelfs andere workaholics het schaamrood naar de kaken te jagen met zijn neiging dag en nacht zowel oog te houden op legeraangelegenheden als op zijn persoonlijke e-mail. De brug van sterrenschip de *Enterprise* stak povertjes af bij zijn nieuwe kantoor op de tweede verdieping van het CentCom-hoofdkwartier in Tampa in Florida. Het was er afgeladen met gewone en speciale, beveiligde telefoons, computers en talrijke schermen rond een schoon bureau dat opviel door zijn dwangmatige opgeruimdheid.

Toen Petraeus zes weken daarvoor het bevel in Irak had overgedragen, was minister van Defensie Robert Gates naar Bagdad gevlogen om in een verklaring te zeggen dat Petraeus leiding had gegeven aan iets wat aan een wonder grensde.

De avond voorafgaand aan de formele overdracht werd Petraeus getrakteerd op een erediner.[5] Eigenlijk deed het eerder denken aan een Oscaruitreiking, en het geheel werd afgerond met een film over zijn negentien maanden als bevelhebber, met de titel *Surge of Hope*.

'De duisternis heeft zich teruggetrokken,' zei Gates in zijn toespraak. 'Generaal Petraeus laat dit land ingrijpend veranderd achter.'[6]

Zes weken later, op 31 oktober, was de 1.75 meter lange, 70 kilo zware viersterrengeneraal net ingezworen als centraal bevelhebber, de commandant te velde die zowel aan de oorlog in Irak als die in Afghanistan leiding gaf. Zijn aanstelling was deels bedoeld als een verzekeringspolis die de regering-Bush had afgesloten in de hoop daarmee te voorkomen dat het leger zich hals over kop uit Irak zou terugtrekken.

Opnieuw verscheen Gates om Petraeus welkom te heten als 'de militairgeleerde-staatsman bij uitstek van zijn generatie'.[7]

De Irakezen noemden hem 'koning David'. Sommige stafleden hadden hem de bijnaam 'de legende van Irak' gegeven. Collega's van hem waren van mening dat Petraeus zo competitief was ingesteld dat hij het liefst een oorlog voerde waarin zijn kansen heel slecht lagen, en dan het liefst nog met beide handen op zijn rug gebonden, waardoor de uiteindelijke zege des te groter zou zijn. Petraeus had al heel wat onderscheidingen gekregen en zou bij de aanstaande Super Bowl de beroemdheid zijn die de munt mocht opgooien.[8]

Maar het kon weleens zo zijn dat Obamaland vijandelijk gebied was. Toen presidentskandidaat Obama in de zomer Irak bezocht, was het gesprek tussen hen tweeën niet al te best verlopen. Het ging dan ook om twee van de meest ambitieuze, gedreven mannen van hun tijd. Als onverbloemd felle tegenstander van de oorlog in Irak had Obama gezegd dat hij de troepen nog steeds wilde terugtrekken en dat hij Irak in de context moest plaatsen van alle andere dringende zorgen over de nationale veiligheid, waaronder Afghanistan.

Het presidentschap van Obama zou een ingrijpende verandering betekenen voor de positie van Petraeus. Tot president Bush had hij rechtstreeks toegang gehad, en zijn mentor, generaal buiten dienst Jack Keane, voormalig vicestafchef van de landmacht, had opmerkelijk goede contacten met zowel Bush als vicepresident Dick Cheney.

Maar Petraeus was begin november naar Afghanistan en Pakistan gegaan om de vergeten oorlog opnieuw onder de aandacht te brengen. 'Ik probeerde een signaal af te geven,' zei hij later. 'Door de plekken die je bezoekt en de zaken waaraan je je tijd besteedt, laat je zien wat het belangrijkst is.'

Hij was geen deskundige op het gebied van Afghanistan, maar vier jaar daarvoor was hij erheen geweest om in opdracht van minister van Defensie Donald Rumsfeld te beoordelen hoe het gesteld was met de opleiding van het Afghaanse leger en de politie. Petraeus had zich op de details gestort. Hij bestudeerde het rooster van de politie-opleiding voor een cursus van acht weken. Hij bleef er maar naar kijken. Er ontbrak iets. Algauw drong tot hem door dat er geen tijd was ingeruimd voor het schietterrein. Helemaal niet. Hij vroeg hoe dat zat.

Het antwoord luidde: 'Maar generaal, we hebben geen tijd om naar het schietterrein te gaan.'

Hij bekeek het rooster. 'Jullie hebben wel tijd om elke ochtend en middag een uur te marcheren.'

Ja.

Het deed allemaal eerder aan dagopvang denken dan aan een serieuze training, concludeerde Petraeus.

Op die reis in november zag hij met eigen ogen het gebrek aan manschappen, de problemen op het gebied van training en het ontbreken van enige structuur. Er was geen cel actief om opstandelingen over te halen naar de Amerikaanse en Afghaanse zijde over te lopen – wat een van de grondbeginselen was van de verzetsbestrijding. Waar het wat hem betreft op neerkwam, was dat als er niet meer troepen, meer geld en meer aandacht kwam, 'wij onze doelstellingen niet gaan halen'.

Petraeus zei tegen zijn naaste adjudanten dat Afghanistan anders zou worden dan Irak, waar hij het gezicht van de oorlog was geworden. 'Ik wil niet het gezicht van het beleid zijn,' zei hij tegen een adjudant. 'Ze gaan me niet opzadelen met de verantwoordelijkheid.' Later ontkende Petraeus dat hij dat ermee had bedoeld. Hij wilde alleen 'een goede soldaat' zijn, zoals hij het formuleerde, en zo min mogelijk in de openbaarheid treden.

Obama's campagneadviseurs bekeken zijn roem door een politieke bril. Een populaire oorlogsheld als Petraeus, die als Republikein stond geregistreerd, was altijd een potentiële presidentskandidaat.[9] Dat was vaker voorgekomen. Petraeus ontkende dat hij politieke ambities had.

Op maandag 10 november sprak Obama onder vier ogen met Bush, in het Oval Office.[10] Het ging vooral over de financiële crisis, maar Bush merkte ook op dat het lastig was het inlichtingenprobleem goed aan te pakken. Hij had op dat gebied al zo zijn fouten gemaakt. De verschillende diensten gingen niet altijd even netjes met elkaar om. Het was niet zo eenvoudig als het misschien leek, zei hij. Eindelijk draait het allemaal goed onder McConnell als DNI en luchtmachtgeneraal Michael Hayden als directeur van de CIA. Ze hebben allebei gezegd dat ze nog wel een jaar of zo wilden aanblijven. Hou die lui nog een tijdje aan, drong Bush er bij Obama op aan. Gooi ze nog niet overboord, om een beetje continuïteit te waarborgen. Dit werkt goed. Laat het met rust. Het zijn deskundige types.

Maar die deskundigen mochten dan aanspraak kunnen maken op geslaagde aanvallen met onbemande vliegtuigjes, mensen die vijandelijk gebied binnen drongen, en hun in realtime binnenkomende inlichtingen, maar ze moesten nog wel de grote prijs zien binnen te halen. McConnell en Hayden hadden een speciale cel ingericht met als opdracht Osama bin Laden en zijn rechterhand bij Al-Qaida, Ayman al-Zawahiri, te pakken te krijgen. President Bush had het laatste jaar van zijn ambtstermijn ingesteld als deadline voor deze taak. Op een bepaald niveau was het een grapje, maar op een ander niveau was het doodernstig. 'Ik wil hem te pakken krijgen,' had Bush gezegd.

Tijdens de geregelde donderdagochtendbriefings vroeg de president minstens eens in de veertien dagen: 'Hoe staat het met het vangen van de nummers een en twee?'

Het beste antwoord dat ze daarop konden geven was dat ze dag en nacht bezig waren met het probleem.

'Jullie hebben nog maar drie maanden te gaan,' zei Bush nu.

Later diezelfde tiende november verscheen Ed Henry op CNN met een verslag over de dag die de aanstaande president in Washington had doorgebracht: 'Zodra hij vanmiddag uit het Witte Huis was vertrokken, ging hij op weg naar Reagan National Airport. Terwijl zijn privéjet op hem stond te wachten, trok hij naar de brandweerkazerne op het vliegveld, alwaar hij een lange bijeenkomst had met een of meerdere mysterieuze personen – er wordt vanavond heel wat afgespeculeerd. Misschien had het iets te maken met eerstehulpdiensten, aangezien het gesprek plaatsvond in de brandweerkazerne. Of het was een bijeenkomst met een potentiële minister van Binnenlandse Veiligheid. Maar ik heb vanavond gemaild met de adviseurs van Obama. Ze houden allemaal hun kaken op elkaar, omdat ze het er niet over mogen hebben, zeggen ze.'[11]

De mysterieuze persoon was minister van Defensie Robert Gates, die twee jaar daarvoor door president Bush het Pentagon was binnengehaald om de oorlog in Irak te redden. De vijfenzestigjarige Gates kende Washington, het Witte Huis, de spionagewereld en de oorlog, en hij wist wat overleven was. Geen mens had ooit zoveel sleutelposten bekleed binnen de CIA en het Witte Huis. Deze beroeps-CIA-man was nooit betrokken geweest bij geheime operaties, maar had er, met zijn doctorstitel in de Russische geschiedenis, als analist gewerkt. Deze systematische, gedreven man had van 1974 tot 1979 in de staf gezeten van de Nationale Veiligheidsraad, en na de verkiezing van Ronald Reagan werd hij de hoogste sovjetanalist van de CIA, uitvoerend assistent van CIA-directeur William J. Casey en later Casey's hoogste plaatsvervanger.

In 1987 droeg Reagan Gates voor als directeur van de CIA, maar Gates trok zich terug toen er te veel vragen rezen over de Iran-Contra-affaire en zijn betrekkingen met Casey. Uit zijn memoires uit 1996, *From the Shadows*, kwam duidelijk naar voren dat hij wist wat het was om publiekelijk vernederd te worden, want hij schreef dat hij 'in verlegenheid' was gebracht en zich had gevoeld 'als een lepraleider met wie mensen wel meevoelen maar bij wie ze toch liever niet te dicht in de buurt komen'.[12] Toen George H. W. Bush in 1989 president werd, werd Gates plaatsvervangend adviseur nationale veiligheid, voordat Bush hem voordroeg als directeur van de CIA. Ditmaal werd hij bevestigd, waarna hij van 1991 tot 1993 deze topfunctie bekleedde.

Waarschijnlijk was er geen mens die zo goed de kunst verstond om zich in te houden tijdens vergaderingen, persconferenties en getuigenissen in het Congres, als Gates. Zijn ontwapenende kalmte sprak Obama bijzonder aan, omdat hij Gates als iemand beschouwde die in staat was zijn ego onder controle te houden, en iemand die tegelijkertijd bescheiden overkwam maar toch krachtig was. Obama had Podesta gevraagd een geheim gesprek onder vier ogen te regelen.

Er was iets voor te zeggen om Gates in het Pentagon te houden, zei de aanstaande president. Het kon van essentieel belang zijn om in een oorlog de continuïteit te bewaren. Als de Amerikaanse troepen zich terugtrokken uit Irak, kon het bovendien handig zijn als er in het Pentagon iemand zat die toezicht had gehouden op de stabilisatie en het terugdringen van het geweld aldaar.

Podesta had andere namen in zijn hoofd, en hij had zijn twijfels of de post wel moest worden gegeven aan een door Bush aangestelde Republikein. Voor zover hij wist, was er verder ook niemand bij het overgangsteam die vond dat Gates moest blijven.

Wees zo vriendelijk die bijeenkomst te regelen, zei Obama. Hij wilde er geen publieke toestand van maken waarmee de verwachtingen en de belangen alleen maar nog verder zouden worden opgeschroefd, voor het geval Gates er de voorkeur aan gaf niet aan te blijven of als het uiteindelijk toch nog op niets uitdraaide.

Podesta besefte dat Obama's besluit kennelijk al vaststond.

Obama zei tegen adviseurs dat Gates volgens hem een hele verademing was na die arrogante, angst-en-haat-aanpak van de voormalige minister van Defensie, Donald Rumsfeld. Gates lag goed bij het Congres, en de indruk bestond dat hij de autocratie van Rumsfeld aan het ontmantelen was. Alles wees erop dat dit een fatsoenlijke kerel was.

Gates was zich ervan bewust dat erover werd gespeculeerd of Obama hem zou vragen aan te blijven. Publiekelijk was zijn opstelling dat hij zijn vrouw Becky had beloofd dat ze zouden teruggaan naar de staat Washington, waar ze een huis hadden.

Hij liep echter wel rond met een persoonlijk geheim dat weleens een belangrijke reden kon zijn waarom hij zich bereid zou verklaren aan te blijven als minister, in aanmerking genomen wat hij eens tegen een van zijn naaste medewerkers en adviseurs had gezegd. Het geheim had niets te maken met de strategieën die in de oorlogen werden gevolgd, en evenmin betrof het geheime informatie over militaire operaties of capaciteiten, of een stukje informatie waar de wereld mee op zijn kop kon worden gezet.

In de media was uitgebreid aandacht besteed aan het feit dat Gates agressieve, persoonlijke campagnes had gelanceerd om de troepen te velde te hulp te schieten met pantservoertuigen, geavanceerde apparatuur om inlichtingen mee te verzamelen en vrijwel al het andere waarmee zij maar beschermd konden worden. Als hij het probleem in het openbaar ter sprake bracht, gaf hij de schuld aan de 'institutionele basis' en de 'bureaucratische structuur' van het Pentagon.[13]

Waarover niets in de media was verschenen, was dat hij besefte dat het niet alleen aan de structuur lag, maar ook aan de mensen. Binnen het Pentagon concentreerden de geüniformeerde militairen, de generaals, admiraals, kolonels en de duizenden andere officieren en burgers, zich vooral op het plannen maken en het uitrusten van de strijdkrachten voor toekomstige oorlogen in plaats van de oorlogen waarin ze op dat moment verwikkeld waren – die in Irak en Afghanistan – zo effectief mogelijk te voeren. Er zaten volgens Gates te weinig officieren bij de verenigde staf of de diverse diensten die zich dag in, dag uit inzetten om degenen die de oorlog uitvochten te helpen levend thuis te komen.

Veel eindeloze vergaderingen, schema's en heftige discussies in het Pentagon leken over een theoretische oorlog te gaan die in het verre verschiet lag. Al die officieren waren bezig met het ontwerpen en kopen van nieuwe schepen, straaljagers, tanks, radars, raketten en de nieuwste hightechsnufjes voor hun moderniseringsprogramma's. Die maakten zich op voor de oorlogen van 2015 of 2020, terwijl ze de oorlogen van 2008 negeerden.

Aanvankelijk kon Gates het eenvoudig niet geloven. 'Hij was geschokt,' zei een van zijn naaste adviseurs in het Pentagon. 'Wij hebben erover geklaagd dat de regering niet op de oorlog is ingesteld, maar we zijn zelf niet op de oorlog ingesteld.' Het was net of ze vrijwel allemaal een rol speelden in een akelige parodie op een stel hoge officieren die zich misdragen.

Deze assistent ging zelfs zover dat hij zei: 'Dat is de enige reden waarom hij is aangebleven.'

Toen Gates in december 2006 Rumsfeld was opgevolgd, was een van de grootste problemen waar ze mee zaten de geïmproviseerde explosieven of bermbommen die in Irak tientallen Amerikanen per maand het leven kostten.

Gates las een van diverse artikelen in USA *Today* over het zogenaamde MRAP-voertuig (Mine Resistant Ambush Protected).[14] Deze MRAP's waren voorzien van een passagierscompartiment hoog boven de grond, een V-vormige romp en een zware pantsering om een ontploffing af te wenden van de militairen in het voertuig. De technologie bestond al. De Zuid-Afrikanen hadden ze gebruikt, en bij de Mariniers werd ermee geëxperimenteerd.

'Waarom kopen wij die dingen eigenlijk niet?' vroeg hij aan de hoogste legerleiders.

De MRAP's waren duur, ze kostten bijna een miljoen dollar per stuk. Een omvangrijke aanschaf zou in de miljarden lopen, legde de legerleiding uit.

Ze waren bang dat fondsen voor de MRAP's aan hun eigen programma's zouden worden onttrokken, ten koste zouden gaan van de lievelingen van de marine, de landmacht, het korps mariniers of de luchtmacht: het F-22 stealthjachtvliegtuig, het nieuwste schip van de marine, of de uitheemse onbemande voertuigen van de landmacht voor de zogenaamde Future Combat Systems. Ze klonken alsof de twee oorlogen die nu speelden een soort voorbijgaande afleiding waren, en dat hun lievelingsprojecten voor gingen.

De hoge omes voerden ook aan dat de MRAP maar beperkt toepasbaar was. Het waren transportvoertuigen om troepen van het ene naar het andere punt te verplaatsen. Het leger had gevechtsvoertuigen nodig. MRAP's zouden geen deel uitmaken van een langetermijnarsenaal. Een grote deel van de aankoop zou uiteindelijk bij de legerdump belanden.

'Als iemand van u denkt dat die bermbommen zullen verdwijnen, dan is die getikt,' zei Gates tegen hen. 'Volgens mij is dit de nieuwe dreiging waar wij mee te maken hebben, en dat zal voor deze generatie nog wel zo blijven.' En wat die zorgen over de dump betreft: het leger had na een omvangrijke, lange oorlog altijd spullen over. Dat was nu eenmaal de prijs die je voor de overwinning betaalde, zei hij.

De geüniformeerden in het Pentagon snapten het eenvoudig niet. Geen

mens die de bal oppakte en ermee vandoor ging. Uit irritatie over het gebrek aan respons nam Gates het op zich de kwestie dan maar zelf ter hand
te nemen.

Een van zijn eerste acties was om officieel te verklaren dat het een prioriteit van nationaal belang was om het pantserstaal aan te kopen dat nodig was voor de productie van de MRAP's.[15] Daarmee waren private onder-
nemers wettelijk verplicht dat staal aan de strijdkrachten te verkopen
voor het aan andere klanten werd aangeboden. Gates gaf het Pentagon
opdracht het pantserstaal aan te kopen, nog voordat was besloten welk
bedrijf de MRAP's zou gaan produceren.

In plaats van het geld aan de budgetten van de diverse legerafdelingen
te onttrekken, vroeg Gates het Congres om ruim twintig miljard dollar
voor omstreeks de zestienduizend MRAP's. Het Congres gaf zonder om-
haal zijn toestemming. Zo machtig was de minister van Defensie als het
erop aankwam de troepen te beschermen. Gates gaf opdracht vanaf mei
2007 de productie met verhoogde snelheid in gang te zetten.[16]

Gates had lang genoeg in de regering gezeten om er niet van op te kijken
als zo'n regering faalde. Je hoefde er ook geen voormalig directeur van de
CIA voor te zijn om te beseffen wat de kracht was van bewaking vanuit de
lucht, iets wat bekendstond als ISR (Intelligence, Surveillance and Reconnaissance; inlichtingen, bewaking en verkenning). Van bevelhebbers en
manschappen in Afghanistan en Irak had Gates te horen gekregen dat de
Predators een ware doorbraak waren, doordat ze het leger in staat stelden
te zien waar de dodelijke bermbommen werden geplaatst, en om berm-
bomnetwerken op te sporen. Dit waren zogenaamde find-, fix- en finish-
operaties – om de doelen op te sporen, hun locatie te bevestigen en die
vervolgens vanaf de grond of uit de lucht aan te vallen. Toch bevond zich
maar 25 procent van de verkenningsvliegtuigen van het leger in de oorlogsgebieden. Slechts 36 onbemande Predatorvliegtuigen waren voor beide oorlogen aan het Centraal Commando toegewezen. De meeste daarvan waren in Irak.

Gates zette een speciale eenheid op en ontdekte dat het een reusachtige
opgave was de strijdkrachten over te halen hun goedkeuring te hechten
aan het opvoeren van het aantal Predators in Afghanistan. Hij moest zeer
veel druk uitoefenen om gedaan te krijgen dat er extra luchtverkenning
kwam met tweemotorige Beechcraft-propellervliegtuigen. Legerpiloten
vlogen liever in een snel straalvliegtuig in plaats van dat ze twaalf uur lang

in laag tempo boven Afghanistan moesten rondcirkelen. Dus gaf Gates opdracht tot enige wijzigingen, en algauw werden drie continu draaiende installaties geopend waar de vliegtuigen van sensorpakketten werden voorzien.

Voordat hij minister werd, was Gates vier jaar lang hoofd geweest van de Texas A&M University. Hij was dol op 'Aggieland' en bouwde al snel een diepe emotionele band op met de universiteit die meer officieren aflevert dan enige andere universiteit, de specifieke legeracademies niet meegerekend. Als minister besefte Gates dat er in de loop van de tijd gevallen waren geweest waarin hij niet alleen de bul van een afgestudeerde student had ondertekend, maar ook het bevel om hem de oorlog in te sturen en de condoleancebrief aan zijn ouders.

Die middag van de tiende november haalden de brandweerlieden hun wagens uit de kazerne op Reagan National Airport, zodat de auto's van Obama en Gates naar binnen konden.

Gates was achttien jaar ouder dan de aanstaande president. Hij was beheerst en kalm. Niets aan hem maakte een gehaaste indruk, maar daarachter ging een fors ego schuil en een overweldigend vertrouwen in zijn eigen oordeelkundigheid. Daarnaast was Gates ook niet geheel verschoond van enige eigendunk.

Obama zei tegen me dat hij in zijn tijd in de Senaat de indruk had gekregen dat Gates 'een nuchtere, heldere kijk had op de nationale belangen van Amerika, er niet in geïnteresseerd was om op het publiek te spelen, bereid was het op te nemen tegen de bureaucratie in het Pentagon, maar diezelfde bureaucratie ook zou verdedigen als dat nodig was'.[7]

De twee onverstoorbare heren konden het meteen uitstekend met elkaar vinden. Obama kwam snel ter zake. Hij zat er absoluut niet op te wachten iemand op sleeptouw te nemen die de post helemaal niet wilde. Al enige maanden had Obama in het geheim samengewerkt met Senator Jack Reed, een Democraat van Rhode Island, als tussenpersoon tussen hem en Gates, om de mogelijkheid te onderzoeken. Gates had al voor zeven presidenten gewerkt. Dus vroeg Obama hem uit naam van de continuïteit en de behoefte ook bij de andere partij steun te verwerven voor zijn regering, of hij wilde aanblijven als minister in zijn nieuwe regering.

Later haalde Obama het gesprek met Gates nog eens voor me op:[18] 'Ik zei tegen hem dat we in twee oorlogen verwikkeld waren. En dat ik vond dat hij als minister van Defensie uitstekend werk had verricht.' Hij zei dat hij Gates' inspanningen om de Amerikaanse gevechtsmissie in Irak terug te schroeven 'verstandig' had gevonden. 'En dat het van mijn standpunt uit bezien geen goed idee was om van minister van Defensie te wisselen. Ik dacht dat hij een belangrijk onderdeel van mijn team zou worden en ik wilde dat hij bleef.'

Volgens Obama gaf Gates ten antwoord: 'Ik neem uw verlangen om voort te bouwen op de vooruitgang die we inmiddels in Irak hebben geboekt uiterst serieus. Ik deel uw bezorgdheid over de ontwikkelingen in Afghanistan. En ik ben bereid aan te blijven en met u samen te werken, maar ik moet wel met mijn vrouw praten.'

Obama zei later dat hij blij was Gates te horen zeggen dat hij met zijn vrouw moest overleggen, want als hij dat niet had gedaan, had hij geweten 'dat het niet echt ja is'.

Gates zei ook dat hij het met Obama eens was dat er nog minstens twee gevechtsbrigades in Afghanistan moesten worden ingezet.

Afghanistan zou de nieuwe prioriteit worden, zei Obama, zoals hij in zijn campagne had beloofd.

Gates zei dat hij niet inzag hoe hij kon weigeren, in aanmerking genomen dat geüniformeerde militairen vaak drie, vier of zelfs meer keren naar de oorlogsgebieden werden uitgezonden. Het was zijn plicht.

Obama antwoordde dat het hem niet verbaasde dat Gates er zo tegen aankeek.

Er moest wel ergens een punt in de niet nader gespecificeerde toekomst zijn, zei Gates, dat hij zou vertrekken.

Ze schudden elkaar de hand.

Bij een latere persconferentie merkte Gates op hoe uniek dit allemaal was. Hij zei trots: 'Sinds de post van minister van Defensie zo'n zestig jaar terug werd gecreëerd, is nog nooit een minister van Defensie gevraagd aan te blijven onder een nieuwe president, zelfs niet als de president van dezelfde partij was.'[19]

3

Op woensdag 12 november vertrok CIA-directeur Mike Hayden naar New York om met de Pakistaanse president Asif Ali Zardari te spreken over aanvallen met onbemande Predators binnen Pakistan.

De drieënzestigjarige luchtmachtgeneraal Hayden was van 1999 tot 2005 directeur van de NSA geweest. Hij droeg een randloze bril, die zijn gebogen wenkbrauwen en kale hoofd benadrukte. Als directeur van de CIA had hij enige bedenkingen bij zulke aanvallen met onbemande vliegtuigen. Sinds juli, toen president Bush het programma had opgevoerd, hadden er twintig plaatsgevonden op terroristenkampen in Pakistan.

Het doden van hoge leiders van Al-Qaida met behulp van onbemande vliegtuigjes had een verlammend effect op het vermogen van het terreurnetwerk om plannen te maken, zaken voor te bereiden en mensen te trainen. Dat was in het kader van de terrorismebestrijding een groot voordeel.

Al die aanvallen waren echter stuk voor stuk tactisch, en lieten de totale situatie onverlet. Als luchtmachtofficier besefte Hayden dat er alleen een strategische overwinning – als Al-Qaida verslagen was – te behalen viel als Amerika kans zag de feiten die ter plekke golden te veranderen. Anders zouden de Verenigde Staten tot in lengte van dagen doorgaan met hier en daar aanvallen uitvoeren met onbemande vliegtuigjes. De belangrijkste les uit de Tweede Wereldoorlog en Vietnam was dat je met luchtaanvallen en zelfs met grote bombardementen geen oorlog wint.

Hayden en plaatsvervangend directeur van de CIA Steve Kappes werden naar de presidentiële suite in het InterContinental Barclay Hotel gebracht, waar Zardari op hen zat te wachten met de Pakistaanse ambassadeur in de Verenigde Staten, Hussain Haqqani.

In de Pakistaanse pers waren de Verenigde Staten fors aangepakt vanwege de burgerslachtoffers die bij aanvallen met onbemande vliegtuigjes waren gevallen. Maar die onbedoelde slachtoffers onder Pakistaanse burgers waren maar de helft van het verhaal.

Vijf dagen daarvoor waren er in het trainingskamp Kam Sham in het stamgebied Noord-Waziristan veel westerlingen omgekomen, onder wie mensen met een Amerikaans paspoort, vertelde Hayden de Pakistaanse president. De CIA kon alleen niet de details noemen, vanwege zekere implicaties die verband hielden met de Amerikaanse wet.

Een uiterst geheime CIA-kaart met details van de aanval werd de Pakistanen ter hand gesteld. Wat erop ontbrak, was het verontrustende gegeven van de Amerikaanse doden. Was Al-Qaida soms een vijfde colonne aan het opbouwen met Amerikaanse burgers die geen visum nodig hadden om langs immigratie en douane te komen?

De CIA gaf geen nadere details.

Hoe kiest u uw doelen? vroeg de Pakistaanse ambassadeur aan Hayden.

De CIA gaat met de grootste zorgvuldigheid te werk, zei Hayden. Dit jaar alleen al waren zeven van de hoogste twintig Al-Qaidaleiders gedood. Al-Qaida had de grootste moeite die leiders te vervangen.

Na een conversatie van een uur volgde een gesprek onder vier ogen tussen de Pakistaanse president en Hayden. Zardari wilde de controverse over de burgerslachtoffers die bij de aanvallen met onbemande vliegtuigjes waren gevallen uit de wereld helpen. Hij was nog maar sinds september president en kon zich wel een paar punten teruggang in populariteit veroorloven. Onschuldige slachtoffers waren nu eenmaal de prijs die je betaalt als je zaken doet tegen hoge Al-Qaidaleiders.

'Dood de leiders nou maar,' zei Zardari. 'Jullie Amerikanen maken je altijd zorgen om de bijkomende schade. Ik zit er niet mee.'

Zardari had de CIA zo-even een belangrijk groen licht gegeven. Hayden stelde de steun op prijs, maar hij besefte ook dat ze daarmee niet zouden bereiken dat Al-Qaida werd uitgeschakeld.

In een van hun lange gesprekken sneed Obama de kwestie-Hillary aan bij David Axelrod, zijn hoogste politieke medewerker en naaste adviseur. De drieënvijftigjarige Axelrod was een voormalig verslaggever bij de *Chicago Tribune* die campagneadviseur was geworden en Obama had omarmd met de bevlogenheid van een bekeerling. Wanneer Axelrod zichzelf hoog hoorde opgeven over Obama, voelde hij zich altijd een beetje stom, omdat hij nogal als een onnozele heikneuter klonk. Maar 'Axe' was evengoed net zo'n keiharde als andere strategen bij de Democratische Partij. In het tijdschrift *Chicago* uit 1987 werd zijn agressieve aanpak aardig neergezet met de titel boven een artikel: 'De huurmoordenaar'.[1]

Axelrod zette zich schrap. Hillary Clinton was tijdens de langdurige Democratische voorverkiezingen de schrik van hun campagne geweest. Hun rivaliteit was uitgegroeid tot een diepgewortelde achterdocht.

'Voordat dit begon, waren Hillary en ik bevriend,' zei Obama. 'En nu hebben we zo'n scheldcampagne achter de rug. Maar ze is slim, weet je, en we moeten eigenlijk iets met haar kunnen doen.' Ze deed haar huiswerk, was zichtbaar, vocht keihard. Ze was meedogenloos. Ze zou geknipt zijn voor rechter bij het Hooggerechtshof.

'Maar hoe kun je Hillary nu vertrouwen?' vroeg Axelrod. Misschien was Obama geen wraakzuchtig type en kon hij zich goed over krenkingen heen zetten. Maar er waren onderweg een paar ellendige, nare momenten geweest, zoals Clinton die Obama ervan beschuldigde dat hij niet de waarheid sprak. Na een verkiezingsbijeenkomst in Ohio in februari dat jaar, was ze tegen hem uitgevaren met een zinnetje dat nog steeds pijn deed: 'Schaam je, Barack Obama.'[2]

'Toch heb ik stellig het idee,' zei Obama, 'dat ik haar aardig goed ken. Als zij eenmaal in het team zit, is ze loyaal.'

Hillary Clinton was tenslotte ook achter haar man blijven staan in de tijd dat het Monica Lewinsky-schandaal speelde, ruim een decennium daarvoor, en Obama was diep onder de indruk van haar veerkracht.

Bij het doornemen van de lijst kandidaten voor het ministerschap van Buitenlandse Zaken, besefte Obama dat hij iemand nodig had met voldoende kaliber om te worden aangezien voor een belangrijk speler op het wereldtoneel. Neem nou Hillary Clinton. Wat zou dat betekenen? Zou ze ja zeggen? Wat ging er in haar om?

Nou, hem nam ze in elk geval niet in vertrouwen, zei Axelrod.

Obama besloot het uit te zoeken. John Podesta gaf aan Clintons staf door dat Obama de mogelijkheid wilde bespreken dat zij minister van Buitenlandse Zaken zou worden. 'Denk er maar eens goed over na,' zei

Podesta tegen Clintons staf. 'Bespreek het met haar. Dit is serieus bedoeld.'

Clinton nam aan dat Obama eenvoudig geen andere keus had dan met haar te overleggen. Ze had in de voorverkiezingen achttien miljoen stemmen binnengehaald, en die kiezers zouden weleens ontstemd kunnen zijn als hij haar niet op zijn minst ergens voor in overweging nam. Hij had al net gedaan of hij haar overwoog als vicepresident, en nu zou hij net doen of hij aan Buitenlandse Zaken dacht. Wat haar betreft was het doodgewoon onderdeel van die misselijke politieke toneelspelerij.

Op 13 november vloog ze naar Chicago. 'Privézaken,' beweerde een woordvoerder, toen de verzamelde pers haar zwarte SUV met achter het stuur iemand van de geheime dienst de parkeergarage in en uit zag rijden bij het overgangskantoor van Obama.[3]

Obama liet duidelijk blijken dat hij het serieus meende. Hij wilde echt dat ze zijn minister van Buitenlandse Zaken werd.

Clinton keerde terug naar Washington en sprak met Podesta. Wow, hij meent het echt, zei ze. Ze was verbluft, en toch was ze er niet helemaal van overtuigd dat de post wel geschikt was voor haar.

Podesta sprak haar bemoedigend toe. Geen mens die dat werk zo goed kan doen als u, zei hij. En denk even aan de alternatieven. Rondhangen in de Senaat? Daar draaide het allemaal om anciënniteit en lagen geen kansen op het leiderschap voor haar open. 'Bush heeft een teringzooi gemaakt van de wereld,' zei Podesta, 'en van Amerika's positie op de wereld, en het wordt heel lastig om ons daar nog een weg uit te graven.' Geen mens die aan haar kon tippen wat invloed en zichtbaarheid aangaat. Het was een reusachtige klus, zei Podesta, en zij zou het reusachtig goed doen.

Daar bracht Clinton niets tegen in, maar het betekende wel dat ze haar onafhankelijkheid in de Senaat moest opgeven. Hoe zou de verhouding liggen als ze voor Obama werkte? Ze wist hoe het toeging in het Witte Huis. Als een president de touwtjes in handen wilde hebben, dan had hij de touwtjes in handen of hij gebruikte zijn staf – of zelfs zijn vrouw – om dat voor elkaar te krijgen. Het was niet bepaald zo dat er een enorm vertrouwen heerste tussen haar kamp en het zijne. Straks zou nog blijken dat ze het moeilijk, zo niet compleet onwerkbaar vond. 'Zal ik echt de kans krijgen om het werk te doen?' vroeg ze.

Podesta zei dat hij vast wel de garantie van Obama kon krijgen dat ze haar eigen plaatsvervangers en staf kon kiezen.

Daarna kwamen de verschillende 'Bill'-problemen aan bod. Haar echtgenoot de ex-president was zeer zichtbaar bezig op het wereldtoneel. Hoe zat het met de mensen die reusachtige bedragen doneerden voor zijn presidentiële bibliotheek, zijn stichting en zijn Clinton Global Initiative? De overgangsjuristen van Obama hadden gezegd dat die allemaal geen buitenlands geld mochten aannemen als Hillary minister van Buitenlandse Zaken werd.

Die Bill-kwesties waren een enorm struikelblok, zei ze, en lachend voegde ze eraan toe dat ze niet van plan was Bill voor vier of acht jaar in een grot te huisvesten.

'Ik ga niet tegen hem zeggen dat hij in 26 landen activiteiten moet staken waarmee mensenlevens worden gered,' zei Clinton. Alleen maar omdat iemand misschien dacht dat dat geen goede indruk maakte? Mensen zouden sterven als zijn liefdadigheidsfondsen over de kop gingen. 'Het is het niet waard,' zei ze. Haar man had gezegd dat hij alles zou doen wat nodig was. 'Ik ga echt niet tegen hem zeggen dat hij dit moet doen. Dus of we bedenken een manier waarop dat werk kan doorgaan, of ik zeg nee.'

Podesta sprak met ex-president Clinton. 'Ik kan maar één argument aanvoeren,' zei Podesta. 'Niemand kan het beter. Het is heel belangrijk voor het land dat zij het doet.'

Ach, schei toch uit, zei de ex-president. Sinds de campagne was zijn eigen relatie met Obama nog steeds gespannen, om het voorzichtig uit te drukken. Hij was diep beledigd dat critici zijn opmerkingen over Obama racistisch hadden genoemd.[4] Sommige politieke vetes, en met name het soort dat voortkomt uit de broeikas die een presidentiële campagne nu eenmaal is, worden nooit bijgelegd.

'We vinden wel een oplossing,' zei Podesta. 'Het zal wat ongemakken met zich meebrengen, maar dat is het waard.' Tot zijn vreugde vernam Podesta dat de achtentwintigjarige dochter van de Clintons, Chelsea, wilde dat haar moeder ja zei.

'Laten we maar een oplossing zoeken,' zei Bill Clinton. Woensdag 19 november trad de ex-president naar buiten met de opmerking: 'Ik zal alles doen wat zij willen.'[5] Hij stemde erin toe de namen van tweehonderdduizend donateurs aan zijn bibliotheek en zijn stichting bekend te maken. Eerdere donateurs werden oogluikend toegestaan, wat inhield dat er geen geld hoefde te worden teruggestort.

Aanstaand vicepresident Joseph R. Biden ging zich bemoeien met het bewerken van Bill Clinton, en samen spraken Biden en Rahm Emanuel met Hillary.

Halverwege de week besloot ze het niet te doen.

'Dit wordt niets,' zei ze tegen Podesta. Ze was een Clinton en geen volgeling van Obama. Het was een kwestie van het bewaren van haar identiteit. Ze had zichzelf al die jaren ondergedompeld in het bestaan als gouverneursvrouw in Arkansas, en vervolgens acht jaar lang als first lady, en die rollen hadden haar volledig in beslag genomen. Dat wilde ze niet meer. 'Het wordt te gecompliceerd, laat maar zitten.'

Een formele verklaring werd opgesteld waarin Clinton werd bedankt en tegelijkertijd haar beslissing werd meegedeeld om het aanbod af te wijzen. Er werd een tijdstip gekozen voor een telefoongesprek zodat ze het Obama rechtstreeks kon vertellen, maar Podesta regelde het zo dat de twee elkaar die avond niet aan de lijn kregen. 'Laat ze er maar een nachtje over slapen,' zei hij. Podesta wist dat de heftigste gesprekken in huize Clinton plaatsvonden, tussen Hillary, Bill en Chelsea.

De volgende ochtend vroeg sprak Podesta haar weer.

'Vind je echt dat ik het moet doen?' vroeg ze.

Absoluut, zei hij. Zonder enige twijfel. En dat vond iedereen, in de allereerste plaats de aanstaande president. Ze kon haar eigen mensen uitkiezen en zou rechtstreeks toegang hebben tot de president – in plaats van via zijn nationale veiligheidsadviseur.

Podesta zag dat haar stevige 'nee' was veranderd in een 'misschien', of zelfs in een voorzichtig 'ja'.

Maar nog geen onverdeeld ja, gaf Podesta aan Obama door.

Gedurende deze hele hofmakerij had Clinton gemaild en gebeld met Mark Penn, de opiniepeiler en belangrijkste strateeg bij haar mislukte gooi naar het presidentschap.[6] De verfomfaaide opiniegoeroe die tijdens de tweede ambtstermijn van Bill Clinton als adviseur van buitenaf bij vrijwel elke officiële mededeling over beleidsbeslissingen vanuit het Witte Huis de touwtjes in handen had gehad, vond dat ze ja moest zeggen.

Penn somde een vijftal redenen op. Zo liet ze zien dat ze sportief genoeg was om geen wrok te koesteren – terwijl wrokkigheid een karaktertrek was die vaak aan de Clintons werd toegeschreven. Als minister van Buitenlandse Zaken kreeg ze de kans haar sporen te verdienen op het gebied van buitenlands beleid en nationale veiligheid, een voorliefde die tijdens haar campagne aan het licht was gekomen. Als ze Obama's aanbod accepteerde, zou ze terugkeren onder de paraplu van de Democratische

Partij, waar Bill en zij er vaak van waren verdacht dat ze de belangen van de Clintons op de eerste plaats stelden. Daar kwam nog bij dat ze bij de Senaat niet meer zo met open armen op haar stonden te wachten, en tijdens de race om het presidentschap hadden de leiders binnen de Senaat zich tegen haar gekeerd. Wat ze in de toekomst ook ging doen, met de hoogste post in het kabinet zou ze een ongeëvenaarde staat van dienst opbouwen bij het regeringsapparaat. Bovendien geloofde Penn dat de mensen in het land, en met name Democraten, haar en Obama graag samen in een team wilden zien. Het was zelfs mogelijk dat de positieve houding van de pers tegenover Obama op haar zou afstralen. Als minister zou ze voortdurend in de publieke belangstelling staan, en met deze post kon ze voor eens en altijd bewijzen dat ze onafhankelijk was van haar man.

Voor Penn was de definitie van diplomatie dat je iemand iets kon laten doen wat hij niet wilde doen, zonder op hem te schieten – een vaardigheid waarover zij beschikte.

Nu de langgerekte emotionele uitputtingsslag van de campagne erop zat, moest ze die enorme energie van haar aan iets andere besteden, zei hij.

Penn hield altijd het oog gericht op de grote prijs: het Witte Huis. Als ze de post vier jaar bekleedde, zat Obama straks misschien in de problemen en zou hij Biden moeten laten vallen en haar aanwijzen om zich verkiesbaar te stellen als zijn vicepresident. Ze had Obama bijna verslagen en bij de voorverkiezingen een aanzienlijke voorsprong opgebouwd onder vier belangrijke groepen kiezers, namelijk vrouwen, Latino's, arbeiders en bejaarden, stuk voor stuk groepen die Obama in 2012 nodig zou hebben. Dan was het misschien wel pure noodzaak haar erbij te zetten op het stembriefje.

En wat 2016 aanging, zei Penn, als ze acht jaar minister van Buitenlandse Zaken was, zou ze geen betere uitgangspositie kunnen hebben om zich opnieuw kandidaat te stellen voor het presidentschap. Dan was ze nog maar 69, dezelfde leeftijd die Reagan had toen hij het ambt aanvaardde. En statistisch gezien leefden vrouwen langer en bleven ze langer gezond bij het ouder werden.

Bovendien paste het bij de stijl van de Clintons. Hun familiemotto luidde niet voor niets: 'Wij blijven gewoon doorgaan.' Zeg nou ja, drong Penn aan. Je doet nog steeds mee, bedoelde hij in feite. Het is 'een doodsimpele beslissing die je in vijf minuten neemt'.

Later zei Clinton dat die politieke overwegingen geen rol hadden gespeeld bij haar besluit.

Toen Obama Clinton persoonlijk belde, haalde hij alles uit de kast.

Hij zei dat hij wilde dat ze ja zei. Dit is een buitengewoon gewichtig moment in onze geschiedenis, zei hij, en jij zou de macht hebben om diplomatie te bedrijven en je als belangrijk speler te profileren. Het was een mooiere en zinvollere kans dan terugkeren naar de Senaat, zei de voormalige Senator uit Illinois. Voor hem was het nodig dat ze dit deed.

Het was de stem van een president die heel veel vroeg. Die had ze al vele malen gehoord. Ze zei ja.

Enige dagen na de verkiezingen kreeg admiraal Michael Mullen een belangrijk telefoontje dat wellicht een bevestiging was van de invloed die hij op de volgende regering hoopte te krijgen. De aanstaande president wilde in Chicago een gesprek onder vier ogen met Mullen, die voorzitter was van de verenigde chefs van staven.

In theorie is de voorzitter dan misschien de militair met de hoogste rang, maar in werkelijkheid is hij eerder een soort zesde vinger in de militaire hiërarchie. Wettelijk gezien is hij de belangrijkste militaire adviseur van de president, de minister van Defensie en de Nationale Veiligheidsraad, maar hij zit niet in de buitengewoon belangrijke bevelslijn. De macht om bevelen te geven en oorlogen te sturen liep van de president als opperbevelhebber naar de minister van Defensie en vandaar naar bevelhebbers te velde zoals generaal David Petraeus van CentCom. Mullen had niet werkelijk iets te zeggen over de strijdkrachten te velde.

Zijn voorgangers als voorzitter, luchtmachtgeneraal Richard B. Meyers en generaal van het korps mariniers Peter Pace, waren tot op grote hoogte van geen enkel belang geweest, omdat minister van Defensie Rumsfeld zo overduidelijk de dienst uitmaakte in het Pentagon.

De tweeënzestigjarige Mullen was min of meer per ongeluk voorzitter geworden. Hij was in 2007 hoofd marine-operaties, toen Gates van het ene op het andere moment besloot dat Pace niet voldoende stemmen in de Senaat had om te worden herkozen.

Obama's uitnodiging bood Mullen, die halverwege zijn ambtsperiode van twee jaar was, de kans weer echt mee te doen, het aanzien van het voorzitterschap te herstellen, en een persoonlijke relatie met de nieuwe president op te bouwen. Het grote voorbeeld was Colin Powell, de landmachtgeneraal die van 1989 tot 1993 tijdens de eerste Golfoorlog de post had bekleed. Powell was de centrale figuur geweest in die oorlog, en had publiekelijk beloofd dat ze het leger van Saddam Hoessein zouden 'vermoorden'. Hij had de Powell-doctrine geformuleerd, die inhield dat het gebruik van overweldigend en doorslaggevend militair machtsvertoon het aantal oorlogsslachtoffers verkleint en een garantie is voor de zege.

Mullen is lang en heeft een luide, bijna bulderende stem. Onder het praten heeft hij de neiging met zijn handen te flapperen. Tijdens de presidentscampagnes in 2008 had hij zich zorgvuldig neutraal opgesteld. Deze zoon van een journalist uit Hollywood was in 1968 afgestudeerd aan de marineacademie in Annapolis – tien jaar na de Republikeinse presidentskandidaat Senator John McCain. Hij stelde zich altijd zeer eerbiedig op tegenover iemand met politieke macht.

Nadat hij aanwezig was geweest bij de State of the Union-toespraak van president Bush in januari 2008, had zich een van die momenten voorgedaan die af en toe voorkomen, zo'n toevallige ontmoeting waardoor alles kan veranderen. Op een trap passeerde Mullen Obama. Hij vond dat Obama, die op dat moment nog volkomen vastzat in de tredmolen die zo'n campagne voor het presidentschap nu eenmaal is, eruitzag of hij in een maand geen oog had dichtgedaan.

'Goeiehemel,' zei Mullen, terwijl hij Obama's hand pakte, 'ga toch slapen!'

'Ik mag niet van mijn staf,' antwoordde Obama.

Die toevallige ontmoeting was een mooie opsteker voor Mullen. Als hij een uitgeputte McCain was tegengekomen, had hij waarschijnlijk hetzelfde gezegd. Maar voor politici die in een nationale campagne verwikkeld zijn, is het land tweepolig: iemand is voor of tegen je. Mullen, die in blauw tenue was gestoken, met een borst vol lintjes en de gouden banden (een brede en drie smalle rond beide mouwen net boven de pols) die bij een admiraal horen, had het gevoel dat hij met succes een gebaar had gemaakt in de richting van de Senator uit Illinois.

Obama had nooit in het leger gezeten en wist er waarschijnlijk minder van dan menig belangrijk presidentskandidaat sinds jaren. In de loop van de campagne belde hij Mullen twee, drie keer op, gewoon om even gedag te zeggen en te horen hoe het ging, zonder dat ze het echt ergens over hadden. Mullen had het idee dat die telefoontjes bedoeld waren om een persoonlijk contact op te bouwen. De admiraal had niet toeschietelijker, gretiger, attenter en eerbiediger kunnen zijn.

Tijdens een van de presidentiële debatten had Obama Mullen zelfs gebruikt om zijn standpunt te ondersteunen, met de opmerking dat de voorzitter zelf had 'toegegeven dat we meer troepen nodig hebben in Afghanistan'.[7]

De uitnodiging om naar Chicago te komen was bijna even welkom als een nieuwe promotie en zou er in de praktijk zelfs wel op kunnen neerkomen. Mullen had zo'n voorgevoel dat Obama niet zozeer op een briefing zat te wachten als wel op een gesprek. In gezelschap van een enkele adjudant arriveerde hij op vrijdag 21 november, twintig minuten voor zijn afspraak om twaalf uur die middag.[8]

'Ik heb een afspraak met aanstaand president Obama,' zei Mullen tegen een jonge vrouw op Obama's hoofdkantoor.

'En wie bent u?' vroeg ze.

'Mike Mullen, admiraal Mullen.'

'Wie bent u?'

'Voorzitter van de verenigde chefs van staven.'

'Tja, hij is net gaan lunchen,' zei de vrouw. Ze stond snel op om te kijken of dat echt zo was.

Onder het wachten staarde Mullen uit het raam. Toen hij zich omdraaide, stond Obama pal voor hem en hij nodigde Mullen uit in zijn kantoor, dat bezaaid was met aandenkens uit de campagne: een football, een korfbal en affiches.

Mark Lippert, een belangrijke adviseur van Obama op het gebied van buitenlands beleid en luitenant bij de marinereservisten, kwam binnen om aantekeningen te maken.

'Ik heb achter deze bus aan gerend,' zei Obama, 'en nu heb ik hem gehaald.' En bijna alsof het hem nu pas te binnen schoot, voegde hij eraan toe: 'En het is een grote bus.'

Er was een economische crisis gaande, ging Obama verder, die het grootste deel van zijn aandacht zou opeisen.

Dat snap ik, zei Mullen, en hij voegde er als voormalig budgetman van de marine aan toe dat hij niet verwachtte dat Defensie buiten schot zou blijven bij het snoeien in de uitgaven.

'U krijgt aan het eind nog wat tijd,' zei Obama. 'Ik wil vragen stellen.'

Wat Afghanistan betreft, en indirect ook wat Pakistan aangaat, vroeg hij, hoe moeilijk ligt dat?

De oorlog in Afghanistan kreeg al jaren te weinig middelen, zei Mullen. Eerlijk gezegd ontbrak elke vorm van strategie, voegde hij eraan toe, beseffend dat de nationale veiligheidsadviseur van Bush, Stephen Hadley, hem zou vermoorden voor die opmerking. Het was een aanklacht tegen

Bush, Gates en in zekere zin ook tegen hemzelf. Mullen had het jaar daarvoor nog getuigd dat 'we in Afghanistan doen wat we kunnen, en in Irak wat we moeten'.[9]

Obama maakte duidelijk dat daar verandering in ging komen.

Met de juiste middelen zouden ze in Afghanistan kunnen slagen, zei Mullen. Maar aan de burgerkant zijn er haast geen middelen, en de Amerikaanse ambassade ligt zo'n beetje met iedereen overhoop, zelfs met de strijdkrachten.

Ik wil Afghanistan en Pakistan op poten krijgen, zei Obama, maar ik wil geen Jeffersonachtige democratie opbouwen.

Hij zei dat hij nog steeds van plan was de Amerikaanse strijdkrachten uit Irak terug te trekken, maar dat hij het wel verantwoord wilde aanpakken. Wat Iran betreft zei Obama dat hij een dialoog met de Iraniërs wilde aangaan. Maar hij maakte tevens duidelijk dat het niet zijn bedoeling was de militaire opties van tafel te halen.

Al gauw kwam Obama er echter achter dat er problemen waren met de bestaande opties. Het noodplan voor Iran leek te dateren uit de tijd dat Jimmy Carter president was. Het begon met negentig dagen bombardementen voorafgaand aan een Normandië-achtige invasie die aan de Tweede Wereldoorlog ontleend was, waarvoor een hoeveelheid manschappen nodig was waarover de Verenigde Staten eenvoudig niet beschikten. Intussen ontbrak elke serieuze aanpak om de vele noodplannen te herzien die een president nodig heeft.

Evenmin bestonden er werkbare plannen voor Somalië en Jemen, twee landen waar de aanwezigheid van Al-Qaida duidelijk groeiende was. En nog veelbetekenender was dat er geen plan klaarlag om eventueel de Pakistaanse kernwapens veilig te stellen. Het team van Obama zou een gradueel plan moeten opstellen dat een oplossing bood voor een reeks omstandigheden die het hele scala besloegen vanaf Pakistan dat één enkel kernwapen kwijtraakte tot de mogelijkheid dat de Pakistaanse regering in handen van islamitische extremisten viel, die dan over een kernwapenarsenaal zouden beschikken. Wat het probleem nog ingewikkelder maakte, was dat ze niet wisten waar die kernwapens zich bevonden. De plekken waren over het hele land verspreid en de wapens werden geregeld verplaatst, in een soort balletje-balletjespel.

Een van de best bewaarde geheimen in de intieme kring rond president Bush was dat de president er geen zin meer in had zich bezig te houden met het ontwikkelen van militaire noodplannen. Die hele regering-Bush met zijn stoere praatjes en zijn gedreig met wapengeweld had zich niet voorbereid op een paar van de gevaarlijkste scenario's waar het land voor kon komen te staan.

Later zei Obama dat hij details over noodplannen zou bevestigen noch ontkennen, maar hij erkende dat hij een aantal onafgeronde zaken van Bush had geërfd. 'Oorlogen leggen een enorm beslag op de energie van een regering,' zei Obama tegen me, 'zelfs als mensen uitstekend werk doen, want een oorlog – en zeker een die niet goed loopt, wat drie jaar lang in Irak duidelijk het geval was – slurpt een reusachtige hoeveelheid energie op van iedereen. En dat betekent dat er dingen blijven liggen.'[37]

4

Twee weken voordat hij werd gekozen had Obama generaal buiten dienst James L. Jones naar Richmond in Virginia uitgenodigd voor een ontmoeting onder vier ogen. De vierenzestigjarige Jones kon zo in een brochure van het korps mariniers: 1.94 meter lang, stekeltjeshaar, een lang, knap gezicht met felblauwe ogen, een jongensachtige glimlach en een joviale manier van doen. Hij werd 'Gentleman Jim' genoemd, omdat hij iedereen, van president tot korporaal, met respect behandelde. Wat de nationale veiligheid betreft, leken zijn geloofbrieven ijzersterk, aangezien hij veertig jaar lang bij het korps mariniers had gediend, waar hij uiteindelijk de hoogste functie bereikte, die van commandant, waarna hij nog vier jaar diende als bevelhebber bij de NAVO, de hoogste bevelhebber van de Verenigde Staten en het bondgenootschap in Europa, voordat hij in 2007 met pensioen ging.

Jones had blijk gegeven van zijn afschuw over de manier waarop minister van Defensie Rumsfeld leiding gaf, door publiekelijk te bevestigen dat de minister de verenigde chefs van staven 'systematisch ontmand' had, en hij had collega-generaal bij het korps mariniers Pete Pace, die op dat moment voorzitter was, gewaarschuwd vooral 'niet de papegaai op de schouder van de minister' te worden.[1] Minister van Buitenlandse Zaken Condoleezza Rice had hem gevraagd haar onderminister te worden, een post die hij had geweigerd. In plaats daarvan trad Jones op als haar parttime gezant voor veiligheid in het Midden-Oosten, maar hij maakte er geen ge-

heim van dat hij vond dat de regering-Bush miserabel slecht georganiseerd was en zich gênant weinig druk maakte om vrede in het Midden-
Oosten.

In het hotel in Richmond zei Obama tegen Jones: 'Het ziet ernaar uit dat
ik weleens kon gaan winnen.' Hij wilde het met hem hebben over de post
van minister van Buitenlandse Zaken of nationale veiligheidsadviseur.

Jones zei dat hij geschikter zou zijn als minister van Buitenlandse Zaken dan als presidentieel adviseur. 'Wat ik wel kan doen, is een organisatie
opzetten om de beste mensen binnen te halen die u als president kunnen
helpen' bij Buitenlandse Zaken, legde hij uit. Hij merkte op dat hij eerste
adjudant was geweest van de commandant van het korps mariniers, en later hoogste militair adviseur van de minister van Defensie William S. Cohen, en bekende dat hij 'niet erg goed was' in die functie.

Obama hoorde hem uit over zijn opvattingen over hoe de Nationale
Veiligheidsraad diende te functioneren.

Jones zei dat hij de raad van Bush van nabij had meegemaakt. Die was
onderbemand, zat krap in de middelen en functioneerde absoluut niet.
De nationale veiligheidsadviseur had maar weinig in de melk te brokkelen
en liet na strategisch te denken door het uitstippelen van gedetailleerde
stappen en plannen voor een beleid van een jaar of twee. Dat was het belangrijkste ontbrekende puzzelstuk in de hele Bush-onderneming. De nationale veiligheidsadviseur moest maatregelen ontwikkelen om ervoor te
zorgen dat er een acceptabele vooruitgang werd geboekt in de richting
van de gestelde doelen. Als dat niet zo was, dienden de plannen te worden
bijgesteld – zo nodig ingrijpend. Te veel beleid werd op de automatische
piloot uitgevoerd. Ten tweede, zei Jones, moest de nationale veiligheidsadviseur een manier bedenken om resultaten te bereiken, zonder 'tot in de
kleinste details uit te werken' wat departementen en instanties moesten
doen.

Hoe moet dat worden aangepakt? wilde Obama weten.

Door uw ondergeschikten ervan te overtuigen dat uw visie ook de hun-
ne is, zei Jones. Dat hield in dat je ze een vinger in de pap moest geven,
het gevoel moest creëren dat ze zich 'ergens ingekocht' hadden, en dus
mede-eigenaar waren van zo'n beleid. Als een president alles zelf probeerde te doen, zouden zijn ondergeschikten hem zijn gang laten gaan, voegde hij eraan toe. Een voorbeeld daarvan waren de beveiligde videoconfe-
renties van president Bush elke twee weken, met de leiders van Afghanistan
en Pakistan. Dat betekende dat niemand anders in de Amerikaanse rege-

ring ook maar enige echte invloed had en met gezag kon spreken. De Afghaanse president Karzai en de Iraakse premier Nouri al-Maliki stonden er altijd op om elk geschil rechtstreeks met Bush op te nemen, die in feite zowel het account Afghanistan als het account Pakistan in zijn pakket had en diep in het tactische moeras verzeild was geraakt – waar een president nu juist niet thuishoort.

Vanaf die bijeenkomst maakte Obama Podesta en zijn campagnemedewerkers voor beleid duidelijk dat hij Jones als nationale veiligheidsadviseur wilde. Daarmee zou hij iemand van buiten het Pentagon hebben met voldoende geloofwaardigheid om min of meer op gelijke voet om te gaan met de minister van Defensie en de generaals. Het leek erop dat Jones wel met grote persoonlijkheden kon omgaan, en hij hield er een theorie op na om de Nationale Veiligheidsraad nieuw leven in te blazen.

Toen Podesta Obama had aangehoord, had hij sterk de indruk dat Obama een nationale veiligheidsadviseur wilde hebben tegen wie mensen niet aankeken als iemand uit zijn kamp, iemand die niet meer was dan een aanhangsel van de president. Het leek wel of hij tot de verbijsterende conclusie was gekomen dat het ontbreken van een persoonlijke band een voordeel kon zijn. Jones zou niet slechts uit naam van Obama spreken, maar ook als generaal b.d. van het korps mariniers, en als voormalig commandant en bevelhebber van de NAVO. Daarmee kreeg Obama wellicht meer invloed in het Pentagon. Jones kon met zijn bekende openhartigheid en onafhankelijkheid weleens een goed tegenwicht vormen tegen het militaire establishment.

Maar in de allereerste plaats kende Jones het leger door en door, en dat was het terrein waarvan Obama nu juist het minst afwist. In het Witte Huis kon Jones hem terzijde staan bij een relatie die weleens heel lastig kon worden, met name als je in aanmerking nam hoe fel Obama tegen de oorlog in Irak gekant was. Jones kon dienen als vaccin, gids en schild.

Podesta en diverse van de anderen begonnen te beseffen dat de aanstaande president zich alleen van een idee liet afbrengen over wie een cruciale post moest bekleden, als er iets boven water kwam wat die persoon diskwalificeerde. Podesta trok Jones' staat van dienst na en praatte met verscheidene mensen in de nationale-veiligheidsgemeenschap. Hij kwam niet bepaald tot de conclusie dat Jones een bedreven strateeg was, in elk geval niet van het niveau van wat hij noemde 'de Kissingerse, meester-, überstrateeg'.

Misschien was dat onder Obama ook minder cruciaal, dacht Podesta, omdat Obama een uitgesproken intellectuele aanpak had. Hij vergeleek Obama met Spock uit *Star Trek*. De aanstaande president wilde zijn eigen ideeën uitvoeren. Hij had geen neiging tot sentimentaliteit en kon genadeloos zijn. Podesta wist niet zo zeker of Obama wel iets voelde, en al helemaal niet of hij over intuïtie beschikte. Hij beredeneerde alles verstandelijk en stippelde vervolgens de route uit, waarbij hij in wezen de emoties van anderen oppikte en die in ideeën omzette. Op die manier had hij een ander soort politiek geschapen, door in 2008 zijn kans waar te nemen en er een politieke zege uit te slepen.

Maar soms, dacht Podesta, kan iets wat eigenlijk iemands grootste kracht is, in dit geval Obama's vermogen zaken verstandelijk te beredeneren, tegelijkertijd zijn achilleshiel zijn.

Obama voerde nog diverse telefoongesprekken met Jones. Aangezien Clinton naar Buitenlandse Zaken ging, de hoogste post op het gebied van buitenlands beleid, bood hij Jones de post van nationale veiligheidsadviseur aan. Als het al een troostprijs was, had het toch ook zijn eigen aantrekkelijke kanten. Je had er geen bevestiging voor nodig van de Senaat en dat kantoor op de hoek van de westelijke vleugel had zijn eigen zeer in het oog springende cachet.

Jones was verbijsterd dat de aanstaande president zo'n verantwoordelijke vertrouwenspositie gaf aan iemand die hij nauwelijks kende. Zijn filosofie kwam erop neer dat alles staat of valt met persoonlijke relaties, en die had hij niet met Obama.

Jones zei tegen Obama dat hij er met zijn gezin over moest praten.

Als gepensioneerde gaf hij leiding aan het energieprogramma van de Amerikaanse Kamer van Koophandel, zat hij in de raad van bestuur van diverse ondernemingen, adviseerde hij bedrijven en gaf hij lezingen, waarmee hij al met al ruim twee miljoen dollar per jaar verdiende.[2] Als hij ja zei, betekende dat een teruggang in inkomsten van 80 procent. Maar zijn gezin was het ermee eens dat de kans om zijn loopbaan af te ronden met een van de belangrijkste posten in de regering, dat alleszins waard was. Wat Jones betreft werd de deal bezegeld door een belofte van Obama. Als hij het aanbod aannam, beloofde Obama dat hij bij kwesties op het gebied van de nationale veiligheid 'altijd om uw mening of oordeel zal vragen voordat ik iets doe'. Dat was een plechtige belofte van hem persoonlijk. Voor de vroegere commandant van het korps mariniers, die het devies '*Semper Fidelis*' (altijd trouw) voert, betekende dat heel veel. Jones zei ja.

Jones' eerste taak was het uitkiezen van een *deputy,* of plaatsvervanger – een sleutelpost die zo'n vijf keer was bekleed door iemand die vervolgens werd gepromoveerd tot nationale veiligheidsadviseur. Obama had gezegd dat hij iedereen kon kiezen die hij wilde. Zijn plaatsvervanger zou in een kantoortje ter grootte van een kast komen te zitten dat strategisch gelegen was in het deel van de westelijke vleugel dat voor de nationale veiligheidsadviseur was ingeruimd. Alle andere hoge stafleden van de Nationale Veiligheidsraad zaten een verdieping lager in de kelder of in het Eisenhower Executive Office Building. De belangrijkste taak van de plaatsvervanger was het leiden van *deputies*-vergaderingen van de raad voor het formuleren van kwesties en beslissingen die aan hun bazen en de complete Nationale Veiligheidsraad moesten worden voorgelegd.

Emanuel had Jones de suggestie aan de hand gedaan Tom Donilon in overweging te nemen, een drieënvijftigjarige jurist en voormalig stafchef van minister van Buitenlandse Zaken Warren Christopher onder Clinton. De politieke junkie en werkpaard Donilon bezocht voor zijn plezier seminars over buitenlands beleid, was een pietje precies en een boezemvriend van aanstaand vicepresident Biden. Donilons vrouw Cathy Russell werd later stafchef van Jill Biden. Daarnaast was hij lid van vrijwel alle raden, adviescolleges, groepen en instituten die zich bezighielden met buitenlandse zaken, en medevoorzitter van het overgangsteam voor het ministerie van Buitenlandse Zaken. Hij was al tientallen jaren bevriend met Emanuel.

Donilon had zijn hele leven toegeleefd naar een hoge functie bij nationale veiligheid. Al sinds Jimmy Carter stond hij Democratische presidentskandidaten terzijde. Hij had Obama geadviseerd voor de presidentiële debatten en wilde graag onderminister van Buitenlandse Zaken worden. Maar Donilon was zeven jaar lang jurist geweest bij Fannie Mae, de door de overheid gesteunde hypotheekgigant die in de financiële crisis bijna failliet was gegaan en de belastingbetaler miljarden dollars had gekost. Die band met Fannie Mae deed de zaak geen goed en zou wel eens problemen kunnen opleveren bij Donilons bevestiging door de Senaat.

Emanuel voerde de druk op. Aanvankelijk had hij alleen maar een suggestie gedaan, maar nu stond hij er bijna op. Hij wilde Donilon het Witte Huis binnen halen.

Jones kende Donilon niet, maar stemde in met een gesprek. Ze lagen elkaar meteen. Uiteraard zou een insider van de Democratische Partij met op het eerste gezicht uiterst degelijke geloofsbrieven op het terrein van de nationale veiligheid weleens van pas kunnen komen, aangezien Jones geen politieke insiders kende. Snel besloot hij Donilon te kiezen, en hij kon haast de collectieve zucht van opluchting horen die Obama's politieke team en zijn overgangsteam slaakten.

Op woensdag 26 november riep president Bush een van zijn laatste vergaderingen met de Nationale Veiligheidsraad bijeen. Op de agenda stond een uiterst geheim rapport over de oorlog in Afghanistan. Het rapport was het werk van luitenant-generaal Douglas Lute, de 'oorlogstsaar' die Bush het jaar daarvoor had aangesteld als hoogste gezant van de Nationale Veiligheidsraad voor de oorlogen in Irak en Afghanistan.

De zesenvijftigjarige Lute verkeerde even ver buiten de schijnwerpers als generaal David Petraeus erin stond. In 1975 – een jaar na Petraeus – was hij afgestudeerd aan West Point, en verder had hij aan Harvard een graad behaald in openbaar bestuur. Het was misschien makkelijk om aan te nemen dat hij weer zo'n 'Bushgeneraal' was, maar Lute had een onafhankelijk trekje. Zijn lievelingsboek op militair terrein was het verhaal van Thucydides over de Peloponnesische Oorlog tussen Sparta en Athene in de vijfde eeuw voor Christus.[3] Uit dat boek had hij geleerd hoe de betrekkingen tussen krijgsmacht en burgermaatschappij liggen, twee culturen waartussen hij op zijn post in de Nationale Veiligheidsraad een brug sloeg. Hij was nog steeds een driesterrengeneraal, maar door zijn post in het Witte Huis maakte hij geen deel meer uit van de militaire broederschap.

Lute stelde Bush persoonlijk elke ochtend om zeven uur op de hoogte van de ontwikkelingen in beide oorlogen. Aangezien Bush soms aan de vroege kant was, maakte Lute altijd dat hij om kwart voor zeven klaarstond voor het Oval Office. Die zomer had Bush Lute opdracht gegeven een beoordeling op te stellen van de strategie in Afghanistan. Pak het breed en diepgaand aan, had Bush gezegd, en probeer tot de bodem uit te zoeken waar we na zeven jaar precies staan. Lute wist niet helemaal zeker of hij nu op pad werd gestuurd om de feiten te achterhalen of dat het eerder een reddingsoperatie was. Misschien wel allebei. Hij wilde de hele horizon overzien en de situatie ter plekke leren kennen, wat onmogelijk was vanuit een kantoor in Washington. Lute ging op pad met een dynamisch team mensen van Buitenlandse Zaken, Defensie en de CIA.

In zijn drieëndertigjarige loopbaan bij het leger had Lute op een paar cruciale bevelvoerende en operationele posten overzee en bij de verenigde staven gezeten. Dat viel echter allemaal in het niet bij een plek in het centrum van alle opwinding in het Witte Huis, waar hij optrad als informeel doorgeefluik van informatie tussen kabinetsleden, generaals, admiraals, diplomaten en medewerkers van inlichtingendiensten in twee oorlogen. Via beveiligde telefoonlijnen en gesprekken onder vier ogen op een Tandberg-videofoon onderhield hij contact met een ellenlange lijst functionarissen.

Lute was in Afghanistan terechtgekomen vanuit Irak, waar de Verenigde Staten een leger van 150.000 man hadden, een duizendkoppige ambassade die samenwerkte met de krijgsmacht, en een ontwikkelingshulpprogramma van enige miljarden dollars per jaar. In Irak had premier Maliki zich een opmerkelijk goed leider betoond, en intussen werden de Iraakse veiligheidstroepen steeds sterker en beter. De Verenigde Staten hadden in Irak oog in oog gestaan met de mislukking, en voorlopig had die mislukking toch maar mooi met zijn ogen geknipperd. Over het geheel genomen leek de strategie waarmee het opvoeren van de troepenmacht in 2007 gepaard was gegaan, naar behoren te werken.

Daarbij stak Afghanistan schril af. In dat land waren ongeveer 38.000 man Amerikaanse troepen gelegerd, plus 29.000 van de NAVO en andere bondgenoten. Ze zaten wijdverspreid over het land, dus ze konden onmogelijk veel effect hebben. De Amerikaanse ambassade werkte niet bijzonder goed samen met de krijgsmacht. En voor de meeste Afghanen was er nauwelijks sprake van enige economische vooruitgang. De Afghaanse president Hamid Karzai bleek steeds duidelijker een teleurstelling te zijn, en de Afghaanse veiligheidstroepen waren nog steeds bedroevend onbekwaam. Eenvoudig gezegd: alle hoopvolle tekenen die in Irak zichtbaar waren, ontbraken in Afghanistan.

Wat Lute ook ontdekte, was dat de opstandelingen van de Taliban weliswaar duidelijk aanwezig waren in de zuidelijke provincies van Afghanistan langs de grens met Pakistan, maar dat de Verenigde Staten geen middelen hadden ingezet om hen tegen te houden. In de loop van de zomer waren de aanvallen en veiligheidsincidenten alleen al in het zuiden verdubbeld tot tweehonderd per maand. Volgens rapporten van inlichtingendiensten werd de slagkracht van de opstandelingen in bijna de helft van het land, maar vooral in het zuiden van Afghanistan, beoordeeld als 'krachtig, effectief' of 'bewezen'.

Toen Lute de situatie aldaar in ogenschouw nam, trof hij zo'n tien verschillende, elkaar overlappende oorlogen aan. Ten eerste was er de conventionele oorlog onder leiding van een Canadese generaal die uit naam van de NAVO belast was met de regio. Ten tweede was er de CIA die zijn eigen geheime, paramilitaire oorlog voerde. De Groene Baretten en het Commando van de Verenigde Speciale Strijdkrachten voerden elk hun eigen oorlog met het opsporen van belangrijke doelwitten. Het onderdeel training en uitrusting had weer zijn eigen operaties. Het nationale leger, de nationale politie en het Nationale Directoraat voor Veiligheid, de door de CIA gesteunde inlichtingendienst van Afghanistan, waren afzonderlijke oorlogen aan het voeren.

Lute en zijn team bezochten de zuidelijke provincie Kandahar, waar twee miljoen mensen woonden in de stad van dezelfde naam en het gebied eromheen, en waaruit de Talibanbeweging was voortgekomen die het land van 1996 tot 2001 had bestuurd. Het had er alle schijn van dat de provincie en de stad langzamerhand weer in handen van de Taliban terechtkwamen.

Op een kaart van het Regionaal Commando waar Kandahar onder viel, plaatste hij verschillende soorten icoontjes, waardoor hij goed kon zien op wat voor manier de tien oorlogen verspreid lagen. Het leken precies de krabbels van een kind. Niemand die duidelijk zeggenschap had. Er was geen sprake van een samenhangende inzet of bevelvoering.

Afghanistan was een armeluisoorlog, concludeerde Lute. Als tsaar van beide oorlogen besefte hij echter maar al te goed dat hij alleen aan middelen en capaciteit kon komen door die te onttrekken aan Irak. In dit spel moesten sommen nu eenmaal altijd op nul uitkomen. Er waren eenvoudig niet meer troepen, de krijgsmacht was al tot het uiterste belast.

Na terugkeer in Washington belegde Lute in een tijdsbestek van zes weken een serie van negentien diepgaande bijeenkomsten met alle vertegenwoordigers van interdepartementale instanties – Buitenlandse Zaken, Defensie, CIA – in kamer 445 van het Eisenhower Executive Office Building naast het Witte Huis. Al met al namen deze bijeenkomsten 45 uur in beslag, waarin tot de kleinste details op zaken werd ingegaan. Ze voelden onder anderen Afghaanse ministers, bevelhebbers en mensen van de CIA aan de tand over wat er nu werkelijk gaande was.

Lute en zijn team vatten hun bevindingen samen in een rapport van zo'n 25 bladzijden. Ze hadden het kort gehouden, zodat het leesbaar bleef.

'Ik weet dat dit nogal slecht getimed is, maar hier is het dan,' zei Lute toen hij eerder in november het rapport bij president Bush indiende. Hij gooide hiermee een forse steen in een rustige vijver. Daar zou deining van komen.

'Ik zit er niet op te wachten om dit te lezen,' zei Bush, 'maar ik stel het op prijs dat u zo openhartig bent. U doet wat ik u heb gevraagd.' Bush nam het rapport mee om in het weekend te lezen.

'We zijn niet aan het verliezen, en niet aan het winnen, en dat is niet goed genoeg,' was een van de zinnen aan het begin van het rapport.[4] De inzet was ternauwernood groot genoeg om niet te verliezen, en daar hield het dan mee op.

In het rapport werd Pakistan aangewezen als een veel zorgelijker probleem op strategisch gebied dan Afghanistan, omdat de plekken waar Al-Qaida en aanverwante groepen zich konden terugtrekken een veel grotere bedreiging vormden voor de Verenigde Staten.

De conclusie luidde dat de Verenigde Staten alleen in Afghanistan konden winnen als ze eerst drie grote problemen oplosten. Ten eerste moest het bestuur worden verbeterd en de corruptie worden teruggedrongen. Omkooppraktijken en verduistering waren aan de orde van de dag. Zo moest je bijvoorbeeld 42 stappen ondernemen om een Afghaans rijbewijs te krijgen, en bijna stuk voor stuk boden die stappen iemand de gelegenheid smeergeld in zijn zak te steken. Ten tweede had niemand meer greep op de opiumhandel. Deze handel werkte corruptie in de hand en voor een deel werd er de opstand van de Taliban mee gefinancierd. Ten slotte moesten de toevluchtsoorden in Pakistan worden teruggedrongen en uiteindelijk geëlimineerd. Als de Verenigde Staten die drie dingen niet voor elkaar kregen, konden ze nooit zeggen dat ze klaar waren in Afghanistan.

Wat Pakistan betreft werd in het rapport geadviseerd dat de Verenigde Staten de ontwikkelingshulp moesten uitbreiden tot buiten de krijgsmacht, om te proberen de economie van het land te stabiliseren. Als de economie van Pakistan, met een omvang van 168 miljard dollar, instortte, kon de chaos die in de stamgebieden heerste weleens overslaan naar de meer kosmopolitische steden van het land.

Minister van Buitenlandse Zaken onder Bush, Condoleezza Rice, was niet blij met het rapport. Na vier jaar als nationale veiligheidsadviseur en vervolgens drieënhalf jaar als minister van Buitenlandse Zaken behandelde ze het verslag als een soort nalatenschap, of iets wat te vergelijken was met een laatste schoolrapport. Ze bestreed het idee dat Pakistan belangrijker was dan Afghanistan. Ze vond dat ze het er beter van afbrachten dan het beeld van wanorde en zwakte dat uit het verslag naar voren kwam, en voerde aan dat ze echt wel meer deden dan een beetje rondhangen.

Op woensdag 26 november riep Bush de Nationale Veiligheidsraad bijeen om te bespreken wat er met dit uiterst geheime, kritische rapport moest worden gedaan.

'We gaan dit niet openbaar maken,' zei Bush. 'Ik zit in mijn laatste maanden. Als we dit openbaar maken, krijg je alleen maar dat mensen gaan zitten piekeren.' Bovendien kon het ertoe leiden dat de nieuwe regering het rapport niet serieus in overweging zou nemen, zei hij. Onuitgesproken bleef dat het verslag ook pijnlijk kon zijn omdat er duidelijk uit naar voren kwam hoezeer de oorlog in Afghanistan was verwaarloosd.

'Ik wil niet dat het in de openbaarheid wordt gebracht,' zei Bush. 'Er komen geen plannen om het in de openbaarheid te brengen. Dat moet de nieuwe regering dan maar doen, want voortaan is dat hun verantwoordelijkheid.'

Precies op het moment dat Bush besloot het belastende rapport over de oorlog in Afghanistan niet vrij te geven, zwierven er tien gewapende mannen rond in de Indiase stad Mumbai, die de hele bevolking van 15 miljoen mensen vrijwel in gijzeling hielden. Zestig uur lang boden de mannen live op de televisie een waar spektakel van chaos en geweld.[5] Sinds de aanvallen op 11 september had het terrorisme niet meer zo'n opzien gebaard.

Toen de schietpartij ten einde was, beliep het aantal doden in totaal 175 mensen, onder wie zes Amerikaanse burgers. De aanval was georganiseerd door een groep die zich Lashkar-e-Taïba noemt, wat Leger van de Zuiveren betekent en meestal wordt afgekort tot LeT. Een van de belangrijkste oogmerken van LeT is het omverwerpen van het Indiase bestuur in Kashmir, een provincie met een hoofdzakelijk islamitische bevolking die grenst aan Pakistan. In bredere zin is hun missie het stichten van een islamitische natie in heel Zuid-Azië. Uit inlichtingen bleek dat de banden tussen LeT en Al-Qaida steeds verder werden aangehaald.

Een publiek geheim is dat LeT is opgezet en nog steeds wordt gefinancierd en beschermd door de Pakistaanse ISI. Volgens Amerikaanse inlichtingen gebruikt de inlichtingenafdeling van de Pakistaanse krijgsmacht de LeT om India te kwellen. Het was niet uitgesloten dat deze gewapende mannen een oorlogsdaad hadden verricht.

President Bush riep zijn nationale veiligheidsteam het Oval Office binnen terwijl men in Mumbai door het bloed en het puin ploegde.

Gaan jullie maar plannen maken of wat je allemaal moet doen om te voorkomen dat er een oorlog uitbreekt tussen Pakistan en India, zei Bush tegen zijn medewerkers. Het laatste waar we op zitten te wachten is een oorlog tussen twee staten die de beschikking hebben over kernwapens.

Maar die spanningen tussen India en Pakistan waren niet het enige waar de president zich ongerust over maakte. Amerikanen waren omgekomen bij een terroristische daad. In zijn landelijk uitgezonden televisietoespraak[6] op de avond van de elfde september had Bush iets uitgesproken wat later bekend zou komen staan als de Bush-doctrine: 'We zullen geen onderscheid maken tussen de terroristen die deze daden hebben gepland en degenen die hun onderdak verlenen.' Op basis van die doctrine werd de oorlog in Afghanistan gelanceerd om de Taliban omver te werpen, die bescherming en onderdak hadden geboden aan Al-Qaida.

Bush was buitengewoon trots op die harde doctrine en in een interview zei hij tegen me dat het betekende: 'We gaan het terrorisme met wortel en tak uitroeien.'[7] Zijn presidentschap was deels gebaseerd op dat zerotolerancebeleid tegenover terroristen en diegenen die hen faciliteerden.

De aanvallen in Mumbai stelden hem min of meer voor hetzelfde probleem – een stel keiharde terroristen van de LeT en degenen die hen faciliteerden, in dit geval de Pakistaanse inlichtingendienst. Een geschokte Bush vroeg zijn adviseurs naar noodplannen in verband met Pakistan.

De Amerikaanse krijgsmacht had geen 'oorlogs'-plannen voor een invasie van Pakistan. Wat er wel was, en wat nog steeds bestaat, is een van de gevoeligste en geheimste van alle militaire noodplannen, voor iets wat in militaire kringen een 'vergeldings'-plan wordt genoemd, voor het geval terroristen vanuit een basis in Pakistan een nieuwe 11 september-achtige aanslag op de Verenigde Staten uitvoeren. In het kader van dit plan zouden de Verenigde Staten alle dorpen en trainingskampen van Al-Qaida bombarderen of aanvallen, die in de databank van de Amerikaanse inlichtingendiensten stonden geregistreerd. Sommige van die locaties waren misschien achterhaald, maar daar maakte men zich in het plan niet druk over, want wie zou daar nu dan helemaal nog wonen. In het vergeldingsplan stuurde men aan op een brute aanval op minstens honderdvijftig of meer kampen die in verband werden gebracht met Al-Qaida.

Binnen 48 uur na de aanval in Mumbai nam directeur van de CIA Hayden contact op met de Pakistaanse ambassadeur in de Verenigde Staten, Hussain Haqqani. Uit inlichtingen van de CIA waren geen rechtstreekse banden met de ISI naar voren gekomen, liet Hayden hem weten. Dit zijn mensen die in het verleden voor de Pakistaanse overheid hebben gewerkt.*

Bush stelde persoonlijk de Indiërs op de hoogte. Hij belde de premier van India, Manmohan Singh, met wie hij een sterke persoonlijke band had. Uit mijn inlichtingen blijkt dat de nieuwe regering van Pakistan hier niet bij betrokken is, zei Bush.

Het zag ernaar uit dat een oorlog voorlopig was afgewend.

In een telefoongesprek met het hoofd van de Pakistaanse ISI, luitenant-generaal Ahmed Shuja Pasha, zei Hayden: 'We moeten het tot de bodem uitzoeken. Dit is heel ernstig.' Hij drong er bij Pasha op aan opening van zaken te geven. De dag na Kerstmis vloog Pasha naar de Verenigde Staten, waar hij Hayden op het hoofdkantoor van de CIA bijpraatte.

Pasha gaf toe dat degenen die de aanvallen in Mumbai hadden beraamd – op zijn minst twee gepensioneerde officieren van het Pakistaanse leger – banden met de ISI hadden, maar zei dat het geen door de ISI goedgekeurde operatie was. Het was een wilde actie.

'Misschien dat mensen die bij mijn organisatie betrokken zijn hiermee te maken hebben,' zei Pasha. 'Maar dat is iets anders dan machtigen, sturen en leiden.'

Hij kwam met details die klopten met het beeld dat de Amerikaanse inlichtingendiensten hadden ontwikkeld. Hayden zei tegen Bush dat hij ervan overtuigd was dat het geen officieel door Pakistan gesteunde aanval was, maar dat hiermee het probleem van die toevluchtsoorden in Pakistan wel werd benadrukt. Het gemak waarmee alles was beraamd en uitgevoerd, de lage kosten, en het feit dat de LeT gebruik had kunnen maken van een wel heel verontrustend hoogontwikkeld communicatiesysteem, stemden allemaal tot grote zorg. De aanvallers hadden gebruikgemaakt van alom beschikbare GPS-apparatuur, kaarten van Google Earth, en gewoon in de handel verkrijgbare codeertoestellen en op afstand bedienbare ontstekingsmechanismen.[8]

Ze spraken met hun achterban in Pakistan per satelliettelefoons die gebruikmaakten van een VoIP-telefoondienst in New Jersey, waardoor de te-

---

* Later ontving de CIA betrouwbare inlichtingen waaruit bleek dat de ISI rechtstreeks betrokken was geweest bij de training voor Mumbai.

lefoontjes lastig, zo niet onmogelijk te traceren waren, en de gesprekken werden op zo'n manier omgeleid dat de locatie van de sprekers eveneens verborgen bleef.

De FBI was diep geschokt dat Mumbai volledig lam was gelegd met een operatie die heel weinig had gekost, waarbij gebruik was gemaakt van zulke geavanceerde middelen. Dan waren Amerikaanse steden immers net zo kwetsbaar. Een hoge functionaris bij de FBI die verantwoordelijk was voor het verijdelen van dergelijke aanvallen in de Verenigde Staten zei: 'Door Mumbai is alles veranderd.'

5

In zijn kantoor op de zevende verdieping van het hoofdkantoor van de CIA in Langley in Virginia, zat directeur Michael Hayden al maanden gefrustreerd te wachten tot Obama eindelijk contact met hem opnam. Hayden was echter uitgesloten van de kring van ingewijden rond de volgende eerste cliënt.

In de zomer had kandidaat Obama om een gesprek met hem gevraagd. Op 18 juni was Hayden op weg naar het Capitool voor hun afspraak, toen zijn telefoon ging. Obama verontschuldigde zich, maar hij moest helaas afzeggen, legde hij uit. De dienst ter nagedachtenis aan NBC-nieuwslezer Tim Russert, die de week daarvoor aan een hartaanval was overleden, was onverwachts uitgelopen.[1]

'Ik wil u echt graag spreken, generaal,' zei Obama. 'Ik vind het heel vervelend.' Maar ze zouden een nieuwe afspraak maken. We gaan een keer lunchen, beloofde hij min of meer.

Obama maakte geen nieuwe afspraak. Hayden deed zijn best net te doen of hij de belediging niet persoonlijk opvatte, en het alleen beschouwde als een bewijs dat Obama het belang van de CIA niet inzag. Maar zijn ego was wel degelijk gekwetst doordat hij maandenlang aan het lijntje werd gehouden. Hij geloofde dat hij bij Obama vandaan werd gehouden, dat hem de kans werd ontzegd zijn prestaties als directeur onder de aandacht te brengen.

Hayden had zijn carrière opgebouwd door zijn informatiekoopwaar persoonlijk aan de man te brengen. Hij kon zo'n twintig procent sneller denken en praten dan de meeste mensen, waardoor hij in elk debat de overhand leek te krijgen.

Toen Hayden in 2006 directeur van de CIA werd, had hij een dienst geerfd die in zijn woorden aan een 'battered child-syndrome' leed. Zo had je de klungelige inlichtingen waaruit ten onrechte was afgeleid dat Irak over massavernietigingswapens beschikte, wat de belangrijkste premisse was geweest voor de oorlog in Irak, en dan de beschuldigingen dat de aangescherpte ondervragingstechnieken van de CIA, waaronder waterboarding of het nabootsen van verdrinking, regelrechte foltering waren. Hayden had het gevoel dat hij het moreel aan het verbeteren was en de CIA op weg hielp naar herstel. In de tijd dat de controverse speelde rond deze ondervragingsmethoden – technieken waarvan Obama had beloofd dat hij ze zou afschaffen – had Hayden president Bush overgehaald de wreedste ervan te schrappen. Hij popelde om Obama bij te praten en was ervan overtuigd dat hij de aanstaande president kon verkopen dat de CIA behoefte had aan een onafhankelijk ondervragingsprogramma waarvoor soepeler regels golden dan bij de Amerikaanse krijgsmacht.

Hayden hoopte daarnaast ook dat hij op zijn minst nog een half jaar kon aanblijven als directeur van de CIA. Hij vond dat hij het verdiende om gevraagd te worden, ook al had zijn vrouw Jeanine hem eraan helpen herinneren dat dat nogal onrealistisch was. Naar Haydens overtuiging kon hij voor continuïteit zorgen in dat eerste jaar van een nieuw presidentschap, wat altijd een uiterst kwetsbare periode is. De eerste bomaanslag op het World Trade Center was in 1993, aan het begin van de regering-Clinton. 11 september vond plaats in Bush' eerste jaar. Met een overvolle agenda op het gebied van buitenlands beleid plus twee oorlogen had Obama de CIA hard nodig. 'Geen contact,' klaagde Hayden. 'Ik word compleet in het ongewisse gelaten. Niemand praat met me.'

Obama's naaste campagneadviseurs voor nationale veiligheid, Denis McDonough en Mark Lippert – die door Obama Ding Een en Ding Twee werden genoemd, naar figuren uit een boek van Dr. Seuss – hadden tegen Hayden gezegd dat ze tijdens de overgang contact met hem zouden opnemen. Maar er waren weken verstreken zonder dat dat gebeurde.

'We doen aan geheime acties bij de CIA,' bracht Hayden hen in herinnering, ervan overtuigd als hij was dat ze het belang onderschatten van die missies, die ontleend leken aan een spannende spionageroman en zo waren opgezet dat de betrokkenheid van Amerika buiten beeld bleef. De wet schreef voor dat de president geheime acties goedkeurde in een zogenaamde 'bevinding', een document waarin werd verklaard dat de betrokken actie onontbeerlijk was voor de veiligheid van het land.

'Die goedkeuring komt van de president als ambtsdrager, en niet van de persoon,' legde Hayden uit. 'Dus alles wat wij doen, vervalt op 20 januari om vier uur 's middags' – enige uren nadat Obama de ambtseed had afgelegd. 'Als de aanstaande president wijzigingen wil aanbrengen, moet ik hem briefen over de geheime-actieprogramma's die op het moment actief zijn.'

Een van Haydens hoogste plaatsvervangers bij de CIA stapte naar McDonough en Lippert om nog weer eens te informeren hoe het met Hayden zat.

Zeg maar tegen de generaal dat hij zich geen zorgen moet maken, we nemen heus contact met hem op, zeiden die. Uiteindelijk werd die bijeenkomst geregeld voor 9 december, in Chicago.[2]

Hayden nodigde DNI McConnell niet uit en evenmin stelde hij hem op de hoogte. McConnell kwam er zelf achter.

McConnell maakte zich zorgen dat Obama de verleiding van zulke geheime acties misschien niet kon weerstaan. Iedere president, en met name een nieuwe met relatief weinig ervaring, kon daar gevoelig voor zijn. Stel je voor hoe aanlokkelijk dat moet zijn: een probleem met je buitenlandse beleid oplossen door in het geheim een regeringswisseling te financieren – dus letterlijk een nieuwe regering voor een land te bekostigen. Richard Helms, directeur van de CIA van 1966 tot 1973, in de tijd dat Vietnam en Watergate speelden, heeft eens gezegd: 'Geheime acties zijn net een verdomd goed verdovend middel. Ze werken uitstekend, maar je moet er niet te veel van nemen, anders wordt het je dood.'[3]

McConnell wist dat de CIA soms spectaculair werk deed. Het kwam erop neer dat de dienst mensen rekruteerde om hun land te verraden met spionagewerk. Dat rekruteringsproces was een lastig karwei, vol mooie kansen maar ook grote gevaren. En het doelwit dat de CIA nog het liefst wilde rekruteren was de Amerikaanse president, zodat ze de kans kregen bij de eerste cliënt de geheimen en wonderbaarlijkheden van het spionagewezen te ontvouwen. Ze zagen bij de CIA graag dat er niemand tussen het Witte Huis en henzelf zat.

Toen McConnell hoorde van de briefing van Obama op 9 december 2008, belde hij het hoofd van de CIA.

Was Hayden van plan RDI (*rendition*, *detention* en *interrogation*: overbrengen, opsluiten en ondervragen) aan te kaarten, de omstreden CIA-programma's ter bestrijding van terrorisme? wilde McConnell weten.

Hayden zei dat hij dat inderdaad zou doen, omdat het geheime acties waren. Het hoofd van de CIA was ervan overtuigd dat de aanstaande president ervan onder de indruk zou zijn dat die aangepaste ondervragingstechnieken zinvol en legaal waren.

'Ik kom ook,' zei McConnell, waarmee hij een RSVP toevoegde aan de uitnodiging die hij had moeten krijgen.

'Dat is leuk,' antwoordde Hayden.

Die ochtend van dinsdag 9 december stonden Hayden en McConnell in Chicago klaar om de aanstaande president twee uur lang bezig te houden met de geheime acties van de CIA. Ze werden begroet door een enigszins verbijsterde Obama, die duidelijk door iets anders in beslag werd genomen.

'Ze hebben zo-even de gouverneur gearresteerd wegens pogingen mijn zetel te verkopen,' zei hij. De FBI had die ochtend de gouverneur van Illinois, Rod Blagojevich, ingerekend nadat uit afgetapte telefoongesprekken was gebleken dat hij diverse politici om geld had gevraagd in ruil voor de vrijgekomen senaatszetel van Obama.⁴

De complete entourage van de president op het gebied van inlichtingen en bestuur dromde binnen in de krappe ruimte van de SCIF, de ruimte waar gevoelige informatie wordt overgedragen.

Hayden zat recht tegenover Obama, aan een tafel die zo smal was dat ze ongemakkelijk dicht bij elkaar zaten. Zijn kale hoofd was zo'n 75 centimeter verwijderd van het gezicht van de aanstaande president. Vicepresident Joe Biden, Jim Jones, Greg Craig, de toekomstige juridisch adviseur van het Witte Huis, en diverse anderen zaten aan Obama's kant.

'Geachte mijnheer de aanstaande president,' zei McConnell, die naast Hayden zat. 'Wij gaan u de achtergronden geven van de bevindingen en de geheime acties, waar wij op het moment staan en hoe dit alles werkt. Bij onze briefing in september hebben we het er summier met u over gehad. In november hebben we u iets meer details gegeven. Maar nu gaan we dieper in op bronnen en methoden.'

Na deze opening greep Hayden onmiddellijk de gelegenheid om McConnell vrijwel de mond te snoeren, zoals diverse mensen uit het Obamakamp opmerkten. Dit was zijn kans een 'o shit-moment' te scheppen, zoals hij dat noemde, om aan te tonen hoe ernstig de dreigingen waren en te laten zien hoe serieus de CIA die dreigingen opvatte. Hij had een kaart meegenomen ter grootte van twee placemats. Daarop stond een lijst van veertien geheime acties, de aard van die acties, en de geschreven bevindingen van Bush en andere presidenten. Hayden legde de kaart voor Obama neer en zei over de lopende geheime acties dat toegestaan was: clandestiene, dodelijke antiterroristische acties en andere programma's uit te voeren om terroristen wereldwijd uit te schakelen. In ruim zestig landen waren operaties gaande. Bush senior had de eerste bevinding ondertekend, die later door zijn zoon, de huidige president, was gewijzigd. Als Al-Qaida een plan beraamt om in een Amerikaanse stad een kernwapen tot ontploffing te brengen of een grieppandemie te ontketenen met behulp van een biologisch wapen, zijn deze geheime acties de enige middelen die u ter beschikking staan om te proberen hen tegen te houden, legde Hayden uit. De bevinding had ook betrekking op aanvallen met onbemande Predator-vliegtuigjes op terroristen en terroristenkampen in de hele wereld.

'Hoeveel doen jullie in Pakistan?' vroeg Obama.

Ongeveer 80 procent van de aanvallen die Amerika wereldwijd uitvoerde, vond in dat land plaats, zei Hayden. Het luchtruim is van ons. De onbemande vliegtuigjes stijgen en landen op geheime bases in Pakistan. Al-Qaida is in de stamgebieden mensen aan het trainen die je niet als een potentieel gevaar zou herkennen als ze op Dulles Airport in de rij stonden bij de douane.

Iran tegenhouden of hinderen bij het ontwikkelen van kernwapens.

De CIA-directeur beschreef een reeks geheime operaties en technieken, waarvan sommige effectief waren geweest en andere zich nog moesten bewijzen. De geheime acties tegen Iran hadden de hoogste prioriteit bij president Bush, na het verhinderen van terroristische aanvallen.

Noord-Korea afhouden van het produceren van nog meer kernwapens. Het regime onder leiding van Kim Jong-il, een van de grilligste en irrationeelste leiders ter wereld, beschikte waarschijnlijk over genoeg voor wapens geschikt plutonium om nog eens zes kernbommen te maken. Deze bevinding werd ondersteund door inlichtingen die verkregen waren bij een heel scala aan clandestiene operaties, gericht op deze gesloten, onderdrukkende maatschappij.

Het uitvoeren van operaties in andere landen om te voorkomen dat die massavernietigingswapens verwierven.

Het onafhankelijk van of ter ondersteuning van de krijgsmacht van de

Verenigde Staten in Afghanistan uitvoeren van dodelijke en andere operaties. Daaronder vielen de aanvallen met onbemande vliegtuigjes en het drieduizend man sterke leger van de CIA bestaand uit Counterterrorism Pursuit Teams of CTPT's.

Het uitvoeren van een reeks dodelijke operaties en andere programma's in Irak. De CIA was nog steeds sterk betrokken bij de Iraakse regering en de Iraakse veiligheidstroepen. Hayden beweerde dat ze bepaalde instellingen en mensen 'in onze broekzak' hadden.

Met name Greg Craig vond dat een schokkende term. Hij dacht dat Hayden de zaak overtrok. De directeur was aan het uitsloven, was zijn conclusie, en had net zo overtuigend kunnen zeggen hoe groot hun invloed was, zonder te vervallen in formuleringen als 'in onze broekzak'.

Verder stelde Hayden dat de CIA tientallen miljoenen dollar in een aantal buitenlandse inlichtingendiensten pompte, waaronder de Jordaanse algemene-inlichtingenafdeling, die de CIA volgens hem ook 'in zijn broekzak' had.

Het ondersteunen van heimelijke pogingen een eind te maken aan de volkerenmoord in Darfoer in Soedan. President George W. Bush, die de bevinding had ondertekend, had gezegd: 'Ik wil Soedan weer op orde krijgen en een eind maken aan de slachtingen.'

Turkije van inlichtingen en andere steun voorzien om te voorkomen dat de Koerdische Arbeiderspartij de PKK in Noord-Irak binnen Turkije een separatistische enclave stichtte.

De Turken hadden eind 2007 100.000 man langs de grens met Irak gestationeerd en dreigden de PKK-kampen weg te vagen. Daarmee had een nieuw front kunnen ontstaan in de oorlog in Irak. Een zeer groot deel van wat er aan Amerikaanse luchtvracht en brandstof werd aangevoerd, ging via Turkije.

'Jullie moeten iets doen,' had president Bush bevolen. Een geheime operatie op kleine schaal leek de goedkoopste oplossing om Turkije behulpzaam te zijn bij het uitvoeren van beperkte luchtaanvallen om de PKK terug te drijven naar Irak.

Hayden beschreef tevens diverse heimelijke acties, onder meer tegen de drugshandel, en een aantal propaganda-operaties. Het zou de buitenlandse betrekkingen van de Verenigde Staten kunnen bemoeilijken en wellicht het leven van agenten en anderen in gevaar brengen als deze acties bekend werden, dus zij worden hier ook niet onthuld.

De laatste heimelijke actie op de lijst was RDI (*rendition*, *detention* en *inter-*

rogation, overbrengen, opsluiten en ondervragen). Hayden popelde om daar uitleg over te geven.

Rendition – het in het buitenland oppakken van van terreurdaden verdachte personen, om die over te brengen naar een ander land of de Verenigde Staten en hen daar te ondervragen dan wel in overeenstemming met de Amerikaanse wet te vervolgen – was voor het eerst gebruikt tijdens de regering-Clinton, en het was nog steeds van toepassing. De verdachten konden worden overgebracht naar diverse landen in het Midden-Oosten.

Op dat punt onderbrak Biden Hayden, bijna alsof de CIA-directeur een getuigenis aflegde tegenover de senaatscommissie voor Buitenlandse Betrekkingen.

'Stel dat we iemand naar Egypte of zo sturen, generaal, en ze folteren hem daar. Je weet van tevoren dat ze hem gaan folteren als je daar iemand heen stuurt.'

'Nee, nee, nee,' zei Hayden, volgens hem had men de CIA verzekerd dat er niet zou worden gefolterd. De wettelijke maatstaf was dat ze er het volste vertrouwen in moesten hebben dat er niet werd gefolterd.

Biden en diverse anderen keken hem met een sceptische blik aan.

Vervolgens merkte Hayden op dat de geheime detentiecentra van de CIA in het buitenland waren gesloten en dat alle gevangenen waren overgebracht naar Guantánamo Bay op Cuba – een gevangenis waarvan president Bush had gezegd dat hij hem wilde sluiten. Tijdens de presidentscampagne had Obama herhaaldelijk gezegd dat hij ervoor zou zorgen dat hij dichtging.

Over de verscherpte ondervragingstechnieken zei Hayden dat er nog maar zes van over waren. Achteraf zei een deelnemer aan het gesprek dat slaaponthouding de enige techniek leek die effect had op doorgewinterde terroristen en dat je dus kon zeggen dat die zes methoden allemaal bedoeld waren om te voorkomen dat een gevangene in slaap viel. President Bush had ze in 2006 goedgekeurd, waarmee ze in de plaats kwamen van de eerdere bevinding waarin nog andere, heftiger technieken werden goedgekeurd. In die bevinding stond onder meer slaaponthouding vermeld voor een periode tot maximaal 96 uur, die onder uitzonderlijke omstandigheden kon worden verlengd.

'Daar wil ik het over hebben,' zei Obama. 'Wat zijn die?'

Hayden zei: Het isoleren van de gedetineerde; lawaai of harde muziek; en vierentwintig uur per dag het licht aan in de cellen. Een beperkt gebruik van boeien was toegestaan bij het verplaatsen van een gevangene of als die gevangene een gevaar was. Verder werden blinddoeken gebruikt bij het verplaatsen van gevangenen en wanneer gevangenen informatie konden opdoen waarmee de veiligheid van de gevangenis in gevaar kon komen.

'Sta even op, David,' zei Hayden tegen de plaatsvervangend directeur van de DNI, David Shedd. Shedd stond op. Hayden gaf hem een zachte klap tegen zijn gezicht en schudde hem door elkaar.

Het ging er zo'n beetje net zo ruw aan toe als bij Little League-football, zei Hayden. Een geslaagde ondervraging hing af van de mate waarin je het intiem wist te maken en niet zozeer van de mate van geweld. Als je van terrorisme verdachte types aan deze methoden onderwierp, kostte het nog geen week om ze te breken, zei hij. Daarvoor moest je ze op een punt zien te krijgen waar ze het idee hadden dat Allah ze kon bevrijden, dat ze genoeg hadden doorstaan en nu hun verhaal wel konden vertellen. Hayden zei dat het bijgewerkte ondervragingsprogramma onontbeerlijk was in de strijd tegen het terrorisme.

McConnell vond dat Hayden met zijn voordracht de indruk wekte dat dit het enige was wat de CIA ooit had gedaan.

'Oké,' zei Obama. 'Wat stond er vroeger op die lijst?'

Het waren er dertien geweest, zei Hayden, waaronder het 183 keer waterboarden van een bepaalde terrorist (zie noten achterin voor nadere details).[5]

Diverse van de beschreven technieken waren nieuw voor Obama. Hij leek totaal verbijsterd. McConnell bespeurde een vermoeden van ongeloof op het verder zo stoïcijnse gezicht van de aanstaande president.

Hayden hield Obama ook in het oog. Hij was Bush gewend, die je tijdens een briefing vaak spontaan liet weten hoe je het ervan afbracht en niet zelden emotioneel reageerde. De enige reactie die Obama vertoonde was dat hij liet blijken dat het bericht was aangekomen.

'Ik stuur Greg naar jullie toe om daarover te praten,' zei Obama, op de toekomstige juridisch adviseur van het Witte Huis doelend.

Daarna bedankte Obama McConnell, Hayden en de anderen dat ze naar Chicago waren gekomen. Nu moest hij zich weer buigen over de dringende kwesties in verband met de overgang, merkte hij op, waar ineens de arrestatie van de gouverneur van Illinois bij was gekomen.

Voor zover Hayden kon uitmaken, had hij het hele pakket aan heimelijke acties kunnen slijten. Volgens hem zou het teruggeschroefde ondervragingsprogramma brede steun vinden in het nieuwe Witte Huis. En het simpele feit dat dat ondervragingsprogramma bestond, was belangrijker dan de inhoud, geloofde hij. Terroristen zouden weten dat hun een strengere ondervraging te wachten stond als ze door de CIA werden opgepikt en niet door het leger, dat het veldhandboek gebruikte.

Op weg naar buiten zei de directeur van de CIA tegen McConnell dat hij naar zijn idee Obama en zijn team verbaasd had doen staan door aan te tonen dat de ondervragingstactieken strikt beperkt waren. De akelige kanten waren verdwenen. Hij was met vlag en wimpel geslaagd.

Dat lijkt me voorbarig, dacht McConnell. Hayden had zich aanmatigend gedragen, en zelfs een beetje spottend. Hij had zijn publiek volkomen verkeerd ingeschat.

Hayden praatte vol zelfvertrouwen over het binnenhalen van een klantje.

'We zullen zien. Ik help het je hopen, Mike,' zei McConnell.

Toen hij eenmaal president was, schafte Obama het aangescherpte ondervragingsprogramma van de CIA af – zelfs in zijn uitgeklede vorm.[6] De dienst zou zich moeten houden aan wat er in het legerhandboek stond.

Toen ik bij de president informeerde naar deze briefing over heimelijke acties, zei hij: 'Ik ga geen commentaar geven over mijn reactie op onze diepe geheimen.'[7]

In gesprekken met Jones, McDonough en Lippert drong DNI McConnell erop aan dat de regering-Obama een stel deskundigen uit de hoek van de inlichtingendiensten zou aanwijzen voor de hoogste functies. 'Als jullie dan niet kiezen voor Hayden en mij, zoek dan tenminste een beroeps – een apolitiek type dat in die wereld is opgegroeid,' zei hij. Hayden en hij hadden bij elkaar opgeteld 74 jaar ervaring, en ervaring was wat telde. Het was veel te makkelijk om te worden misleid of op een zijspoor gezet, als je geen verstand had van het materieel, het personeel, het jargon, de rituelen, de protocollen en de – goede en slechte – tradities van de zwijgzame en territoriumbewuste inlichtingendiensten.

Je moet mensen aan het hoofd stellen die in die wereld hebben gezeten. Een wereld die met niets anders te vergelijken is. Dat heb je niet van de ene op de andere dag in je vingers. Het zou nergens op slaan en misschien zelfs wel helemaal verkeerd aflopen als ze de hoogste posten bij de inlichtingendiensten zouden gebruiken voor politieke benoemingen.

Het team van Obama reageerde beleefd, maar gaf te kennen dat de aanstaande president nu eenmaal een andere agenda had. Ze moesten mensen bevestigd zien te krijgen, en het feit dat Obama had gewonnen had heel veel te maken met de houding van het land tegenover president Bush. Ze maakten duidelijk dat president Bush in hun ogen het imago van het land had geschaad, vooral met de aangescherpte ondervragingstechnieken en de wijdverbreide elektronische-afluisterpraktijken.

Op zijn minst vond McConnell dat de wet omtrent inlichtingendiensten moest worden herschreven, zodat er duidelijk iemand aan het hoofd stond. In het wijzigingsbesluit uit 2004[8] was de DNI niet de baas geworden van de CIA-directeur, die nog altijd de volledige zeggenschap had inzake heimelijke acties, en daarover rechtstreeks verslag uitbracht aan de president. Er was een ministerie van Inlichtingen nodig, net zoals er een ministerie van Defensie en een ministerie van Buitenlandse Zaken waren. Dat hadden Hayden en hij uitgedacht. Maar het bleef een ongemakkelijke verbintenis tussen oude rotten, en als je de verkeerde mensen aanstelde, kon het compleet uit de hand lopen.

Als jullie dat niet rechtzetten, waarschuwde hij, zul je daarvoor een enorme prijs betalen.

McConnell noch Hayden kregen echter de gelegenheid met Obama te praten over het slechte functioneren van de inlichtingenorganisatie. De overdracht van de regering vorderde, maar geen van beiden vroeg om een kans aan de aanstaande president uit te leggen op wat voor manier de inlichtingendiensten dan niet goed functioneerden.

Obama had Podesta uitgelegd wat voor personen hij in zijn regering wilde hebben. 'Ik wil niet diezelfde oude kliek die dezelfde oude dingen doet op dezelfde oude manier,' zei hij. Verandering zou de allesoverheersende factor worden.

De keuze voor Clinton, Gates en tot op zekere hoogte ook van Jones strookte niet met deze aanpak. Geen mens die de oude kliek beter vertegenwoordigde dan de Republikein Gates en de vrouw van de voormalige president Clinton met zijn twee ambtstermijnen. Met het aanwijzen van mensen voor de twee hoogste posten binnen de inlichtingendiensten had Obama de kans de plant van verse aarde te voorzien, mensen te vinden met een brede ervaring en bewezen capaciteiten, en die mensen in het centrum te plaatsen van het hele spionagegebeuren. Bij het op poten zetten van zijn nationale veiligheidsteam had de aanstaande president een mooie kans om het thema 'verandering' te benadrukken.

Rahm Emanuel had wel een idee voor de post van CIA-directeur. De sterkste man in de Democratische Partij was naar zijn mening Leon Panetta, een voormalig Congreslid uit Californië en onder Clinton stafchef van het Witte Huis. Hun vriendschap dateerde van halverwege de jaren tachtig, toen Panetta in het Witte Huis zat en Emanuel politiek directeur was van de campagnecommissie van de Democratische Partij in het Congres.

Eerder had Podesta bedacht dat Panetta de tweede man van Gates kon worden in het Pentagon. Gates was immers een Republikein, dus had het Witte Huis iemand nodig met Democratische geloofsbrieven. 'Een knaap die in ons team zit,' zoals Podesta het formuleerde. Maar toen Obama eenmaal voormalig directielid bij wapenfabrikant Raytheon Bill Lynn had uitgekozen als onderminister van Defensie, vond Emanuel dat er nog steeds ruimte was voor de zeventigjarige Panetta. Als hij tweede man bij het Pentagon kon worden, waarom dan niet directeur van de CIA?

Podesta belde Panetta. 'Je naam is gevallen voor de post van CIA-directeur.'

'Je neemt me in de maling,' antwoordde Panetta. Hij was volslagen van de kaart van het idee. Panetta had wel gezegd dat hij bereid was in de nieuwe regering zitting te nemen als zich iets zou voordoen, al verwachtte hij niet dat dat het geval zou zijn. Maar de CIA? Was dat aanbod echt gemeend?

En of het gemeend was, zei Podesta. Kom je praten? De redenering erachter was dat Panetta de inlichtingenprogramma's goed kende uit zijn tijd als stafchef en dat hij heel veel te maken had gehad met kwesties op het gebied van de nationale veiligheid, aangezien hij zitting had gehad in de studiegroep Irak, die in 2006 de oorlog had onderzocht. Panetta was geen naïeveling op politiek en bureaucratisch terrein. Bovendien had Obama iemand nodig wiens integriteit onomstotelijk vaststond om de CIA weer op poten te zetten, en de dienst een nieuwe richting, nieuwe energie en een nieuwe inhoud te geven.

Obama belde Panetta, die in Minneapolis op bezoek was bij zijn zoon.

'Ik wil echt dat je die baan als directeur van de CIA aanneemt, Leon,' zei hij.

'Ik voel me zeer vereerd dat u me daarvoor vraagt,' antwoordde Panetta. 'U moet wel weten dat ik erom bekend sta dat ik eerlijk ben en mensen niet ontzie.'

'Daarom wil ik je ook precies voor die baan hebben.'

Inmiddels had het Obama-team al het gerucht in omloop gebracht dat

McConnell zou worden vervangen als DNI, maar het was nog niet officieel. Dennis Blair – ontvanger van een Rhodesbeurs voor een vervolgstudie aan Oxford, en luitenant-admiraal buiten dienst – had een indrukwekkend cv, en zat niet opgezadeld met banden met de regering-Bush die McConnell wel had.

Blair keek er erg van op dat men aan hem dacht. 'Voordat hij afgelopen november werd gekozen, had ik welgeteld één gesprek gehad met de toenmalige Senator Obama,' zei hij later in een toespraak voor de Amerikaanse kamer van koophandel.[9] Het was een bijeenkomst van anderhalf uur geweest in de tijd dat Blair hoofd was van het Amerikaanse Pacific Command. 'Maar hoe dan ook, ik keek erg op toen ik op de dag van de verkiezingen een telefoontje kreeg om me uit te nodigen lid te worden van zijn team.'

Podesta kende Blair van bezigheden die beiden in 1995 hadden verricht voor de CIA, toen Podesta adviseur was van de CIA-directeur en Blair onderdirecteur militaire ondersteuning was van de dienst.

Op maandag 5 januari 2009 las Hayden online een stuk in de *Washington Post* waarin de geruchten bevestigd werden dat Panetta hem zou opvolgen als directeur van de CIA. 'Rahm Emanuels slapie,' zei hij vol afkeer. Het was een persoonlijke vernedering om vervangen te worden door een beroepspoliticus, en om dat uit de krant te moeten vernemen.

Steve Kappes, Haydens tweede man bij de CIA, belde het overgangskantoor en zei: 'Gaat er nog iemand met Mike Hayden praten?'

Die avond belde Obama Hayden: 'Dit zal het ons makkelijker maken om het oog gericht te houden op de weg die voor ons ligt, generaal... Om vooruit te kijken en niet achterom,' zei hij. 'Ik zal onder druk komen te staan, en zo wordt het eenvoudiger voor mij.'

Toen de voordracht van Panetta was aangekondigd, ontmoetten Hayden en Panetta elkaar op het overgangskantoor. Panetta kan iets warms uitstralen, en hij barst nogal eens los in gelach. Het is niet onmogelijk dat er meer politici rondlopen met zijn vermogen persoonlijke relaties op te bouwen, maar ze zullen dat vermogen vast niet overtreffen. Hayden was daar echter niet om nieuwe vrienden te maken maar om zijn opvolger te briefen. De directeur van de CIA haalde een systeemkaartje tevoorschijn.

'Punt één, Leon – en ik weet niet of je dit had verwacht – maar je bent 's lands bevelhebber te velde in de wereldwijde oorlog tegen het terrorisme,' zei Hayden. 'Jij gaat een stel interessante beslissingen nemen.' Dat woord 'interessant' was een voldoende vage plaatsvervanger voor 'dodelijk'. De CIA-directeur had Predator-vliegtuigjes tot zijn beschikking om terroristen aan te vallen, en een leger van drieduizend man in Afghanistan. Panetta moest mede de regels bepalen voor de manier waarop de dienst terroristen gevangennam, overbracht en ondervroeg, waarmee wellicht een terroristische aanval kon worden voorkomen.

Ja, ja, zei Panetta instemmend.

'Punt twee,' zei Hayden. 'Jij beschikt over de beste staf in de hele regering. Als je hun ook maar even de kans geeft, zullen ze je niet laten mislukken, net zoals ze bij mij hebben gedaan.'

Panetta gaf aan dat hij de CIA heel hoog had zitten.

'Punt drie: ik heb stukken van je gelezen uit de tijd dat je niet bij de regering betrokken was,' zei Hayden. 'Je moet nooit meer de woorden 'CIA' en 'foltering' in één alinea gebruiken.'[10]

Panetta zei niets.

'Foltering is een ernstig misdrijf, Leon,' zei Hayden. 'Zeg dat het je niet bevalt. Zeg dat het je tegen de borst stuit. Maakt me niet uit. Als je maar niet zegt dat het foltering is. Dat is een misdrijf.' Het ministerie van Justitie had in lange, gedetailleerde memo's zijn goedkeuring gehecht aan wat de CIA aan het doen was, dus wettelijk gesproken had de CIA niemand gefolterd.[11]

Opnieuw reageerde Panetta niet.

McConnell had een instructie opgesteld waarvan hij wist dat de spanningen tussen de CIA en de DNI ervan konden verergeren. In de instructie werd gesteld dat de DNI en niet de CIA bepaalde wie in elk land de hoogste vertegenwoordiger van de inlichtingendiensten werd. Van oudsher had de hoogste baas van de CIA ter plekke altijd de macht in handen gehad. McConnell wist dat in 99 procent van de gevallen die wel de hoogste vertegenwoordiger zou blijven, maar in sommige landen lagen de meeste kwesties op het gebied van inlichtingen voornamelijk op militair terrein. Zo lag het met de 28.500 manschappen die in Zuid-Korea gelegerd waren voor de hand dat de J-2 – het hoofd militaire inlichtingen – van het Koreaanse commando, de hoogste Amerikaanse vertegenwoordiger was. Dat was de plek waar de cruciale kwesties op inlichtingengebied lagen.

McConnell had tegen Hayden gezegd: 'Ik ga de CIA niet kapotmaken. Ik voer het allemaal niet zover door dat ze hun gezicht of hun status verliezen.' Hij dacht dat hij Hayden bijna had overgehaald. Tijdens overgangsvergaderingen tussen Bush' nationale veiligheidsadviseur Steve Hadley en Jones kondigde hij dus al aan dat hij er na aan toe was de betreffende instructie uit te vaardigen.

'Dat wordt bloed aan de paal,' zei Steve Kappes, die naar alle waarschijnlijkheid zou aanblijven als Panetta's tweede man.

McConnell sprak met Blair, die hem ging opvolgen als DNI, en legde zijn plan uit. 'Dit wordt een gevecht. Volgens de CIA raken ze hun mannelijkheid kwijt. (...) Ik ben bereid mijn handtekening eronder te zetten en dan vertrek ik. Dan kun je mij de schuld in de schoenen schuiven.'

'Laat het maar aan mij over,' zei Blair. 'Ik kom er wel uit met Leon. Wij kunnen dit oplossen.' Ze waren bevriend.

'Oké, je zegt het maar. Ik kan de schuld op me nemen of het aan jou overlaten.'

'Laat het maar aan mij over,' zei Blair vol zelfvertrouwen.

'Als je maar wel begrijpt wat voor gevecht je met de CIA gaat krijgen, want daar zien ze je als de vijand, als degene die hen van hun geboorterecht berooft. Ze zullen je op alle mogelijke manieren proberen te dwarsbomen,' zei McConnell onomwonden.

6

Obama vroeg de aanstaande vicepresident Joe Biden of hij vóór de in-auguratie naar Afghanistan en Pakistan wilde gaan. Biden, die zes termijnen had gediend als Senator uit Delaware, was negentien jaar ouder dan Obama en had als voorzitter van de Senaatscommissie voor Buiten-landse Betrekkingen de hele wereld afgereisd. Deze diplomatieke inspan-ning moest vanuit beide partijen komen, vond Obama. Biden diende een Republikein mee te nemen.

'Lindsey Graham heeft de beste intuïtie in de Senaat,' zei Biden. Daar was Obama het mee eens. Senator Lindsey Graham uit South Carolina was 54 jaar, maar door zijn brede grijns en studentikoze charme leek hij tien jaar jonger. Hij was jurist en kolonel in de Air Force Reserve. Graham kon laveren tussen hardcore rechts en de gematigden en had tijdens de presidentscampagne min of meer gefungeerd als metgezel en beste vriend van de prikkelbare Senator John McCain. Tevens had hij een achterdeur naar het kamp van Obama via Emanuel.

Op vrijdag 9 januari, elf dagen voor de inauguratie, landden Biden en Graham bij Islamabad.[1] President Zardari rolde de rode loper uit. Pakista-nen noemden Zardari vaak 'Mr. 10 procent', een bijnaam die hij had gekre-gen omdat hij smeergeld zou hebben aangenomen tijdens het premierschap van zijn overleden vrouw, Benazir Bhutto. Hoewel Zardari bekendstond als playboy, stonden er in zijn werkkamer liefdevol foto's uitgestald van Bhutto, die in 2007 door terroristen was vermoord tijdens de campagne voor de lan-

79

delijke parlementsverkiezingen. De weduwnaar had de politieke dynastie van haar familie geërfd. In augustus 2008 trad Pervez Musharraf – een generaal die in 1999 na een coup zonder bloedvergieten de macht had gegrepen – af als president. Zardari was gekozen als zijn opvolger.

De Pakistaanse leider reikte Biden de Hilal-e-Pakistan-prijs uit. De ceremonie was een absurde vertoning. De Pakistanen grapten dat de enige eis die ze aan Biden stelden was, dat hij de medaille op de dag van de inauguratie zou dragen en daarna elk jaar op 20 januari. Vervolgens stroomde de ruimte leeg zodat Biden en Graham achter gesloten deuren met Zardari konden praten.

Biden vertelde de Pakistaanse president wat er in Obama omging. 'Afghanistan wordt zijn oorlog.' Misschien zou Obama binnenkort meer troepen sturen, maar dat zou zinloos zijn als Pakistan en de VS niet gingen samenwerken. 'We kunnen Afghanistan niet oplossen zonder Pakistaanse hulp.' Het succes van Amerika hing af van Pakistan, en de Amerikaanse belastingbetaler zou hulp aan Pakistan niet steunen als de Taliban en Al-Qaida vanuit Pakistaanse toevluchtsoorden Amerikaanse soldaten konden blijven vermoorden en hun aanslagen beramen.

De banden van de ISI met de Taliban brachten de Amerikaanse burger aan het twijfelen, zei Biden. Pakistan moest ophouden een toevluchtsoord voor hen te zijn. Het leger en de inlichtingendienst van Pakistan dienden orde op zaken te stellen.

Zardari begon over zijn vrouw.

'Ik ben dan wel niet zo ervaren en deskundig, maar mijn missie verschilt niet van de hare, want het gaat om mijn kinderen. U moet me helpen bij het vinden van steun in dit land. U weet dat dit land door anti-Amerikaanse sentimenten wordt beheerst, en ze zullen me haten als Amerikaanse stroman. U moet me de economische middelen geven, zodat ik het volk voor me kan winnen en kan zeggen dat ze er iets aan overhouden.'

De terroristen hebben de middelen om te vechten en het ontbreekt de Pakistaanse regering aan een budget dat daarmee kan wedijveren, zei Zardari. Pakistan heeft financiële prikkels nodig. Zardari's opmerkingen over Pakistans behoeftige economie waren ter zake. In november was door een noodlening van het Internationaal Monetair Fonds voorkomen dat Pakistan zijn buitenlandse schuld niet kon aflossen en het land failliet zou gaan.

'Dat begrijp ik,' zei Biden. 'Ik ben politicus.'

'Ik werk mee aan de schoonmaak van de ISI,' zei Zardari. 'We mogen niet meer meedoen aan die spelletjes.'

Biden zei dat de regering-Obama graag een nieuwe start met Pakistan wil maken, een waarbij hun beider belangen beter op elkaar zijn afgestemd. 'Maar als u geen ruggengraat toont,' zei hij, 'dan houdt het op.' Biden vertelde dat zijn eigen zoon, Beau, voor het Amerikaanse leger in Irak zat.

Graham vond dat Biden behendig had gebalanceerd op de grens tussen geruststellen en druk uitoefenen. Toen hij zelf aan de beurt was, zei hij dat het Amerikaanse volk 'oorlogsmoe' was. Men had genoeg van het conflict dat zich al meer dan zeven jaar voortsleepte.

'Meneer de president,' zei Graham, 'aan de besluiteloosheid die uw land teistert dient een einde te komen. U behoort te weten wie uw vijanden zijn en wie uw bondgenoten, en dienovereenkomstig te handelen. Wij zijn uw bondgenoten. Wij zijn niet uw vijanden. Maar vanwege de publieke opinie en de middelen in Amerika is er een grens aan wat we kunnen doen om u te helpen. Voor elke school die we in Pakistan willen bouwen, is er iemand in South Carolina die zegt: "Waarom bouwen jullie hier geen scholen? Daar hebben wij net zo goed behoefte aan." Joe en ik begrijpen het strategisch belang van uw land, anders zouden we hier niet zijn. Het was de eerste plaats waar we naartoe kwamen. Dat was geen toeval.'

'Ik was de voornaamste bondgenoot van Senator McCain. De verkiezingen zijn voorbij. Wij hebben verloren. Ik maak nu deel uit van de loyale oppositie, maar ik ben hier gekomen met mijn vriend, de [aanstaande] vicepresident, om u te laten weten dat Senator McCain en ikzelf... dat de mensen die aan onze kant stonden, deze president zullen volgen als het erom gaat u de hulp te geven die u nodig hebt.'

'U moet kiezen,' zei Biden. 'U kunt de partijen niet tegen elkaar blijven uitspelen. We zijn ingelicht door de CIA. De CIA meende dat veel van onze informatie ondermijnd was doordat de ISI die terroristische kampen waarschuwde die we als doel van raketaanvallen hadden aangemerkt.

Zardari reageerde emotioneel; hij zei dat hij zijn hele leven had gestreden tegen het terrorisme, en herinnerde hen eraan dat zijn vrouw door terroristen was vermoord.

'Ik betreur het verlies van uw vrouw,' zei Graham.

Zardari bracht het eeuwige probleem van India ter sprake, de eindeloze vijandigheid tussen beide landen.

'Weet u,' zei Biden, 'wij willen verandering.'

Bij Graham wekte Zardari geen vertrouwen. Graag zou hij hem precies vertellen wat er in zijn hoofd omging: 'De hele boel staat hier verdomme in brand, vriend, of niet soms? Misschien heb jij dat zelf nog niet door, maar ik wel.'

Biden was geschrokken van de analyse van de CIA. Delen van de Afghaanse Talibanbeweging, bijvoorbeeld het Haqqani-netwerk, waren vrijwel onschendbaar in Pakistan, en Al-Qaida kon ongestoord trainingskampen opzetten en gebruiken. Wie was de baas?

Voor het volgende agendapunt vlogen Biden en Graham naar Kabul om de Afghaanse president Hamid Karzai te ontmoeten.

Karzai, een kleine, zachtaardig uitziende man met een lichtgrijze baard, was gekozen om Afghanistan te leiden na de val van het Talibanregime eind 2001. Deze leider van een kleine Pasjtoenstam sprak vlekkeloos Engels, waardoor Amerikaanse functionarissen vaak dachten dat ze openhartiger met hem konden praten. Volgens bepaalde inlichtingen had hij echter de diagnose manisch-depressief gekregen. Hij gebruikte medicijnen en had ernstige stemmingswisselingen.

Na 11 september brachten de CIA en de Amerikaanse commando's gehuld in het duister van de nacht de balling terug naar Afghanistan. Hij overtuigde dorpen om zich tegen de Taliban te verzetten. Midden in de strijd om Kandahar ging per ongeluk vlakbij Karzai een Amerikaanse bom af. De CIA-functionaris Greg V. wierp zich bovenop de Afghaanse leider en redde zijn leven.[2] Beide mannen kwamen met de schrik vrij en Karzai sprak vaak zeer geëmotioneerd over zijn redding.

Nadat echter de Afghaanse grondwet was aangenomen en Karzai in 2004 tot president was gekozen, kwam de relatie met de VS onder spanning te staan. Karzai hekelde de Amerikanen regelmatig vanwege de burgerslachtoffers.

Door bewijzen dat de regering en familie van Karzai corrupt waren, liepen de spanningen met de Verenigde Staten op.

Karzais halfbroer, Ahmed Wali Karzai, bestierde Kandahar als de Afghaanse versie van Boss Tweed, een negentiende-eeuwse corrupte bestuurder van New York City. Ahmed Wali stond al jaren op de loonlijst van Amerika en de CIA, al vóór 11 september.[3] Hij maakte deel uit van het kleine netwerk van door de CIA betaalde agenten en informanten in Afghanistan. Daarnaast stuurde de Amerikaanse overheid hem nog geld via zijn halfbroer, de president.

Nog belangrijker was dat hij de verhuurder was van enkele door de CIA en het leger gehuurde faciliteiten in Kandahar. Een bewijs van zijn invloed – en corruptie – was, dat hij de Amerikaanse belastingbetaler liet opdraaien voor forse huurprijzen van gebouwen in Kandahar, die feitelijk niet van hem waren noch onder zijn beheer vielen. Zijn door de overheid gesponsorde huurders waren onder meer de Kandahar Strike Force, een paramilitaire groep Afghanen die de CIA gebruikte om verdachte rebellen aan te vallen. Er waren ook aanwijzingen dat Ahmed Wali geld verdiende aan de opiumhandel.

Onder hoge Amerikaanse beleidsmakers bleef het een punt van discussie: kunnen we eigenlijk wel met die vent samenwerken? Het standaardantwoord van de CIA luidde: hij levert resultaat op, geeft inlichtingen en biedt ondersteuning bij belangrijke antiterroristische operaties. Het was noodzakelijk een aantal boeven in dienst te hebben als de Verenigde Staten een rol wilde spelen in een boevenstaat. Als we Ahmed Wali de pas zouden afsnijden, zou hij misschien zijn greep op de stad verliezen, en verloren wij Kandahar misschien wel helemaal. En Kandahar verliezen betekende wellicht de oorlog verliezen.

De CIA maakte zich echter weinig illusies. Ahmed Wali was het tegendeel van een beheersbare agent die braaf gehoor gaf aan verzoeken of druk vanuit de VS of de CIA. Hij ging zijn eigen gang, speelde iedereen tegen elkaar uit – de Verenigde Staten, de drugsdealers, de Taliban en zelfs zijn eigen broer als dat nodig was.

Tijdens de vlucht naar Afghanistan zei Graham: 'Ik zie op tegen deze vergadering.'

'Ik ook,' zei Biden. CIA-rapporten wezen op een duizelingwekkend niveau van corruptie, passiviteit en complexe relaties met geheime diensten die van decennia her dateerden. Biden wilde de afhankelijkheid die was ontstaan in de relatie tussen Karzai en het Oval Office doorbreken. President Bush hield bijna tweewekelijks een videoconferentie met Karzai. Soms zette Karzai zijn kleine zoontje op zijn schoot tijdens dit tête-à-tête van staatshoofden. Als iemand van het Amerikaanse leger of de Amerikaanse ambassade in Kabul Karzai ergens op aansprak, beriep hij zich op zijn bijzondere band met de president van de Verenigde Staten.

Biden en Graham vonden dat er druk moest worden uitgeoefend op Karzai. Het geplande staatsdiner zou geen traditionele feelgoodsessie worden.

Vóór het diner spraken Biden en Karzai elkaar ongeveer een half uur lang onder vier ogen.

'We hebben er geen belang bij u het leven moeilijker te maken,' liet Biden Karzai weten. 'Maar u kunt een grote bijdrage leveren aan ons succes. Bovendien hebt u er geen belang bij ons het leven moeilijker te maken.

'Wij moeten weten of u in staat bent de moeilijke dingen te doen die noodzakelijk zijn om in deze situatie vooruit te komen, zoals wijzelf moeten nagaan of wij in staat zijn de moeilijke dingen te doen die noodzakelijk zijn om in deze situatie vooruit te komen.'

Dat is helemaal waar, zei Karzai.

Graham en de Amerikaanse entourage liepen met de leden van Karzais kabinet te ijsberen bij de deur. Het leek wel een pauselijk conclaaf en of ze stonden te wachten op de rook uit de schoorsteen. Karzai en Biden kwamen naar buiten, ogenschijnlijk tevreden over het gesprek. Ze gingen tegenover elkaar zitten aan een enorme eettafel, met aan elke zijde vijftien personen.

Karzai had de avond goed voorbereid. Hij gaf elk kabinetslid het woord. 'Minister van Defensie, vertel ons waar u momenteel mee bezig bent.' De Afghaanse minister van Defensie, Abdul Rahim Wardak, stond op en deed zijn verslag. 'Minister van Binnenlandse Zaken, vertel ons waar u momenteel mee bezig bent.' De Afghaanse minister van Binnenlandse Zaken, Mohammad Hanif Atmar, deed hetzelfde. Nadat deze voorstelling was beëindigd, wendde Biden zich tot Karzai.

'Ik heb Senator Graham met me meegenomen om u te laten weten dat de verkiezingen in ons land voorbij zijn,' zei hij. 'Wij zijn hier om ons aan uw land te verplichten, maar meneer de president, er moet iets veranderen. De aanstaande president Obama wil graag helpen, maar denk maar niet dat u de telefoon kunt pakken om president Obama te bellen, zoals u dat bij president Bush gewend was, want zo gaat dat niet meer.'

Dat begrijp ik, zei Karzai. Hij leek zich graag te willen aanpassen, onderbrak Biden met uitroepen als 'Wonderful' en 'No problem'.

'Meneer de president,' zei Graham, 'het gaat slecht met de Amerikaanse economie. Als de corruptie niet bestreden wordt en er geen uitzicht is op beter bestuur, dan zullen de Republikeinen niet meer stemmen voor troepenuitbreiding of voor meer geld voor Afghanistan als we geen echte verandering zien.'

Biden kritiseerde Karzai omdat het hem niet lukte te regeren met Afghanistan als geheel in zijn gedachten, omdat hij weigerde door het land te reizen om politieke consensus op te bouwen onder de vele stammen en etnische groepen. Hij verwees naar de prachtige woningen van Afghaanse functionarissen vlakbij het presidentiële paleis, die ongetwijfeld waren betaald met Amerikaans geld.

'U bent de burgemeester van Kabul,' zei Biden, waarmee hij bedoelde dat Karzai geïsoleerd bleef in de hoofdstad. 'Er moet een einde komen aan het willekeurig vervangen van gouverneurs.' Karzai was gewoon met provinciale gouverneurschappen te strooien onder zijn politieke voorstanders.

Graham bracht Ahmed Wali Karzai ter sprake. 'Meneer de president,' zei hij, 'het is onmogelijk naar Afghanistan te gaan zonder iets over uw broer te hebben opgevangen.'

'Nou, laat me het dossier maar zien, Senator,' antwoordde Karzai.

'Dat zullen we zeker doen, ooit,' zei Graham.

De stemming begon te verzuren. Karzai leek beledigd.

'Er is maar één ding dat ons zorgen baart,' zei Karzai, 'en dat zijn de burgerslachtoffers. Daar moeten we samen iets tegen doen. De mensen hier willen niet dat u vertrekt. Uw belang is het terrorisme te verslaan. Wij zullen helpen.'

'We doen alles wat we kunnen om het aantal burgerslachtoffers te beperken,' antwoordde Biden. 'In een oorlog zijn ze niet allemaal te vermijden. Dat weet u best.' Het zou helpen, voegde hij eraan toe, als Karzai ophield persconferenties te geven waarin hij steevast de beschuldigende vinger uitstak naar de VS wanneer er meldingen van burgerslachtoffers waren binnengekomen. 'U moet naar ons toe komen. Wij zullen dan op zoek gaan naar de feiten, maar we moeten voorkomen dat er lukraak openbare verklaringen worden afgelegd die niet overeenkomen met de feiten.'

Graham, de jurist bij de Air Force Reserve, schoot te hulp. 'Onze geweldsinstructies zijn zeer omzichtig als het gaat om burgerslachtoffers,' zei hij. 'En niemand vindt het erger dan de mensen die erbij betrokken zijn, maar meneer de president, wij kunnen beschuldigd worden van een misstap wanneer dat gebeurt op basis van wat een persbericht van de Taliban zegt. Zo speelt u de vijand in de kaart. U stelt hen zo in staat meer grip te krijgen op de burgerbevolking.' De eis om toestemming te vragen voor een aanval was absurd, zei hij. 'We zitten midden in een oorlog.' Graham realiseerde zich dat hij steeds bozer werd. 'We kunnen van onze troepen niet eisen om politieagentje te spelen. We willen partners zijn. Niemand liever dan Lindsey Graham wil dat de eerste persoon die door de deur naar binnen gaat [tijdens een inval] een Afghaan is, maar de eerste persoon die naar binnen gaat, is een Amerikaan. En wij hopen dat op een dag de eerste persoon die de deur binnengaat, een Afghaan is.' Maar, zei hij tegen Karzai, hij moest ophouden om te spelen voor zijn eigen publiek.

'U dient hier samen met ons in zitten,' voegde Biden toe. 'Als dit geen oorlog is voor u, dan houden we op met het uitzenden van onze soldaten.' De dood van onschuldige Afghanen druist in tegen de Amerikaanse belangen, zei Biden. 'Wanneer we hun harten breken, verliezen we hun sympathie.'

Karzai leek te beseffen dat hij een gevoelige snaar had geraakt. 'Het is geen kritiek,' zei de Afghaanse president. 'Ik wil alleen maar zeggen dat er een probleem is.'

Maar laten we dat probleem in besloten kring aanpakken en niet door middel van een persconferentie, zei Biden.

Karzais toon werd scherper. Burgerslachtoffers waren een openbare kwestie. Voor de Amerikanen leek de dood van, zeg, dertig Afghaanse dorpelingen een peulenschil. En Biden had hem niet mogen kleineren in het bijzijn van zijn eigen kabinet.

'Dit gaat al te lang door,' zei Karzai. 'Het Afghaanse volk zal er niet meer achter kunnen staan.'

'Misschien hebben wij ook dat punt bereikt, moeten we onze verliezen terugdringen,' zei Biden.

'Het Afghaanse volk moet een partner worden, geen slachtoffer,' zei Karzai.

'Ik denk dat we het beter kunnen en zullen doen dan nu,' zei Biden. 'Maar als u ons niet wilt, gaan wij graag weer naar huis. U zegt het maar. In plaats van dertigduizend, misschien maar tienduizend troepen. Of liever helemaal geen. Misschien kunnen we volstaan met economische hulp. Als u wilt dat we gaan, zeg dat dan maar.'

Op dat moment kwam de Amerikaanse ambassadeur in Afghanistan, William Wood, tussenbeide als een wanhopige relatietherapeut.

'Ik denk dat dit een nuttig gesprek is geweest,' zei hij. 'Het toont de frustraties aan beide kanten.'

'Wij zijn maar arme Afghanen,' zei Karzai. 'Ik weet dat niemand zich bekommert om...'

Biden gooide zijn servet neer. 'Dit is beneden uw waardigheid, meneer de president.'4

Beide mannen leken zich met moeite te kunnen beheersen. Graham had al zo veel van dit soort verdomde diners bijgewoond dat hij ze niet meer kon tellen. Maar dit was 'een diner om nooit te vergeten', zei hij later. Het eindigde kort na deze woordenwisseling. Terug op de ambassade werd de ambassadeur overspoeld met telefoontjes van verontruste leden van Karzais kabinet, die vroegen of het wel goed zat. Wat was er aan de hand?

Bidens bezoek ging met veel geheimzinnigheid gepaard. Er waren geen openbare verklaringen of briefings voor de pers. Biden en Graham ontmoetten later David McKiernan, de Amerikaanse commandant in Afghanistan, die een minder pessimistische kijk had. Biden gaf bij McKiernan aan dat hij meer troepen zou krijgen en vroeg: Gaat u dit lukken?

McKiernan zei: 'We zijn niet aan het verliezen, maar om het punt te bereiken dat we werkelijk gaan winnen hebben we deze extra troepen nodig.' Hij had om dertigduizend gevraagd, een verzoek dat de regering-Bush nog niet had ingewilligd.

Er waren gunstige tekenen vanuit Regionaal Commando Oost, waar het Hindu Kush-gebergte lag. Amerikaanse troepen hadden bewonderenswaardig gepresteerd door de valleien en steden te veroveren. 'We zijn bijna aanbeland bij het punt waarop de veroveringen onomkeerbaar zijn,' zei McKiernan.

In schril contrast daarmee stond Regionaal Commando Zuid, waar het steeds slechter ging. RC Zuid omvatte de provincies Kandahar en Helmand. Het vormde de schakel tussen de Taliban, de drugshandel en Karzais nepotistische corruptie. Wat deden ze in het oosten wat in het zuiden werd nagelaten? vroeg Biden.

McKiernan zocht naar een antwoord. Ze hadden meer aandacht besteed aan het oosten en de samenwerking met de Afghanen daar verliep beter, zei hij.

Biden was niet overtuigd. Als de VS werkelijk in het oosten aan het winnen waren, dan zou het slim zijn om dat succes te analyseren en te herhalen in het zuiden.

Hoe zit het met Al-Qaida? vroeg Biden. Deze terroristische groepering was de reden dat de Amerikanen in dit land waren. Hoe groot was hun aanwezigheid nu in Afghanistan?

'We hebben hier de afgelopen paar jaar geen Arabier gezien,' antwoordde McKiernan. Om allerlei praktische reden zat Al-Qaida daar niet. Dat bevestigde Bidens vermoeden. Al-Qaida – de reden van deze oorlog – was een Pakistaans probleem.

'Ik zie ernaar uit om met u samen te werken,' zei Biden, terwijl hij McKiernan de hand schudde.

De aanstaande vicepresident geloofde dat informele gesprekken vaak meer opleverden dan officiële presentaties. Wanneer hij zijn ronde maakte bij de troepen, stelde hij na het plichtmatige 'Hoe gaat het?' altijd de vraag: 'Wat proberen we hier voor elkaar te krijgen?' Iedereen – kolonels, luitenants, sergeanten – gaf een ander antwoord.

'Het komt erop neer dat we proberen dit land weer op te bouwen,' aldus de een, 'zodat het op eigen benen kan staan.'

Een ander zei: 'We proberen Al-Qaida te pakken.'

Biden antwoordde: 'Maar ik hoorde net dat die hier niet zat.'

Een vaker voorkomend antwoord van de fronttroepen was: 'Ik weet het niet.'

De zesenveertigjarige Tony Blinken, die in de zeven jaar daarvoor Bidens topadviseur op het gebied van buitenlandse zaken was geweest en nu zijn adviseur nationale veiligheid, was meegereisd. Blinken, een jurist die onder Clinton als staflid voor de Nationale Veiligheidsraad had gewerkt, vervoegde zich bij zijn baas en Graham om te praten over wat ze hadden gezien. 'Ik weet niet of ze dit hier ooit voor elkaar krijgen,' merkte hij op.

Biden opperde dat de ambitie om een Afghaanse regering, leger- en politiemacht op te zetten, en wel zodanig dat het allemaal functioneert, misschien te hoog te gegrepen was. Was het wel haalbaar?

'Ik weet niet of het haalbaar is of niet,' zei Graham. 'Ik had dezelfde twijfels over Irak.' Maar dit leek de beste kans die ze zouden krijgen. 'Hoe zal het eindigen? Zal Karzai ooit beter regeren? Ik weet het niet,' zei Graham. 'Hij heeft te veel manoeuvreerruimte gekregen, zonder verantwoording te hoeven afleggen.' Hij wist echter zeker dat dit bezoek een goed begin was om een nieuwe relatie aan te gaan met Karzai.

Blinken zat in het kamp van de twijfelaars. 'Hoe gaan we hier weg?' vroeg hij.

Terug in Washington trok Biden Graham het tijdelijke hoofdkwartier binnen voor een ontmoeting met Obama op woensdag 14 januari.

Hij vertelde Obama het grote nieuws van de reis. 'Als je tien van onze mensen vraagt wat we daar proberen te bereiken, krijg je tien verschillende antwoorden' zei hij. 'Iedereen gaat zijn eigen gang.'

We kunnen niet iedereen zijn gang laten gaan, antwoordde Obama. We moeten hier grip op krijgen en dat is het eerste wat we gaan doen.

De CIA-briefing over de regio en de gesprekken in Pakistan waren ontmoedigend, zei Biden. Er is werk aan de winkel voor ons, maar ik sta achter het idee om meer troepen te sturen.

In de media die dag ging het gerucht dat Richard Holbrooke zou worden benoemd als speciale gezant van het ministerie van Buitenlandse Zaken voor Afghanistan en Pakistan.[5] Hillary Clinton zou waarschijnlijk kiezen voor haar vriend Holbrooke om Karzai en Zardari af te handelen. Holbrooke was een zevenenzestigjarige ervaren diplomaat die vooral bekend was om de wijze waarop hij in 1995 de oorlog in Bosnië had opgelost.

'Hij is de meest egoïstische klootzak die ik ooit heb ontmoet,' zei Biden tegen Obama, 'maar misschien is hij de juiste man voor deze taak.' Hoewel Holbrooke nog vol was van zijn heldenrol, wilde hij zó graag slagen dat hij zich met heel zijn bijzondere talent, energie en zijn ego op deze opdracht zou storten en misschien zou het hem gewoon lukken.

'We weten hoe jij over Holbrooke denkt,' zei Obama, Biden afkappend en zich omdraaiend naar Graham.

'Ik heb gesproken met Senator McCain,' zei Graham. 'Ik denk dat Afghanistan ons veel meer gaat kosten. En Pakistan het dubbele daarvan.' Hij vond dat Bidens harde aanpak van Karzai noodzakelijk was. 'Ik zou er bij u op willen aandringen, meneer de president,' zei hij, hoewel Obama pas over zes dagen zou worden geïnaugureerd, 'Karzai op afstand te houden. Wees voorzichtig met de afspraken die u met hem maakt, blijf druk uitoefenen voor een beter bestuur. En uiteindelijk kunt u rekenen op mij en Senator McCain(...) en anderen die u zullen bijstaan om de situatie in Afghanistan te keren.'

Obama glimlachte maar hield zijn gedachten voor zich.

Graham zei dat het van cruciaal belang was dat Obama het komende jaar enige vooruitgang zou boeken: beter bestuur in Afghanistan, vervolging van corruptie en criminaliteit, een Afghaans leger dat als eerste naar binnen zou gaan bij een inval. Zonder dit soort ingrijpende veranderingen, zei hij, 'verliest u de goedkeuring van het publiek'. De tussentijdse verkiezingen voor het Congres zouden eraan komen en de Republikeinen zouden campagne voeren tegen Obama, zoals de Democraten dat tegen

Bush hadden gedaan. 'Uw verantwoordelijkheid voor Afghanistan zal binnen een jaar vastliggen. En als deze bal verder stuitert, kan ik u nu al voorspellen dat de Republikeinse Partij niet opnieuw in de bres springt voor een impopulaire oorlog. En misschien ben ik straks de enige die voor u in de bres staat.'

'Dank je wel,' zei de aanstaande president.

'Meneer de president, wij zijn deze strijd aan het verliezen,' zei Graham. 'Uw oordeel over het belang van Afghanistan is helemaal goed. En uw oordeel dat wij de andere kant hebben uitgekeken, klopt ook.' Als Senatoren waren ze het niet eens geweest over de vraag of er meer troepen naar Irak moesten worden gestuurd, omdat Graham geloofde dat we onmogelijk in Afghanistan konden winnen als we in Irak hadden verloren. Maar nu moedigde Graham Obama aan opnieuw te beginnen in Afghanistan.

Terwijl Obama, Biden en Graham naar een persconferentie liepen, nam Obama Graham terzijde om hem te bedanken.[6]

'Meneer de president,' zei Graham, 'dit is niet uw oorlog, dit is onze oorlog.'

7

Op dinsdag 20 januari, de dag van de eedaflegging, ontmoette David Axelrod president Bush op het podium bij het Capitool. Als Obama's belangrijkste campagnestrateeg had Axelrod, die nu zijn hoofdadviseur was, herhaaldelijk kritiek op Bush geuit.

'Meneer de president, ik was vanochtend op televisie,' zei Axelrod.[1]

'Ik kijk geen televisie,' snauwde Bush.

'Nou, dan vertel ik u maar wat ik gezegd heb,' zei Axelrod kalm. 'Ik vertelde dat u de overdracht als een ware patriot hebt verzorgd en dat wij dat echt waarderen.'

'O, geweldig,' zei de president, die meteen bijtrok. 'Ach, je bent begonnen aan de rit van je leven, je gaat ervoor en dan wordt het leuk.'

De dag daarvoor had Rahm Emanuel, met wie Axelrod al meer dan vijfentwintig jaar bevriend was, hem verteld dat er een rampenplan bestond om de inauguratie af te gelasten. Uit betrouwbare inlichtingen bleek dat een groep Somalische terroristen met explosieven een aanslag op Obama wilde plegen.[2]

'Misschien gaat het wel helemaal niet door,' had Emanuel gezegd. 'Daar mogen we ons best op voorbereiden.'

Er is geen aanslag gepleegd tijdens de inauguratie. De aandacht ging volledig uit naar de toespraak. Wat ging Obama zeggen? Een van de mensen die zich dat afvroegen was generaal Jones, die het als Obama's nationale veiligheidsadviseur behoorde te weten. Maar hij had niet eens een kladversie gezien. 'Ik had er wel om gevraagd,' zei hij, bijna bevend. Emanuel en de politieke mannetjesmakers wilden de tekst niet aan hem laten zien. Dat was geen handig begin gezien Obama's belofte aan Jones dat hij altijd zou vragen naar zijn 'advies of mening voordat ik iets ga doen'. Maar Jones besefte dat het team van Obama nog steeds in de campagnemodus zat, waar hopelijk een einde aan zou komen wanneer ze hun intrek in het Witte Huis hadden genomen. Maar toch, dat hij in het duister was gehouden over deze toespraak was beledigend.

In zijn toespraak wijdde Obama slechts één zin aan de oorlogen: 'We zullen beginnen Irak op verantwoordelijke wijze aan zijn bevolking over te laten en een welverdiende vrede smeden in Afghanistan.'[3]

Terwijl Obama sprak, zat generaal Petraeus weer in Afghanistan. Hij had de afgelopen week de buurlanden bezocht, waar hij veilige aanvoerroutes naar het oorlogsgebied probeerde te vinden. Het was moeilijk om voorraden Afghanistan in te krijgen. De meeste gingen via Pakistan, maar een kern van Talibanopstandelingen lag op de loer langs de Khyberpas, die de landen met elkaar verbindt. Petraeus had alternatieve routes verkend die Pakistan meden en Afghanistan via de voormalige sovjetrepublieken in het noorden bereikten.

Op de avond van 20 januari steeg zijn C-17 op van het asfalt in Kabul met als eerste bestemming Duitsland om bij te tanken en vervolgens door te vliegen naar Washington.

Nadat het vliegtuig in Duitsland was geland, liep Petraeus een van zijn genadeloze acht kilometer-parcoursen in de hoop dat hij zonder slaappillen de trans-Atlantische vlucht doorkwam. Hij racete tegen de zon zodat hij aanwezig kon zijn op Obama's eerste vergadering over Irak.

Om 16.15 uur, 21 januari, had Obama zijn nationale veiligheidsteam naar de Situation Room laten komen. De Situation Room, gelegen in de kelder van de westelijke vleugel, is een high-tech bunker.

Veel van de hoge ambtenaren en Witte Huis-medewerkers waren tot diep in de nacht op de inauguratiefeesten geweest, en dat was ze aan te zien. Maar de president niet.

Het verzet tegen de oorlog in Irak had een grote rol gespeeld in Obama's opkomst, waardoor enkele leden van de regering-Bush, onder wie Gates, met vrees tegemoet zagen wat de nieuwe president zou gaan doen. Tijdens de campagne had Obama beloofd binnen zestien maanden na zijn inauguratie, medio 2010, alle gevechtstroepen uit Irak te halen. Maar door enkele beslissingen van de regering-Bush was zo'n snelle terugtrekking onwaarschijnlijk. Die beslissingen moesten juist een overhaaste terugtrekking voorkomen, zoals de ambtenaren van Bush dat zagen.

De eerste en belangrijkste beslissing was de aanstelling van Petraeus als commandant van het Centraal Commando. De tweede was de benoeming van generaal Raymond Odierno, die Petraeus' plaatsvervanger was geweest en als algemene commandant in Irak veel lof had gekregen voor de stabilisering van dat land. De derde beslissing was de 'Status of Forces Agreement', die Bush iets meer dan een maand vóór Obama's inauguratie had ondertekend. Daarin stond dat de Amerikaanse strijdkrachten zich niet voor eind 2011 zouden terugtrekken.

Op de vergadering van 21 januari liet Obama weten dat hij drie mogelijkheden wilde uitzoeken.

Hij gaf opdracht tot een zestig dagen durend onderzoek en zei: 'Ik wil een grondig onderzoek laten doen in Irak om uit te zoeken hoe we kunnen bereiken wat we willen.' Het vaste personeel van de Nationale Veiligheidsraad dat het onderzoek moest gaan uitvoeren was er niet van tevoren over ingelicht. Een van de mogelijkheden die ze op verzoek van de president moesten bekijken was terugtrekking binnen zestien maanden.

Na de vergadering stond Petraeus op het punt in zijn vliegtuig te stappen en terug te keren naar het hoofdkwartier van het Centrale Commando in Tampa. Sorry, kreeg hij te horen: die aanstaande vrijdag wilden de president en de Nationale Veiligheidsraad vergaderen over de oorlog die niet zo goed verliep – die in Afghanistan. Of hij in Washington wilde blijven.

Nu hij een dag langer in Washington verbleef, bracht Petraeus donderdagmiddag 22 januari door op de uit rood baksteen opgetrokken campus van de National Defense University, waar hij een intern rapport bestudeerde over de hele regio van het Centraal Commando. Vaak maakte hij grapjes over het misbruik van powerpointpresentaties op het Pentagon, die menig publiek martelden met saaie, van jargon doortrokken dia's. Na vier maanden noeste arbeid had het rapport van CentCom over de regio een epische lengte van wel duizend powerpointdia's.

Een team van tachtig mensen, onder wie Derek Harvey van het Defense Intelligence Agency (DIA), analyseerde het Afghaanse onderdeel van het onderzoek. De vierenvijftigjarige kolonel b.d. was een van Petraeus' meest gewaardeerde inlichtingenadviseurs in Irak geweest.[4] In de jaren tachtig had Harvey per taxi door het land getrokken.

Harvey benaderde zijn werk volgens de stap-voor-stap methode van een detective. Inlichtingenanalisten gebruiken meestal op geheime wijze verkregen informatie zoals onderschepte elektronische berichten, foto's vanuit satellieten of onbemande vliegtuigjes en verslagen van spionnen. Harvey 'verbreedde het perspectief' door ondervragingen van gevangenen, veldslagbeschrijvingen en stapels documenten van de vijand – financiële verslagen, propagandamateriaal, Talibancommuniqués – erbij te betrekken. Door in de papieren van de vijand te snuffelen, vond hij aanwijzingen die anderen misschien over het hoofd zagen.

Wat heb je ontdekt? vroeg Petraeus.

'Dat de blinden de blinden leiden,' antwoordde Harvey. De Amerikanen waren gevaarlijk onwetend over het Afghaanse verzet. Eenvoudige vragen werden in de loop van de oorlog niet gesteld: Wie is de vijand? Waar zit hij? Hoe ziet hij deze strijd? Wat is zijn motivatie?

'We weten te weinig over de vijand om een strategie te kunnen bedenken die ons de overwinning brengt,' zei Harvey, daarmee impliceren dat de huidige strategie voor Amerika tot een nederlaag zou leiden en een nieuwe strategie zinloos was wanneer de hiaten in de kennis niet werden opgevuld.

Harvey zei dat de commandant in Afghanistan, generaal David McKiernan, van mening was dat de verzoeningssuccessen in Irak – de keren dat het gelukt was vrede te sluiten met elementen van het verzet – niet in Afghanistan herhaald konden worden. Daarom was McKiernan niet geïnteresseerd geweest in economische, sociale en politieke informatie over de Afghaanse stammen en dorpen. Toch was verzoening waarschijnlijk de enige manier om uit deze oorlog te komen. Ook had McKiernan zich er bij Harvey over beklaagd dat hij nauwelijks de militaire middelen had om de opstandelingen te bestrijden. 'Ik heb niet genoeg om mijn werk te doen.'

Harvey was bereid toe te geven dat Afghanistan een kwestie was van pappen en nathouden. Na meer dan zeven jaar oorlog had de Directeur Nationale Inlichtingendiensten (DNI) – de dienst die was opgezet om de stroom van inlichtingen binnen de regering te coördineren – nog steeds geen missiemanager aangesteld voor Afghanistan en Pakistan. Petraeus schreef aan Blair, de nieuwe DNI, een brief met het verzoek om daar iets aan te doen. Vervolgens werkte hij persoonlijk aan de oplossing van dit probleem. Een voormalige CIA-functionaris werd benoemd als adjunct-DNI, maar dat was eigenlijk niet voldoende.

Terwijl Petraeus naar het verhaal van Harvey luisterde, kon hij zich wel voor de kop slaan. De oplossing lag voor de hand. Hij moest onmiddellijk iets doen aan de blinde vlekken in de inlichtingen. Door dingen heen en weer te schuiven tussen de DNI, de CIA, NSA, DIA en andere instanties, zou de oplossing alleen maar langer op zich laten wachten.

Petraeus besloot zijn eigen inlichtingendienst op te zetten binnen het Centraal Commando. Regionale commando's in Europa en de Pacific hadden hun eigen inlichtingendiensten. Het Centraal Commando moest er ook een hebben.

Kun je een plan schetsen voor een dienst die is toegespitst op jouw aanpak? vroeg Petraeus aan Harvey.

Al snel werd Harvey benoemd tot directeur van het nieuwe Kenniscentrum Afghanistan-Pakistan, gehuisvest in het hoofdkwartier van het Centraal Commando in Tampa, Florida. Petraeus herschikte geldstromen in het CentCom om de geraamde 108 miljoen dollar aan jaarlijkse kosten te dekken, en liet het Congres enkele maanden in onwetendheid over het bestaan van dit centrum.

Harvey probeerde op een radicaal andere manier inlichtingen te verzamelen. De meeste inlichtingendiensten rouleerden met hun personeel door middel van posten voor twee jaar. Dit centrum zou zijn onderzoekers op vijfjarige missies sturen, zodat ze vloeiend Dari en Pasjto leerden spreken, de twee grootste talen in Afghanistan.

Voor Harvey was zijn werk zijn leven. Hij begon 's ochtends om vier uur, werkte vijftien uur per dag en sliep 's nachts nauwelijks. Zijn obsessie kwam hem persoonlijk duur te staan. Harveys vrouw vroeg een echtscheiding aan. Een van zijn drie zoons kwam in moeilijkheden. Harveys vrienden maakten zich zorgen om zijn gezondheid.

Harvey gaf de voorkeur aan bronnen die inzicht gaven in wat er ter plekke aan de hand was. Hij kreeg waardevolle inzichten door bestudering van niet-vertrouwelijke bronnen, zoals de wekelijkse rapportages van de ingenieurs in Afghanistan die toezicht hielden op de bouw van bruggen en wegen. Ook logde hij vaak in op Harmony, een website van de regering met vertaalde documenten van de vijand.

Als Amerika het verzet de kop in wilde drukken, moest men kunnen uitgaan van betrouwbare inlichtingen. Dat hield in dat een provincie per dorp moest worden uitgesplitst, en dat je in elk dorp elk huis kende. Dat de relaties tussen stammenleiders, moellahs, boeren en opiumhandelaren net zo goed in kaart moesten worden gebracht als de positie van de vijand. Als bescherming van de burgerbevolking het doel was, moesten de soldaten weten wie ze moesten verdedigen en wie neerschieten. De opstandelingen waren in het voordeel, want die zagen eruit als burgers.

Amerikaanse inlichtingenanalisten onderscheidden negentig verschillende informatiecategorieën voor Afghanistan. Harvey wilde dat uitbreiden naar vijfhonderd. Inlichtingen over de middelen van de opstandelingen, de leiders, de financiering, de bewegingsvrijheid, de steun van het volk en de groepscohesie moesten nauwkeurig worden gewogen. Dit soort metingen was nog nooit verricht en er zaten enorme verschillen in de verslagen van de internationale coalitie in Afghanistan. Van de meer dan veertig Amerikaanse bondgenoten noteerden alleen de Roemenen in de provincie Zabul precies wat Harvey wilde weten. Om die reden maakte Harvey uniforme vragenformulieren.

Vervolgens kleurcodeerde hij Afghanistan op basis van zijn gegevens. Informatie over de internationale coalitie was blauw. De opstandelingen waren rood. Het Afghaanse leger en de politie groen. Het Afghaanse volk wit. Harvey kon de relatie tussen Taliban en het Afghaanse volk in kaart brengen door te kijken waar het rood het wit overlapte. Hij zette deze informatie uit op landkaarten en zocht in de bergen, dalen en dorpen naar patronen. Terwijl hij deze gegevens analyseerde, kwam Harvey tot de conclusie dat de oorlog gewonnen zou kunnen worden, mits de Amerikaanse regering zich daar gigantisch en jarenlang voor inzette, wat de kiezer waarschijnlijk niet zou pikken.

'Ik denk dat Afghanistan haalbaar is, maar niet verkoopbaar,' concludeerde Harvey.

Op vrijdag 23 januari om 11.20 uur nam de president plaats in een grote zwarte leren stoel aan het hoofd van de vergadertafel in de Situation Room voor zijn eerste vergadering met de Nationale Veiligheidsraad over Afghanistan.

'Ik heb in mijn campagne gepleit voor meer troepen in Afghanistan, maar ik heb het besluit nog niet genomen,' zei Obama. 'Als we meer troepen sturen, moeten we dat doen in het kader van een bredere strategie.' Hij was van plan zich te bezinnen op het Amerikaanse buitenlandbeleid en de aanpak van het terrorisme, zei hij. Het leger zal, natuurlijk, een schakel in onze nationale veiligheid blijven, maar zal niet meer allesbepalend zijn voor het beleid.

Generaal Lute, admiraal Mullen en generaal Petraeus hadden hun strategische rapporten over Afghanistan en Pakistan voltooid of waren daarmee bezig. Alle rapporten moesten worden samengevoegd, zei Obama.

Het ontbrak aan een coherente strategie. De uiteindelijke strategie moest het argument voor troepenuitbreiding zijn en aangeven hoe de strijd verder zou gaan.

'Ik moet dit het Amerikaanse volk kunnen uitleggen,' zei de president.

De oorlog in Afghanistan had hoge prioriteit, vertelde Obama, maar de economische crisis eiste de meeste aandacht van hem als president. 'Ik wil dat jullie hardop zeggen wat jullie denken.'

Petraeus had zich zorgvuldig voorbereid op wat hij ging zeggen. Hij had zich licht beledigd gevoeld tijdens de verkiezingscampagne, toen er een wedstrijd leek te zijn ontstaan om wie zich het snelst kon terugtrekken uit Irak en wie het meest kon doen voor Afghanistan. Dus waarschuwde hij: 'Dit gaat heel moeilijk worden. De strijd zal zich eerst verharden, veel harder worden voordat het gemakkelijker zal gaan.'

Petraeus ging verder. 'We kunnen onze doelen niet bereiken zonder extra troepen.' Het doel was, had hij begrepen, voorkomen dat Afghanistan opnieuw een wijkplaats zou worden voor transnationale terroristische organisaties als Al-Qaida. Je kunt het terrorisme niet bestrijden met raketaanvallen en infanterie-invallen; om het land te stabiliseren moet je ook de opstandelingen bestrijden. Dat zijn nogal wat taken, zei hij. De Amerikaanse soldaten dienen de Afghanen te beschermen. De plaatselijke regering behoort diensten te leveren aan het volk. En het Afghaanse nationale leger en de politie moeten uitbreiden.

Amerika zou McKiernans verzoek om 30.000 extra troepen moeten inwilligen, concludeerde Petraeus.

Mullen schaarde zich achter het verzoek van McKiernan.

Obama vroeg om opheldering. 'Hebben we die echt allemaal nu nodig?'

Niemand antwoordde totdat vicepresident Biden bijna uitbarstte.

'We hebben onze strategische doelen niet doordacht!' klaagde hij. Iedereen zou het eens moeten zijn over de te volgen strategie voordat de president meer troepen laat aanrukken. 'We moeten de beslissingen die hij maakt kunnen uitleggen,' zei hij.

Obama, Biden en stafchef Rahm Emanuel stelden nog meer vragen over de voorgestelde troepenuitbreiding. Waar zou die toe leiden? Wat zouden ze ermee bereiken? Is dit het begin van een nog grotere troepeninzet? De troepenvermeerdering moest gepaard gaan met een strategie en mocht geen afzonderlijke actie zijn.

Petraeus zag in dat deze vragen erop wezen dat Obama's politiek adviseurs beseften dat de oorlog in Afghanistan zou voortduren tot de verkiezingen in 2012 en niet binnen één of twee jaar zou zijn afgelopen. De president scheen dit al door te hebben, meende Petraeus, maar het leek pas net te zijn doorgedrongen tot het volkje dat had meegewerkt aan zijn verkiezingscampagne.

De president moest naar een andere bespreking en verontschuldigde zich.

Biden en Emanuel bleven. Petraeus zei dat ze harder aan de infrastructuur moesten werken zodat ze meer voorraden Afghanistan in konden krijgen, een zeer ingewikkeld en tijdrovend proces. Zelf zou hij zich richten op de inzet van 30.000 extra troepen, zei hij.

'Ho eens even,' zei Emanuel. 'De president heeft die beslissing nog niet genomen, laat me dat duidelijk gezegd hebben. Generaal Petraeus, ik waardeer uw inzet, maar ik heb de president van de Verenigde Staten die opdracht nog niet horen geven.'

8

En paar dagen na de inauguratie belde generaal b.d. Jack Keane de
nieuwe minister van Buitenlandse Zaken. Tussen Keane en Hillary
Clinton was een vriendschap ontstaan nadat laatstgenoemde was gekozen
als Senator van New York en zitting had genomen in de Armed Services
Committee. Door de aanwezigheid van zowel West Point als Fort Drum
in de staat New York, had Clinton een gevestigd belang in het leger. Keane was van haar gecharmeerd en onder de indruk van de ijver waarmee ze
haar huiswerk deed en zich verdiept had in het leger.

De vijfenzestigjarige Keane leek op een oude vleugelverdediger en nog
steeds sprak hij met een arbeidersaccent dat zijn afkomst uit de buitenwijken van New York verried. Hij was opgeklommen van paratroeper in de
Vietnam-oorlog tot plaatsvervangend stafchef van het leger. Keane had
ook vrienden in de regering-Bush gehad. Als een van de architecten van
de troepenuitbreiding in Irak had hij achter de schermen een efficiënte
rol gespeeld, niet alleen voor de 30.000 extra troepen, maar ook voor de
promoties van generaal David Petraeus, die eerst tot commandant van
Irak en later van het Centraal Commando werd gepromoveerd. Petraeus
zei nog steeds 'sir' tegen hem. De twee mannen waren zo hecht als men
maar zijn kan in de broederschap van het leger.[1]

Keane zag nu in Afghanistan dezelfde problemen die hem ertoe hadden
aangezet meer troepen naar Irak te sturen. Hij vertelde Clinton: 'De strategie in Afghanistan klopt niet. Ik heb hierover al eens met u gesproken

toen het over Irak ging, en nu zeg ik zeg het weer. En niet alleen dat, ook de leiding is slecht.'

'Hoe slecht?' vroeg Clinton.

McKiernan, de commandant in Afghanistan, was volgens Keane niet op zijn taak berekend. Te ouderwets. En McKiernan accepteerde geen sturing van Petraeus. McKiernan was te voorzichtig, overdreven conservatief. Hij gaf de voorkeur aan meer conventionele operaties; zijn aanpak om het terrorisme te bestrijden was gericht op uitschakeling van Talibanstrijders. Maar antiterrorisme was niet van doorslaggevend belang, zei Keane. In Irak was het niet voldoende geweest.

Een groot aantal slachtoffers is niet genoeg om een opstand te beëindigen. Vaak had het aantal slachtoffers juist het tegenovergestelde effect – de gelederen van de opstandelingen groeiden naarmate meer rekruten zich bij hen aansloten om de moord op een familielid, zoals zij dat zagen, te wreken. Opstandelingen vechten niet volgens Amerikaanse regels. Ter compensatie van hun nadelen – geen helikopters, geen tanks, inferieure munitie en slecht gezichtsveld omdat ze geen brillen hadden – stellen ze hun eigen regels. Ze plaatsen bermbommen en door de onverwachtheid en willekeur van iedere ontploffing zaaien ze angst.

De enige manier om uit Afghanistan te komen, aldus Keane, was door intensieve *counterinsurgency*, ofwel verzetsbestrijding, gericht op bescherming van de Afghaanse bevolking. Als Amerikaanse soldaten het risico nemen om onder de Afghanen te leven die ze beschermen, raakt de bevolking persoonlijk betrokken bij de zaak. Om opstanden te kunnen neerslaan moest er veiligheid en bescherming zijn. Dat betekende extra troepen sturen om meer steden, dorpen en berggebieden in Afghanistan te bestrijken.

Het Talibanverzet vormt een alternatief op de bestaande Afghaanse regering en wedijvert om legitimiteit en loyaliteit. Dat betekent dat Amerika moet helpen een Afghaanse regering op te zetten die de steun heeft van het volk, een regering die de vrede kan bewaren. Keane had gehoord dat er geen interactie was tussen McKiernan en provinciegouverneurs, waardoor de Amerikaanse invloed op het Afghaanse politieke regime beperkt bleef. Als de counterinsurgency niet voorbeeldig werd uitgevoerd, was de Amerikaanse missie tot mislukken gedoemd. Petraeus dacht dat McKiernan wel zou omslaan. Keane dacht dat niet.

'Ik vind dat hij ontslagen moet worden,' zei Keane tegen Clinton. 'Hij moet er weg worden gehaald. Hij gaat het probleem niet oplossen. De leiding daar moet op de schop.'

'Ga eens met Dick praten,' zei Clinton. 'Ken je hem?'

'Dick' was Richard Holbrooke, de nieuwe speciale gezant voor Afghanistan en Pakistan. Hij was adviseur buitenlandse zaken tijdens haar presidentscampagne. Zijn nieuwe baan was het coördineren van alle inspanningen van de regering in de 'AfPak'-regio. Holbrooke had zijn eerste opdracht 46 jaar geleden gekregen in Vietnam, als jonge ambtenaar in de diplomatieke dienst.[2] Nu, op zijn zevenenzestigste, wilde hij nog één keer schitteren. Hoewel hij volhield dat dit zijn laatste overheidsbaan zou zijn, zat er misschien, als het hem zou lukken – en als minister Clinton besloot iets anders te gaan doen – de ministerspost van Buitenlandse Zaken voor hem in.

'Ik heb hem een paar keer ontmoet, maar ik ken hem niet,' antwoordde Keane.

De dag daarna zag Keane Holbrooke werken op het ministerie van Buitenlandse Zaken in een piepklein werkkamertje, een tijdelijk onderkomen totdat er ruimte was gevonden voor zijn team. Hij leek afgeleid toen Keane herhaalde wat hij Clinton de avond daarvoor had verteld. De telefoon bleef rinkelen, onderbrak Keane halverwege zijn zinnen.

Holbrooke, een man met blauwe ogen die intens priemden, was het menselijke bewijs van Newtons eerste wet – een object in beweging neigt ernaar in beweging te blijven. Maar na een laatste telefoongesprek kwam Holbrooke eindelijk tot stilstand.

'O, Hillary wil je spreken,' zei hij tegen Keane. 'Het verbaasde me dat ze je wilde zien.'

'Mij verbaast dat niets.'

Clinton begroette Keane met een omhelzing, wat Holbrooke verbijsterde omdat – en hij kon het weten – Hillary zelden iemand omhelsde.

Keane zette zijn betoog uiteen. 'We verwachten te veel van het antiterrorisme, en we hebben een wankele counterinsurgency-strategie. En we hebben lang niet genoeg troepen om een counterinsurgency-strategie te volgen.' Hij had weinig vertrouwen in de huidige opleiding van het Afghaanse leger. Keane was zich bewust dat Petraeus' scepsis al jaren oud was en onlangs was hij nog over het onderwerp ingelicht, als lid van de Defense Policy Board, een adviescommissie voor de minister van Defensie, bestaande uit voormalige regeringsfunctionarissen, onder wie Henry Kissinger en drie ex-ministers van Defensie, namelijk William Perry, James Schlesinger en Harold Brown. Omdat de Afghaanse vijver met kandidaten voor officieren ondiep was en de mate van analfabetisme hoog, kon het, zo had de Defense Policy Board vernomen, nog jaren duren voordat de omvang van het Afghaanse leger en de politie toereikend zou zijn.

'Hillary, dit slaat nergens op,' zei Keane. 'We strijden tegen Afghanen, en de Afghanen die we opleiden en organiseren moeten alleen maar een beetje beter zijn dan de Afghanen tegen wie we vechten. We zetten geen leger op naar het beeld van onszelf of naar het beeld van het Westen of naar het beeld van Europa.

'Laat je niet wijsmaken dat wij dit niet kunnen,' zei Keane.

Wie zou McKiernan moeten vervangen? vroeg Clinton.

De persoon die Keane in gedachten had was luitenant-generaal Lloyd Austin III, de onderbevelhebber in Irak, maar die had rust nodig.

'O, wie anders dan?' vroeg Clinton.

'Er is nog iemand, een zekere McChrystal,' zei Keane.

'Die naam zegt me wel iets,' zei ze.

Luitenant-generaal Stanley A. McChrystal had van september 2003 tot augustus 2008 de geheime eenheden van het Joint Special Operations Command (JSOC) geleid. De broodmagere hardloper die maar één maaltijd per dag at, had vijf jaar lang in zijn eentje in een hok van hardboard gewoond op de Balad Airbase in Irak.[3] Hij leidde in die tijd een vampierachtig bestaan, vrijwel zonder het daglicht te zien. De geheime JSOC-missies vonden meestal 's nachts plaats. Toen de JSOC de Iraakse Al-Qaidaleider Abu al-Zarqawi in 2006 had omgebracht, ging McChrystal persoonlijk mee met zijn mannen om te kijken of het verbrande lichamelijk overschot ook werkelijk Zarqawi was.[4] De afgelopen vijf maanden had McChrystal gewerkt als directeur van de verenigde staf van de verenigde chefs, een high-profile positie waarin hij dagelijks contact had met voorzitter Mullen en vaak met minister Gates.

'Hij is ongetwijfeld de beste kandidaat,' zei Keane.

Tijdens een bezoek aan Irak begin 2007, kort nadat de troepenuitbreiding was bekendgemaakt, was Keane onder de indruk geraakt van McChrystals inzicht dat agressieve terrorismebestrijding misschien niet voldoende was om te winnen. McChrystal nam om elf uur 's avonds via een videoconferentie contact op met Keane over de laatste missies van de geheime troepen in Irak en elders. Het was ongelooflijk hoe McChrystal de vijand verraste, vond Keane. De JSOC plande, bereidde en realiseerde onophoudelijk missies, met gebruikmaking van *signals intelligence* en zelfs de inhoud van broek- en jaszakken gevonden na een aanval, om onmiddellijk door te gaan met de volgende aanval. Maar Keane wees de zwakte aan in deze successen.

'Stan, laat me het anders formuleren,' had hij McChrystal gezegd. 'Wat je hier gedaan hebt, puur als het gaat om het uitschakelen van hoogwaardige doelen, is belangrijk. En het aantal uitgeschakelde en gevangengenomen strijders is in verhouding tot het aantal van je eigen slachtoffers opmerkelijk. Qua efficiëntie en effectiviteit van dit soort operaties heb je een nieuw niveau bereikt in wat nu mogelijk is.'

'Het is fenomenaal, wat ermee bereikt is, maar wat maakt het strategisch uit? Wij zijn aan het verliezen. De Iraakse veiligheidstroepen zijn aan het verliezen. Wij zijn aan het verliezen. De regering is verscheurd.'

McChrystal had in Irak een verbijsterende anti-terrorismecampagne opgezet, maar deze tactische successen vertaalden zich niet in een strategische overwinning. Om die reden was het noodzakelijk de strategie te volgen waarbij de plaatselijke bevolking in bescherming wordt genomen en het vertrouwen wordt gewonnen – de zogeheten counterinsurgency-strategie.

Keane respecteerde het feit dat McChrystal niet onmiddellijk in de verdediging schoot.

'Daar heb je verdomme een punt,' had McChrystal gezegd.

Kort nadat hij was benoemd tot speciale gezant voor Afghanistan en Pakistan belde Holbrooke Hussain Haqqani, een vage kennis en sinds 2008 ambassadeur van Pakistan in de VS. Hij nodigde hem uit voor een lunch en was bereid te onderhandelen over het restaurant.

'Volgens mij kunt u de media goed bespelen,' zei Holbrooke. 'Wij zouden eens uit lunchen moeten gaan, maar dan wel in een openbare gelegenheid zodat het in de krant komt, als u daar geen problemen mee hebt.'

'Daar heb ik geen problemen mee,' zei Haqqani.

Wat denkt u van het Hay-Adams hotel tegenover het Witte Huis?

Ze maakten een afspraak voor 30 januari.

De tweeënvijftigjarige Haqqani, een voormalige journalist, academicus en adviseur van de vorige Pakistaanse premier, wijlen Benazir Bhutto, praatte regelmatig met medewerkers van het Amerikaanse kabinet en hoge Witte Huis-medewerkers. Zijn opgewekte Engels vloeide over in Urdu wanneer zijn BlackBerry klonk.

Toen Haqqani in 2005 nog doceerde aan de Boston University had hij een 397 pagina's tellend boek gepubliceerd, *Pakistan: Between Mosque and Military* dat de betrokkenheid van het Pakistaanse leger en de ISI met het moslimextremisme blootlegde.[5]

Haqqani noemde zichzelf lachend 'Mr. America van Pakistan'. Rivalen en tegenstanders in zijn land koesterden de paranoïde angst dat hun ambassadeur op een of andere manier met Washington samenzwoer. Haqqani vreesde wat er zou gebeuren als de volgende aanslag tegen de VS vanuit Pakistan zou komen.

De noordzijde van het restaurant op de tweede verdieping van het Hay-Adams Hotel kijkt via Lafayette Square uit op de poort van het Witte Huis. Als discreet gebaar staan de elegante tafels zo ver uit elkaar dat het bijna onmogelijk is gesprekken af te luisteren. Het Hay-Adams is, zoals het hotel zich aanprijst,[6] een plek om gezien en niet gehoord te worden.

Haqqani vroeg naar de kansen die Holbrooke's nieuwe opdracht hem bood.

Zonder ook maar iets over te slaan wijdde Holbrooke zelfverzekerd uit over zijn ambities. Hij hoopte op niets minder dan een succesvol einde van de oorlog in Afghanistan en een stabiel Pakistan en Afghanistan.

Toen India ter sprake kwam – een land dat buiten Holbrooke's portfolio viel maar centraal stond in de problemen van Pakistan – zei Holbrooke met zijn theatrale baritonstem: 'Ik zal India aanpakken door te doen alsof ik India niet aanpak.'

Was Karzai de beste man om Afghanistan te leiden onder de huidige omstandigheden, of waren er alternatieven? vroeg Holbrooke provocerend.

Haqqani handhaafde een diplomatieke stilte. Wederzijdse vrienden hadden hem verteld dat Holbrooke een fenomenaal geheugen had en dat hij maar beter op zijn woorden kon passen.

Holbrooke zei dat hij goed begreep dat Pakistan protest tegen de aanvallen met *drones*, onbemande vliegtuigjes, moest laten horen, want het volk mocht niet denken dat de regering medeschuldig was. Maar deze protesten mochten geen brandstof zijn voor onbeteugeld anti-Amerikanisme.

Na twee uur was de lunch afgelopen. Holbrooke's kracht, besefte Haqqani, was zijn intense en wanhopige verlangen naar succes. Het was voor Haqqani niet duidelijk wie zijn voornaamste contact zou zijn als het ging om het Amerikaanse buitenlandbeleid inzake Pakistan.

Toch had Holbrooke gefaald in een van zijn eerste doelstellingen – dit tête-à-tête met Haqqani in de media te krijgen. Geen journalist, blogger of roddelaar maakte melding van hun lunch. Kennelijk was het niemand opgevallen.

Terwijl Holbrooke en Haqqani lunchten, zat ongeveer vijftien kilometer verderop, aan de andere kant van de rivier de Potomac in het plaatsje Alexandria, Virginia, een lange, academische man van 56 jaar te lezen in zijn villa. Op zijn schoot lag languit zijn King Charles-spaniel, Nelson, genoemd naar de beroemde Britse admiraal. Het was ongeveer half twee in de middag toen de telefoon ging.

'Wacht even op de president, alstublieft,' zei de telefoniste.

'Hé, Bruce, met mij, Barack,' zei een bekende stam.

Nu Obama al tien dagen president was, had Bruce Riedel gehoopt dat hij niet meer zou worden opgeroepen om de regering te dienen. Zijn diensttijd – 29 jaar voor de CIA, het Pentagon en de Nationale Veiligheidsraad onder Clinton – zat erop en hij wilde niet nog eens voor de regering werken. Riedel had tien jaar lang undercover voor de CIA gewerkt en drie presidenten geïnformeerd. Hij had zich teruggetrokken in het relatief rustige Brookings Institution, een denktank in Washington waarvan hij een hooggeplaatst lid was.

In 2007 was Riedel overgehaald om leider te worden van het team Zuid-Azië voor wat toen nog de onzekere presidentscampagne van Senator Obama was. Als 'leider' vertegenwoordigde Riedel aanvankelijk zijn hele team. Hij was deskundige op het gebied van het moslimextremisme, Al-Qaida, Osama bin Laden, Afghanistan en Pakistan. Zijn enige voorwaarde om aan de campagne mee te doen was, dat hij niet gevraagd zou worden terug te keren in overheidsdienst.

'Ik weet dat je niet meer voltijds voor ons wilt werken,' zei Obama, 'maar dit is mijn voorstel: wil jij je voor zestig dagen aansluiten bij de regering, zitting nemen in de Nationale Veiligheidsraad en een strategie uitstippelen voor Afghanistan en Pakistan?

'Al mijn mensen zeggen me dat jij degene bent die ik hiervoor moet vragen,' zei de president. 'Je zult samenwerken met generaal Jones. Je rapporteert onmiddellijk aan mij, en het zal echt maar voor zestig dagen zijn.'

'Ik zal generaal Jones bellen, sir. Mag ik er een nachtje over slapen?'

Natuurlijk, antwoordde de president. Met Riedel erbij zou hij zeker weten dat zijn eigen man, een ervaren en betrouwbare persoon uit het campagneteam, de koers zou bepalen van de veronachtzaamde oorlog.

Riedel wist dat hij het ging doen. Vier maanden daarvoor was er een boek van hem verschenen, *The Search for al Qaeda*, een 181 pagina's tellende verhandeling over de echte bedreiging voor de nationale veiligheid: Pakistan, dat hij 'momenteel het gevaarlijkste land ter wereld' noemde, 'waar alle nachtmerries van de eenentwintigste eeuw' samenkomen – het terrorisme, een instabiele regering, corruptie en kernwapens.[7] Het boek beschrijft hoe het leger van Pakistan en zijn beruchte spionagedienst, de ISI, direct betrokken waren bij de hulp en financiële steun aan moslimextremisten. Zelfs na 11 september bleef de ISI in het geheim banden aangaan en dodelijk scharrelen met Al-Qaida, de Taliban en LeT, en ondertussen de VS assisteren.

Hij concludeerde dat er een 'strijd om de ziel van Pakistan' werd gevoerd.[8] Riedel zou alle vragen die Obama en zijn nationale veiligheidsteam konden hebben over Al-Qaida, de Taliban, Afghanistan en Pakistan, met drie woorden kunnen beantwoorden: lees mijn boek.

Obama deed hem een uiterst zeldzaam geschenk cadeau, de unieke kans om de inzichten van zijn carrière te gebruiken en om te zetten in een actieplan. Anderen hadden zijn boek misschien of misschien niet gelezen, maar hij ging zijn kennis nu in de praktijk brengen.

De maandag daarna, 2 februari, ging Riedel naar het Witte Huis om Jones te spreken en de baan te accepteren. Hij voldeed aan de door oud CIA-directeur William Colby gemunte beschrijving van een 'grijze man, die zo onopvallend is dat hij niet eens de aandacht van een kelner in een restaurant kan trekken.'[9]

Zestig dagen voor het onderzoek was niet veel tijd, vond Riedel, vanwege het tijdrovende bureaucratische interdepartementale proces dat gepaard ging met het verkrijgen van goedkeuring op alle niveaus, tot aan het kabinet toe. Vervolgens zou hij de Afghanen, de Pakistanen, het Congres, de NAVO-bondgenoten en externe deskundigen moeten raadplegen. Hij bedacht dat hij in feite ongeveer eenentwintig dagen zou hebben om een gedegen eerste versie klaar te krijgen die de president zou helpen bij het nemen van misschien wel de belangrijkste beslissing tijdens zijn presidentschap.

Kort daarna werd hij ten kantore van de Nationale Veiligheidsraad benaderd door Doug Lute, de uit de vorige regering overgebleven oorlogs-autoriteit die binnen deze raad nog steeds de belangrijkste man voor Afghanistan was.

'Welkom,' zei Lute, terwijl hij Riedel een kop koffie aanreikte. 'Ik weet dat je hier maar kort zult zijn. Al mijn mannetjes staan voor je in de startblokken. We zullen je alle administratieve ondersteuning bieden. Maak je geen zorgen om computers, werkruimten, secretariële ondersteuning. We verzorgen je vergaderingen. Je hoeft het maar te zeggen, jij stuurt dit aan, wij zorgen dat het gebeurt. We gaan het je gemakkelijk maken.'

Riedel gaf aan dat hij niet veel ondersteuning nodig zou hebben.

De woensdag daarna was de eerste organisatorische bijeenkomst van de 'Riedel-rapport'-commissie, in kamer 445 van het Eisenhower Executive Office Building. Lute was allergisch voor die kamer. Hier had hij zoveel tijd doorgebracht voor zijn eigen Afghanistan-rapport, een rapport dat door twee regeringen – die van Bush en Obama – beleefd was aangenomen en vervolgens genegeerd.

Aan tafel zaten Holbrooke en onderminister voor Defensiebeleid Michèle Flournoy, de co-voorzitters van de commissie. Riedel schetste wat hij over het project wist. Veel aanwezigen vroegen zich af hoe het onderzoek binnen slechts zestig dagen kon worden afgerond.

'Vrijdag zullen we een eerste versie van het verslag hebben dat door iedereen kan worden gelezen,' zei Riedel. Dat was over twee dagen.

Lute was stomverbaasd. Maandenlang had hij geploeterd, gereisd, gewikt en gewogen, geëvalueerd. In diezelfde kamer had hij meer dan veertig uur – een volledige werkweek – gewerkt aan de uitwerking van zijn eigen rapport. Nu werd er een voormalige CIA-man die aan de campagne had meegewerkt binnengehaald die al na twee dagen met een conceptversie kwam. Het was duidelijk dat de president een knip-en-plakversie van Riedels boek onder ogen zou krijgen.

9

Op 5 februari 2009, twee weken na de inauguratie, verscheen Leon Panetta voor de Senaatscommissie Inlichtingendiensten, die hem aan de tand voelde in verband met zijn kandidatuur voor het directeurschap van de CIA.

Vertrekkend directeur Hayden zat in zijn werkkamer in het hoofdkwartier van de CIA naar de uitzending op C-SPAN te kijken op het moment dat Panetta verklaarde dat de inlichtingendienst geen verdachte terroristen meer naar andere landen zou sturen 'met als doel ze te martelen', aangezien dat verboden was volgens de laatste presidentiële besluiten.[1] Tijdens de ondervraging had Panetta gezegd dat hij vermoedde dat de CIA mensen voor verhoor naar andere landen had gestuurd waar men technieken gebruikte die 'indruisen tegen onze eigen normen'.

Woedend vroeg Hayden zich af of Panetta hun discussies van de afgelopen maand over het woord 'martelen' simpelweg had genegeerd. Hij drukte op de knop van het interne intercomsysteem en belde de chef van het antiterrorisme-centrum, een hoge ambtenaar die nog steeds undercover was.

'Zit je tv te kijken?'

'Ja.'

'Hoe gaat het?'

'Niet goed.'

'Oké, geen gelul, heb jij ooit...?'

'Nee.'

'Jij vroeg altijd om bevestiging?' Volgens de regels van de CIA moesten medewerkers de betreffende buitenlandse regering, inlichtingendienst of politie altijd vragen of ze wilden bevestigen dat er geen mishandeling of marteling zou plaatsvinden.

'Jazeker.'

'En afgezien van die bevestigingen gebruikte je alle middelen die een spionagedienst ter beschikking staan om er zeker van te zijn dat ze onze regels naleefden.'

'Altijd.' Dit antwoord wees erop dat de CIA spionnen gebruikte en onderschepte informatie van telefoons, computers en verborgen microfoons om er zeker van te zijn dat buitenlandse inlichtingendiensten verdachte terroristen die door de CIA aan hen waren toevertrouwd, niet zouden martelen.

'Ik heb het niet alleen over de periode dat jij er werkte,' zei Hayden. 'Ging het altijd zo?'

'Altijd,' antwoordde de chef antiterrorisme. Altijd voerde meer dan zestig jaar terug, en er was waarschijnlijk niemand die – ook niet na uitgebreid onderzoek – zo'n categorische uitspraak kon doen. Maar dit was typisch zo'n *'slam dunk'*,[2] een in absolute termen gestelde uitspraak. Zo praatten sommige mensen van de CIA, ook sommige ex-directeuren, om te suggereren dat ze alwetend waren in een wereld vol twijfel en onzekerheid.

Hayden dacht dat ze nog wat speling hadden, omdat de zitting werd onderbroken wegens een stemming in de Senaat; Panetta zou de volgende ochtend terugkomen. Hayden nam contact op met Jeff Smith, een voormalige algemeen adviseur bij de CIA, die assisteerde bij deze wisseling van directeuren.

'Die uitspraak neemt hij morgen terug in zijn openbare verklaring,' zei Hayden dreigend, 'anders beleven we het spektakel dat de huidige directeur van de Central Intelligence Agency zegt dat de aanstaande directeur van de Central Intelligence Agency niet weet waar hij het over heeft.' Hij dreigde dit publiekelijk te verklaren. 'En daar heeft niemand belang bij.'

De volgende dag, vrijdag 6 februari, stelde Senator Kit Bond uit Missouri, de voornaamste Republikein in deze senaatscommissie, Panetta nogmaals de vraag.[3]

'Dank u wel voor deze vraag, Senator, want ik denk dat enige opheldering hierover op zijn plaats is... We mogen dan wel personen naar andere landen sturen,' zei Panetta, 'ik zal op dezelfde manier proberen bevestiging te krijgen dat ze niet onmenselijk behandeld zullen worden.'

Zou hij zijn uitspraak van de dag daarvoor over martelpraktijken willen intrekken? vroeg Bond.

'Ja, die uitspraak zou ik willen intrekken.'

Bond wilde het duidelijk gezegd hebben: 'progressieve blogs' en 'geruchten of nieuwsberichten' waren geen afdoende bronnen voor iemand die zich tot directeur van de CIA wilde laten benoemen. 'Ik wil u verzoeken deze commissie te verzekeren dat u geen boude uitspraken meer doet op basis van geruchten.'

'Senator, ik verzeker u dat ik dat niet meer zal doen.'

Hayden ontmoette Panetta voor een laatste openhartig gesprek. Hij wilde de lucht klaren en de feiten rechtzetten zoals ze volgens hem waren.

'Leon,' zei Hayden, 'ik heb een paar van je artikelen gelezen die je schreef toen je niet voor de overheid werkte. Je beweert dat de regering [Bush] selectief omging met de inlichtingen over Iraakse massavernietigingswapens.' Panetta had de schuld gegeven aan een speciale eenheid in het Pentagon die door Rumsfeld was opgezet. 'Dat is niet waar. Wij zaten ernaast. Begrepen? Een duidelijk geval van de plank misslaan. Het was onze fout.'

Panetta zei dat hij de boodschap had begrepen. Er was een catastrofale fout gemaakt door de inlichtingendienst waarvan hij directeur werd.

Tijdens Haydens laatste week als directeur van de CIA bracht hij vanuit de Situation Room de president nog één keer verslag uit over de laatste Predator-aanvallen in Pakistan. Op 23 januari waren er twee aanvallen geweest in de FBS. Bij geen van de aanvallen werd het beoogde 'HVT', ofwel *high value target*, getroffen, maar minstens vijf Al-Qaidamilitanten waren gedood.

De president was er zeer over te spreken. Hij stond volledig achter deze geheime operaties en wilde er duidelijk meer van zien.

Daarna sprak Hayden met Emanuel. Ook Emanuel was lovend over de geheime operaties van de CIA.

'Rahm,' zei Hayden, in de hoop dat zijn laatste advies niet aan dovemansoren zou zijn gezegd, 'begrijp goed dat waar we het zojuist over hebben gehad een succes is op het gebied van antiterrorisme.' Het was fantastisch, maar het was winst op de korte termijn en hooguit van tactisch belang. 'Als je hier niet eeuwig mee wilt blijven doorgaan, moet je iets doen aan de situatie ter plekke. Dat lukt alleen als je het volk beschermt en het vertrouwen wint – als je aan counterinsurgency doet.' En dat moet aan beide zijden van de Afghaans-Pakistaanse grens gebeuren, wil het effect sorteren. 'Je moet iets veranderen aan de feiten in de regio.'

Petraeus wist niet zeker of zijn op bescherming van de bevolking gerichte strategie in goede aarde zou vallen in het Witte Huis van Obama. Begin februari 2009 liet hij nationale veiligheidsadviseur Jim Jones elk woord goedkeuren van een toespraak die hij in Duitsland ging houden. Jones ging akkoord met de hele conceptversie, waarin Petraeus duidelijk aangaf dat hij de in Irak gevolgde strategie wilde herhalen.[4] Petraeus vertrouwde er dus op dat zijn benadering werd gesteund. Maar het verzoek om 30.000 extra troepen was op een hobbel in de weg gestuit.

Tijdens een commissievergadering van de *deputies* van de Nationale Veiligheidsraad – de adjuncts van grote afdelingen en diensten – zei Tom Donilon, Jones' tweede man, dat hij wilde begrijpen waarom er 30.000 extra troepen moesten worden uitgezonden. Er stroomden voortdurend troepen in en uit Afghanistan. Dat verkeer maakte het moeilijk om een goed beeld te krijgen.

'Wacht even,' zei hij, 'laten we het doen op een manier die volledig transparant is, zodat we de verschillende onderdelen kunnen zien.' Hij wilde een duidelijk antwoord op Obama's vraag over de exacte hoeveelheid benodigde troepen. Waarom zou de president meer troepen sturen als er nog geen duidelijke strategie was?

'Time out,' zei generaal James 'Hoss' Cartwright, vicevoorzitter van de verenigde chefs van staven. 'We moeten opnieuw beginnen, met exacte berekeningen komen en daarna weer bij elkaar komen.'

De officiële reden om meer troepen te sturen hoewel de strategie nog niet was herzien, was het bieden van bescherming tijdens de Afghaanse presidentsverkiezingen in augustus, zodat de stembussen open bleven voor wat misschien een grote ommekeer zou worden in het land.

Het Pentagon had generaal Lute een uitsplitsing gegeven van de benodigde troepen. Er waren slechts twee brigaden dringend nodig – ongeveer 13.000 troepen. Nog eens 10.000 soldaten zouden pas later in het jaar gereed zijn. De aanvankelijke 30.000 waren al teruggeschroefd, waardoor Donilons wantrouwen jegens het rekenwerk van het Pentagon nog groter werd. Lute had dit soort cijfers samengesteld op grond van zijn ervaring als directeur Operaties van de verenigde staf. Het aantal van 13.000 troepen leek aan de lage kant, daarom was Lute naar Donilon gegaan.

'Dit zijn geen echt harde cijfers,' zei hij. 'Er zijn bijvoorbeeld geen helikopters in opgenomen. Hoe kun je in Afghanistan verder komen zonder helikopters? En waar zijn de antibermbomteams? Waar zijn de gegevens die hier bij horen? Waar is het personeel voor UAV's [*unmanned aerial vehicle*, onbemande vliegtuigjes]? Er was geen extra personeel ingepland voor medische evacuaties. 'Dit moet opnieuw worden gedaan,' zei de generaal.

Donilon vertelde het Pentagon: 'Onacceptabel. Doe het opnieuw. Weet je wat? We beginnen helemaal opnieuw. Enerzijds willen jullie dat wij vandaag beslissen, anderzijds kunnen jullie de cijfers niet rond krijgen. Je hebt hier duizenden medewerkers. Doe het opnieuw en stuur het terug, dan komen wij tijdig met onze beslissing, dat is onze verplichting aan jullie.'

De neerbuigende toon van Donilon hielp niet. Een aantal Pentagonmedewerkers voelde zich beledigd.

Voorzitter Mullen van de verenigde chefs van staven vond dat het Witte Huis zich niet moest bemoeien met zaken van het Pentagon. 'Wij gaan over de cijfers,' zei hij. 'Wij hebben de cijfers. Wij hebben ons huiswerk gedaan.'

Goed, oké, was de reactie van de Nationale Veiligheidsraad. Het verzoek was ongewijzigd op weg om door de president te worden ondertekend toen het door Gates werd onderschept.

'Die getallen kloppen niet,' zei de minister van Defensie enigszins chagrijnig. 'De bezwaren die je opwerpt, daar heb ik me over gebogen. En ik moet zeggen, dat ik deze cijfers niet vertrouw. Haal dus het hele pakket weg van de president en dan zorg ik dat jullie de juiste cijfers krijgen.'

Na een paar dagen kwam het Pentagon met een herzien aantal: 17.000. Ze erkenden dat er nog eens 4.000 mensen nodig waren voor ondersteuning van de inlichtingendienst en medische evacuatie zoals Lute had aangegeven. Het afgeslankte verzoek en de onvolledige cijfers maakten het wantrouwen dat Donilon en anderen hadden jegens het leger nog groter. Ze hadden geen vertrouwen meer in de tabellen en getallen die het Pentagon produceerde. Het leek er bijna op alsof iemand probeerde een lage streek uit te halen met de nieuwe president. De 30.000 waren gezakt naar 13.000 en daarna weer gestegen tot 17.000. Gates leek dat wantrouwen van het Witte Huis wel te begrijpen, maar Mullen niet.

Donilon was blij dat Lute in de Nationale Veiligheidsraad zat. 'Dat is precies waarom we hen erbij willen hebben, want zij weten precies wat er verdomme aan de hand is,' zei Donilon. 'Anders was het ons nooit opgevallen. Dan hadden we een persbericht doen uitgaan waarin de president zijn goedkeuring gaf aan een bepaald aantal, om een paar dagen later terug te moeten komen en het aantal te verhogen. Dan hadden we een flater geslagen.'

Op vrijdag 13 februari ontmoette de president de Nationale Veiligheidsraad, en Jones, de nationale veiligheidsadviseur, schetste vier manieren waarop in Afghanistan troepen konden worden ingezet.

Optie één: pas beslissen wanneer Riedel zijn strategierapport af heeft. Het argument vóór: het was logisch om eerst de strategie te bepalen en daarna het besluit over troepenuitbreiding te nemen. Jones geloofde dat wanneer het verder niet zou uitmaken, de president dit zou doen. De argumenten tegen: Het werd minder veilig in Afghanistan en een vertraagde beslissing betekende dat de troepen pas na de verkiezingen in augustus zouden arriveren. Bovendien zou het besluit om extra troepen te sturen, aldus het verslag van deze vergadering, 'een sterk signaal zijn naar de bondgenoten, de Pakistanen en de rest van de wereld'. Men geloofde in de zelfvervullende invloed van deze beslissing; alleen al het sturen van troepen zou helpen.

Optie twee: Stuur alle 17.000 troepen in één keer.

Optie drie: Stuur de 17.000 soldaten, maar in twee fasen. Dit was een soort compromis tussen de eerste en tweede optie. Het argument tegen was, dat deze beslissing de geallieerden, Afghanen en Pakistanen het idee kon geven dat er twijfel en onzekerheid bestond.

Optie vier: stuur er 27.000, waarmee, gezien de troepenstromen, McKiernans verzoek volledig zou worden ingewilligd. Hierbij inbegrepen waren de ongeveer tienduizend troepen die pas later in het jaar nodig waren.

Met al deze opties leek het alsof de president een keuze had, terwijl dat om praktische en politieke redenen in feite niet zo was. Clinton, Gates, Mullen en Petraeus stonden achter volledige inzet van 17.000 troepen, en zo luidde uiteindelijk ook Jones' aanbeveling.

De belangrijkste reden was, dat het een ramp zou zijn wanneer de president had besloten de 17.000 soldaten niet of in twee delen uit te zenden, en de verkiezingen liepen uit op een bloedbad waarbij de Taliban de verdediging van de Afghaanse regering onder de voet had gelopen.

Richard Holbrooke, via de beveiligde videoverbinding vanuit Kabul, merkte op dat president Lyndon Johnson en zijn adviseurs 44 jaar geleden over dezelfde kwesties in Vietnam discussieerden.

'We mogen de geschiedenis niet vergeten,' zei hij. Vietnam had hem geleerd dat de guerrilla's winnen in een impasse, en hij adviseerde stellig alle 17.000 troepen in te zetten.

Er viel een beduusde stilte nadat Vietnam genoemd was.

'Spoken,' fluisterde Obama.

Biden was tegen troepenuitbreiding zolang het Riedel-rapport nog niet was afgerond.

Wat denk jij? vroeg Obama aan Riedel. Zullen we het doen?

'Ja, misschien maar wel,' zei Riedel. 'In een volmaakte wereld zouden we elke beslissing over Afghanistan twee maanden in de ijskast willen zetten. Maar we leven niet in een volmaakte wereld, en als je deze beslissing nu neemt, creëer je meer mogelijkheden voor later, in augustus. Want met meer troepen ter plekke in augustus zal de kans toenemen dat er echte verkiezingen gehouden worden. Doe je het niet, dan blijkt het straks misschien onmogelijk om verkiezingen te houden.'

De inzet van 17.000 extra troepen was een soort verzekeringspolis, die de president flexibiliteit gaf zodat hij later meer keuzen kon maken.

Met een onbewogen gezicht zei Obama dat hij hen later zijn uiteindelijke beslissing zou laten weten.

Toen Lute terug was gekomen van de vergadering van de Nationale Veiligheidsraad, vroegen medewerkers hem wat de president ging besluiten.

'Dat weet ik niet,' antwoordde hij.

Wanneer wordt die beslissing genomen, denkt u?

'Dat weet ik niet. Wees paraat.'

Obama dacht dat weekend na over zijn opties.

Later zei Obama dat zijn bezorgdheid om de verkiezingen in Afghanistan de leidraad was geweest voor zijn beslissing.[5] 'Er waren ernstige waarschuwingen, zowel vanuit het leger als van onze inlichtingendiensten,' vertelde de president me, 'dat als we niet snel voor meer veiligheid in Afghanistan zouden zorgen, de verkiezingen niet van de grond zouden komen en het land zelfs uiteen zou kunnen vallen.

'Dit is altijd de moeilijkste beslissing die ik moet nemen als president,' vertelde hij me verder. 'Ik denk dat de eerste keer dat je het bevel ondertekent om jonge mannen en vrouwen naar het strijdtoneel te sturen, je het gewicht voelt van die beslissing. En het is...'

'Aarzelt u?' vroeg ik.

'Ja.'

'Hoe vaak?'

'Je aarzelt.'

'Kijk,' ging de president verder. 'Ik denk dat je zeker moet weten dat je alle alternatieven goed hebt doordacht, en dat je er voldoende op vertrouwt dat dit de beste beslissing is, die rechtvaardigt dat sommige van die *kids* misschien niet terugkomen. Het probleem is dat je nooit honderd procent zekerheid hebt.'

Hij zei dat volgens hem de 17.000-optie de beste was. De president vertelde me dat hij deze beslissing nam 'in het besef dat een aantal van die jonge mensen misschien niet terugkeert, of ernstig gewond terugkeert, maar dat het desondanks in het landsbelang is om het te doen'.

Op maandag liet Obama het Pentagon weten dat hij had besloten 17.000 extra troepen uit te zenden.

De dag daarna liet de persvoorlichter van het Witte Huis een persbericht van vier alinea's uitgaan waarin het besluit tot troepenuitbreiding werd bekendgemaakt.[6] 'Er is geen ernstiger taak voor een president dan de beslissing om onze strijdkrachten op het spel te zetten,' aldus het persbericht. Aan het Pentagon de taak de details te geven over de 17.000 troepen die naar Afghanistan gingen.[7] Er was geen persconferentie met de president; Obama's belangrijkste beslissing in de eerste dertig dagen van zijn ambtstermijn ging niet gepaard met een toespraak van de president.

Van de 17.000 soldaten zouden de eerste 8.000 – een expeditiebrigade van het marinierskorps – worden ingezet in de provincie Helmand waar minder dan één procent van de Afghaanse bevolking woonde. Ze zouden zorgen voor de veiligheid in een gebied waar maar weinig kiezers woonden.

10

Op woensdag 11 maart nodigde Jones Gates en Mullen uit op zijn werkkamer in de West Wing om de top van het Pentagon een voorproefje te geven van de Riedel-strategie. Gates en Mullen moesten aan hun kant staan als ze iets wilden bereiken.

Riedel zette zijn diagnose en geneeswijze uiteen. Het accent moest verschuiven van Afghanistan naar Pakistan. Pakistan moest een einde maken aan zijn ingewikkelde, schizofrene relatie met terroristen waarin het land 'tegelijkertijd beschermheer, slachtoffer en toevluchtsoord is', zei Riedel. De grote accentverschuiving hield in dat de VS Afghanistan en Pakistan benaderden als twee afzonderlijke landen maar als één probleem: AfPak. Terroristen in Pakistan ondermijnden de Afghaanse regering. En in deze cyclus van zelfvernietiging vergrootte de onveiligheid van Afghanistan de instabiliteit van Pakistan.

Riedel gaf antwoord op de vraag van de president wat het doel moest zijn. 'Het doel is Al-Qaida en zijn extremistische bondgenoten, hun ondersteunende structuren en toevluchtsoorden in Pakistan te ontwrichten, ontmantelen en vernietigen en hun terugkeer naar Pakistan of Afghanistan te voorkomen.'

Hoewel er geen snelle oplossingen in AfPak waren, deed het rapport een paar aanbevelingen. Ten eerste moesten de VS een geïntegreerde burgerlijk-militaire counterinsurgency-strategie in Afghanistan uitvoeren en van middelen voorzien, en moest het Afghaanse leger de komende twee jaar groeien tot 134.000 troepen. Zijn andere aanbevelingen gingen over Pakistan. Hij vond onder andere dat er meer financiële steun moest komen voor het leger, de economie en de burgerregering van het land.

'Hebben jullie gezocht naar een wondermiddel om het probleem Pakistan op te lossen?' vroeg Gates.

Ja, zei Riedel. Zijn team had een aantal belonende en afstraffende maatregelen onderzocht. In de categorie beloning, bijvoorbeeld, werd overwogen een deal te sluiten met Pakistan over civiele kernenergie, vergelijkbaar met de overeenkomst die president Bush met India had gesloten. Het land zou de overeenkomst waarschijnlijk in zijn zak steken, beweren dat het recht had op gelijke behandeling en zijn gedrag niet veranderen.

Als strafmaatregel, zei Riedel, hadden ze nagedacht over een extreme optie: Pakistan binnenvallen. Natuurlijk werd die onmiddellijk verworpen. Een land binnenvallen dat tientallen nucleaire wapens bezat zou waanzin zijn.

Daar was iedereen het over eens.

Het beste wat we hebben bedacht, zei Riedel, is dat we het Pakistaanse leger geven wat het nodig heeft om een counterinsurgency-oorlog te voeren tegen de terroristische groeperingen: helikopters. Tijdens de regering-Bush hadden de Pakistanen twaalf helikopters gekregen. Het was praktisch niets. Maar ook dit was geen wondermiddel, zei hij. Nog niet met alle helikopters in de wereld zouden ze het gedrag van Pakistan kunnen veranderen.

Over zijn aanbeveling om de problemen tussen India en Pakistan te proberen op te lossen, zeiden alle aanwezigen dat dit zonder enige ophef of media-aandacht moest gebeuren. Anders zou India woedend worden. India dacht dat het in de Verenigde Staten stikte van de stiekeme Pakistanminnaars.

Mullen vond die gedachte belachelijk. Riedel was duidelijk zijn tegenpool. Hij was keihard tegen Pakistan. Mullen had misschien de nauwste banden met het Pakistaanse leger. Hij had de taak om samen te werken met generaal Ashfaq Kayani, de Pakistaanse legerchef die van 2004 tot 2007 chef was geweest van de ISI, toen het Al-Qaidabastion werd opgebouwd en de Afghaanse Taliban opleefde. In veel opzichten had het Pakistaanse leger veel meer invloed op de richting en het lot van het land dan de historisch zwakke burgerregering.

Jones en Gates – en in mindere mate Mullen – vroegen of de Pakistanen wel te vertrouwen waren.

'Ik heb elk hoofd van de ISI gekend sinds het midden van de jaren tachtig,' zei Riedel. Kayani heeft ofwel geen grip op zijn organisatie, of hij zegt de waarheid niet. De VS zouden het voor de hand liggende moeten zien en één en één bij elkaar optellen.

De Pakistanen liegen, zei hij. Terwijl hij zich richtte tot Mullen: jij hebt Kayani tientallen keren ontmoet, je kent hem beter dan wie ook hier. Mijn indruk is dat hij onder die tweede categorie valt, van leugenaar.

Mullen was het niet oneens met hem. Maar hij waardeerde de persoonlijke band die hij met Kayani had opgebouwd. Hij wist dat Kayani hem niet alles vertelde. Maar Mullen dacht dat Riedel, als zovele CIA-analisten, een afgestompte, cynische kijk op Pakistan had en niet meer objectief was. Bovendien moesten ze uit praktisch oogpunt wel met Kayani samenwerken. Hij had de meeste macht in dat land.

Later vroeg Mullen aan Dennis Blair, de DNI, als vriendendienst van viersterrenadmiraal aan viersterrenadmiraal b.d.: 'Denny, kun je me helpen? Ik heb een objectieve kijk op Pakistan nodig.' De inlichtingendiensten gaven hem die niet. Wantrouwen kenmerkte de meeste analisten, maar sommige CIA-medewerkers leden juist aan een ernstige vorm van 'cliëntitis'; die hadden decennialang samengewerkt met de geheime dienst van Pakistan en praatten alles van ze goed.

Blair zei tegen Mullen dat Riedel vrijwel helemaal gelijk had.

De volgende dag, 12 maart, hield Jones een topberaad met de Nationale Veiligheidsraad over het Riedel-rapport.

'Ik wil dat Bruce dertig minuten aan het woord is en uitlegt wat er in dit rapport staat,' begon Jones. Laten we hem niet onderbreken. Riedel gaf dezelfde presentatie van de dag daarvoor en Jones vroeg daarna om reacties.

'Geef me even een minuut of twee,' zei Biden. 'Ik heb maar een paar dingen te zeggen, en dat kost me ongeveer twee minuten.' Historisch, zei hij, is het heel moeilijk – onmogelijk – geweest om interventies in Afghanistan te laten slagen. Er zijn nu al tienduizenden soldaten in het land; als we het met dit aantal niet kunnen en de Afghaanse regering is geen betrouwbare partner van ons, dan lijkt het onverantwoord om er nog meer troepen heen te sturen. We rekken daarmee het falen, betoogde hij.

De oorlog was politiek onhoudbaar, zei hij. Hij duurde al bijna acht jaar. Als we nog meer troepen zenden, zal statistisch het aantal slachtoffers aan onze kant stijgen, wat de gedesillusioneerdheid bij het publiek en in het Congres vergroot.

Biden stelde 'antiterrorisme-plus' voor, zoals hij het noemde. Nadruk leggen op Al-Qaida in Pakistan. Het aantal aanwezige Amerikaanse soldaten en NAVO-troepen in Afghanistan zou binnenkort de 100.000 bereiken – genoeg om er zeker van te zijn dat Al-Qaida daar niet terugkeert, en genoeg om een opstand van de Taliban te ontmoedigen.

De lezing van de vicepresident duurde bijna even lang als Riedels praatje. Een NSA-stafdirecteur op de tweede rij had Bidens spreektijd geklokt op 21 minuten.

Jones wendde zich tot minister Clinton, na Biden het voornaamste lid van deze raad.

'Nou, Joe, vertel ons eens wat je echt denkt!' zei ze.

Alle aanwezigen schoten in de lach. Clinton pleitte voor doorgaan met counterinsurgency: de Afghanen beschermen, hen voor ons winnen, de 'wil' van het volk achter ons krijgen, de legitimiteit en competentie van de regering-Karzai verbeteren. Besef je wat het alternatief zou zijn als we hier niet mee door zouden gaan? vroeg ze. De winst voor vrouwen zou verdwijnen en de Verenigde Naties zouden worden verdreven. Ze steunde Riedels rapport en aanbevelingen over de strategie volmondig.

Die heb ik alvast achter me, dacht Riedel. Hij kon deze klinkende goedkeuring wel waarderen.

Gates nam kort het woord en zei dat ook hij achter Riedels rapport stond, maar deed dat niet zo volmondig als Clintons klinkende goedkeuring.

Jones zei dat er drie harde opties leken te zijn sinds de president vorige maand de 17.000 extra troepen had goedgekeurd.

De eerste optie was het antiterrorisme 'lite', zoals ze het noemden: geen extra troepen, misschien zelfs een aantal terughalen – in feite de mening van de vicepresident.

De tweede was om 4.000 extra opleiders voor het Afghaanse leger te sturen, wat generaal McKiernan, generaal Petraeus en minister Gates hadden aanbevolen.

De derde optie was zich volledig in te zetten voor de counterinsurgency-strategie, wat betekende dat één soldaat van het Amerikaanse leger, de NAVO of het Afghaanse leger of politiekorps op veertig tot vijftig Afghaanse burgers werd gezet. Dat was standaard de verhouding in het theoretische model voor counterinsurgency, ofwel COIN, zoals ze in het leger zeggen. Om dat te bereiken zouden er nog eens 100.000 Amerikaanse troepen nodig zijn – een eis waar niemand een pleidooi aan durfde wagen, zelfs Petraeus niet.

Op een gegeven moment sprak Riedel met Rahm Emanuel, die geschokt was omdat er geen betere inlichtingen waren over Bin Laden. 'Hoezo weten jullie niet waar hij is?' vroeg de stafchef. Er wordt jaarlijks zo'n vijftig miljard dollar uitgegeven aan inlichtingendiensten 'en jullie hebben geen idee waar de meest gezochte man in de geschiedenis van de wereld is?'

We hebben de zoektocht laten sloffen na 11 september, toen de regering-Bush zich op Irak concentreerde, antwoordde Riedel. De oplossing van het Witte Huis van Bush en het Congres was om de CIA, de DNI en de National Security Agency met meer mankracht te versterken. Die nieuwe mensen waren zeer gemotiveerd maar onervaren. Ongeveer tweederde van het personeel op de CIA-afdeling Nabije Oosten en Zuid-Azië had minder dan vijf jaar ervaring – de verhouding lag ongeveer omgekeerd toen Riedel drie decennia geleden bij de CIA kwam.

In een latere discussie met Jones zei Riedel: 'De inlichtingendiensten zijn altijd beter af wanneer ze sturing krijgen in plaats van te veel genegenheid.' Het zijn grote jongens die tegen de discipline kunnen.

De kopstukken van de Nationale Veiligheidsraad ontmoetten elkaar vijf dagen later, 17 maart, opnieuw voor een definitieve goedkeuring van Riedels strategie en om een keuze te maken uit een van de drie militaire opties.

'Bruce heeft het klassieke Henry Kissinger-model gevolgd,' zei Gates, verwijzend naar de militaire opties. 'Je hebt drie opties, waarvan er twee belachelijk zijn, dus je kiest de middelste.'

'Ja, precies,' zei Riedel. 'Ik beken schuld.' Het was een bekende Witte Huis-truc, een die de illusie van een keuze gaf. Maar hoewel iedereen erkende dat dit een stunt was, bleef het Kissinger-model populair.

Gates en de anderen uitten bezwaren tegen de derde optie van 100.000 extra troepen. Hoewel het een theoretisch model was, konden ze het niet serieus nemen, dus veegden ze het van tafel, en iedereen op Biden na steunde Riedels strategie in combinatie met de militaire optie om 4.000 opleiders te sturen.

Biden, wiens mening door Gates belachelijk was genoemd, stond erop dat zijn afwijkende mening werd genoteerd.

Emanuel merkte op dat ze het onderzoeksrapport naar de president moesten sturen. 'De president moet hierover nadenken, en diep,' zei Emanuel. 'Hij moet het zorgvuldig lezen, en hij heeft iemand nodig die het met hem doorloopt.'

Jones was het daarmee eens.

'Dus wist je het al, Bruce?' zei Emanuel, terwijl hij zich tot Riedel wendde. 'Jij vliegt morgen naar Californië.' Obama nam de Air Force One voor een optreden in *The Tonight Show* van Jay Leno en nog enkele informele ontmoetingen. De vlucht gaf hem vijf uur nog niet ingevulde tijd – een ideale gelegenheid om een 44 pagina's tellend verslag te verwerken. Riedel mocht meevliegen, de tekst met hem doorlopen en zijn vragen beantwoorden.

De dag daarna, 18 maart, stapte Riedel in de Air Force One. In de loop der jaren had hij al vele malen in het vliegtuig van de president gevlogen. Hij had zelfs al een favoriete stoel, bij het raam, vlak achter de privé-cabines van de president en op afstand van de stoelen om de tafels. Riedel hield niet van babbelen. Hij ging zitten en nam zijn aantekeningen door om er zeker van te zijn dat hij het bij het rechte eind had.

Het was Emanuels plan om deze presentatie buiten het Witte Huis te laten geven, zodat niemand van het nationale veiligheidsteam – Clinton, Gates, Jones, Mullen, Blair, Panetta, Holbrooke of Petraeus – zich gepasseerd hoefde te voelen voor een belangrijke vergadering met de president. Obama zou Riedel zijn onverdeelde aandacht kunnen geven.

Ongeveer twee uur na het opstijgen ging Axelrod bij Riedel zitten. Zowel de president als hij hadden het rapport gelezen.

Showtime, dacht Riedel, toen hij de werkkamer van de president voor in het vliegtuig in liep.

Obama zat achter zijn bureau in een overhemd met das; zijn colbert hing naast hem voor de aankomst in Californië.

Riedel vertelde Obama dat het geschreven rapport noodzakelijkerwijs een bureaucratisch rapport was, een weerspiegeling van het interdepartementale proces. De twintig aanbevelingen waren serieus en ter zake, hoopte hij, en de 180 sub-aanbevelingen betroffen de te ondernemen acties. Het was compact – geen Shakespeare – en sommige gedeelten vereisten nadere uitleg. Meneer de president, ik kan voor u tussen de regels lezen, zei hij.

Misschien weet u nog, zei Riedel, dat ik u tijdens de campagne vertelde dat Al-Qaida op dit moment net zo gevaarlijk is als op 10 september 2001. Na analyse van geheime inlichtingen, zei hij, blijkt dat ik dat gevaar on-derschatte.

Hoewel mijn eerste aanbeveling een geïntegreerde burgerlijk-militaire tegenopstand in Afghanistan is, dient u, meneer de president, zich te con-centreren op de werkelijke, centrale bedreiging: Pakistan.

Sommige Al-Qaidawatchers beweren dat Bin Laden, die zich schuil-houdt in Pakistan, onbelangrijk is, zei Riedel. Hij zit ergens vast in een grot, en ja, af en toe stuurt hij een cassettebandje de wereld in, maar hij zou meer een soort symbool zijn dan de leider van de wereldwijde jihad.

Ik heb ontdekt dat deze visie niet klopt, zei Riedel. Hij communiceert met zijn ondergeschikten en heeft contact met zijn voetsoldaten. Zijn troepen geloven dat ze van hem bevelen krijgen, en we weten uit goede bronnen dat ze daarin gelijk hebben. Maar we weten niet precies hoe dat gebeurt. En dat gebrek aan kennis is een van de meer verontrustende fei-ten. We weten dat, zeg, vier personen zijn boodschappen ontvangen. Wat we niet weten is of deze boodschappen aan nog eens veertig mensen wor-den doorgegeven. Of misschien wel vierhonderd. Wanneer je slechts een deel van het plaatje ziet, weet je niet hoe groot het deel is dat je niet ziet. Dat kon wel eens enorm zijn.

Je zou kunnen vragen, zei Riedel, wat de laatste actie van Al-Qaida of broederorganisaties is geweest op het wereldtoneel. Het antwoord daarop, zoals Obama wist, waren de wrede aanslagen in Mumbai, georganiseerd door Lashkar-e-Taiba op de afgelopen Thanksgiving Day. Dat was een gro-te klap, en LeT groeit.

Al-Qaida beraamt duidelijk aanslagen in West-Europa, en minder dui-delijk in Noord-Amerika. Voor Europa gebruikt Al-Qaida Pakistanen die naar Groot-Brittannië, Noorwegen en Denemarken zijn verhuisd en door onze screenings en beveiligingsmiddelen glippen. Dat zijn geen jonge Sa-udi's of Somaliërs, maar kinderen van immigranten met Britse, Franse of Belgische paspoorten. Het probleem is dus drievoudig: het rekruteren, het beramen en het relatief vrij kunnen reizen.

'Dit zijn zware jongens,' zei Riedel. 'Ze zijn slim en ze zijn genadeloos. Als wij hen niet uitschakelen, blijven zij proberen ons uit te schakelen.'

U moet de dreiging zien als een syndicaat, ging Riedel verder. Al-Qaida maakt deel uit van een grotere militante beweging in Pakistan. Het is een kweekvijver voor de Afghaanse of Pakistaanse Taliban of LeT. De groeperingen hebben onderling contact. Bin Laden kan niet worden opgespoord omdat hij zwemt in een zee van gelijkstemden.

Het enige kenmerk van het syndicaat is, dat ondanks de pogingen van de regering-Bush – de extreme technieken van overbrengen, opsluiten en ondervragen – nog niemand Bin Laden, zijn plaatsvervanger Ayman Zawahiri of de Talibanleider Mullah Omar heeft verraden. Door de hele controverse rond martelpraktijken is het feit over het hoofd gezien dat geen van de ondervraagden ooit het belangrijkste gegeven voor inlichtingendiensten heeft losgelaten: de locatie van Bin Laden. Of de benadering van Bush en Cheney nu goed of fout was, we vonden niet waar we naar zochten.

Dat feit wijst op meer discipline dan men nu doorgaans aan Al-Qaida toeschrijft, waarschuwde Riedel.

Je zou kunnen zeggen, ging hij verder, dat we ooit, op 11 september, om allerlei redenen werden verrast. Het zal behoorlijk moeilijk zijn het Amerikaanse volk uit te leggen hoe het kon gebeuren als we weer zo worden verrast. We mogen niet zelfgenoegzaam zijn. Het is fantastisch dat we met onbemande vliegtuigjes boeven kunnen uitschakelen, maar we weten niet waar de hoogste leiders zijn, waar 'de essentie zit'. Je kunt de drone-aanvallen vergelijken met pogingen een bijenkorf op te doeken door telkens één bij te vangen. Daarmee vernietig je niet de hele korf.

Predator-aanvallen werken alleen maar omdat paramilitaire CIA-teams in het diepste geheim opereren op Pakistaans grondgebied. Zonder de plaatselijke informanten die deze teams ontwikkelen, zou er geen goede signals intelligence zijn die de onbemande vliegtuigjes de weg wijst. Dat is een riskante onderneming die plotseling kan instorten. Vertrouw dus niet op onbemande vliegtuigjes, zei Riedel. Ze lijken een goedkope oplossing, maar zijn dat niet.

Het onderwerp brengend op Afghanistan vroeg Obama of het sturen van 17.000 troepen en daarna nog eens 4.000 troepen wel iets uithaalde.

Ja, zei Riedel, of dan krijg je tenminste het antwoord op die vraag binnen een redelijk tijdsbestek. Het aantal dat president Bush en u hebben geëist – bijna 33.000 extra troepen dit jaar – is een verdubbeling van wat er nu is. De extra troepen zullen in de zomer of het begin van het najaar arriveren. We gaan naar delen van zuid-Afghanistan waar al heel lang niemand is geweest. Als dat geen meetbare impact heeft op de Taliban, dan zitten we met een fundamenteel probleem. In zijn 44 pagina's tellend rapport schreef Riedel dat het succes van de Taliban dit jaar in zijn tegendeel 'moet' worden omgezet.

Wanneer een achttienjarige Pasjtoenstrijder 5.000 mariniers in zijn buurt heeft, zal hij zeggen: 'Weet je wat, ik wacht wel tot het volgende campagneseizoen. Ik ga gewoon naar huis.' Ik zou dat geen verzoening tussen een Talibanstrijder en de Afghaanse regering willen noemen; dat zou ik een overwinning noemen, zei Riedel.

'Maar u moet een inschatting kunnen maken in de loop van zes of twaalf maanden of het u aan het lukken is,' zei Riedel.

Als u geen vooruitgang merkt, kunt u zich verschuilen achter prachtige bureaucratische begrippen. U kunt meer troepen op de 'oprit' zetten, of juist op de 'afrit', wat wil zeggen dat u dankzij de speling van maanden tussen uw goedkeuring en de daadwerkelijke inzet, kunt besluiten om ze uiteindelijk niet in te zetten. In feite zit u er dus niet aan vast.

Hoeveel gaat dit kosten? vroeg Obama.

Dat weten we niet, antwoordde Riedel. Dit is een rapport, geen begroting. Maar zet een Amerikaanse soldaat in Afghanistan, en betaal alles, inclusief de rekening van hem als veteraan, zijn ziektekostenverzekering, de zorg voor zijn familie, zijn eten en wapens, dan kost dat ruwweg 250.000 dollar per jaar. Een Afghaanse soldaat in actie kost ruwweg 12.000 dollar. En een toegewijde, goed opgeleide Afghaanse soldaat spreekt de taal en kent het terrein en de omgeving. Maar vergeet niet dat de vs de Afghaanse troepen nog steeds zullen moeten blijven betalen, want hun regering heeft geen enkele inkomsten.

'De NSC-top heeft hierover al consensus bereikt,' zei Riedel. 'Alleen de vicepresident houdt er een ander standpunt op na,' een aangepaste vorm van de counterinsurgency-strategie. Maar dat deed de regering-Bush ook al, en het heeft ons niet veel opgeleverd. Bidens belangrijkste argument is, dat de oorlog politiek niet houdbaar is, zei Riedel. Dat is politiek, en ligt niet in mijn straatje. 'Meneer de president, dat kan ik beter aan u overlaten.'

'Ja, dat klopt,' antwoordde Obama. 'Dat zou geen deel uit mogen maken van uw opdracht.'

De president moest ook bedenken hoe hij ging reageren op wat er zoal kon gebeuren, zei Riedel. Bijvoorbeeld, we worden aangevallen vanuit Pakistan, wat gaat u doen? Obama wist van het vergeldingsplan tegen Pakistan. Ze zouden meer dan 150 plekken bombarderen die gekoppeld zijn aan Al-Qaida en andere groeperingen. Maar, zei Riedel, probleem twee, de binnenlandse situatie van Pakistan gaat verder achteruit en er komt een jihadistische regering. Wat doet u?

Derde ramp. Pakistan valt India opnieuw aan, direct of indirect – Mumbai redux. Wat zeggen we deze keer tegen de Indiërs? We bewonderen uw Gandhi-achtige zelfbeheersing? Ik denk dat we in India aan ons plafond zitten, zei Riedel. De volgende aanslag zal een militaire reactie uitlokken. En dan praat je over de mogelijkheid van een kernoorlog.

Een ander probleem was de verantwoordelijkheid voor de volgende aanslag, waar Riedel de nadruk op wilde leggen. We weten simpelweg niet genoeg over Al-Qaida. Er zijn dimensies, mogelijkheden of kronkels die wij niet begrijpen. Al-Qaida is misschien nog angstaanjagender dan we denken.

En als het gaat over Pakistan, zei Riedel bot, moesten de president en zijn team niet afgaan op het laatste gesprek dat admiraal Mullen met generaal Kayani heeft gevoerd. Op zijn best is dat het halve verhaal.

Samenvattend, zei Riedel, moesten ze de strategische koers van Pakistan veranderen. De strategische koers veranderen zou in elk land een hele toer zijn, maar vooral in Pakistan.

'Dat lukt niet binnen twee jaar,' zei Riedel. 'Misschien kost het wel twee decennia. Misschien is het niet mogelijk.' Dat was een buitengewoon – en huiveringwekkend – vooruitzicht.

Toen Air Force One landde op de Costa Mesa County Fairground, zaten Obama en Riedel nog steeds te praten. Obama trok zijn jasje aan om een menigte van 1.300 mensen te begroeten.[1]

Tijdens de opnamen van *The Tonight Show* die middag antwoordde Obama Jay Leno dat wat hem betreft het team van de University of North Carolina (UNC) het basketbaltoernooi van de NCAA, ook wel de March Madness genoemd, mocht winnen.[2]

'Is dat geen swing state?' plaagde Leno.

'Compleet toeval,' zei Obama. 'Absoluut.'

Geen spoor in Obama's gedrag liet zien dat hij zojuist een verpletterende analyse van de dreigingen tegen de VS had gekregen, een waarschuwing dat Al-Qaida nog net zo gevaarlijk was als op 10 september 2001.

Terwijl ze nog in het zuiden van Californië zaten, legde Axelrod aan Riedel uit waarom Obama voor het team van UNC was. North Carolina, een staat waar Obama had gewonnen tijdens de presidentsverkiezingen, was normaal gesproken een swing state, dus wilde hij dat een team uit die staat zou winnen. Als hij voor het team van Duke University was geweest, dan had hij te veel voor eigen parochie gepreekt, want dat instituut was blauw, Democratisch. De UNC daarentegen was meer rood, Republikeins; het was een handreiking naar de Republikeinen.

De voormalige CIA-agent wist niet zeker of Axelrod een grapje maakte. Politiek was niet Riedels fort. Terug naar huis vliegend keken Obama, Axelrod en Riedel bijna vijf uur lang naar het universitaire basketbaltoernooi.

Later bevestigde de president dat Pakistan de kern moest vormen van welke nieuwe strategie dan ook. 'Bruce had sterk het gevoel, net als ik,' vertelde hij me, 'dat we een ernstig en openhartig gesprek moesten hebben met de burgers, het leger en de hoofden van inlichtingendiensten van Pakistan.'

'En dat gaat door tot de dag van vandaag, of niet?' vroeg ik op 10 juli 2010, meer dan een jaar nadat Riedel de president had voorgelicht.

'Tot op de dag van vandaag,' zei Obama.[3]

De Nationale Veiligheidsraad kwam op 20 maart bijeen met de president om de strategie van Riedel te bespreken. Iedereen was er nu mee bekend, en ze bespraken Bidens argument dat de oorlog politiek onhoudbaar was.

'Ik denk dat het volk me twee jaar geeft,' zei Obama. 'Ze zullen twee jaar achter ons staan. Dat is mijn kritieke periode.'

Gates zei dat het Afghaanse leger en de Afghaanse politie de sleutel vormden – hun aantal, training, professionaliteit en toewijding moesten beter. 'Dat is onze uitweg.'

'Ik denk dat de teerling is geworpen,' zei Biden. Mits zijn bedenkingen werden genoteerd, wilde hij akkoord gaan met de beslissing van de president. 'We hebben min of meer overeenstemming bereikt over hoe we verder willen gaan. Ik zet er mijn kanttekeningen bij, maar de teerling is geworpen.'

'Ik denk dat hij gelijk heeft,' zei Obama. 'Ik ga er in grote lijnen mee akkoord.' Maar ook de president gaf aan dat het nog geen gesloten deal was. 'Ik moet er nog even over nadenken en kom er later op terug.' Niettemin was de teerling geworpen. En anders dan de troepenuitbreiding die in februari was bekendgemaakt, moest dit wél aan het Amerikaanse publiek worden uitgelegd.

11

Op een bewolkte avond liep generaal Petraeus gehaast over de stoep in de wijk Georgetown in Washington. Zijn Spartaanse lichaam leek in werkelijkheid kleiner dan op de foto's.

De generaal had zijn roem te danken aan een strategie volgens welke soldaten leefden zoals de plaatselijke bevolking, ongeacht het vuil, het gevaar of – zoals in Washington – de rijkdom. Petraeus had een afspraak in een restaurant en nam daarvoor de conceptversie mee van Obama's geplande toespraak over de strategie in Afghanistan-Pakistan.

Er zat een discrepantie tussen de toespraak en het Riedel-rapport waarop het was gebaseerd. De eerste aanbeveling van dat rapport op pagina 19 luidde: pas een 'volledige toegeruste' counterinsurgency-tactiek toe in Afghanistan. In de kladversie van de toespraak werd daar nauwelijks aandacht aan besteed; het was een veeg teken dat het woord 'counterinsurgency' niet eens genoemd werd.

Petraeus vond dit verontrustend. Sommigen meenden dat de generaal gefixeerd was op zijn succes in Irak. Daar had zijn counterinsurgency-tactiek, waarbij het volk in bescherming werd genomen, gewerkt. Maar Petraeus was zich bewust van zijn roes. Hij was bang dat hij het slachtoffer zou worden van zijn eigen triomf. Misschien werkte counterinsurgency in Afghanistan helemaal niet.

'Ik heb daar veel over nagedacht,' had hij een paar medewerkers toevertrouwd. 'Het is een probleem waar je in de vroege uren klaarwakker van

wordt, dat je tijdens het hardlopen op talloze manieren opnieuw bekijkt.'
Petraeus had een 'rood team' aangesteld – een groep deskundigen op het
gebied van inlichtingen en militaire operaties die een tegengestelde visie
ontwikkelde – die het probleem moest onderzoeken.

Belangrijker was dat ook de president niet achter zijn pleidooi voor
counterinsurgency stond.

Petraeus ontmoette Holbrooke – zijn tegenvoeter in burger en 'vleugelverdediger' – in La Chaumière in M Street. Het restaurant was een instituut in Georgetown en Holbrooke woonde er een paar straten vandaan.
Door de balken van het plafond en de rustieke, met wijnflessen gesierde
haard in het midden, leek het restaurant een Franse herberg. Die donder-
dagvond, 26 maart, om negen uur 's avonds, begon de zaak al leeg te lopen.

Petraeus en Holbrooke bogen zich geconcentreerd voorover en pluis-
den elke zin uit Obama's toespraak uit. Holbrooke had een paar belangrijke *edits* over de Afghaanse politie, zoals hij het noemde. Terwijl het restaurant leegliep, ging Petraeus plotseling rechtop staan om de oudere
dame te begroeten die voorbij hun tafel kwam.

'Helen Thomas,' zei hij, met hoffelijk vertoon van militaire manieren
en charme. 'Ik ben David Petraeus. Goed om u te zien.'

De achtentachtigjarige columniste bij het Hearst-concern was de gesel
geweest van tien presidenten en hun persvoorlichters.

'Wat doet u in godsnaam in Afghanistan?' riep ze uit. Er kon geen groet
van af. Waarom de oorlog laten escaleren? vroeg ze. 'Dit is gewoon een
tweede Vietnam.'

Nee, zei Petraeus, in een poging te reageren.

Maar Thomas onderbrak zijn antwoord met nog meer vragen, waarvan
ze zich enkele later zou herinneren in een interview. 'Ga toch weg, daar
heb ik niks aan.' 'Wat is uw exit-strategie?' 'Hoe gaat u dit oplossen?'
'Waar hebt u het over?' 'En trouwens, wat doet u nog in Irak? U weet best
dat daar de hel losbreekt zodra we zijn vertrokken.' 'Wat gaan we doen?
Achter Al-Qaida aan?'

Later dacht ze na over haar gesprek met Petraeus en Holbrooke. 'Ze ge-
bruikten heel sussende woorden. Alles zou goed komen. Ze hadden er
alle vertrouwen in. Maar ik ben altijd heel fel over Vietnam. Dit voelt als
een herhaling van Vietnam – onmogelijk terrein, [de Afghanen] zijn vech-
ters. De Russen hebben er tien jaar gezeten, trokken zich toen terug en
niemand die hen lafaards noemde.

'Petraeus snoefde niet,' legde Thomas uit. 'Ik weet alleen, dat ik me niet gerustgesteld voelde.'[1]

Als Obama's schrijver van toespraken over buitenlands beleid nam de eenendertigjarige Ben Rhodes de laatste correcties van de president door. Rhodes, die na de verkiezingscampagne voor de Nationale Veiligheidsraad was gaan werken, had de indruk dat Obama niet helemaal achter de strategie in de toespraak leek te staan. De jonge would-be romanschrijver, die zijn literaire ambities had opgegeven om politieke retoriek te bedrijven, was een oplettende jongen. Obama was gefrustreerd omdat hij 17.000 troepen naar Afghanistan moest sturen voordat het Riedel-rapport af was. En tevens moest Obama in de toespraak bekendmaken dat er nog eens 4.000 man zou worden uitgezonden, die de Afghaanse strijdkrachten moesten opleiden.

Om 9.40 uur de volgende ochtend besteeg Obama kalm het podium in het Eisenhower Executive Office Building naast het Witte Huis.[2] Hij droeg een rode das en geflankeerd door zijn kabinet, adviseurs en een rij Amerikaanse vlaggen liet de president weten dat 'Al-Qaida ontwrichten, ontmantelen en verslaan' de missie was.

'Verschillende inlichtingenrapporten waarschuwen dat Al-Qaida actief aanslagen beraamt op Amerikaans grondgebied vanuit hun schuilplaats in Pakistan,' zei Obama. 'En als de Afghaanse regering in handen komt van de Taliban, of Al-Qaida ongehinderd zijn gang laat gaan, zal dat land opnieuw een basis worden voor terroristen die zoveel mogelijk mensen willen vermoorden als ze kunnen.'

De president ging verder. 'Voor het Afghaanse volk betekent de terugkeer van het Talibanregime dat het land veroordeeld wordt tot tirannie, internationale isolatie, een verlamde economie en ontzegging van primaire mensenrechten, vooral aan vrouwen en meisjes.'

Een commentator in de *Washington Post* prees het plan onder de kop: 'De prijs van realisme'.[3] Een commentaar in de *New York Times*, met als kop 'De niet vergeten oorlog', gaf Obama een pluim omdat hij een 'goede eerste stap had gezet naar de oplossing van de gevaarlijke situatie die de voormalige president George W. Bush achterliet toen hij zich uit de noodzakelijke oorlog in Afghanistan had teruggetrokken omwille van de ondoordachte oorlog in Irak.'[4]

De toespraak verbaasde kolonel John Wood, die sinds 2007 hoofd was van het Afghanistan-team van de Nationale Veiligheidsraad en aan Lute verslag moest uitbrengen. Wood zocht Denis McDonough op in zijn werkkamer.

McDonough, een adviseur buitenlandbeleid in het campagneteam van Obama, managede de strategische communicatie voor de Nationale Veiligheidsraad. Wood vertelde dat hij onder de indruk was van het krachtige pleidooi voor counterinsurgency ter bescherming van de Afghaanse burgers. Dat had niet in de kladversie van Rhodes gestaan.

'Ik vond dat veel beter dan de versie die ik gisteren zag,' zei Wood.

Deze veranderingen waren persoonlijk door de president aangebracht, zei McDonough.

Maar Obama had het verzoek van het leger om meer troepen niet volledig ingewilligd. McKiernans verzoek om meer troepen voor het einde van het jaar was nog steeds niet afgehandeld.

'Wacht maar,' had Obama tegen Rhodes gezegd. 'Daar kijken we nog eens naar na de verkiezingen' in Afghanistan. Dat was over vijf maanden, in augustus. Hij wilde kijken hoe de situatie er na de presidentsverkiezingen voor zou staan, en hoe het ging met de 21.000 soldaten die hij naar Afghanistan had uitgezonden. 'We nemen op dit moment geen beslissingen over extra troepen.'

Minister van Defensie Gates leek tevreden met het besluit en vertelde twee dagen later aan Fox News: 'Volgens mij is het niet nodig om extra troepen te vragen, om de president te vragen zijn goedkeuring te geven aan extra troepen, als we nog niet weten hoe het gaat met de troepen die we – die hij al heeft uitgezonden.'[5]

De troepenkwestie baarde Lute zorgen. Het was een afdwaling van het Riedel-rapport om te geloven dat een volledig toegeruste counterinsurgency gelijkstond aan de hoeveelheid troepen waar McKiernan om had gevraagd. Zoals ze wisten klopte het rekenwerk niet. En Lute wist dat McKiernans verzoek om troepen gebaseerd was op wanneer die beschikbaar zouden komen uit Irak, en niet op de eisen van de missie. De VS zat verlegen om meer opleiders in Afghanistan, bijvoorbeeld, maar McKiernan had gevraagd of die konden komen wanneer ze beschikbaar kwamen, over vijf maanden.

'Kijk, sir,' zei Lute tegen de commandant in Afghanistan, 'zeg ons gewoon wat u nodig hebt, niet wanneer het leger u zegt wanneer ze beschikbaar komen.'

McKiernan reageerde niet echt.

Er bestond een soort wisselwerking tussen de middelen voor Irak en die voor Afghanistan, en daar moest volgens Lute iets tegen gedaan worden. Die wisselwerking werd gemaskeerd door de manier waarop de verzoeken werden ingediend. Van het bestaan ervan was Bush nooit op de hoogte gesteld, en Obama was er evenmin duidelijk van op de hoogte gesteld.

Op donderdag 7 mei stapten de Pakistaanse president Zardari en zijn twintigjarige zoon Bilawal, een student aan de universiteit van Oxford, het Oval Office in voor een ontmoeting met Obama. Voor beide presidenten was dit een kans elkaar persoonlijk te leren kennen. Amerika hield een trilaterale top met Afghanistan en Pakistan.

Obama begroette hen hartelijk, noemde zichzelf een groot bewonderaar van Benazir Bhutto, de voormalige premier die Bilawals moeder en Zardari's echtgenote was geweest. Hij herinnerde zich een bezoek aan Pakistan met studievrienden, toen hij *keema-dhal* had leren bereiden, rijst met linzen.

'We begrijpen dat u zich zorgen maakt om India,' zei Obama. 'Ik weet dat veel Pakistanen dat doen. Maar wij willen u niet bewapenen tegen India, laat me daar heel duidelijk in zijn.'

'We proberen onze blik op de wereld te veranderen,' zei Zardari, 'maar dat gaat niet zomaar.'

Obama begon over de Swat-vallei, een voormalige toeristische streek in het noordwesten van Pakistan. Ongeveer drie maanden daarvoor had de Pakistaanse regering een staakt-het-vuren ondertekend waarmee de controle over de streek werd overgedragen aan een groep moslimextremisten die het volk de sharia oplegde. Maar deze extremisten – die bondgenoten waren van de Pakistaanse tak van de Taliban – verbraken het staakt-het-vuren en bleven vechten om meer grondgebied. Toen ze honderd kilometer van de Pakistaanse hoofdstad Islamabad waren, gevaarlijk in de buurt van de kernwapens in Tarbela, kwam het Pakistaanse leger eindelijk in actie en zette de tegenaanval in.

'U hebt vooruitgang geboekt in de Swat-vallei,' zei Obama, 'maar er was een tijd dat we allemaal vreesden dat jullie het op een akkoordje zouden gooien.' Het staakt-het-vuren was door de extremisten gebruikt om de legitimiteit van de Pakistaanse regering te ondermijnen. 'Het wekt ook de verkeerde indruk dat niemand de leiding heeft,' zei Obama.

'Als ik het leger zou hebben ingezet zonder de publieke opinie erbij te betrekken, was het niet gelukt,' probeerde Zardari uit te leggen. 'Pas toen ik had laten zien dat deze kerels geen goede bedoelingen hadden, dat ze, zelfs nadat ze de islamitische rechtspraak mochten toepassen, alleen maar uit zijn op macht, en niet op de islam – kreeg ik de publieke opinie pas mee.'

Obama erkende dat de Pakistaanse regering meer vastberadenheid had laten zien dan voorheen. De vooruitgang was te zien door de actie in de Swat-vallei, en door het gemiddelde aantal drone-aanvallen van de CIA, dat de afgelopen maand was gestegen naar één aanval per drie dagen.

Daarna liet de Amerikaanse president Zardari en zijn zoon de rozentuin zien. Tijdens de wandeling sloeg Obama een arm om de schouders van de jongen.

Later vertelde Obama me dat de operatie in de Swat-vallei een belangrijke stap was van de Pakistanen, een die 'je twee of drie jaar geleden niet zou hebben meegemaakt'.[6] De Pakistanen hadden 15.000 troepen ingezet in een van de grootste legeroperaties tegen de Taliban.

Op een avond tijdens de trilaterale top zat Zardari te eten met Zalmay Khalilzad, de achtenvijftigjarige ex-ambassadeur van Amerika in Afghanistan, Irak en de Verenigde Naties tijdens het presidentschap van Bush.

Zardari liet zijn diplomatieke masker vallen. Hij suggereerde dat een van twee landen de aanvallen van de Pakistaanse Taliban in zijn land had gearrangeerd: India of de Verenigde Staten. Zardari dacht niet dat India zo slim kon zijn, maar de Verenigde Staten wél. Karzai had hem verteld dat Amerika achter de aanvallen zat, wat de claims van de Pakistaanse ISI bevestigde.

'Meneer de president,' zei Khalilzad, 'wat zouden wij daar mee opschieten? Kunt u me de logica daarvan uitleggen?'

Dit was een plot om Pakistan te destabiliseren, meende Zardari, zodat de VS konden binnenvallen om 's lands kernwapens in te nemen. Hij kon geen andere verklaring bedenken voor de snelle geweldstoename. En de CIA verzuimde het om achter de leiders van de Pakistaanse Taliban aan te zitten, de als Tehrik-e-Taliban of TTP bekendstaande groepering die de regering had aangevallen. TTP werd ook beschuldigd van de moord op Zardari's vrouw Benazir Bhutto.

'We wijzen u Taliban-doelen aan om uit te schakelen en u negeert ze,' zei Zardari. 'U zoekt andere doelwitten. Dat brengt ons in verwarring.'

Maar de drones waren primair bedoeld om Al-Qaidaleden en Afghaanse opstandelingen te verjagen, niet de Pakistaanse Taliban, riposteerde Khalilzad.

Maar de Talibanbeweging is verbonden met Al-Qaida, zei Zardari, dus door de doelen te negeren die door Pakistan zijn aangewezen, liet de VS zijn steun aan de TTP blijken. De CIA werkte zelfs op een gegeven moment samen met de leider van de groepering, Baitullah Mehsud, beweerde Zardari.

Khalilzad hoorde het kalm aan, hoewel alle aantijgingen volgens hem op waanzin duidden. De VS zou de Taliban gebruiken om de Pakistaanse regering omver te werpen? Belachelijk. Maar Khalilzad wist dat ook de Afghaanse president Karzai in deze samenzweringstheorie geloofde – alweer bewijs dat deze regio in de wereld en zijn leiders disfunctioneel waren.

Ondanks Zardari's claim hadden Pakistaanse regeringsfunctionarissen uiterst geheime CIA-briefings gekregen over raketaanvallen tegen de TTP van Baitullah Mehsud. Bij een aanval op 12 maart 2009 op een compound van Mehsud waren meer dan twee dozijn militieleden omgekomen; hun stoffelijke overschotten werden snel geborgen door hun kameraden. En op 1 april werden opnieuw vijf aan Mehsud verbonden militanten, onder wie een opleider van Al-Qaida, gedood, volgens informatie van de CIA die in april aan Pakistan was doorgegeven. Rond de dertig militanten waren omgekomen bij die twee CIA-aanvallen die het Pakistaanse politieke en militaire establishment hielpen te beschermen.

Bijna alles over Afghanistan zat Mullen dwars. Terwijl Obama zijn aandacht concentreerde op de oorlog, begon Mullen zich meer persoonlijk verantwoordelijk te voelen. Afghanistan werd gekenmerkt door 'ongelooflijke veronachtzaming,' vertelde hij een van zijn officieren. 'Vergelijk het met iemand die al vijftig dagen in hongerstaking is. Plotseling ga je die persoon te eten geven. Nou, die zal niet snel eten. Ik bedoel, elk orgaan in het lichaam is in elkaar gezakt. De ondervoeding van Afghanistan gaat veel dieper en is ingrijpender dan ik had gedacht. Het gaat niet alleen om troepen. Het is op intellectueel, strategisch, fysiek en cultureel niveau.'

In Mullens ogen was aan leiderschap misschien het meeste gebrek. Afghanistan had duidelijk de beste commandant nodig. En ondanks al zijn vaardigheden en ervaring was de generaal die nu op die post zat, David McKiernan, niet de beste.

'Ik kan niet leven met het besef dat er een beter alternatief is,' zei Mullen, 'wanneer er dagelijks jonge mensen sterven.'

De voorzitter van de verenigde chefs besefte dat de oplossing voor Afghanistan zich vlak voor zijn ogen bevond, door de ronde gangen van het Pentagon liep. Luitenant-generaal Stanley McChrystal was al meer dan zeven maanden directeur van de verenigde staf. De directeur van de verenigde staf was in feite de adjunct van de voorzitter. Het was de hoogst haalbare functie voor een driesterrengeneraal, en vrijwel zeker de opstap naar vier sterren. Onder de voorgangers van McChrystal op deze post bevonden zich DNI Dennis Blair, voormalige CentCom-commandant John Abizaid en de huidge legerchef generaal George Casey.

McChrystal was al bijna een legende binnen de verenigde staf. Hij werkte harder dan wie dan ook, loste problemen op in plaats van erover te klagen. Hij had een open blik en gaf probleemloos gehoor aan alle verzoeken en bevelen. Hij sloeg de lunch over, bleef zitten aan zijn bureau, waar hij uit een plastic broodtrommel grote, gezouten Beierse pretzels at. McChrystal zette de Pakistan Afghanistan Coordination Cell op, die officieren die verschillende keren naar Afghanistan waren uitgezonden bij elkaar bracht in het Pentagon zodat Washington kon leren van hun ervaringen.

Gates, die vaak werkte met McChrystal, vond ook dat hij de man was voor die taak. Hij en Mullen lieten de president weten dat ze McKiernan wilden vervangen. Obama zei dat hij achter iedere keuze van de minister en Mullen zou staan.

Gates vertelde anderen in het Witte Huis: Dit is mijn test voor de president, of ik hierin ga slagen. Ik moet het beste team hebben in het veld.

Eind april arriveerde admiraal Mullen in Afghanistan en vertelde McKiernan onder vier ogen dat het tijd werd dat hij zou opstappen.[7]

Dan zult u me moeten ontslaan, antwoordde McKiernan.

McKiernan had Afghaanse functionarissen beloofd dat hij twee volle jaren zou aanblijven.[8] Hij wilde die belofte niet verbreken. Misschien had hij zich niet hard genoeg op de borst geklopt, te weinig opgeschept tegenover hoge pieten in het Pentagon, of verzuimd bezoekende congresdelegaties te charmeren. Sommige van zijn adviseurs vroegen zich af of McKiernan niet duidelijker aanwezig moest zijn in het openbaar. Andere commandanten leken baat te hebben bij media-exposure.

Op maandag 11 mei, tijdens een persconferentie in het Pentagon trilde

Gates' stem lichtelijk toen hij aankondigde dat McChrystal de nieuwe commandant in Afghanistan zou worden.⁹

'Onze missie hier eist van onze militaire leiders een nieuw soort denken en een nieuwe werkwijze,' zei hij. 'Vanaf vandaag volgen we een nieuw beleid dat door onze president is uitgestippeld. We hebben een nieuwe strategie, een nieuwe missie... Ik denk dat daar ook een nieuwe militaire leiding bij hoort.'

Gates somde de vragen op die McChrystal moest beantwoorden als nieuwe commandant. 'Hoe behalen we betere resultaten? Welke nieuwe ideeën hebt u? Welke frisse wind laat u waaien? Zijn er verschillende manieren om uw doelen te bereiken?'

Toen Riedel Gates deze vragen hoorde stellen, vroeg hij zich af wat er in godsnaam aan de hand was. Amper zes weken geleden had hij de nieuwe strategie uitgedokterd, de president had zijn toespraak gehouden en Gates had die volledig omarmd. Begonnen ze weer van voor af aan?

Petraeus zat die dag in Washington om een vergadering bij te wonen van de Nationale Veiligheidsraad over terroristische gevangenen. Hij zag de persconferentie op televisie. Terwijl Gates en Mullen het woord voerden, stond Petraeus op om enkele mailtjes te beantwoorden. Hij was het eens met de verandering, maar een lid van zijn staf meldde dat hij er 'asgrauw' uitzag. McKiernan was zijn directe superieur geweest tijdens de invasie van 2003 in Irak. Generaals waren inwisselbaar. Vandaag in het middelpunt, morgen afgevoerd.

Een week later had Obama een ontmoeting van tien minuten in het Oval Office met McChrystal.

Later keek Obama met mij terug op de keuze voor McChrystal.¹⁰ 'Nou, uiteindelijk is het mijn beslissing.' Maar hij vertrouwde op het oordeel van Gates en Mullen. 'Ze meenden dat de beste persoon voor deze taak in dat stadium generaal McChrystal was,' zei Obama. 'Weet je, ik had nog geen gesprek van man tot man met hem gehad.'

'Had u het gevoel dat u uw Eisenhower koos, in zeker zin, voor uw oorlog?' vroeg ik. 'Had u het gevoel dat u voldoende betrokken werd bij die keuze op dat moment, toen u uw Eisenhower koos?'

Obama bestreed de vergelijking. 'A, ik wil mezelf niet vergelijken met Franklin Roosevelt,' zei hij. 'En B, ik wil onze inspanningen in Afghanistan niet vergelijken met de Tweede Wereldoorlog.'

'Maar wat ik wil zeggen is,' zei de president, 'dat gezien het tijdsbestek waarbinnen wij opereerden het voor mij belangrijk was te weten dat dit de beste ons beschikbare persoon was.'

Lute begreep waarom men McChrystal had benoemd. Maar onder de extra 21.000 troepen was ook een mariniersbrigade van 9.000 soldaten die McKiernan naar de provincie Helmand stuurde. Minder dan één procent van de Afghaanse bevolking woonde daar waar de mariniers naartoe gingen. Lute vroeg McChrystal: hoeveel kost het om die mariniers terug te trekken en naar Kandahar te sturen, het broeinest van de Taliban?

Dat zou fnuikend zijn, antwoordde McChrystal, omdat daarmee het vertrouwen van het Afghaanse volk in Helmand zou worden geschonden.

De mariniers bleven er dus. Ze hadden de commandant in Afghanistan ontslagen maar zijn plan gehouden.

Op 26 mei 2009 verscheen een van de geheimste rapporten uit de wereld der uiterst geheime inlichtingen in de map TOP SECRET/CODEWORD van de President's Daily Brief (PDB). Degenen die deze PDB schreven hadden geleerd zorgvuldige koppen te maken die hun bevindingen niet sensationeler maakten, en in sommige gevallen juist afzwakten. De kop van dit bericht luidde: 'Noord-Amerikaanse Al-Qaida-rekruten beïnvloeden mogelijk doelen en tactieken in de VS en Canada.'[11]

Volgens dit verslag, en nog een ander zeer geheim rapport, zouden minstens twintig Al-Qaidabekeerlingen met Amerikaanse, Canadese of Europese paspoorten in toevluchtsoorden in Pakistan worden opgeleid om in hun eigen land markante terroristische aanslagen te plegen. Het zou gaan om zes Britten, een paar Canadezen, enkele Duitsers en drie Amerikanen. Geen van hun namen was bekend.

DNI Denis Blair vond de rapporten alarmerend en geloofwaardig genoeg om de president te waarschuwen. Hij redigeerde persoonlijk elk PDB de avond voor de ochtend dat het naar Obama werd gestuurd.

Rahm Emanuel sommeerde Blair naar zijn werkkamer in de hoek van de West Wing nadat het Al-Qaidarapport was verzonden.

'Waarom heb je dat in het PDB gezet?' vroeg hij.

'Dit is een bedreiging voor de VS,' antwoordde Blair. 'Ik maak me er zorgen om, en ik vind dat jullie het moesten weten.'

'Wat kunnen we ertegen doen?' vroeg de altijd praktische Emanuel.

'Ik kan je nu niks zeggen,' antwoordde Blair. 'als we meer wisten, zouden we ze hebben opgepakt. Maar misschien kunnen we een paar defensieve acties ondernemen.'

'Je probeert dit op ons bord te leggen, zodat jou niets te verwijten valt,' zei Emanuel vinnig.

'O, nee,' antwoordde Blair. 'Ik probeer alleen maar te zeggen, ik ben directeur inlichtingendiensten van de president en maak me hier zorgen om, en ik denk dat ik het aan hem – en aan jou – verplicht ben om het te vertellen.'

Blair voelde zich beledigd. De stafchef van het Witte Huis beschuldigde hem er niet alleen van dat hij zich onbeschaamd zou indekken, maar ook van het ontduiken van zijn verantwoordelijkheid. Blair beschouwde zijn bereidheid om slecht nieuws te brengen als een sterk punt, een teken van loyaliteit. Hij nam zijn verantwoordelijkheid. De waarschuwing herinnerde ons eraan dat een terroristische aanslag in eigen land een van de grootste bedreigingen was voor het land, de economie en het presidentschap van Obama.

Hoewel afgezwakt deed het bericht denken aan de roemruchte PDB-kop boven het bericht aan president Bush een maand voor de terroristische aanslagen van 11 september: 'Bin Laden vastbesloten aanslagen te plegen in VS.' Een onontkoombaar gedeelte van de erfenis van Bush was dat hij niet snel of grondig genoeg had opgetreden tegen de dreiging van het terrorisme.

'Wow,' dacht Blair toen hij het Witte Huis uit liep, 'hier denken wij dus totaal anders over.'

Steeds duidelijker zag hij een breuklijn door de regering lopen. Emanuels 'ons' betekende Obama en zijn team met politiek adviseurs in het Witte Huis. De militaire leiders en voormalige viersterrengeneraals als Jones en hijzelf, waren buitenstaanders.

De daaropvolgende maanden leidden afzonderlijke FBI-onderzoekingen tot de arrestatie van twee Amerikaanse burgers die waren opgeleid door Al-Qaida of een aangesloten organisatie in Pakistaanse 'safe havens', vrijplaatsen. Het eerste FBI-onderzoek, Operation High Rise, was gestart door één waarschuwing van een CIA-analist die onderschepte informatie analyseerde. Op 19 september 2009 arresteerden agenten de vierentwintigjarige Najibullah Zazi in Denver.[12] Hij was een Al-Qaidaspion die veertien rugzakbommen wilde laten exploderen in wagons van de metro in New York.

Een tip van de Britse inlichtingendienst leidde tot een tweede onderzoek, Operation Black Medallion. Een inwoner van Chicago, David Coleman Headley, 49 jaar, werd gearresteerd wegens het beramen van een ter-roristische aanslag in Europa.[13] Zijn zakelijke partner bestierde een immigratie- en reisbureau, dat kantoor hield in het Empire State Building in New York. Dat gaf hem 24 uur per dag toegang tot waarschijnlijk het meest iconische terroristische doelwit in Manhattan.

Blair bedacht dat de vs twee kogels hadden ontweken dankzij een CIA-analist en informatie van de Britse inlichtingendienst. Was er een derde terrorist in de Verenigde Staten, zoals de PDB suggereerde?

Al snel toonden nieuwe inlichtingen aan dat ongeveer honderd wester-lingen, onder wie velen met een Amerikaans paspoort of visum, werden opgeleid in Pakistaanse toevluchtsoorden. De Amerikaanse inlichtingen-diensten hadden te veel van die mensen uit het oog verloren. Al-Qaida had zich sinds de aanslagen van 11 september waarbij 3.000 mensen om het leven kwamen, aangepast. De organisatie concentreerde zich nu op kleinere operaties waar maar één man en één bom voor nodig was.

Toen ik later de president naar deze inlichtingenrapporten vroeg zei hij: 'Op dit soort details ga ik niet in.'[14]

Hij zei hierover nog: 'Wat je ziet is een uitzaaiing van Al-Qaida, waarbij een aantal losjes aan elkaar verwante groeperingen de mogelijkheid en de ambitie hebben mensen te rekruteren en op te leiden voor aanslagen die dan wel niet zo grootschalig als die van 11 september, maar zonder meer nog steeds uitzonderlijk kunnen zijn... Eén man, één bom ... dat kan dui-delijk nog steeds een bijzonder traumatiserend effect hebben in ons land.'

Op dinsdag 2 juni nam Stan McChrystal plaats in een gelambriseerde se-naatskamer voor de hoorzitting ter bevestiging van zijn aanstelling. Hij had diepliggende ogen, flaporen, strogeel haar en praktisch geen gram-metje vet aan zijn lijf. In de opmerkingen die hij had voorbereid sugge-reerde McChrystal dat de president misschien zelfs nog meer troepen naar Afghanistan zou moeten sturen.[15]

'Een kernonderdeel van de bevoorrading zijn mensen,' vertelde hij de leden van de senaatscommissie voor de gewapende strijdkrachten, 'en meer dan 21.000 extra troepen van het Amerikaanse leger zullen in okto-ber van dit jaar in Afghanistan zijn ingezet. Je kunt je terecht afvragen of dat genoeg is. Ik weet het niet. Misschien heb ik nog wat tijd nodig om daar antwoord op te kunnen geven.'

De media leken deze uitspraak van McChrystal niet op te pikken, maar de nationale veiligheidsadviseur, Jim Jones, deed dat wel. McChrystal had bevestigd wat Jones had opgevangen van zijn contacten binnen de NAVO. Amper drie maanden na het Riedel-rapport gingen McChrystal en Mullen campagne voeren voor meer troepen, hoewel het Pentagon officieel beloofd had het aantal troepen een jaar lang op hetzelfde niveau te houden. Na een jaar zou de nieuwe strategie – en de impact van 21.000 extra manschappen – geëvalueerd kunnen worden.

Jones liet Gates en Mullen bij zich komen in zijn kamer in het Witte Huis.

'Zeg jongens, dit hebben we net achter de rug,' zei hij. 'We vertelden de president dat we hem er een jaar lang niet mee zouden lastigvallen. De troepen zijn nog niet eens gearriveerd. We hebben niet eens gegevens over hoe ze het doen. En nu hoor ik alweer mensen roepen om extra troepen omdat anders de situatie nog sneller uit de hand loopt, kritiek wordt.'

De reactie van Gates en Mullen was, in essentie, dat dat eerder zou gebeuren dan we dachten. We zullen er vroeg of laat mee te maken krijgen, want Stan zegt dat het slecht gaat.

Jones wilde enige orde scheppen, de situatie definiëren. Hij kreeg een kakofonie aan opinies. In het Witte Huis werd vermoed dat het Pentagon een beslissing bij de president probeerde af te dwingen.

Jones vloog dat weekend met de president naar Frankrijk voor het vijfenzestigste jubileum van D-Day. Tijdens de ceremonie ging hij naar een rustig gedeelte van de Amerikaanse begraafplaats in Normandië. In zijn eentje tussen duizenden marmeren grafstenen miste Jones de ceremonie.

Terwijl president Obama sprak, pakte Jones zijn mobiele telefoon om met Gates te praten.[16]

Ze hadden het hele Riedel-rapport doorlopen, hielp Jones hem herinneren. Ze hadden alle cijfers doorgenomen, de president en de leiders in het Congres ingelicht, het volk voorbereid. Het leger had advies gegeven. Obama stond erachter.

'En nu zegt het nieuwe team dat de hemel naar beneden valt,' zei Jones. 'Hoe krijgen we dit weer in het gareel zodat alles wat we de president in maart hebben verteld niet klinkt alsof we dat niet meenden?'

Jones probeerde Gates te bepraten om de spanning te bezweren. Geef McChrystal twee maanden – zestig dagen – om een inschatting te maken van de situatie in Afghanistan, en laat hem ophouden met campagnevoeren voor meer troepen achter de rug van de president.

'Kijk, ik vind het logisch dat de nieuwe commandant een nieuwe inschatting maakt,' zei Jones. 'Dat moet hij wel, dat is zijn taak. Hij moet zijn eigen inschatting maken. Maak die inschatting. Maar hou op met dat gezwets binnen de NAVO en andere plekken, voordat de president geadviseerd kan worden. Als hij na zestig dagen wil zeggen wat hij te zeggen heeft, en je wilt hem dan steunen, heeft dat een bepaalde logica, een volgorde. Maar gaat het niet zo, dan is het waanzin.'

Gates vond het een goed plan. McChrystal zou zijn gedachten moeten vastleggen in een rapport voor de president.

Na de ceremonie lichtte Jones Obama in over het plan. Het Pentagon is ontevreden en McChrystal maakt zich zorgen over Afghanistan, zei hij.

De daaropvolgende maandag, 8 juni, werd Pentagon-woordvoerder Geoff Morrell gevraagd waarom het Pentagon nog steeds de maatstaven voor succes in Afghanistan bekend moest maken. In plaats van de vraag te beantwoorden nam Morrell de gelegenheid te baat om aan te kondigen dat McChrystal een onderzoek zou leiden om 'vanuit veldperspectief een indruk van de situatie te krijgen' en aanbevelingen zou doen 'over de benodigde strategiewijzigingen'.[7]

12

De afgelopen zes jaar was generaal Jones, zowel als commandant van het Korps Mariniers en als bevelhebber bij de NAVO, steeds naar Afghanistan gegaan om zelf de situatie te beoordelen. Hij stelde de president voor om er nog eens heen te gaan, om te evalueren hoe de strategie uitpakte en om de generaals te velde te vertellen dat ze geen acties meer moesten voeren voor extra troepen. Jones wilde generaal McChrystal snel ontmoeten. 'Generaals willen altijd meer manschappen,' zei hij.

Jones nodigde me eind juni uit om met hem mee te reizen voor een zesdaagse trip naar Afghanistan, Pakistan en India. Ik nam de uitnodiging aan.

De aanvallen in Afghanistan van de Taliban en andere opstandelingen namen drastisch toe en bereikten in één week in mei een record van meer dan vierhonderd. Hoewel dat een stuk minder was dan het geweld in Irak, dat twee jaar eerder een piek had bereikt van 1600 aanvallen in een week, wees het op een alarmerende ontwikkeling.

Jones en zijn reisgezelschap van ongeveer veertig man, onder wie zijn staf en veiligheidsmensen van de Geheime Dienst, vertrokken op zondagavond 21 juni van Andrews Air Force Base in een reusachtig C-17 vrachtvliegtuig dat 80.000 kilo lading kon vervoeren. Het toestel was uitgerust met circa honderd standaardvliegtuigstoelen en tientallen stapelbedden. Jones verbleef in het middendeel van de vrachtruimte in een soort veiligheidscocon die was voorzien van een goed ingericht kantoor en verscheidene stapelbedden.

Tijdens een gesprek van een uur dat we halverwege de vlucht hadden, legde de generaal zijn theorie over de oorlog uit.[1] In de eerste plaats konden de Verenigde Staten, volgens Jones, de oorlog niet verliezen of beschouwd worden als verliezer.

'Als we hier geen succes hebben,' zei Jones, 'dan scheppen we een verzamelplek voor alle terroristen in de wereld. De mensen zullen dan zeggen dat de terroristen hebben gewonnen. En je zult daarvan de weerslag zien in Afrika, Zuid-Amerika, noem maar op. Elk ontwikkelingsland zal zeggen: dit is de manier om de Verenigde Staten te verslaan, en dan hebben we opeens een veel groter probleem.' Een terugslag of een nederlaag voor de Verenigde Staten 'zou over de gehele wereld een geweldige stimulans voor extremistische jihadisten en fundamentalisten' zijn, en 'wereldwijd een morele oppepper en aansporing zijn voor mensen die niet veel aansporing nodig hebben'.

Daarna gebruikte Jones het soort retoriek waarvan Obama zich liever niet bediende: 'Het gaat beslist om een botsing van culturen. Om een botsing van religies. Het gaat bijna om een botsing over de waarden van het leven zelf.' Het conflict zit heel diep, zei hij. 'Slaag je niet in Afghanistan, dan geloof ik dus dat je op veel meer plaatsen zult moeten vechten.'

'In de tweede plaats: als we hier niet slagen, dan kun je organisaties als de NAVO, en in het verlengde daarvan de Europese Unie, en ook de Verenigde Naties wel naar de prullenbak van de geschiedenis verwijzen.'

In de derde plaats 'moet je oppassen dat dit niet te veel een Amerikaanse oorlog wordt. Ik weet wel dat we een flink deel zelf zullen moeten doen', maar het was van essentieel belang dat de andere 41 landen er in toenemende mate actief bij betrokken worden, dat ze het gemeenschappelijke doel onderschrijven en dat ze het gevoel hebben dat ze een wezenlijke bijdrage leveren.

In de vierde plaats was er, zei hij, te veel nadruk op het militaire aspect gelegd, de oorlog ging te veel over het leger. Wie binnen een redelijk tijdsbestek een wat stabieler Afghanistan wilde achterlaten, moest zich concentreren op de verbetering van het bestuur en op wetshandhaving, om zo de corruptie terug te dringen. Er moest meer gedaan worden aan economische ontwikkeling en de Afghaanse veiligheidstroepen moesten meer worden ingeschakeld.

Het klonk me goed in de oren, maar ik vroeg me af of iedereen aan Amerikaanse kant er ook zo over dacht. Wat bedoelde men met 'overwinning'? En wat betekende eigenlijk 'niet verliezen'? En wanneer zou dat mogelijk plaatsvinden? Kon er een deadline worden gegeven? Wat was de rol van de verzetsbestrijding die de bevolking moest beschermen, dus de strategie van Petraeus die in het Riedel-rapport zo veel nadruk kreeg, maar die niet zonder meer omarmd werd in de speech van Obama?

Een dag later, op 23 juni, woonde ik het laatste kwartier van Jones' gesprek met president Karzai bij. Vertrouwelijke rapporten van de inlichtingendienst stelden dat hij 'grillig' was en zelfs 'leed aan waanideeën'. Een gebruikelijke omschrijving was dat hij 'zijn medicijnen niet had geslikt', terwijl anderen hem wel typeerden als iemand die 'high' was van wiet. Jones zei dat president Obama een paar maanden geleden had gezegd dat Karzai zijn zaakjes moest gaan regelen. Zijn eerste doel zou de strijd tegen corruptie moeten zijn. Toen ik het ruime kantoor in het presidentiële paleis Arg-e-Shahi binnenkwam, was Karzai buitengewoon hoffelijk en hartelijk.[2] Hij droeg zijn kenmerkende lamswollen muts en liet meteen de titel vallen van mijn boek *Veil: The Secret Wars of the CIA, 1981-1987*, dat handelt over William Casey, die onder Reagan de baas van de CIA was.

Gezien de banden van zijn broer met de CIA, verbaasde het mij niet dat hij belangstelling had voor deze veiligheidsdienst.

Ik vroeg Karzai wat hij anders zou doen als hij bij de presidentsverkiezingen, die over twee maanden zouden plaatsvinden, voor een tweede termijn verkozen zou worden.

'Ik zou sterker de eenheid willen symboliseren,' zei hij, zichzelf als staatsman profilerend. 'Ik zou geen speler in het politieke veld willen worden. Ik zou geen partijlid worden. Ik zou de Verenigde Staten aan tafel willen krijgen om met de Taliban over vrede te praten. President Obama heeft dat op 27 maart aangekondigd, maar we hebben daarna weinig op dat vlak gezien. In feite zijn de Verenigde Staten bezig de zaak te traineren.'

Jones schudde zijn hoofd, net als de nieuwe ambassadeur voor Afghanistan, de driesterren-landmachtgeneraal b.d. Karl Eikenberry.

Zij wisten dat de Taliban momenteel het gevoel hadden dat ze aan de winnende hand waren en dat ze niet in de stemming waren om te gaan onderhandelen. Maar Karzai gaf de schuld, zoals hij vaker deed, aan de Amerikanen.

Die nacht vlogen we de provincie Helmand in zuid-Afghanistan, het kerngebied van de opstandige Taliban binnen. Hier heerste de echte oorlog en niet de abstracte oorlog zoals in de Situation Room-briefings. De koude avondlucht sloeg mij in het gezicht toen de laadklep van het vrachtruim naar beneden werd gelaten. Jeeps, vrachtwagens en bussen reden over het vliegveld. Bundels licht doorkliefden de duisternis tot je er duizelig van werd. De herrie deed surrealistisch aan, toch leek het hectische schouwspel zich vertraagd te ontvouwen. Het enige wat ontbrak was het obsederende en weemoedige muziekthema uit de film *Platoon* van Oliver Stone, het 'Adagio for Strings' van Samuel Barber. We stapten in een bus die ons van het vliegveld naar Camp Leatherneck zou brengen. Het was een opwindend en angstaanjagend moment.

Helmand is van alle 34 Afghaanse provincies het grootst, maar het gebied is dunbevolkt en levert bijna de helft van 's lands opiumopbrengst. Ter plekke wordt de provincie de 'Woestijn van de Dood' genoemd, vanwege de verschroeiende hitte (die kan oplopen tot bijna 47 graden Celsius) en een jaarlijkse neerslag die gemiddeld minder is dan 100 millimeter. Een sterke tegenwind kan het fijne stofzand opzwepen tot een storm die mensen verstikt en verblindt.

Ik kreeg samen met een hooggeplaatst staflid van Jones een luxe plek in een tent met airconditioning. Midden in de nacht werd ik wakker en verlangde wanhopig naar een toilet. Aangezien er geen bergen of hoogvlakten rond het kamp liggen, wordt ervan uitgegaan dat het gevrijwaard is van sluipschutters en mortiervuur. Ik knoopte een handdoek om mijn middel. Voorzover ik dat kon vaststellen, was de betonnen T-vormige muur de enige beschutting die de basis had. Ik bleef daar eerst even staan, maar vond uiteindelijk een heel eind verder een kleine toiletruimte. Het bordje op de deur bevatte de tekst: 'Alleen voor de bevelhebber en de adjudant'. Ik maakte er toch maar gebruik van en liep terug, elk moment een lukraak schot verwachtend in het kamp, maar er gebeurde niets. Ik nam een slaappil, maar ik zou de volgende paar uur, die ik met gesloten ogen doorbracht, niet vredig willen noemen. Allerlei gedachten schoten door mijn hoofd. Hoe zou het zijn om hier een heel jaar door te brengen? Hoe betoon ik mijn respect voor de mensen die dat deden? Wat waren de werkelijke gevaren? Stel dat de bevelhebber mij betrapte, terwijl ik zijn toilet gebruikte? Begreep iemand waar deze oorlog over ging? Waarom was 12 procent van het Amerikaanse leger aanwezig op een plek waar minder dan 1 procent van de bevolking woonde? Wat betekende het dat men hier de inwoners beschermde?

De afgelopen avond had Jones gezegd dat hij *Lessons in Disaster*, het boek van Gordon Goldstein over de Vietnamoorlog, had gelezen, en tot les 3 op bladzijde 97 was gekomen: 'Politiek is de vijand van Strategie'. Goldstein stelt vast dat de gerichtheid van president Johnson op zijn herverkiezing in 1964 een einde maakte aan elke dringend nodige herbezinning op de Amerikaanse strategie in Vietnam. 'De allesoverheersende zorg was: win, win, win de verkiezingen, niet de oorlog,' zou McGeorge Bundy, destijds Johnsons nationale veiligheidsadviseur, zich later herinneren.[3]

Ongeveer negenduizend mariniers, onder wie zich manschappen bevonden die president Obama naar het front had gestuurd, hadden Camp Leatherneck gebouwd op een schrale vlakte die een halfjaar daarvoor nog een woestijn was geweest. Het is een legerplaats van verspreid staande tentjes en tentachtige faciliteiten, overdekte pakhuizen en omheinde opslagplaatsen midden in een desolate wildernis, op 590 kilometer van de hoofdstad Kabul.

's Morgens stond de commandant, brigadegeneraal Lawrence Nicholson, een stevig gebouwde, gedrongen marinier, buiten de tent met Jones en nog een paar mensen te praten.

Ik ging bij hen staan en zal nooit vergeten wat er daarna gebeurde.

'We hebben de afgelopen nacht een man verloren,' zei Nicholson met stoïcijns verdriet.

Er volgde een diepe stilte.

Korporaal Matthew Lembke, tweeëntwintig jaar, afkomstig uit Tualatin in Oregon, had beide benen verloren toen er een geïmproviseerde bom ontplofte terwijl hij op patrouille was in Now Zad, een spookstad in Helmand die drie jaar geleden door de bewoners was verlaten.[4] De 10.000 tot 35.000 mensen die er eens gewoond hadden, waren vervangen door Talibanstrijders, landmijnen en het gehuil van wilde honden. De Britse troepen die er eerder in garnizoen hadden gelegen, hadden het leven in Now Zad voor de Amerikaanse mariniers samengevat in een kreet die met een spuitbus op een muur was geschilderd: 'Welkom in de hel'.

Lembke was ingedeeld bij een compagnie van minder dan driehonderd man die patrouille liep in Now Zad. Dit had niets met het onderdrukken van een opstand te maken. Er was geen bevolking aanwezig die beschermd moest worden. Het ging om een zinloos dood punt in de stad. Ik vroeg een aantal mariniers wat er gebeurd was. Een betrouwbare, hoge burgeradviseur van Nicholson zei dat er geen enkel lid van het Afghaanse Nationale Leger (ANL) bij de compagnie was geweest. Zonder Afghanen kon niemand de taal verstaan, en ontbrak het de patrouille aan 'ogen en oren'.

'Hadden we een paar Afghaanse soldaten in Now Zad bij ons gehad, dan waren we die marinier misschien niet kwijtgeraakt,' zei de burgeradviseur.

Generaal Nicholson gaf deze opinie aan Jones door. Hij zei dat in de zes maanden tijd dat hij Camp Leatherneck had gebouwd en hier negenduizend mariniers heen had gebracht, hem niet één extra soldaat van de Afghaanse strijdkrachten was toegewezen. Hij zei dat hij 'Afghaanse veiligheidstroepen nodig had – in alle smaken': soldaten, politiemannen, grensbewakers en andere specialisten.

Lembke werd per vliegtuig uit Afghanistan gehaald en overleed later, op 10 juli, in het Bethesda Naval Hospital in Maryland.[5] Ik kan me alleen maar de gevoelens van gevaar en onzekerheid voorstellen die Lembke en de mariniers moeten hebben ervaren toen ze op patrouille in een spookstad moesten gaan, terwijl het hun taak was om bescherming te bieden aan en te leven tussen de mensen – die hier niet meer waren. Wat voor informatie hadden ze over de gevaren? Hoeveel Talibanstrijders hadden de stad bezet? Hoe gevaarlijk waren de Taliban in Now Zad?

Niemand kon deze vragen, die alleen maar nieuwe vragen uitlokten, beantwoorden. Hadden de militairen een doordacht plan? Wisten ze wat ze aan het doen waren? Dit leidde vanzelf tot de moeilijkste vraag: wat was de waarde van korporaal Lembkes offer? Wat was hiervan de betekenis, tegen de achtergrond van de algehele oorlogsinspanning?

De gouverneur van Oregon eerde Lembke door alle vlaggen op openbare gebouwen halfstok te laten hangen.[6] Lembke was de honderdvierde inwoner van Oregon die in de oorlog in Irak en Afghanistan sneuvelde.[7]*

Later op de morgen bracht Nicholson Jones naar een geïmproviseerd, airconditioned hoofdkwartier, om daar in een halfuur een paar kernpunten te bespreken.[8] Nicholson en zijn topmensen – twintig kolonels en luitenant-kolonels van het Korps Mariniers – namen plaats rond een tafel

---

* Vijf maanden later, op 4 december 2009, drongen ongeveer duizend Amerikaanse mariniers en Britse en Afghaanse troepen Now Zad binnen – misschien een stilzwijgende erkenning van het feit dat het Amerikaanse opperbevel in juni jongstleden niet precies de problemen en gevaren in dat dorp en in die woeste vallei kende. Op de eerste dag van het offensief in Now Zad waren er geen meldingen van Amerikaanse, Britse of Afghaanse doden, maar er werden wel verscheidene leden van de Taliban gedood. (Richard A. Oppel Jr, 'Marines Lead Offensive to Secure Southern Afghan Town', *The New York Times*, 5 december 2009, p. A9.)

die van nieuw, niet-afgewerkt triplex was gemaakt, ongeveer zo groot als drie tafeltennistafels.

Nicholson zei dat hij het volledig eens was met een campagne die de opstand onderdrukte en de bevolking beschermde, waarbij 'het doden van de vijand op de tweede plaats komt', en de dood van een enkele onschuldige Afghaan tot gevolg kon hebben dat men de steun van een heel dorp verloor.

'We hebben niet genoeg troepen om overal heen te gaan,' verklaarde hij. Hij was over de gehele linie wat 'te licht', een duidelijke vingerwijzing dat hij graag meer manschappen wilde.

'Aan een tafel die sterk op deze lijkt,' begon Jones, waarmee hij zonder ironie verwees naar de gepolijste houten tafel in de Situation Room van het Witte Huis, 'hebben de president en zijn ministers besloten om nog eens 17.000 man naar Afghanistan te sturen.'

Jones herinnerde hen eraan dat die aanbeveling in februari werd gedaan, dat wil zeggen in de eerste volle maand dat Obama president was. Bij het inzetten van nieuwe troepen waren ook de mariniers van Nicholson inbegrepen.

Kort daarna, zei Jones, vertelden kabinetsleden als Clinton, Gates en Mullen dat ze 'oei!' nog eens 4.000 man extra nodig hadden om het nationale leger van Afghanistan te trainen.

'Daarop zeiden ze: "Als je dat allemaal doet, dan denken we dat we het tij kunnen keren",' vertelde Jones, waarmee hij de mariniers tegenover hem eraan herinnerde hoe snel de president had ingestemd en het bericht bekend had gemaakt over de aanvullende 4.000 man.

Stel nu eens dat jullie de president waren, zei Jones, en er komt bij het Witte Huis een nieuw verzoek voor meer troepen. Hoe denken jullie dat president Obama daar tegenaan zal kijken? vroeg Jones, terwijl hij naar de kolonels in hun camouflage-uniformen keek. Hoe zou hij zich dan voelen?

De vraag werd gesteld door iemand die niet alleen de nationale veiligheidsadviseur van de president was, maar ook een voormalige commandant van de mariniers.

Het was een ongewone vraag. Jones liet de vraag even hangen in de kou van de airconditioning en het heldere licht van de tl-lampen. Nicholson en de kolonels hielden hun gezicht in de plooi, misschien wel omdat ze beseften dat Jones juist hier was om die vraag te beantwoorden. Terwijl ik van de zijkant toekeek, schoot het door mij heen dat ik waarschijnlijk nooit eerder had meegemaakt dat mensen zo lang onbewogen voor zich uit hadden gestaard.

Nou, zei Jones, als er na al die extra troepen, eerst 17.000 en daarna nog eens 4.000, nog meer verzoeken om manschappen zouden komen, dan zou de president vermoedelijk een 'Whiskey Tango Foxtrot' beleven. Iedereen in de kamer begreep de verwijzing naar het acroniem WTF, dat in het leger en daarbuiten 'What The Fuck' betekent, een algemene uitbarsting van verbazing en kwaadheid.

Nicholson en zijn twintig kolonels zaten vastgeklonken aan hun stoel. Jones had ze even mee naar binnen genomen in het Witte Huis om ze een korte blik te gunnen op het gezichtspunt van de opperbevelhebber. Bijna allemaal waren ze Irakveteranen en ze leken te verbleken bij de expliciete boodschap dat er geen extra troepen meer zouden komen.

Je kon je gemakkelijk de ontzetting voorstellen die het gevolg zou zijn van een woedeuitbarsting van een in wezen kalme, zevenenveertigjarige opperbevelhebber die zelf niet over militaire ervaring beschikte.

Maar voor het geval de boodschap niet helder was, zei Jones nog dat Afghanistan geen Irak was. 'We gaan dat koninkrijk niet opnieuw opbouwen,' zei hij botweg.

Jones had ook een privé-ontmoeting met McChrystal, waarbij hij de boodschap over de Whiskey Tango Foxtrot op een wat minder confronterende manier aan de bevelvoerende generaal doorgaf.

'Verplaatst u zich eens in de positie van de president,' zei Jones. 'Wat zou u ervan denken als al dit soort zaken in verschillende fora – privé, publiek, nieuwsmedia – naar voren worden gebracht? Dat gaat echt niet.'

De nationale veiligheidsadviseur had de indruk dat de militairen al de gelegenheid hadden gehad om in het kader van Riedels rapport hun mening te geven. Wat betreft nadere informatie was er sindsdien weinig veranderd.

McChrystal zei dat Afghanistan veel erger was dan hij had verwacht. Na zestig dagen zou zijn beoordeling van de situatie zeer kritisch zijn. Er zijn goede redenen om bezorgd te zijn, waarschuwde McChrystal, en als de toestand niet snel verbeterde, dan was er misschien geen verbetering meer mogelijk.

Jones vroeg beleefd of McChrystal speciale voorbeelen kon noemen die zijn verklaringen ondersteunden.

'Het aantal Taliban in het land is veel hoger dan ik ooit gedacht had,' zei McChrystal. 'Er zijn er 25.000.'

Dat cijfer intrigeerde Jones. Toen hij in 2003 als NAVO-bevelhebber naar Afghanistan kwam, schatte men het aantal op 4.000. De conclusie van Jones was dat de reden voor de aanzienlijke groei te maken had met het verdrag dat Pakistan in 2006 met zijn stammen had gesloten, waardoor een flink stuk uit Pakistan werd weggesneden, waar rekruten van de Taliban nu zonder pottenkijkers konden trainen.

Grafieken van de aanvallen van opstandelingen versterkten het door McChrystal gegeven beeld. Het aantal aanvallen naderde de 550 per week en was in de afgelopen maand bijna verdubbeld. Incidenten met bermbommen lieten eveneens een piek zien. Deze bommen doodden nu bijna vijftig leden van de coalitietroepen per maand – dat waren er een jaar geleden in dezelfde periode maar acht per maand.

Maar Jones bleef enigszins sceptisch. Hij vroeg zich af of McChrystal hetzelfde soort antwoord gaf dat elke pas benoemde generaal gaf die zijn spierballen wilde laten zien. Jones had voorvoeld dat er iets dergelijks aan de hand kon zijn, en daarom wilde hij slechts aan McChrystal meedelen hoe de stemming in Washington was. Het was onvriendelijk om aan generaals meer troepen te vragen.

Tijdens de rondreis zei Jones herhaaldelijk dat de nieuwe strategie uit drie onderdelen bestond en dat elk deel ervan enorm verbeterd moest worden. Het ging om 1. veiligheid, 2. economische ontwikkeling en opbouw, en 3. wettig bestuur door Afghanen.

Het militaire aspect had te veel nadruk gekregen, zei hij, en daardoor was er geen balans geweest. De economische ontwikkeling en bestuursverbetering door Afghanen vereisten veel meer aandacht.

'Dit kan niet alleen door het leger gewonnen worden,' zei Jones. 'Dat hebben we zes jaar lang geprobeerd.' Hij zei ook: 'Het onderdeel van de strategie dat het komende jaar al op gang moet komen is de economische ontwikkeling. Als dat niet op de goede manier gebeurt, dan zijn er in de hele wereld niet genoeg troepen om te slagen.' Het pleidooi om de blik te richten op de langetermijn-inspanning met betrekking tot de opbouw van bestuur en economie leek door de militairen schouderophalend te worden aangehoord.

Herhaaldelijk hoorde Jones de klacht aan dat Afghanistan, en in het bijzonder zijn leider, president Karzai, niet voldoende mensen en middelen had gemobiliseerd voor hun eigen oorlog.

Hij legde er de nadruk op dat er een nieuw tijdperk was aangebroken en dat Obama de militaire bevelhebbers niet automatisch van de extra stootkracht zou voorzien waar ze om vroegen – iets wat oud-president Bush wel regelmatig deed in de Irakoorlog.

Maar Jones zei: 'De president beseft dat het een kritieke situatie is.' Waarmee hij niet alleen aangeeft dat er een moeilijke, gevaarlijke tijd zal aanbreken, maar ook dat de situatie beide kanten op kan gaan. 'En hij is bezorgd dat anderen dat niet beseffen.'

Het duurt vijfentwintig minuten om per helikopter van Camp Leather-neck naar Lashkar Gah te vliegen, de hoofdstad van de provincie Helmand, waar Jones de leiders van het Provinciale Reconstructie Team (PRT) ontmoette.[9] Deze eenheid van ongeveer 160 Britse, Amerikaanse, Afghaanse en andere burgers en legerofficieren probeert de economie en veiligheidssituatie te verbeteren en een ontvankelijk en doelmatig bestuur te bevorderen.

Het PRT leek op een fort. Voordat we de helikopter verlieten, ried men ons aan om beschermende kleding te dragen. De meesten trokken flakjassen aan en haastten zich naar de nederzetting, waarbij ze achter gebouwen wegdoken om vuur van sluipschutters te ontlopen. We liepen er zo snel mogelijk heen zonder werkelijk een sprintje te trekken.

Tijdens de bijeenkomst vertelden de PRT-leiders Jones dat er de afgelopen week 58 aanvallen met bermbommen in de provincie hadden plaatsgevonden. Ze legden er de nadruk op dat het grootste probleem de 'Afghaanse deelname' was, omdat de regering van Karzai zich niet echt inzette.

'De enige manier om hier een veilige situatie te scheppen is door middel van dit ommuurde complex,' zei een van de Britse teamleiders tegen Jones. 'Het is veel belangrijker om hier Afghaanse veiligheidstroepen, soldaten en politie te krijgen dan nog meer Amerikaanse troepen. Als we een bepaald gebied binnenvallen zonder Afghanen, wie dat ook zijn, dan denken ze allemaal dat de Russen weer in aantocht zijn.' Maar de intrinsieke tegenspraak hierbij was dat de succesvolle vergroting van de Afghaanse deelname 'alleen door de Verenigde Staten tot stand gebracht kon worden'.

Jones antwoordde dat president Obama een strategie wilde die erop gericht was om de Amerikaanse betrokkenheid en inzet te verminderen. De president was van mening dat Afghanistan niet alleen een Amerikaanse oorlog zou moeten zijn, maar het ging juist wel die kant uit. 'We pleegden geen overleg, we vroegen niets, we luisterden niet,' zei Jones over de houding tegenover andere landen die troepen leverden. 'We zeiden in feite, bemoei je er niet mee, wij weten hoe we dit moeten aanpakken. En wij en de Britten zullen dit wel oplossen. De rest van jullie doet niet in het spel mee. Jullie Fransen gaan daar naartoe. De Duitsers willen niet vechten, dus die hebben we niet nodig.' Verschillende mensen in het vertrek begonnen te lachen toen de Duitsers werden genoemd. 'Dus we hebben geprobeerd om de onderlinge relaties wat meer in evenwicht te brengen, door mensen te laten voelen dat ze een echte bijdrage leveren, al is hun aandeel maar gering, ze het gevoel te geven dat ze gewaardeerd en gerespecteerd worden. We weten allemaal wie het zwaarste werk moet verrichten.'

Desondanks liet de Britse leider van het PRT weten dat in Helmand de sleutel tot vooruitgang bij de provinciale gouverneur Gulab Mangal lag, die in de afgelopen vijftien maanden op alle fronten bezig was geweest om te moderniseren, het bestuur te verbeteren en de corruptie in te tomen.

De Britten hadden een lijstje gemaakt van wat ze 'de gouden 500' noemen – regeringsambtenaren en andere functionarissen die ze in Helmand op hun plaats willen laten zitten, te beginnen met Mangal.

Uit betrouwbare informatie waarover de Amerikanen en Britten beschikten, bleek dat president Karzai van plan was om gouverneur Mangal te vervangen door een maatje van hem met een slechte reputatie op het gebied van bestuur en corruptie. Om verzekerd te zijn van zijn herverkiezing was Karzai nu druk aan het onderhandelen met een aantal onfrisse Afghaanse politici.

Jones beloofde dat hij persoonlijk bij Karzai tussenbeide zou komen. Bij wijze van eerste stap trommelde hij ongeveer een tiental Afghaanse journalisten op en nam hij samen met gouverneur Mangal plaats op een bank buiten het PRT-hoofdkwartier om een persconferentie te geven.[10] Hij prees Mangal, een tweeënvijftigjarige, zacht pratende leider met koolzwart haar en een korte, verzorgde baard, en zei: 'Ik ken geen andere plek in Afghanistan die meer potentie heeft.'

Daarna vlogen we naar Islamabad en logeerden twee nachten in de ambtswoning van de ambassadeur, een ruim en comfortabel huis. Anne Patterson, een zestigjarige carrièrediplomaat bij Buitenlandse Zaken, die in 2007 door Bush was benoemd, was een favoriet van Obama, omdat ze, toen ze in 2005 ambassadeur bij de Verenigde Naties was, iets uitzonderlijks had gedaan door als gastvrouw op te treden bij een bezoek van Obama, die toen nog Senator was. Deze kleine vrouw die gewend is recht-doorzee te gaan, gaf haar persoonlijke, openhartige visie op de situatie. 'Ik ben bang dat alles hier in elkaar gaat storten. Zardari weet niets van besturen. Hij zal nooit een tweede Benazir Bhutto worden, maar hij staat in beginsel aan onze kant.'

De volgende dag had Jones een ontmoeting met president Zardari, en ik hield hen de laatste vijftien minuten gezelschap. Zardari zat tussen twee foto's van zijn overleden vrouw – op de ene foto voerde ze campagne, op de andere was ze in gepeins verzonken.[11] Zijn zwarte haar was op zijn schedel gepommadeerd, en zijn pak verried de smaakvolle hand van een dure kleermaker. Zodra ik een moeilijke vraag stelde, kwam er een stralende glimlach op zijn gezicht. Zardari erkende de invloed van de Taliban in Pakistan en zei: 'Het is heel moeilijk om met de Taliban om te gaan. We moeten kleine stapjes maken.'

Wat de relaties met India betreft, was hij trots op wat hij als een betekenisvolle liberalisering beschouwde. 'Ik heb voor het eerst toegestaan dat er Indiase films in dit land vertoond worden.'

Ik vroeg hem waarom hij in het laatste halfjaar de Taliban als een levensgevaarlijke bedreiging voor Pakistan en zijn regering is gaan beschouwen. Zardari beweerde dat dit voor hem geen nieuw inzicht was.

'Ik vecht al dertig jaar tegen terrorisme,' zei Zardari, die acht jaar in de gevangenis had doorgebracht op beschuldiging van corruptie en de vermeende moord op zijn zwager. 'Khalid Sheik Mohammed [het brein achter de aanslagen van 11 september] probeerde mijn vrouw te vermoorden.'

Na afloop discussieerden Jones en zijn staf over de vraag of ze zich nu meer over Pakistan of over Afghanistan zorgen moesten maken. Verscheidene leden van zijn staf zeiden dat Pakistan het hoofdprobleem was – vanwege de politieke kwetsbaarheid van Zardari, de blijvende dominantie van het leger en de inlichtingendienst in het land, zijn kernwapens, de aanhoudende aanwezigheid van de trainingskampen van Al-Qaida in de tribale gebieden en de mogelijkheid van een misstap met de drone-aanvallen van de CIA, waardoor het politieke landschap dramatisch zou kunnen veranderen.

Jones zei dat het probleem Afghanistan was. Daar bevonden zich de Amerikaanse troepen, nu bijna 68.000 in totaal, en de aanwezigheid van een dergelijk omvangrijk leger dat bij militaire operaties was betrokken, zou altijd het zwaarst wegen. De problemen van Afghanistan werden verergerd door wat hij het 'Karzai-probleem' noemde, waaraan hij toevoegde: 'Hij pakt het niet op, of hij wil het niet oppakken.' Hij zei dat Karzai hoogstens 'de burgemeester van Kabul' was, en dat de reikwijdte van de nationale regering niet veel verder ging dan de hoofdstad zelf, behalve dan om corruptie aan te moedigen en te vergemakkelijken.

'We hebben hem, gelet op ons verlies aan mensenlevens, niet hard genoeg aangepakt,' zei Jones.

Jones was van mening dat er nog een tweede groep mensen was tegen wie president Obama niet hard genoeg optrad – de kring van hooggeplaatste adviseurs op het Witte Huis, die hij als evenzovele struikelblokken beschouwde voor de ontwikkeling en vaststelling van een coherent politiek beleid. De groep omvatte Emanuel, Axelrod, perschef Robert Gibbs en twee voormalige Senaatsleden die nu in de Nationale Veiligheidsraad waren geplaatst: Denis McDonough en Mark Lippert. Privé noemde hij hen de 'water bugs' – 'waterkevers' ofwel 'schaatsenrijders' –, of het 'politbureau', de 'maffia' of het 'campagneteam'.

'Er zijn gewoon te veel topadviseurs in de buurt van de president,' zei Jones in vertrouwen tegen mij. 'Het zijn net schaatsenrijders. Ze flitsen om hem heen. Rahm krijgt 's ochtends om tien uur een idee en wil 's middags om vier uur overleg, en ik zeg dan nee', want het benodigde werk kan niet in één dag verricht worden. Jones had de indruk dat de schaatsenrijders geen verstand van oorlog en buitenlandse betrekkingen hadden, en dat ze een te grote belangstelling hadden voor het meetbare resultaat van de korte-termijnbeslissingen die de president op deze terreinen nam.

Hij nodigde ze uit voor uiteenzettingen over strategie die voor een deel hierop betrekking hadden, maar ze vertoonden zich dan vaker niet dan wel. Als hij met hen praatte, dan beriepen ze zich graag op Obama, met de woorden: 'De president wil dit of de president wil dat.'

Op een gegeven moment had Jones tegen Emanuel gezegd: 'Je bent mans genoeg om voor jezelf te spreken.' In het leger wordt van de man onder de bevelhebber verwacht dat hij zijn besluiten zelfstandig neemt. Hij behoort over genoeg gezag te beschikken om zelf bevelen uit te vaardigen. Maar Emanuel en de anderen bleven zich achter de president verschuilen.

Wat de zaak voor Jones nog erger maakte, was dat hij zich vaak genegeerd voelde door Emanuel, die geregeld naar de vertrekken van de nationale veiligheidsadviseur kwam om zijn assistent Donilon te spreken. Dus zei Jones tegen Emanuel: 'Ik ben de nationale veiligheidsadviseur. Als je hier langskomt, dan moet je mij hebben.' Het ging een tijdje beter, maar het duurde niet lang voor hij weer alleen overleg voerde met Donilon. Jones had niet beseft dat het Witte Huis zo'n kliek was. Had hij die dynamiek op het moment dat hij een tweede man zocht eerder begrepen, zo concludeerde hij, dan was hij nooit van zijn leven met Donilon in zee gegaan.

Jones was ook niet zeker over Gates. De minister van Defensie had de neiging zich afzijdig te houden, uit te vinden welke kant de besluitvorming opging, welk standpunt iedereen, de president incluis, innam en dan snel die kant te kiezen. Zijn commentaren kwamen dus voort uit zorgvuldige berekening van de verwachte uitkomst van het beraad. De scepsis, die zijn handelsmerk was, was vaak niet meer dan een dekmantel om het ontbreken van een duidelijk standpunt te verhullen.

Aanvankelijk had Jones een positieve indruk van Clinton, de minister van Buitenlandse Zaken, gekregen, maar toen volgde het incident met Zinni. Al vrij snel na het aantreden van de nieuwe regering zocht Clinton iemand voor de ambassadeurspost in Irak.

'Waarom neem je Tony Zinni niet?' stelde Jones voor. Anthony Zinni was een viersterren-generaal b.d. bij de mariniers, net als Jones, en een voormalig commandant bij het Opperbevel (CentCom, van 1997 tot 2000), die later een uitgesproken criticus werd van de invasie in Irak in 2003.

Clinton vond het een goed idee, had een uitstekend onderhoud met Zinni en het leek erop dat de zaak beklonken was. Toen de minister tegen haar assistente zei: 'Breng de papierwinkel maar in orde', dacht Zinni dat hij de baan had gekregen.[12] Obama stond erachter en Biden belde Zinni om hem te feliciteren. Toen er de volgende dagen niets bekend werd gemaakt, vroeg Jones Clinton naar de stand van zaken.

'O,' zei ze, 'we hebben voor Chris Hill gekozen,' een voormalige onderhandelaar met Noord-Korea, die door Bush was aangesteld.

'Heeft iemand dat al aan Zinni verteld?' vroeg Jones.

Ze staarde hem met een wezenloze blik aan, dus belde Jones met Zinni, die zijn vriend de mantel uitveegde en tegen hem zei: 'Steek de hele zaak maar in die plek waar de zon nooit schijnt.' Jones noemde nog de mogelijkheid van een ambassadeurspost in Saudi-Arabië, wat hem nog veel bozer maakte.

Jones vertelde de president hoezeer hij van streek was. 'We namen een besluit en toen gebeurde er verder niets. Het besluit werd herzien. Niemand belde Zinni om hem dat te vertellen.' Het bleek dat het hele proces door niemand werd geleid of gecoördineerd. 'Het was gewoon een chaos,' zei Jones. 'Hierdoor is een belangrijke vriendschap die ik had in feite kapotgemaakt.'

Maar het werkelijk aanstootgevende gedrag van de schaatsenrijders vond plaats tijdens de eerste Europese reis van de president in maart. Jones was erbij en vroeg om een onderhoud met de president. 'Mijn toegang tot hem was afgesneden,' zei hij. Een van de schaatsenrijders zei nee. Jones kon het niet geloven. Hij was vernederd. Ze waren hier in Europa en de nationale veiligheidsadviseur kon de president niet te spreken krijgen?

Jones klaagde bij Emanuel en legde uit wat er gebeurd was. Hij voelde zich beledigd door deze persoonlijke kleinering. Formeel gezien was het een ambtsmisdrijf als de belangrijkste coördinator buitenlands beleid van de president ervan weerhouden werd de president zijn advies te geven, wanneer dan ook, maar dat gold zeker als de laatste in het buitenland verbleef. Jones dreigde bijna met ontslag, maar in plaats daarvan bracht hij de kwestie rechtstreeks onder de aandacht van de president.

'Dit moet ophouden,' zei Jones.

De president kalmeerde hem en beloofde dat hij de zaak zou regelen.

De toestand verbeterde sterk, met uitzondering van de relatie met Mark Lippert, de stafchef van de veiligheidsraad, en die zo dicht bij Obama stond dat hij wel een favoriete jongere broer leek.

Jones was ervan overtuigd dat Lippert probeerde zijn positie binnen de regering te laten ontsporen. Maar de zaak moest wachten op Jones' inzet om een dossier op te bouwen met bewijzen dat Lippert betrokken was bij het op grote schaal laten lekken van informatie, en dat hij tegenover andere leden van de Nationale Veiligheidsraad en de media geregeld kritiek leverde op en negatieve inlichtingen verspreidde over Jones en zijn optreden als nationale veiligheidsadviseur.

Terug uit Afghanistan rapporteerde Jones aan de president dat de situatie aldaar raadselachtig was. Er was geen overeenstemming tussen wat men de laatste maanden had gehoord en wat generaal McChrystal nu om zich heen zag.

'Ik was er niet zeker van wat er precies aan de hand was,' zei Jones. 'Ik begreep niet hoe op het moment dat de ene commandant op het punt stond te vertrekken en er een andere kwam, er zo'n catastrofaal verschil in de situatie kon zijn.'

Over de vraag hoeveel troepen er nodig waren, zei Jones tegen Obama: 'Daarover heeft de jury nog geen besluit genomen.' Hij zei dat het misschien niet uitmaakte hoeveel soldaten er gestuurd zouden worden als dat niet vergezeld ging van economische ontwikkeling en beter Afghaans bestuur – de twee andere poten van het beleid. Zonder die twee andere elementen zou Afghanistan de extra troepen alleen maar opslokken.

Een paar dagen na mijn terugkeer uit Afghanistan, publiceerde ik op woensdag 1 juli op de voorpagina van *The Washington Post* een verslag.[13] De nieuwswaarde van wat er gebeurd was, was duidelijk. Ik was ervan overtuigd dat de militairen om steeds meer troepen zouden vragen, ongeacht wat Jones de generaals in Afghanistan had verteld.

Het artikel, met de kop 'Sleutel tot Afghanistan: Economie, niet het leger – hoe voorkomen we een tweede Irak', dat gedagtekend was in Camp Leatherneck, berichtte dat Jones de Amerikaanse commandanten te velde had verteld dat 'de regering van Obama de omvang van de troepen voorlopig stabiel wilde houden en zich wilde concentreren' op een strategie van economische ontwikkeling, verbeterd bestuur en grotere Afghaanse betrokkenheid.

In de tweede alinea stond: 'De boodschap lijkt bedoeld om de verwachting de kop in te drukken dat er meer troepen zullen komen, hoewel de regering de toekomstige inzet van extra manschappen niet heeft uitgesloten.' Tot in details werd ingegaan op Jones' waarschuwing dat een verzoek om meer troepen aan president Obama de 'Whiskey Tango Foxtrot'-kreet zou ontlokken.

In de zesde alinea stond: 'De kwestie van de troepengrootte in Afghanistan is echter niet opgelost en zal het komende jaar waarschijnlijk een fel discussiepunt worden. Een hooggeplaatste legerofficier deelde mij privé mee dat de Verenigde Staten een macht van meer dan 100.000 soldaten zouden moeten inzetten om de verlangde strategie te kunnen uitvoeren, waarbij opstandige Taliban worden verjaagd en de veroverde gebieden en steden worden behouden. Dat is minstens 32.000 meer dan de nu geautoriseerde 68.000.'

Diezelfde morgen zei de president tegen Jones, Axelrod en een aantal anderen dat dit precies de boodschap was die hij wilde overbrengen. Wat hem betrof, waren ze nu nog maar net begonnen de voorstellen van Riedel ten uitvoer te leggen en was alle gepraat over extra troepen prematuur.

Op het Pentagon reageerde men totaal anders.

'Jim,' zei admiraal Mullen over de telefoon tegen Jones, 'je hebt ons een plafond bezorgd.'

'Dat is niet waar,' reageerde Jones.

'Onzin,' zei de voorzitter van de Verenigde Chefs van Staven.

'Zo denk ik er niet over,' zei Jones. 'Mijn probleem is, zoals ik je al eerder heb gezegd, dat het niet eerlijk is tegenover de president en zijn besluit dat hij in maart nam, om nu al te besluiten, voordat je zelfs maar die extra 21.000 man hebt gekregen, dat de zaken er zo slecht voor staan dat je nog eens 40.000 of 80.000 man nodig hebt.'

'Dat noem ik een plafond,' zei Mullen, die niet overtuigd was. De admiraal voelde wel enige sympathie voor Jones, die probeerde greep te krijgen op de politieke druk, die niet afkomstig was van de president, maar van Emanuel, Axelrod, Lippert en Donilon.

Maar Jones wilde Mullen de zaak duidelijk maken, zodat hij ermee zou ophouden om steeds op extra troepen aan te dringen voordat de zestigdaagse beoordeling van McChrystal op tafel lag. 'Hou vast aan wat je hebt gekregen, want voor de rest zijn het allemaal insinuaties en praatjes voor de vaak.'

'Mike,' ging hij verder, 'denk goed na over welke rol je hierin wilt spelen. Want we weten dat je bepaalde dingen hebt gedaan, bepaalde dingen hebt aanbevolen. Je hebt alles gekregen wat je wilde. Nu horen we dat je bij de NAVO-landen langsgaat en bondgenoten probeert te strikken, of wat je ook maar mag uitspoken, terwijl de president nog niet eens zijn fiat aan die eerste extra zending had gegeven. Als vriend zeg ik je dat je riskant bezig bent.'

Jones dacht dat Mullen het begrepen had.

Na afloop belde Mullen met Petraeus.

'We hebben een plafond,' zei Mullen.

Toen McChrystal Mullen belde om te informeren wat dat artikel en de waarschuwing van Jones betekenden, maakte de voorzitter hem dat duidelijk.

O, het ging om een maximum, zei hij. Het was zonneklaar dat de president hen een boodschap had gegeven. 'Ik snap het,' zei Mullen. 'Dat is zo duidelijk als wat.'

Mullen liet zich vervolgens interviewen door Ann Scott Tyson van *The Washington Post* en beweerde dat het niet om een plafond ging.[14] Tegen McChrystal was gezegd dat hij alle speelruimte had voor zijn beoordeling en kon zeggen: "Dit is wat ik nodig heb," zei hij. 'Er waren geen voorwaarden vooraf. Tegen hem was gezegd: "Je komt terug met je beoordeling en vraagt om de extra manschappen die je nodig hebt."'

McChrystal sprak in de Nationale Veiligheidsraad met generaal Lute over de druk op de troepengrootte.

'Kijk, ik heb voor mijn beoordelingsrapport nog geen pen op papier gezet,' zei McChrystal. Hij dacht dat Jones 'een soort reisshow had opgevoerd en dat hij dit min of meer ter plaatse zo had aangevoeld', en niet dat hij een boodschap van het Witte Huis had overgebracht.

'Ik heb de nationale veiligheidsadviseur hier niet nodig om te vertellen wat ik moet doen,' zei McChrystal.

Op zijn dagelijkse briefing stond perschef Gibbs in essentie achter Jones.[15] 'Ik denk dat de afgelopen eeuwen wel het bewijs hebben geleverd dat militaire macht alléén niet genoeg is om de problemen in dat land op te lossen,' zei Gibbs. 'De Afghanen zullen zelf meer verantwoordelijkheid moeten nemen om hun veiligheidssituatie te verbeteren.' Hij voegde eraan toe: 'Maar als we geen goed bestuur krijgen en als het bestuur niet verbeterd wordt, als het ontwikkelingsniveau niet verhoogd en de economie niet veranderd wordt, dan denk ik dat de president en ook generaal Jones het mij eens zullen zijn dat onze troepen, hoe groot die ook mogen zijn, dat we dat land nooit in een houdbare situatie zullen achterlaten.'

Gates was geschokt. Hij zei tegen zijn staf dat het waarschijnlijk het beste was om hem, als minister van Defensie, deze berichten via de militaire gezagskanalen aan de veldcommandanten te laten overbrengen.

Geoff Morrell, de woordvoerder van het Pentagon, stuurde een strenge e-mail naar McDonough van de Nationale Veiligheidsraad, waarvan de strekking luidde: doe dit niet, laat Gates dit afhandelen.

Het was duidelijk dat de Whiskey Tango Foxtrot het Pentagon en de generaals nooit zou tegenhouden. De Foxtrot was juist het klaroengeschal om tot de tegenaanval over te gaan. Er begon, net vier maanden na het rapport van Riedel, toen de president een nieuwe strategie bekendmaakte, een groeiende kloof te ontstaan tussen het Witte Huis en het Pentagon. In een column in *The Weekly Standard* opperde de conservatieve schrijver Bill Kristol dat Jones zijn eigen gang was gegaan en dat Obama op weg was naar een 'Whiskey Tango Foxtrot'-presidentschap.[16]

13

In de eerste drie maanden na het Riedel-rapport probeerde generaal Lute de drie O's – 'ontwrichten, ontmantelen en overwinnen' – te vertalen in een daadwerkelijk beleid voor Afghanistan en Pakistan. Nu Riedel teruggekeerd was naar zijn denktank, was Lute weer aan zet. Maar terwijl hij aan het werk was in zijn onderaardse West Wing-kantoor, voelde hij zich nog steeds buitengesloten.

Heimelijk beschreven zijn naaste medewerkers de Obama-regering in Afghaanse termen. Het domein rond de president werd bevolkt door verschillende 'stammen'. De Hillary Clinton-stam woonde op het ministerie van Buitenlandse Zaken. De Chicago-stam bezette de kantoren van Axelrod en Emanuel. De campagnestam binnen de Nationale Veiligheidsraad, die geleid werd door stafchef Mark Lippert en directeur Denis McDonough, hoofd Strategische Communicaties – beiden voormalige steunpilaren in het verkiezingsteam van Obama – leken te pronken met hun persoonlijke relatie tot de president en negeerden Jones vaak als de nationale veiligheidsadviseur. Het team van Lute had hen de 'opstandelingen' genoemd.

Lute was door Lippert buitengesloten. Het leek wel of Lippert Lute ervan verdacht dat hij een buitenpost van het Pentagon in de boezem van het Witte Huis bezette. Toen Obama in april een bezoek bracht aan Irak, hield Lippert Lute op afstand en runde de hele reis zowat in zijn eentje via zijn BlackBerry.

Irak bevond zich niet meer in Lutes portefeuille. De driesterrengeneraal, die van plaatsvervangend nationaal veiligheidsadviseur was gedegradeerd tot coördinator voor Afghanistan en Pakistan, was niet langer meer de grote oorlogstsaar.

Lute stelde nu het Strategische Implementatie Plan (SIP) op om het Riedel-rapport uit te voeren. Dit was zijn kans om zich opnieuw binnen de veiligheidsraad te laten gelden. Lute was van mening dat hij een zwakke plek in het Riedel-rapport moest herstellen. Naar zijn oordeel was het een haastklus geweest, een rampenproductie die zweeg over de 'middelen' om het nieuwe beleid in Afghanistan en Pakistan uit te voeren. Om hoeveel dollars ging het? Hoeveel troepen waren er echt nodig? Hoeveel civiele steun was er nodig om het overheidsbestuur te verbeteren en corruptie terug te dringen? Hoe zag het tijdschema eruit? Het rapport gaf daarop geen enkel antwoord. Het SIP zou dat wel doen.

Halverwege juli las Lute de laatste bladzijden commentaar op het veertig bladzijden tellende ontwerp voor het SIP. Het memo van Gates vervulde hem met zorg. Gates schreef dat het doel van de missie in Afghanistan niet kon zijn dat de Taliban 'ontwricht' zouden worden. Het juiste woord moest zijn: 'verslagen'.

Lute begreep onmiddellijk wat de enorme reikwijdte van Gates aanbeveling was, die al maandenlang door het Pentagon gepropageerd was en die de sterke invloed van Petraeus en zijn 'COINistas' liet zien, die heilig geloofden in 'COunterINsurgency', ofwel in onderdrukking van de opstand. Het simpele werkwoord 'verslaan' gaf een heel nieuwe draai aan het hele Riedel-rapport, waarbij de beperkte doelstelling – het verslaan van Al-Qaida – werd uitgebreid tot het verslaan van de Afghaanse Taliban. Het rapport had het leger de opdracht gegeven om een veelomvattende, 'goed van voorraden en middelen voorziene' strijd tegen de Afghaanse opstandelingen te voeren, maar het liet zich niet uit over het doel of de effecten van de campagne. Moest de Taliban ontwricht, ontmanteld of overwonnen worden?

Het verslaan van de Taliban zou veel meer troepen, geld en tijd vergen dan het ontwrichten van de Taliban. 'Verslaan' wees op onvoorwaardelijke overgave – algehele capitulatie, overwinning, winnen in de volledige betekenis van het woord, totale vernietiging van de Taliban.

Lute meende dat dit de inzet verhoogde. Hij liep naar boven om met Jones te overleggen.

'Ik wil hier tegenover jou nadrukkelijk op wijzen, omdat het om iets anders en iets belangrijks gaat,' zei hij, toen hij de door Gates op de valreep gedane suggestie uitlegde. 'Van de drie mogelijke strategieën kiezen ze voor zichzelf de grootste en meest uitgebreide missie, namelijk het verslaan van de Taliban.'

Dat stelt niet veel voor, zei Jones. Hij maakte zich niet ongerust over de keuze voor een bepaald werkwoord. Jones was er vooral op gespitst om het plan van Lute op tafel te krijgen, omdat McChrystal nu volop bezig was met zijn eigen rapport, waarbij het Strategische Implementatie Plan zijn gids moest zijn. Volgens Jones betekende het woord 'verslaan' alleen maar dat het leger zich helemaal van de gevolgde strategie meester kon maken.

Lute ging vervolgens naar Donilon, de plaatsvervangend adviseur Nationale Veiligheid, die een gevoeliger politieke antenne had dan Jones.

Toen Donilon hoorde dat het bod van Gates afkomstig was, zei hij dat hij eveneens geen bezwaar had tegen deze verandering.

Het geheime SIP-rapport werd door Jones ondertekend en op 17 juli naar het Pentagon gestuurd.[1] Paragraaf 3A van het SIP begon aldus: 'Het verslaan van de extremistische opstand...'

Lute sprak elke dinsdag via Tandberg – een videoconferentietelefoon – met Petraeus en elke vrijdag met McChrystal. Dat hij 'verslaan' had toegevoegd deed beide generaals genoegen. Zo werd de missie precies omschreven. Voor Irak had Petraeus nooit zo'n exacte opdracht gekregen.

Weer terug in zijn eigen kantoor merkte een van de voor Afghanistan verantwoordelijke topmensen – dus iemand van zijn eigen stam – tegen Lute op dat ze voor een dergelijk extravagant doel een ander acroniem hadden moeten bedenken – niet SIP ('nippen'), maar GULP ('schrokken').

Er was geen speech, geen persbijeenkomst, geen verklaring van het Witte Huis, geen nieuwslek of openbare discussie over deze dramatische uitbreiding van het oorlogsdoel, een klassiek voorbeeld van 'missieverschuiving' (*mission creep*). Het mandaat 'verslaan' was nu het expliciete gidswoord voor McChrystal, die als nieuwe commandant nu zijn eigen fundamentele vragen stelde: Wat zijn mijn orders? En wat heb ik nodig om die orders uit te voeren?

Richard Holbrooke, de speciale gezant, was pessimistisch over de op 20 augustus te houden verkiezingen in Afghanistan.

'Als er tien mogelijke uitkomsten zijn in Afghanistan,' zei hij die zomer tegen de Nationale Veiligheidsraad, 'zijn er negen slecht.' Holbrooke voegde eraan toe: 'Ze lopen uiteen van burgeroorlog tot onregelmatigheden bij de verkiezingen.'

Maar in het openbaar zwakte Holbrooke zijn bezorgdheid af en zei hij op een persconferentie dat hij niet 'erg geschrokken' was van klachten over de kiezersregistratie in Afghanistan.[2] Hij vergeleek vervolgens de Afghaanse strijd om het presidentschap met de senaatsverkiezing in Minnesota van 2008, die tot diverse rechtszaken leidde, alsof hij wilde zeggen dat alle politieke gevechten zo hun problemen hadden.

Zodra de Afghaanse stemlokalen op 20 augustus de deuren sloten, kwamen er van alle kanten rapporten over fraude binnen. Menige functionaris van Buitenlandse Zaken en de Verenigde Naties in Kandahar had zijn verblijf niet verlaten om de stemlokalen te bezoeken, om veiligheidsredenen. Aanvallen van opstandelingen hielden de nationale verkiezingen niet tegen, maar enkele internationale waarnemers viel het op dat een groot deel van de troepen die Obama in februari had toegevoegd, zogenaamd om voor extra veiligheid bij de verkiezingen te zorgen, in de provincie Helmand waren ingezet, waar maar een fractie van het electoraat woonde. De Afghaanse Nationale Politie verhinderde dat een groep waarnemers de uitslagen in Kandahar, een stad waar Karzais halfbroer Ahmed Wali de lakens uitdeelde, kon controleren. Iemand die belangrijke steun had gegeven aan een verliezende presidentskandidaat klaagde tegenover een waarnemer: 'De enig mogelijke reactie op deze verkiezing is om een automatisch geweer te kopen en je voor te bereiden op oorlog.'

Op 21 augustus, de dag na de verkiezingen, gingen Holbrooke en ambassadeur Eikenberry naar Karzai in Kabul. De eerste drie uur verliepen goed, totdat ze over de toekomst begonnen en vroegen hoe het leven van Karzai er uit zou zien als hij weer verkozen zou worden.

'Nou, ik ben alweer verkozen,' zei Karzai.

Eikenberry en Holbrooke merkten op dat nog niet alle stemmen geteld waren.

Het zat goed, zei Karzai, de race was gelopen.

'Meneer de president,' zei Holbrooke, 'wat zou u doen als er een tweede ronde nodig was?' Volgens de Afghaanse grondwet moesten de twee beste kandidaten, als ze niet minstens 50 procent van de stemmen behaalden, in een nieuwe ronde tegen elkaar uitkomen.

'Dat is onmogelijk,' zei Karzei met een stuurs gezicht. 'Ik weet voor wie de mensen stemmen. Niemand wil een tweede ronde. Niemand. En niemand gelooft in een tweede ronde. Niemand.'

'Meneer de president,' zei Holbrooke, 'we zeggen niet dat we dat zouden willen. Ik wil alleen maar weten of u, als niemand de 50 procent haalt, daarmee akkoord gaat? Gaat u voor een tweede ronde?'

'Dat is niet mogelijk,' zei Karzai.

Na de bijeenkomst belde Karzai met het secretariaat van Buitenlandse Zaken en zei dat hij met de minister van Buitenlandse Zaken Clinton of met president Obama wilde spreken.

De president, die vakantie hield op Martha's Vineyard [eilandje bij Cape Cod – vert.], kreeg dit te horen en belde via een geheime lijn met Eikenberry.

'Meneer de president,' zei Eikenberry, 'we hebben dit overleg gehad. Karzai probeert ons aan de kant te schuiven. Hij denkt dat we voorstanders zijn van een tweede ronde. Dat zijn we niet.' Hij legde uit wat er gebeurd was, hoe Karzai zich afwerend had gedragen en volhield dat een tweede ronde onmogelijk was. 'Ik raad u sterk aan het telefoontje niet aan te nemen.'

Obama was het daarmee eens. Hij zou zich er niet mee bemoeien. Eikenberry en Holbrooke moesten blijven proberen het met Karzai af te handelen.

Twee dagen later dineerden Eikenberry, Holbrooke en generaal McChrystal met Karzai.

'Meneer de president,' zei Eikenberry, 'u gaat geen gesprek voeren met de president of met de minister van Buitenlandse Zaken. Dat gebeurt gewoon niet. Ik was ertegen en ik zal u uitleggen waarom. U begreep ons standpunt verkeerd. We steunen geen tweede ronde.' De Verenigde Staten steunt de Afghaanse grondwet – of er nu meteen in de eerste ronde gewonnen wordt, of in de tweede. 'Dat is ons standpunt.'

Gegevens van de inlichtingendienst toonden aan dat Karzai in toenemende mate last had van waanideeën en paranoia. Zelfs Karzais eigen mensen zeiden dat tegen Eikenberry en Holbrooke.

'Jullie werken mij tegen,' antwoordde Karzai. 'Het gaat om een Brits-Amerikaans complot.'

In augustus vroeg ik mijn assistent Josh Boak, oud-journalist van de *Chicago Tribune*, om achtergrondinterviews te houden met teamleden van generaal McChrystal, die een nieuwe strategie moesten formuleren, en die onlangs uit Afghanistan waren teruggekeerd. We wilden erachter komen wat er te velde gebeurde. Hoe ging het met de oorlog? Wat functioneerde goed en wat niet?

De gedachte achter het team was deels afkomstig uit het Irakscenario van Petraeus uit 2007. Breng academici en andere intellectuele specialisten naar een oorlogsgebied om aldaar de situatie te beoordelen, net zoals een bedrijf dat in de problemen zit adviseurs van buitenaf zou kunnen inhuren. Deze aanpak was ook gunstig voor de public relations. Als wetenschappers die verbonden zijn aan het Brookings Institution, het Center for Strategic and International Studies, de Council on Foreign Relations, de RAND Corporation en andere instellingen, produceren deze deskundigen geregeld boeken, artikelen en stukken op de opiniepagina's die van belang konden zijn om het publiek veranderingen in strategie uit te leggen. En als het wekenlange verblijf in Afghanistan was afgelopen, dan konden individuele leden als 'Afghanistan-specialisten' advies blijven geven over de oorlogsinspanningen. Het team van veertien personen telde ook Europese onderzoekers, legerofficieren en een vertegenwoordiger van het Pentagon.

Het ging om een groep ervaren analisten die bereid was de beoordelingen van de topgeneraals te betwisten. Josh interviewde zes leden over het achtergrondkader om een idee te krijgen over wat zij in het veld waarnamen en over de adviezen die zij aan McChrystal gaven (zie voor de namen van de teamleden de eindnoten bij dit hoofdstuk).

De staf van McChrystal[3] had het rapportageteam in juni haastig samengesteld. Een van de leden gaf toe dat het toetreden tot het team een gênante bekentenis aan Washington was – een stad die het waardeert dat iemand het razend druk heeft – dat hij een lege agenda had. Anderen moesten verwoed aan de gang om hun zomerse afsprakenschema om te gooien.

Vele leden waren eerder in Afghanistan geweest, maar toch hadden maar een paar mensen het gevoel dat zij het land in zijn ware gedaante hadden gezien. Hun bezoeken waren beperkt gebleven tot militaire bases, militaire konvooien en powerpointpresentaties van legerofficieren.

Op zijn hoofdkwartier in Kabul, had McChrystal op 25 juni in een vensterloze conferentiezaal drie vragen aan het team voorgelegd die voor hun rapport van primair belang waren: Heeft de missie kans van slagen? Zo ja, wat moet er dan veranderd worden om de missie te volbrengen? En zijn er meer hulpmiddelen nodig om de missie tot een succes te maken?

McChrystal zei tegen de groep om pragmatisch te werk te gaan en zich te concentreren op dingen die echt goed functioneerden. Hij kwam onbevooroordeeld over, zei een van de teamleden. Deze viersterren-generaal had eerder het bevel gevoerd over de commando's en missies geleid in Afghanistan en Irak die terroristen en opstandelingen hadden uitgeschakeld. Het wekte de indruk alsof hij met vallen en opstaan op een strategie van verzetsbestrijding was uitgekomen, nadat hij er in de directe praktijk van overtuigd was geraakt dat Amerika niet met louter uitschakel-operaties de oorlog kon winnen.

Het rapportageteam reisde de eerste dagen per vliegtuig door Afghanistan en bracht bezoeken aan steden en bases die onder het zuidelijke en oostelijke regionale commando vielen.

Ze kwamen erachter dat de militairen relatief weinig over het Afghaanse volk wisten. Ze konden niet inschatten in welke mate de propagandacampagne van de Taliban, die op intimidatie en het zaaien van angst was gebaseerd, het volk beroerde. McChrystal kon wel een strategie van counterinsurgency bevelen, maar de meeste soldaten van de coalitie van 42 landen leefden op bases die juist ontworpen waren om hen van de gemiddelde Afghaan te isoleren. Het verzamelen van cruciale informatie lag nagenoeg stil. 'Misschien raken we Kandahar momenteel al kwijt,' zei een van de teamleden, 'maar dat weten we niet, omdat we onvoldoende contact hebben met de bevolking om erachter te komen wat er in godsnaam in die stad gebeurt.'

Een plan voor verzetsbestrijding zou, in theorie althans, ook de inzet van burgerspecialisten inhouden, die als groep niet bestonden, tenminste niet in de aantallen die je naar Afghanistan kon sturen. Deze specialisten zouden Afghaanse talen als Dari en Pasjto tamelijk goed moeten beheersen, of een reservoir inheemse vertalers moeten ontdekken die tot nu toe door niemand waren gevonden. Er was een totale onderdompeling in de Afghaanse maatschappij en de verschillende stammen nodig. 'Het soort COIN [afkorting van Counterinsurgency = terreurbestrijding – vert.]-doctrine waar ze nu over praten, vereist een mate van lokale kennis die ik niet eens over mijn eigen woonplaats heb,' zei een teamlid.

Het team ontdekte dat ongeveer 70 procent van de verlangde inlichtingen te maken had met de vijand, en een aantal experts zei dan ook dat de lensopening vergroot moest worden, zodat ook de mensen die men wilde beschermen in beeld zouden komen. Wie waren dat? Wie waren hun leiders? Wat waren hun wensen? Veiligheid? Werk? Wilden ze met rust worden gelaten?

Een van de oudere leden merkte op: 'Wat doet het Afghanen als ze zien dat Amerikanen niet te voet door een zogenaamd veilige stad als Kabul mogen gaan en dat Italianen niet door Herat mogen lopen?'

Daar kwam nog bij dat de oorlog steeds meer een Amerikaans stempel kreeg. De NAVO was een vijgenblad geworden dat de indruk moest wekken dat het om een internationale actie ging. Een teamlid vroeg aan de Nederlandse commandant in het zuiden van het land hoe hij zou antwoorden op een Amerikaans verzoek of zijn troepen ook na de afgesproken vertrekdatum in 2010 zouden kunnen blijven. 'Toen we hun vertelden dat we zouden vertrekken, zeiden ze: "Bedankt voor jullie hulp",' herinnerde de Nederlandse generaal-majoor Mart de Kruif zich, alsof men zijn vertrek verwelkomde.

Sommige rapporteurs meenden dat de oorlog binnen een jaar of twee volledig een Amerikaanse zaak kon zijn. Het laatste wat Amerikaanse generaals wilden was dat er nog meer NAVO-troepen door Afghanistan gingen zwerven, die allemaal luchtsteun wilden hebben om verdacht uitziende Afghanen aan te vallen. De Amerikanen gaven er de voorkeur aan dat de NAVO-bondgenoten geld en instructeurs zouden leveren voor de Afghaanse veiligheidstroepen.

Bij het eerste tussentijdse verslag over de voortgang van de rapportage op 4 juli had het team alleen maar slecht nieuws aan McChrystal te melden. Enkele leden waren tot de conclusie gekomen dat we de mooiste contraterrorismecampagne in de wereldgeschiedenis konden opzetten, maar dat die vanwege de zwakke en corrupte Afghaanse regering nog steeds zou mislukken.

McChrystal keek alsof hij door de bliksem was getroffen. 'Hartelijk dank,' luidde zijn reactie.

De generaal beweerde dat de Verenigde Staten de Taliban met één hand op de rug gebonden kon verslaan. Maar het probleem was niet hoe je de vijand kon verslaan, maar hoe je het volk kon beschermen. Om die reden benadrukten diverse teamleden het belang van informatie over de bevolking.

Amerika en zijn bondgenoten moeten niet per ongeluk burgers om het leven brengen, zelfs als luchtaanvallen binnen het kader van het gevecht gepast waren, stelde McChrystal. Een slimme tactische manoeuvre waarbij een onschuldige burger werd gedood, zou een strategische blunder zijn.

'Je kunt praktisch gezien best gelijk hebben, maar op lange termijn ongelijk,' zei McChrystal.

Een dag later vloog het team naar Herat, het westelijke regionale legerdistrict waar de Italianen toezicht hielden. Van vorige gelegenheden wisten sommige teamleden dat het restaurant op de basis een uitstekende risotto met kreeft serveerde. De Italianen hadden een Afghaanse kok naar een koksschool in hun vaderland gestuurd en lieten de kreeften invliegen. De Italianen waren dan wel in Afghanistan, maar tegen de principes van de verzetsbestrijding in weigerden zij deel uit te maken van Afghanistan.

De Italiaanse bevelhebber, generaal Rosario Castellano, een uitbundige, gespierde paratrooper, liet het team weten wat hij van het nieuwsgierige gedoe van McChrystal vond.

'Deze McChrystal,' zei Castellano, 'stelt al die vragen. Hij vraagt naar mijn naam. Ik zeg Rosario Castellano. En deze McChrystal vraagt me: "Waarom?"' De nieuwe commandant zet overal vraagtekens bij.

Maar over het algemeen kreeg het team zelden bevredigende antwoorden op zijn vragen.

Toen het Castellano vroeg wat hij met extra troepen zou doen, worstelde de Italiaanse generaal tien minuten met een antwoord, en zei ten slotte: 'Dat is een domme vraag.'

NAVO-bondgenoten konden helpen met het trainen en instrueren van politie en leger in Afghanistan, maar de indruk overheerste dat veel van de in Afghanistan gelegerde Europese troepen niet verwacht hadden dat ze moesten vechten.

Een dag later werd in de noordelijke regio pijnlijk duidelijk hoe ver de International Security Assistance Force (ISAF), waarover McChrystal het commando voerde, af stond van de Afghanen. Opgesloten in gepantserde voertuigen kon het team alleen maar door kogelvrij glas van anderhalve decimeter dik en raampjes van twee bij vijftien centimeter periscoopachtige indrukken opvangen van de straten van Mazar-i-Sharif.

Het team werd op dezelfde manier veilig ondergebracht in Kabul. Ze verbleven in het omheinde huizencomplex van een aannemer, dat bewaakt werd door Nepalese Gurkha's. De Britten vervoerden hen in twee gepantserde Land Cruisers. Op bevel van de Britse regering droegen ze beschermende lichaamskleding, zelfs tijdens het ritje van een kwartier naar het ISAF-hoofdkwartier. Hoewel McChrystal de machtigste man in Afghanistan was, beschikte hij niet over het gezag om de bevelvoerende sergeant te zeggen dat de teamleden tijdens het konvooi geen gepantserde kleding hoefden te dragen. Alleen de Britten hadden dat gezag. Het was een kwestie van nationale soevereiniteit.

De Toyota's raceten door Kabul. De chauffeurs drukten liever op de claxon dan dat ze remden, wisselden voortdurend op waanzinnige wijze van rijbaan, slingerden zich door het verkeer en versnelden waar het maar kon. Volgens de theorie zou grillig rijgedrag de kans op een aanval vanaf de wegkant verminderen. Afghanen die niet opzij sprongen, liepen het risico aangereden te worden. Nadat een van de SUV's een fietser van de weg had gedrukt, vroeg Andrew Exum, medewerker aan het Center for a New American Security en een voormalige commando, aan de chauffeur: 'Wat ben je aan het doen, man?'

'Je kunt niet voorzichtig genoeg zijn. Het had een bom kunnen zijn, meneer,' luidde het antwoord. Maar dit soort verkeersgedrag veroorzaakte duidelijk boosheid onder de Afghanen op straat. Het team kon met eigen ogen zien hoe de nadruk op de bescherming van de eigen troepen de coalitie de steun van het Afghaanse volk kostte. Exum schreef een hele pagina vol voor McChrystal over agressief rijden en gepantserde voertuigen, onder het kopje: 'Per onderzeeboot op reis door Afghanistan.'

McChrystal werd de hoofdverkeersleider en liet een geschreven instructie naar alle troepen op de grond uitgaan 'dat ze moesten rijden met inachtneming van de veiligheid en het welzijn van de Afghaanse bevolking'.[4]

Als opperbevelhebber leek hij ondanks alle dagelijkse frustraties kalm te blijven. Als een lagergeplaatste officier een potje maakte van de briefings met actuele informatie die elke morgen plaatsvonden, dan begon hij niet te bulderen zoals andere generaals graag mochten doen. McChrystal beschouwde een vermindering of een toename van aanvallen van de Taliban niet als een betrouwbare maatstaf voor vooruitgang. Bij een gesprek over een onrustige provincie, merkte de zeer gerespecteerde coördinator van het rapportageteam, legerkolonel Chris Kolenda, op: 'Weet u, meneer, het geweld nam met 90 procent af toen mijn bataljon daar was.'

'Chris, het geweld nam ook met 90 procent af toen generaal Lee zich overgaf bij Appomattox,' reageerde McChrystal.

Een openhartig lid van het team meende dat McChrystal zijn strategie niet alleen op ideeën over 'wat als' en 'als maar' zou moeten baseren, zoals de Verenigde Staten kennelijk aan het doen waren. Als we nu eens de Afghaanse strijdkrachten vergroten? Als we Karzai maar kunnen aanpakken... Als we de landbouw maar kunnen verbeteren... Als we de rondweg om het land nu eens beveiligen?

Zo'n benadering wortelde niet in de realiteit. 'Die was gebaseerd op hoop, en dat betekent in oorlogstijd, op illusies,' legde een teamlid uit aan mijn assistent Josh.

Een aantal teamleden moedigde McChrystal aan om met het Witte Huis te onderhandelen en dan hoog in te zetten. Maar daar had McChrystal geen belangstelling voor. Hij was wel bereid, zoals een teamlid aangaf, het volgende te zeggen: 'Dit is wat ik nodig heb. Krijg ik dat niet, dan zijn de risico's als volgt. Krijg ik niet wat ik nodig heb, dan neem ik geen ontslag, maar de kans is groot dat ik niet zal winnen.'

Het Pentagon ontving McChrystals geheime beoordeling van de Afghaanse oorlog op maandag 31 augustus. Minister van Defensie Gates was ervoor verantwoordelijk om een exemplaar aan de president te geven. Het document had zo'n gevoelige status dat zelfs leden van het rapportageteam, die aan het schrijven van bepaalde onderdelen hadden meegewerkt en over betrouwbaarheidsverklaringen beschikten, geen exemplaar konden bemachtigen.

Hooggeplaatste ambtenaren van het Pentagon en het landsbestuur, die bekend waren met de inhoud van het rapport, zorgden voor een samenvatting die bestemd was voor krantenartikelen die de volgende dag afgedrukt zouden worden. *The Washington Post* noemde het rapport 'een ontnuchterende beoordeling' die vermoedelijk 'de weg zal vrijmaken voor een verzoek om meer Amerikaanse troepen'.[5] *The New York Times* waarschuwde: 'Een vergrote Amerikaanse bemoeienis betekent ook dat president Obama nog meer verstrikt zal raken in een Afghaanse regering die alom als corrupt en onwettig wordt beschouwd.'[6] Maar de betekenis van het rapport was voor journalisten door ambtelijke bronnen voorgekookt. De werkelijke beoordeling bleef vertrouwelijk, waardoor er geheimzinnigheid bleef bestaan aangaande de vraag of alle interpretaties wel volledig juist waren. Wat stond er precies in?

Mullen droeg McChrystal op handen, en had hem tot voorzitter van de Verenigde Chefs van Staven gemaakt – zijn vorige post –, deels opdat zijn benoeming door de Senaat de rol van McChrystal zou wegvagen die hij had gespeeld bij het in de doofpot stoppen van de affaire-Pat Tillman, een korporaal die de National Football League vaarwel had gezegd om commando te worden, en die in 2004 door zogenoemd 'friendly fire' was omgekomen. McChrystal had een aanbeveling voor een hoge militaire onderscheiding – een 'Silver Star' – afgetekend, waarin de suggestie werd gewekt dat Tillman door de vijand was gedood – een handeling die de generaal later betreurde.[7]

De kwestie kwam weer naar boven tijdens de goedkeuringsgesprekken die McChrystal voor zijn benoeming bij de ISAF moest voeren.[8] McChrystal verzekerde de Senaatscommissie voor de Strijdkrachten dat hij de Silver Star met de beste bedoelingen had aanbevolen, maar dat hij het nader onderzoek te haastig had verricht. 'Wat we daarvan hebben geleerd is dat het beter is om er meer tijd voor uit te trekken en ervoor te zorgen dat alles in orde is met de onderscheiding, en dat niets wordt afgeraffeld,' zei hij tegen de commissie.

Toen de beoordeling van McChrystal binnenkwam, sloot Mullen zich daar volmondig bij aan.

'Ben je niet bang dat je te sterk op McChrystal hebt ingezet?' vroeg John Kirby, kapitein bij de marine, en Mullens speciale assistent voor het publieke domein. Werd niet de indruk gewekt dat de voorzitter te sterk op de hand van McChrystal was? 'Verlies je je objectiviteit niet uit het oog?' drong Kirby aan, die al tien jaar met Mullen samenwerkte. Het was zijn taak om een paar harde vragen te stellen voordat die in de media werden gesteld. 'Stel dat je ernaast zit en McChrystal faalt?'

'Dan moet ik ontslag nemen, want ik heb hem in die positie geplaatst,' antwoordde Mullen.

In augustus maakten leden van de Senaatscommissie voor de Strijdkrachten – de Senatoren McCain, Lindsey Graham, Joseph Lieberman en Susan Collins – tijdens het reces van het Congres hun gebruikelijke reisje naar het Afghaanse oorlogsgebied.[9]

McChrystal vertelde hun dat president Obama een keuze uit de opties A, B en C wilde maken. En die mogelijkheid zou hij ook krijgen, legde de generaal uit.

'Er is maar één optie die de president moet bekijken,' zei McCain, 'en dat is de optie die tot de overwinning leidt.' Dat gedoe met meerdere opties was flauwekul. 'Ga dit niet verwateren. Blijf op je strepen staan. U gaat naar de president en zegt alleen maar: "Zo gaat u winnen."'

Nee, zei McChrystal, hij zou verschillende opties voorleggen.

'U staat onder politieke druk,' zei McCain. 'Oefent men politieke druk op u uit?'

'Nee,' zei McChrystal. 'Ik kan zeggen wat ik wil.'

Maar McCain wilde er niet van horen. Hij rook de politieke druk die vanuit het Witte Huis werd uitgeoefend.

McChrystal hield vol dat dat niet het geval was. Hij legde de Senatoren uit dat hij zes of zeven extra brigades goed kon gebruiken, en legde uit waar en hoe hij die zou kunnen inzetten.

Graham probeerde de puzzel in elkaar te schuiven. Het was duidelijk dat McChrystal met een grimmige beoordeling zou komen en dat hij om aanzienlijk meer troepen zou vragen – zeven brigades betekende tienduizenden manschappen, afhankelijk van de vraag hoe de hulptroepen precies zouden worden geteld.

Graham bleef nog ongeveer tien dagen achter om als reservekolonel Graham te dienen, hoewel iedereen wist wat zijn echte baan was. McChrystal lichtte hem nog wat meer in over de actuele situatie, net als de generaals van de 82ste Divisie Luchtlandingstroepen uit het westelijke regionale commando en het Korps Mariniers in het zuiden. De verstrekte informatie baarde Graham zorgen. De naam Al-Qaida werd slechts één keer genoemd, wat hem er later toe bracht een krachtig gesteld memo te schrijven en met Petraeus en McChrystal te gaan praten.

Hun manier van informatie verstrekken was een ramp, zei Graham. 'Amerika maakt zich zorgen over aanvallen van Al-Qaida', maar al hun briefings gingen over de opstandige Taliban. 'Amerikanen begrijpen wel dat de Taliban slechteriken zijn, maar wat de Amerikaanse geest vooral bezighoudt is de vraag of we toestaan dat het land dat ons één keer eerder aanviel dat nog een tweede keer zal doen? En jullie briefings leggen geen enkele nadruk op Al-Qaida. Dat is een grote vergissing.'

De briefings veranderden snel van karakter. Over Al-Qaida werd weer geregeld informatie verstrekt.

McChrystal liet Gates weten dat hij 40.000 extra manschappen nodig had. Gates was ontzet. In de late jaren zeventig en in de jaren tachtig, toen de Russen Afghanistan waren binnengevallen en hadden bezet, had hij bij de CIA gediend. Hij was een Sovjetspecialist en had vastgesteld dat de Sovjets, die het strategische voordeel hadden gehad dat ze zich niets aan de onschuldige burgerbevolking gelegen hadden laten liggen, niet in staat waren geweest om de overwinning te behalen. Ze hadden op meedogenloze wijze misschien een miljoen Afghanen gedood, vele miljoenen het land uitgedreven en Afghanistan bijna vernietigd. Hoe kon het vermeerderen van het aantal Amerikaanse troepen, in feite tot aan de grootte van het aantal Sovjets, nu wel de klus klaren? vroeg hij aan McChrystal.

De generaal zei dat zijn troepen de mensen zouden beschermen en laten zien dat zij in Afghanistan waren om te helpen. Het Petraeus-model voor Irak kon ook op Afghanistan toegepast worden.

Na lange discussies vond Gates de argumentatie heel overtuigend. 'Ik zal proberen zo veel mogelijk troepen voor je te krijgen en voor zolang mogelijk,' zei de minister tegen McChrystal. 'Jij hebt daar genoeg gevechtsruimte gekregen en dat krijg ik hier ook.' Hij zou in Washington hard moeten vechten voor die extra troepen, maar hij liet er geen misverstand over bestaan dat hij McChrystals verzoek om die 40.000 zou steunen.

14

Petraeus las een column die op 2 september in *The Washington Post* gepubliceerd was[1], van David Ignatius, die tevens de schrijver van een aantal goed geschreven spionageromans was. Hij had vele uren met Ignatius doorgebracht, een vakkundig reporter die geregeld naar Irak, Afghanistan en andere brandhaarden reisde, vaak in het gezelschap van hooggeplaatste militairen, onder wie Petraeus.

Maar wat was dit? Petraeus las een onaangename kop: 'Een middenweg voor Afghanistan?' Ignatius kwam aan met het betoog dat dit 'Obama's Vietnam' kon worden. Hij haalde de moeilijkheden aan die het Britse Rijk hier had gehad ondanks 'al zijn troepen, rijkdom en imperialistische discipline'. Nog erger was dat Ignatius uithaalde naar Petraeus' strategie van verzetsbestrijding. 'Er zijn weinig bewijzen dat deze strategie succes zal hebben in een groot en verarmd land als Afghanistan. Zelfs in Irak hadden de geclaimde successen van het contraterrorisme veel te danken aan het omkopen van tribale leiders en het vermoorden van opstandelingen.' Obama's besluit over Afghanistan zou neerkomen op het 'werpen van een dobbelsteen'.

Petraeus kon het niet geloven. In het gevecht om de gunst van het Amerikaanse publiek – en van de president – was de beeldvormingsoorlog een dodelijk ernstige concurrentieslag. De beste manier om Ignatius te bestrijden was de concurrentie in te schakelen, dus belde Petraeus met Michael Gerson, een andere columnist van de *Post*. Later beweerde hij dat hij zich er niet van bewust was dat Gerson de belangrijkste schrijver van de speeches van president George W. Bush was geweest en de gevierde auteur van een paar van Bush' meest strijdlustige redevoeringen na de aanslag op 11 september.

Petraeus weerlegde de kritiek van Ignatius door Gerson te vertellen dat de enige juiste aanpak eruit bestond om extra troepen te leveren aan 'een goed uitgeruste, volledige contraterrorismecampagne'.[2] Er bestond geen garantie, zei hij, dat deze oorlogsstrategie 'succes zal hebben, zelfs als we nog meer hulpmiddelen ter beschikking stellen. Maar we zullen zeker geen succes hebben als we dat niet doen.' In niet mis te verstane woorden verklaarde Petraeus dat de oorlog niet gewonnen kon worden als de president geen extra troepen zou sturen.

Obama en een aantal leden van zijn staf waren woedend. Het maakte Obama boos dat Petraeus in het openbaar aan het lobbyen was en vooruitliep op een beslissing van de president. De voormalige tekstschrijver van Bush moest een loopjongen van Petraeus zijn, die toch al het odium van een 'Bush-generaal' had. Wat Obama betrof, was er in de recente geschiedenis twee keer een situatie geweest waarbij een president belangrijke beslissingen over oorlog moest nemen – in 1965, toen de generaals in Vietnam aan Lyndon Johnson vroegen om de oorlogsinspanningen op te voeren, en in 2003, toen president Bush besloot om Irak binnen te vallen. Beide presidenten hadden zich te weinig verdiept in de achterliggende motivatie, in de alternatieven en in de gevolgen. Obama was vastbesloten om die fout niet te herhalen, en daarom was de preventieve aanval van generaal Petraeus in de strijd om de public relations verontrustend.

Denis McDonough las de column van Gerson en begreep de frustratie van de president. Hij bedacht hoeveel makkelijker het in de presidentscampagne was geweest om een duidelijke boodschap uit te dragen, toen er minder goed-geïnformeerde spelers waren en iedereen verbonden was door het doel om Obama verkozen te krijgen. McDonough stuurde een e-mail naar kolonel Erik Gunhus, de woordvoerder van Petraeus, om zijn irritatie te laten blijken. Onderwerpen als strategie en hulpmiddelen waren precies de zaken die de president wilde bediscussiëren en nader beschouwen. Daarbij werd hij niet geholpen door de orakeltaal van de opperbevelhebber te velde die in een krant zei wat de juiste strategie moest zijn en dat er absoluut een nederlaag dreigde als er geen extra troepen zouden komen.

Petraeus ging ervan uit dat elke president door een kring van getrouwen werd afgeschermd. Voordat Petraeus op zondagmorgen in televisie-programma's verscheen, deed Axelrod mee in een telefonisch groepsgesprek om advies te geven over wat de generaal te berde zou kunnen brengen. De tips van deze hooggeplaatste adviseur van Obama waren vaak rechtdoorzee en politiek van aard. Petraeus zei tegen een van zijn eigen topassistenten dat hij er een hekel aan had om met Axelrod te praten, die hij 'een absolute spindoctor' noemde.

De generaal had het gevoel dat hij door de president naar de bank was verwezen. Maak gebruik van mij, wilde Petraeus Obama duidelijk maken. Gebruik mij. Maak me lid van het team. Op een bepaald moment had hij tegen Emanuel gezegd: 'Rahm, ik wil winnen. Ik kan hier de leider van het hondensleeteam zijn.'

'Ja, oké,' had Emanuel gezegd. 'We zijn er met z'n allen bij betrokken.'

Geoff Morrell, de woordvoerder van het Pentagon, leverde na het stuk van Gerson ook een bijdrage, en vertelde Petraeus dat hij zich gedeisd moest houden. Het Witte Huis was boos, omdat het leek alsof de generaals probeerden de president in het nauw te drijven. Morrell wilde dat hij voor de militairen het enige aanspreekpunt voor alle mediacontacten zou zijn, en legde Petraeus in feite een verbod op om nog langer in de zondagse televisieshows te verschijnen. Petraeus haalde dus bakzeil, maar op de achtergrond bleef hij in gesprek met Senator Lindsey Graham en gaf daarbij bedekt te kennen dat deze Republikein uit South Carolina en nog een paar andere Senatoren, die positief tegenover het leger stonden, eveneens een bijdrage aan het publieke debat moesten leveren.

Op zaterdagavond 12 september zat vicepresident Biden in zijn eigen Air Force Two, en bestudeerde zijn aantekeningen over Afghanistan en Pakistan. De vicepresident was op weg naar Los Angeles om tijdens een lunch in Beverly Hills subsidies bij elkaar te krijgen voor Senator Barbara Boxer.[3] Vervolgens moest hij elders grafredes houden voor twee brandweerlieden die bij recente Californische bosbranden waren omgekomen.

Tony Blinken, zijn nationale veiligheidsadviseur, voegde zich bij hem, zodat zij zich konden voorbereiden op de eerste drie uur durende bijeenkomst van de Nationale Veiligheidsraad, waarvan er nog een aantal zouden volgen, om te debatteren over het rapport van McChrystal. Gates had die bijeenkomsten voorgesteld. De eerste zou de volgende morgen plaatshebben.

Biden was er vijf uur mee bezig geweest om een alternatief voor Mc-

Chrystal in elkaar te zetten dat hij 'antiterrorisme plus' noemde. In plaats van grootschalige verzetsbestrijding, richtte het plan zich op wat hij als de ware bedreiging beschouwde: Al-Qaida. Terrorismebestrijding legde de nadruk op het uitschakelen van terreurgroepen door middel van het doden en gevangennemen van hun leiders. Biden dacht dat Al-Qaida ervan weerhouden kon worden naar Afghanistan terug te keren zonder dat Amerika zich hoefde in te laten met de kostbare missie om het Afghaanse volk te beschermen.

Al-Qaida, zo redeneerde hij, zou altijd de weg van de minste weerstand kiezen en niet terugkeren naar zijn voormalige standplaats, als aan de volgende voorwaarden voldaan zou worden:

1 De Verenigde Staten hielden tenminste twee bases in stand – Bagram en Kandahar – zodat commando's overal in het land ten strijde konden trekken.

2 De Verenigde Staten handhaafden voldoende manschappen om het Afghaanse luchtruim te blijven beheersen. Die situatie werd door geen enkele vijand bedreigd.

3 Het netwerk van inlichtingen binnen Afghanistan diende gerichte informatie voor de commando's op te leveren.

4 De elitetroepen van de CIA, de 3000 man sterke Afghaanse antiterreureenheden – Counterterrorism Pursuit Teams (CTPT's) - moeten zich vrijelijk kunnen bewegen.

Afghanistan hoefde maar een iets vijandiger omgeving voor Al-Qaida te zijn dan Pakistan ('een lastiger vijand') en ze zouden niet terugkeren.

Biden was in de ban van 'contraterrorisme plus'. Obama had een gids nodig. De president had slechts vier jaar in de Senaat gezeten, Biden vijfendertig jaar. De laatste geloofde niet dat de militairen hem konden commanderen, maar een onervaren president konden ze wel inpakken. Biden ging naar Obama.

Jij kent deze kerels, zei de president. Ga erop af. 'Geef tegendruk.'

Obama legde mij later uit dat hij de vicepresident had aangemoedigd om agressief in de tegenaanval te gaan.[4] 'Ik zei, Joe, ik wil dat je precies zegt wat je denkt. En ik wil dat je de hardste vragen stelt die je kunt bedenken. En de reden is dat ik denk dat het Amerikaanse volk en onze troepen het meest gediend zijn bij een fel debat over dit soort leven-of-dood-kwesties. Ik wil dat alle argumenten van alle kanten keihard zijn. En als we ergens iets weeks voelen, dan moeten we blijven drukken totdat we ergens op stuiten dat onweerlegbaar is en waar we het allemaal mee eens zijn. En in die zin heeft Joe een enorm belangrijke rol gespeeld.' Obama zei dat hij niet geloofde dat Biden ooit te hard had gedrukt.

'Persoonlijke observaties inzake Afghanistan', schreef Jones als kop in zijn zwartleren notitieboekje. De Adviseur Nationale Veiligheid zette zijn gedachten en vragen op papier in verband met de komende bijeenkomsten over het rapport.

'We staan op het punt de strategie te veranderen zonder eerst het resultaat van het eerste besluit te evalueren.' Dat was de kern van het probleem. Het was krankzinnig om niet de resultaten van de Riedel-strategie te evalueren voordat je van koers veranderde, maar daar ging het wel naar toe.

'Richten we alle inspanningen op Pakistan? Moeten we dat werkelijk doen?'

Wat het eindresultaat betreft, schreef Jones: 'Wat is goed genoeg?' Een regelrechte overwinning was wellicht onmogelijk, dus er moest een ander doel zijn. Met andere woorden, laat het perfecte niet de vijand zijn van het goede. Was de Amerikaanse legertop zich ervan bewust wat 'goed genoeg' betekende?

De Verenigde Staten hadden zowel Karzai in Afghanistan als de leiders in Pakistan steeds vriendelijk toestemming gevraagd om dit of dat te doen. De Verenigde Staten hadden echter, gegeven de investering in levens en geld, het recht om een paar eisen te stellen. De presidenten Bush en Obama waren al veel te lang gênant tolerant geweest.

Jones was er zeker van dat de beste antwoorden, als die er al waren, zouden komen van een rapportage die nauw aansloot bij het formele kader van de Nationale Veiligheidsraad. Procedure en protocol waren zaken die van belang waren voor de gepensioneerde generaal van het Korps Mariniers.

Nadat hij de mislukte poging om het kamp Guantánamo te sluiten had aangehaald, had hij eens tegen Obama gezegd: 'Elke keer als je buiten het kader stapt van de Nationale Veiligheidsraad, dan verlies je.' De president leek het daarmee eens te zijn.

'Hartelijk dank dat u op deze zondagmorgen hier gekomen bent,' zei Obama, toen hij op 13 september een kleine selectie van de meest hooggeplaatste leden van zijn nationale veiligheidsteam om zich heen had verzameld. Alle belangrijke personen waren er, behalve Petraeus, die niet uitgenodigd was, en CIA-directeur Panetta, die door admiraal Blair, directeur van de nationale inlichtingendiensten, was buitengesloten.

Begraven in een vensterloos vertrek en genesteld in zwartleren stoelen, liep de groep een deel van een warme herfstdag mis. Obama had het 66 bladzijden lange, geheime rapport van McChrystal gelezen, dat zei dat de oorlog binnen de komende twaalf maanden 'waarschijnlijk in een mislukking zal eindigen' als er niet meer troepen gestuurd zouden worden.[5] Het was een verontrustende verklaring, maar Obama was bij lange na niet overtuigd.

'We hebben hier geen goede opties,' zei de president, waarmee hij duidelijk maakte dat hij niet automatisch de oplossing van de generaal, of welke oplossing dan ook, zou aanvaarden. 'Wat we nodig hebben, is een mentaliteit die vraagtekens bij onze aannames durft te zetten. Ik ben een groot voorstander van een aanpak waarbij onze analyse voortdurend geactualiseerd wordt en waarbij we constant op elkaars kennis en commentaar kunnen terugvallen. Bijt niet op je tong. Iedereen moet kunnen zeggen wat hij op zijn hart heeft. Een heleboel jonge mannen en vrouwen brengen daar ver weg enorm grote offers.'

De president gaf de vergadering in handen van dr. Peter R. Lavoy, de vicedirecteur van de Nationale Inlichtingendiensten. Lavoy, een expert op het gebied van de verspreiding van kernwapens, spreekt Hindi, Urdu en Frans, en is in Berkeley gepromoveerd in de politieke wetenschappen. Bij de inlichtingendienst is hij de topexpert voor Pakistan. Dergelijke bijeenkomsten beginnen meestal met het verstrekken van actuele informatie.

'Al-Qaida is omsingeld,' zei Lavoy. De aanvallen met radiografisch bestuurde vliegtuigen en andere contraterroristische activiteiten hebben Bin Laden en zijn organisatie pijn gedaan, ze worden belegerd, maar zijn nog niet verslagen. Al-Qaida heeft een onbeduidend steunpunt in Afghanistan – hooguit twintig tot honderd mensen. In plaats daarvan is Pakistan het epicentrum van hun strijd geworden. En omdat Al-Qaida zo verzwakt is, is de organisatie afhankelijker geworden van lokale extremistische groepen voor steun.

'Zij zijn de bloedzuigers die die zich vastklemmen aan de Taliban, en hoe sterker de Taliban, hoe sterker de bloedzuiger die erop vastzit,' zei Lavoy. Het Haqqani-netwerk, bijvoorbeeld, een bondgenoot van de Taliban die nederzettingen heeft in de tribale gebieden van Pakistan, is erg belangrijk voor het overleven van Al-Qaida. Hoewel de Taliban en Al-Qaida verschillende oogmerken hebben, staat de leiding – waarmee Mullah Omar en Bin Laden bedoeld worden – waarschijnlijk dicht bij elkaar. Maar de Taliban heeft Al-Qaida nu minder nodig dan dat Al-Qaida de Taliban nodig heeft.

De Taliban gelooft dat ze in Afghanistan aan de winnende hand is, wat Al-Qaida ook weer een opkikker geeft, vervolgde Lavoy. En zolang de Taliban het idee heeft dat ze wint, voelt ze geen prikkel om vrede te sluiten met de regering van Karzai. Talibanleider Mullah Omar heeft een goede, flexibele commandostructuur in Quetta in Pakistan. Het hele oproer van de Taliban is bedoeld om het langer uit te houden dan de coalitie van Amerikaanse en internationale troepen.

Dennis Blair, de chef van Lavoy en de directeur van de Nationale Inlichtingendiensten, haakte in met een verklaring over het feit dat de Pakistaanse regering niet erg behulpzaam was geweest bij het verdelgen van de verschillende islamitische groepen.

'Pakistan beschouwt de Amerikaanse rol in Afghanistan binnen de context van zijn relatie met India,' zei Blair. Het was een cliché om te zeggen dat Pakistans obsessie met zijn doodsvijand India de reden was waarom het land onderdak bood aan terroristen.

Obama gaf daarna het woord aan Biden, die een inleiding gaf op zijn ideeën. 'Er zit een fundamentele incoherentie in de strategie' ten opzichte van Pakistan, zei de vicepresident. 'Wat Pakistan, bij wijze van geloofsartikel, niet wil is een verenigde Afghaanse regering die geleid wordt door een Pathaan die pro-India is, zoals Karzai. Wat Pakistan betreft, werpt steun voor de Taliban daar een barrière tegen op.

'Maar het is juist onze politiek om het Karzai-bewind te steunen en de Taliban uit te roeien,' zei Biden, waarmee hij aangaf dat het onmogelijk was om de Pakistani geheel aan onze kant te krijgen. 'Ik heb het vermoeden dat de Pakistani tot de conclusie zijn gekomen dat we het ons niet kunnen permitteren om Afghanistan nu te verlaten.' In essentie versterkt het Amerikaanse beleid de neiging van de Pakistani om op beide zijden te wedden, een neiging die uiteindelijk tot gevolg heeft dat Pakistan de Afghaanse opstand steunt die de Amerikanen juist proberen neer te slaan.

Daarna vestigde Gates de aandacht weer op Lavoy met de vraag: 'Wat is de invloed op Al-Qaida in het gebied in vergelijking met zijn wereldwijde positie?'

'Al-Qaida staat overal ter wereld onder druk,' zei Lavoy, 'dus om zijn rol als leider in de wereldwijde jihad te rechtvaardigen, moet het zich aansluiten bij deze kern van militante groeperingen' en moet de organisatie zijn strijdende rol tegen de Amerikaanse en NAVO-troepen 'als haar belangrijkste missie beschouwen.'

'Als ze mondiaal gezien in de verdediging gedrukt zijn,' vroeg de president, die de argumentatie van Lavoy een ander perspectief gaf, 'dan kunnen ze onze aanwezigheid in Afghanistan gebruiken als een motivatie voor en een ideologische versteviging van hun inspanningen. Klopt dat?'

'Dat klopt,' antwoordde Lavoy. 'De doelen van Al-Qaida zijn, in volgorde: ten eerste, het handhaven van een veilige thuishaven in de tribale gebieden, en ten tweede het bevorderen van de doeleinden van de wereldwijde jihad door de strijd naar Afghanistan en Pakistan te verplaatsen. Om die reden betwisten ze de legitimiteit van de Karzai-regering.'

Lavoy vervolgde: 'De Pakistani zouden de voorkeur geven aan een Taliban-regering boven een brede multi-etnische regering [in Afghanistan]. Zolang ze denken dat de Taliban terug kan keren, breken ze niet met de Taliban. Op dit moment geloven ze dat de omstandigheden dusdanig zijn dat de Taliban weer sterker aan het worden is.'

Deze analyse leek de conclusie in McChrystals rapport te ondersteunen dat de Taliban aan kracht wonnen.

Obama had een paar vragen waarop hij een bondiger antwoord wilde. Kan Al-Qaida verslagen worden en zo ja, op welke manier? Moet je eerst de Taliban verslaan voor je Al-Qaida kan verslaan? Kan een strategie van verzetsbestrijding wel effectief zijn in Afghanistan, gelet op de geringe capaciteiten van de Afghaanse regering? Wat is een realistische kijk op wat we de komende paar jaar kunnen verwachten? Hoe sterk moeten we in Afghanistan aanwezig zijn om een effectief contraterrorismebeleid te kunnen uitvoeren?

Daarna gaf minister van Buitenlandse Zaken Clinton een overzicht van het diplomatieke en politieke raamwerk. Het zou waarschijnlijk wel september of begin oktober worden, meldde ze, voordat de Afghaanse verkiezingen waren afgerond. 'Karzai heeft op dit moment 54 procent. Er zou echter dusdanig sprake van fraude kunnen zijn dat de legitimiteit van de uitslag in het geding zou kunnen komen.' Als er veel uitslagen wegens fraude geëlimineerd werden, dan zou Karzai beneden de 50 procent kunnen zakken en zou er een tweede ronde nodig zijn. En een tweede ronde, zei ze, 'is evenzeer een riskante zaak.'

De tweede vraag is, volgens Clinton, 'of we betrokken willen zijn bij een verzoeningspoging.' Kan er iets met de Taliban geregeld worden? 'Wat voor eisen zouden we dan stellen en aan wie precies?' Met welke Taliban zou Amerika moeten onderhandelen? Met gematigden? Mullah Omar? Welke rol zou Karzai daarbij moeten spelen?

Holbrooke kwam tussenbeide: 'De bijeenkomst vanmorgen met Karzai was pittig.'

Eikenberry voegde eraan toe: 'Het begint hem duidelijk te worden dat hij met een heel andere Amerikaanse regering te maken heeft. Abdullah Abdullah, Karzai's grote rivaal bij de verkiezingen, zal niet met stille trom vertrekken, maar onder vier ogen geeft hij toe dat hij in een tweede ronde zal verliezen.

Gates gaf een inleiding op het rapport van McChrystal. 'De elementen die samenhangen met de strategische beslissing die je eerder schetste komen nu pas echt in beeld,' zei hij, verwijzend naar het Riedel-rapport uit maart, de genomen besluiten en de rede van de president. 'De hulpmiddelen zijn zo'n beetje op de plaats van bestemming aangekomen. Het rapport van McChrystal biedt de eerste gelegenheid om dat te beoordelen.' Gates zei ook dat er voor McChrystals verzoek om meer troepen meer tijd nodig was, dus dat was nog niet gearriveerd.

McChrystal stelt vier grote wijzigingen voor, zei Gates: 'Het versnellen van de training voor de ANV, de Afghaanse Nationale Veiligheidstroepen. Het voorrang geven aan beter bestuur. Het bevorderen van programma's die op verzoening en reïntegratie gericht zijn. En de strijd moet een geografisch zwaartepunt hebben.'

Het zinnetje over 'geografisch zwaartepunt' trok de aandacht van Jones. Hij vond dat de legerleiding steeds net deed of de hele oorlog in Afghanistan gewonnen kon worden in het zuiden van het land. Jones geloofde dat dat volkomen onjuist was, maar hij hield zijn mond.

'Ik geloof dat deze strategie de juiste is, maar dat die onvoldoende door hulpmiddelen wordt ondersteund,' vervolgde Gates. 'Het is te vroeg om die hulpmiddelen te bespreken, totdat we een duidelijk beeld hebben van hoe de aanpak van McChrystal zich verhoudt tot Al-Qaida, hoe we moeten omgaan met het corrupte en roofzuchtige Afghaanse bestuur, hoe we het thema 'nation building' kunnen vervangen door 'capaciteitstoename' en hoe we de Pakistani aanspreken op hun weigering om de Pakistaanse Taliban aan te pakken,' die ook bekendstaat onder de naam TTP.

Mullen informeerde de groep vervolgens, aan de hand van een powerpointpresentatie die de titel 'Kleine groep op Zondag, 13 september 2009' droeg, over het rapport van McChrystal. Hij behandelde de vier punten uit het rapport die Gates al had genoemd, en voegde daar nog aan toe: 'Slecht bestuur vormt minstens een even grote, zo niet grotere bedreiging dan de Taliban zelf.'

Na Mullens conclusie, was Biden de eerste die het woord nam. 'Dit is geen eenvoudige kwestie. De militairen hebben geweldig goed werk geleverd. Maar een landelijke, versterkte strategie van verzetsbestrijding zal de kosten opjagen en extra troepen noodzakelijk maken. Is er geen efficiëntere manier om de zaak aan te pakken?'

Daarna probeerden ze de vraag te beantwoorden wie de extremistische bondgenoten van Al-Qaida waren. Dat was het onderwerp in het Riedel-rapport geweest dat vragen had opgeroepen.

'Ik denk dat we ons op de bedreigingen jegens ons en onze bondgenoten en onze belangen moeten richten,' zei de president, die voorstander was van een beperkte definitie, 'en niet op alle mogelijke vormen van opstandigheid in heel Afghanistan.'

'Daar ben ik het mee eens,' zei Gates, 'we moeten ons concentreren op die groepen die de mogelijkheid hebben om ons en onze belangen, onze aanwezigheid ter plaatse, of onze bondgenoten te bedreigen.'

'Ik wil graag zes dingen zeggen,' zei Biden. Hij begon te leren hoe hij zich verbaal in toom moest houden, maar hij kon nog steeds breedsprakig zijn en een aantal mensen in het vertrek leek zenuwachtig te worden. Tijdens een van de dagelijkse briefings van de president in het Oval Office, was Biden het blijkbaar niet eens geweest met een conclusie van de inlichtingendienst en had hij, zonder nadere uitleg, slechts het ene woord 'Fout!' geroepen, en het daarbij gelaten. Zo abrupt zou hij dit keer niet kunnen zijn.

'Dit is de meest vérstrekkende beslissing die we zullen nemen,' zei Biden, 'dus we moeten er zeker van zijn dat we alle vertakkingen en andere belangen begrijpen. Hebben we goed zicht op de balans tussen Afghanistan en Pakistan?' Hij stelde vast dat de toewijzing van 'hulpmiddelen op dit moment 30 : 1 was tussen Afghanistan en Pakistan.' Moesten we ons niet meer op Pakistan richten? vroeg hij.

'Punt twee. Wat is de meest effectieve manier om hierop te reageren?' vroeg hij, terwijl hij naar zijn exemplaar van het rapport van McChrystal wees.

'Punt drie,' verklaarde Biden, die nu overstapte van vragen naar duidelijke verklaringen, 'heeft de premisse van de bestrijding van verzet en terreur een barstje opgelopen. Er is sprake van een balloneffect. Drukken we ergens op, dan komt het ergens anders weer tevoorschijn. Zijn we bereid ook naar andere landen te gaan als Al-Qaida daar mogelijk opduikt?

'Punt vier, de vooruitzichten voor terreurbestrijding zijn niet helder. We zijn nu zeven jaar bij deze oorlog betrokken, en zelfs als contraterrorisme successvol is, dan heeft die strategie, zo leert de geschiedenis, zeven tot tien jaar nodig. Zelfs als dat te doen was, dan zegt McChrystal dat hij de intentie en de mogelijkheid moet hebben om het Afghaanse volk te beschermen, met en door de Afghaanse regering. In alle 40.200 dorpen van Afghanistan zou de overheid effectief aanwezig moeten zijn.

'Punt vijf, het alternatief is niet vertrekken.' Het ware alternatief was 'contraterrorisme plus', een verschuiving naar meer nadruk op Pakistan, Al-Qaida en het trainen van meer Afghaanse troepen.

'Punt zes,' vervolgde de vicepresident, 'het is niet zo dat "antiterrorisme plus" uitgeprobeerd en mislukt is. We hebben in Afghanistan nog niets uitgeprobeerd wat goed ondersteund werd, en zeker niet datgene wat we volgens mij moeten doen.'

Biden schakelde daarna over op de briefing van de inlichtingendienst, eerder op de morgen. Hij kantte zich tegen de bewering dat Al-Qaida en de Taliban zo met elkaar verweven waren dat het succes van de een ook het succes van de ander betekende.

'Nee, ze zijn in werkelijkheid heel verschillend,' zei Biden. 'We nemen nu aan dat als Al-Qaida terugkomt in delen van Afghanistan, waar ze eerst niet zaten, dat ze dan verwelkomd zouden worden door de Taliban. We hebben geen basis voor die conclusie.'

De vicepresident had het daarna over de hiërarchie binnen de Taliban. Het gaat niet om een 'monoliet', zei hij. Er zijn verschillende organisatieniveaus. Aan de top bevindt zich de harde kern van gelovigen, hoogstens 5 of 10 procent, die echt verslagen moet worden. Dan was er een middengroep van misschien 15 of 20 procent, die zich om verschillende redenen had aangesloten. Misschien konden ze overreed worden, maar dat was niet duidelijk. En ongeveer 70 procent van de Taliban bestond uit infanteristen, die dat alleen maar waren omdat ze op die manier brood op de plank kregen of omdat ze buitenlanders het land uit wilden hebben. Hier ging het om analfabete jongeren die geen onderwijs hadden genoten, die men een geweer in handen had gegeven en gezegd had in welke richting ze moesten schieten.

'We moeten onderscheid maken,' zei Biden. En het belangrijkste onderscheid is dat de harde kern van Talibanleiders – zij die in Afghanistan de meeste problemen veroorzaken – allemaal in Pakistan wonen.

Per saldo deed het er weinig toe wat zij in Afghanistan deden, zei Biden. 'Als je Pakistan niet op orde krijgt, dan kun je niet winnen,' zei hij, terwijl hij zich tot de president richtte. Als je doet wat McChrystal wil en zijn strategie overneemt, dan 'is die oorlog helemaal van jou'.

'Hij is al helemaal van mij,' zei Obama.

Wat niet gezegd werd, maar wat iedereen heel goed wist, is dat een president een oorlog niet mocht verliezen. Of de indruk wekken dat hij een oorlog aan het verliezen is.

Na een pauze probeerde Obama een samenvatting te geven. 'We moeten aan de slag op vijf terreinen,' zei hij, waarna hij een serie onbeantwoorde vragen stelde. 'Wat zijn de alternatieve kosten, gelet op de eindigheid van extra materieel en manschappen?' Werden er, vanwege de gerichtheid op deze zaak, geen andere nationale belangen verwaarloosd? Dit was een radicale verandering ten opzichte van Bush, die ten koste van alles wilde winnen. Obama stelde voor dat men ook andere nationale prioriteiten zou laten meewegen. 'Is het verbreden van de strategie van contraterrorisme de beste manier om ons kerndoel te bereiken?' En omdat het doel het verslaan van Al-Qaida is, om zo het vaderland te beschermen, moesten we dan werkelijk een burgeroorlog in Afghanistan winnen?

'In de tweede plaats hebben we echt een groot probleem met een corrupte regering, en ik zie niet in hoe je daar omheen kunt als je de nadruk legt op verzetsbestrijding.'

'In de derde plaats heb je Pakistan. Ik ben er niet van overtuigd dat acties tegen terreur een positieve uitwerking hebben op Pakistan. Hoe veranderen we de kostenfactor Pakistan? Het is niet eens duidelijk dat Pakistan de uitbreiding van onze strijdkrachten zal accepteren.' Obama zei dat hij dacht dat een aantal van de door de vicepresident genoemde punten van belang was.

'Ten vierde. Hoe krijgen we met minder troepen op de grond goede inlichtingen en de juiste doelwitten?'

'Ten vijfde, toen we met de nieuwe strategie in zee gingen, zeiden we dat we daarvoor een jaar nodig hadden. Hoe kwam dit versnelde tijdschema eigenlijk tot stand?' De strategie van het Riedel-rapport zou pas na een vol jaar – in maart 2010 – beoordeeld worden, en het was nu pas september. Dit plotse besef van urgentie was onverwacht. 'Waarom moeten we haast maken met ons besluit?' vroeg hij.

Het was een kernvraag die door niemand beantwoord werd.

Gates bekeek de vraag naar de alternatieve kosten vanuit een militair perspectief. 'Gegeven de terugtrekking uit Irak,' zei hij, 'kunnen we de troepengrootte in Afghanistan verhogen zonder de verblijftijd op de thuisbasis onder druk te zetten.

Admiraal Mullen was het daarmee eens.

'We hebben nieuw overleg nodig,' zei Obama. 'We komen nog niet verder dan de buitenkant. Deze discussie heeft wel ons primaire doel verduidelijkt en doen uitkomen dat we McChrystal geen dienst hebben bewezen door hem dat niet heel duidelijk te maken.' Het Strategische Implementatie Plan (SIP) lag aan de basis van dat probleem. Op aandringen van Gates had dat plan het over het 'verslaan' van de opstand, wat de breedste en moeilijkste doelstelling was.

'Heeft men enig vertrouwen in onze rol binnen een tijdsbestek van drie jaar?' vroeg de president. Dat was het aantal jaren dat hij binnen zijn presidentstermijn nog voor de boeg had. Iedereen die enig vertrouwen heeft in ons vermogen om in drie jaar iets van betekenis op te bouwen, is daar niet werkelijk mee voor de dag gekomen. Dat was een rechtstreeks verwijt aan de militairen.

'Wat gebeurde er in Irak?' vroeg hij, naar aanleiding van de meest recente testcase voor het contraterrorisme. Was de troepentoename in 2007 plus de 'Awakening', de bewustwording van de soennieten, toen de stammen de opstand staakten en zich achter de regering schaarden, een strategische beslissing? Er was in Irak voldoende infrastructuur aanwezig geweest om die beslissing uitvoerbaar te maken, zei hij. 'We moeten ervan verzekerd zijn dat ook Afghanistan een dergelijke infrastructuur heeft. Ik moet erkennen dat het erg moeilijk zou worden om een contraterrorisme plus-strategie uit te voeren zonder dat je in Afghanistan een goed steunpunt hebt. Je voelt instinctief aan dat dat vanzelf spreekt, want zonder die infrastructuur krijg je ook geen goede geheime informatie.'

Met betrekking tot de volgende bijeenkomst zei hij: 'Ik wil dan beginnen met minister van Buitenlandse Zaken Clinton die het zal hebben over de kwestie Pakistan/Al-Qaida, en ik wil hierover een discussie om tot een realistisch toekomstscenario te komen.'

De president gaf daarna huiswerkopgaven op. Deze bijeenkomst had zich geconcentreerd op het rapport van McChrystal. Maar hij wilde een stap terug doen.

'We gaan beginnen met onze belangen,' zei Obama, 'en daarna zoeken we uit wat we willen bereiken, hoe we dat gaan doen en hoe we uiteindelijk aan meer hulpmiddelen komen. We gaan niet meteen over troepen praten.'

Ik wil het verzoek om troepen waarmee McChrystal bezig is niet eens zien, zei Obama. Het zou het door hem gewenste debat over de werkelijke 'belangen' alleen maar vertroebelen.

Holbrooke verliet de Situation Room met de gedachte dat een aantal belangrijke kwesties niet eens aan bod was gekomen. Het Riedel-rapport van maart was van de baan. Riedel had het in een één uur durend onderhoud met de president besproken tijdens een vlucht met Air Force One. Niemand was daar bij geweest – Jones noch Donilon noch Emanuel, en hijzelf ook niet. Er was evenmin een notulist geweest. Er hadden op die vlucht en bij dat onderhoud vier of vijf mensen aanwezig moeten zijn.

Tijdens het presidentschap van Bush waren de exclusieve privégesprekken tussen Bush en zijn vicepresident Cheney, die daarbij zijn argumenten kon laten horen en in het oor van de president kon fluisteren, een van de problemen geweest. De ideeën van Cheney werden niet getest en kregen daardoor een veel te groot gewicht.

Holbrooke legde de schuld bij Jones, die naar zijn mening zwak was en de president niet actief genoeg beschermde. Hij was niet het tegenwicht dat hij tegenover Gates, Mullen en Petraeus zou moeten zijn.

Nog belangrijker was dat Holbrooke geloofde dat het Riedel-rapport en de vergadering van zondagmorgen een kernwaarheid zelfs niet hadden genoemd: dat de oorlog, of althans de Amerikaanse rol in de oorlog, niet in een militaire overwinning zou eindigen, maar dat wel bijna alle aandacht naar het militaire aspect uitging. Er was heel weinig over verzoening gesproken – over de vraag hoe de oorlogvoerende partijen diplomatiek overleg konden gaan voeren. Dat was misschien nog lang niet aan de orde, maar er moest wel een plan voor worden opgesteld. Hoe konden de opstandelingen van de Taliban uit de bosjes worden weggelokt? Misschien was dat een sprookje. Maar het zou oprecht geprobeerd moeten worden.

De Saudi's waren in het geheim al bezig om contact te leggen met sectoren binnen de Taliban, maar het Witte Huis had zich er nog niet serieus mee beziggehouden. Holbrooke schatte in dat er alleen op deze manier een eind aan de oorlog kon worden gemaakt. Waarom werd er geen enkele aandacht aan besteed?

Holbrooke was het voor een groot deel met Biden eens. Hij zag de vicepresident zich al ontwikkelen tot een tweede George Ball, de onderminister van Buitenlandse Zaken die tegen de escalatie in de Vietnamoorlog was geweest. Maar de lengte van Bidens voordracht had zijn boodschap ondermijnd, zei Holbrooke tegen anderen.

Net als Biden geloofde Holbrooke dat zelfs als de Taliban weer grote delen van Afghanistan zouden veroveren, Al-Qaida niet met ze mee zou komen. Dat zou wel eens 'het enige en belangrijkste intellectuele inzicht van het jaar' kunnen zijn, zoals Holbrooke uren na de eerste bijeenkomst opmerkte. Al-Qaida zat veel veiliger in Pakistan. Waarom zouden ze teruggaan naar Afghanistan, waar bijna 68.000 Amerikaanse troepen en 30.000 man uit andere NAVO-landen gelegerd waren? En in Afghanistan beschikten de Verenigde Staten over alle mogelijkheden om geheime informatie te verzamelen en verkenningen uit te voeren, alsmede over de mogelijkheid om enorm grote legereenheden in te zetten, niet alleen maar commando's, maar bataljons reguliere troepen en de 3.000 man van de CIA die in waren gespecialiseerd in de terroristenjacht.

Het had Holbrooke verbaasd dat dit fundamentele inzicht zowel ontbrak in het Riedel-rapport als in de discussie op die zondagmorgen. Waar was het open gesprek gebleven? De president had hun gezegd dat ze niet op hun tong moesten bijten. Holbrooke had wel op die van hem moeten bijten, omdat hij voor de minister van Buitenlandse Zaken werkte, die niet zeker wist welke koers ze moest aanbevelen. Maar waarom zeiden de anderen niets?

Petraeus was niet uitgenodigd om het overleg in het Witte Huis bij te wonen. In plaats daarvan bevond de commandant van Central Command zich in Tampa, waar hij in de rust van een American footballwedstrijd van de Buccaneers tegen de Cowboys een ceremonie leidde rond oud-militairen die opnieuw in dienst traden.[6] Dat hij buitengesloten was van de zondagochtendvergadering, vond hij belachelijk. Petraeus was de commandant van de strijdkrachten in Afghanistan en Pakistan en algemeen erkend als de vader van de moderne *counterinsurgency* – de verzetsbestrijdingsstrategie waar het hier om ging.

De volgende dag, maandag 14 september, kreeg hij een synopsis van generaal Lute, die wel aanwezig was geweest. Om half negen 's ochtends spraken ze een halfuur met elkaar via het veilige Tandberg-videosysteem. Petraeus was het ermee eens dat Pakistan belangrijk was, maar Pakistan was niet het enige wat telde. Wat er in Pakistan gebeurde, hing ook af van wat er in Afghanistan gebeurde.

Voor Petraeus had oorlog met initiatief en stootkracht te maken. Het was cruciaal om in Afghanistan het initatief in het veld te heroveren, en dat gold ook voor het overleg in de Situation Room. Nu de eerste sessie achter de rug was, geloofde hij dat Mullen voorstander was van McChrystals benadering en dat Gates er steeds meer voor voelde.

Op het terrein van de communicatieoorlog had Petraeus buiten de regeringskring bondgenoten die zijn opvattingen en oordeel steunden. Op maandag 14 september verscheen er in *The Wall Street Journal* een lang opiniestuk van de Senatoren Graham, Lieberman en McCain.[7] Onder de kop 'Alleen een Sterk Leger Kan in Afghanistan Winnen', verklaarden de Senatoren dat zij Obama zouden steunen als hij McChrystal de troepen gaf die de generaal zei nodig te hebben. Ze onthulden niet dat McChrystal tegen hen had gezegd dat hij zeven of acht brigades nodig had. Bij de zin 'Meer soldaten zijn geen garantie voor succes in Afghanistan, maar de weigering ze te sturen is een garantie voor mislukking', hoorde je de echo van Petraeus.

15

Admiraal Mullen verscheen op dinsdag 15 september, twee dagen na de eerste bijeenkomst over de te volgen strategie, voor de Senaatscommissie voor de Strijdkrachten voor een hoorzitting die verband hield met zijn tweede termijn van twee jaar als voorzitter van de Verenigde Chefs van Staven.[1] Hij had heel zorgvuldig een openingsverklaring van drie bladzijden opgesteld en deze doorgenomen met kapitein-ter-zee John Kirby, zijn pr-medewerker. Zijn streven was om aldus alle mogelijke vragen meteen al in het begin vóór te zijn.

Aangezien hij wist hoe gevoelig het onderwerp 'extra troepen' lag, had Kirby een kopie van de verklaring naar McDonough op het Witte Huis gestuurd, waarbij hij diens aandacht vestigde op de regel waarin gezegd werd dat de strategie van McChrystal om een goed ondersteund programma van contraterrorisme op te zetten 'waarschijnlijk betekende dat er meer manschappen nodig waren'.

Zoals alle kandidaten moeten doen, had ook admiraal Mullen beloofd om de commissie zijn eerlijke mening te geven en dat hij geen slag om de arm zou houden. Het was voor het Pentagon niet ongebruikelijk om het Witte Huis inzage te geven in wat hooggeplaatste ambtenaren het Congres wilden gaan vertellen, maar Kirby vroeg in feite om goedkeuring.

McDonough was akkoord met de verklaring. Het woord 'waarschijnlijk' zorgde al voor voldoende dubbelzinnigheid. 'Meer manschappen' kon gezien worden als de haast onvermijdelijke toevoeging van extra Amerikaanse troepen die nodig waren voor het trainen van het Afghaanse leger.

Maar toen Obama over Mullens getuigenis hoorde, liet hij zijn staf weten dat hij daar niet blij mee was. Mullen steunde publiekelijk de strategie van McChrystal. 'De opstand van de Taliban groeit zowel in omvang als in complexiteit,' had hij de Senatoren verteld.[2] 'Dat is de reden waarom ik achter een goed ondersteunde, op klassieke wijze uitgevoerde bestrijding van de opstand ben.' Negeerde Mullen wat Obama hem pas twee dagen eerder had verteld? Had de president niet iedereen, inclusief Mullen, gezegd dat geen enkele optie er goed uitzag, dat ze hun vooronderstellingen nader moesten onderzoeken en dat er nog vier of vijf lange gespreksronden nodig waren? Wat was de belangrijkste militaire adviseur eigenlijk aan het doen, dat hij met zijn voorbarige conclusie de openbaarheid zocht? De voorzitter was druk bezig de president in de wielen te rijden.

Later op die dag stond Geoff Morrell, de woordvoerder van het Pentagon, rond zes uur 's avonds te wachten in de lobby buiten de Situation Room in het Witte Huis, toen Emanuel en Tom Donilon tevoorschijn kwamen uit een vergadering met de top van de Nationale Veiligheidsraad. Ze waren woedend.

De president wordt erin geluisd door de hoogste militair, vertelden ze Morrell. De generaals en admiraals spelen stelselmatig een spelletje met hem, ze sluiten hem in.

Terwijl hij zijn tirade met krachttermen doorspekte, zei Emanuel: 'Het is grote onzin, dat gedoe met de voorzitter en Petraeus, en dat iedereen naar buiten treedt en in het openbaar achter die extra troepen gaat staan. De president heeft helemaal geen kans gehad!'

Morrell besefte dat Mullen de controverse bij de hoorzitting met een simpele schijnbeweging had kunnen voorkomen: 'Ik ben de belangrijkste militaire adviseur van de president van de Verenigde Staten en van de minister van Defensie, en ik dien hun eerst en persoonlijk raad te geven voor ik die aan u kan geven. Ik ben ten volle bereid op een later tijdstip hier terug te komen en u in te lichten over wat mijn advies was... maar het lijkt me niet juist om mijn advies nu vooraf aan de commissie te verstrekken.'

Morrell concludeerde dat het allemaal te maken had met 'Mullens aandrift om te communiceren', om het belang en de status van zijn positie als voorzitter te vergroten, nadat die door zijn twee voorgangers was verzwakt in de tijd dat Rumsfeld minister van Defensie was. De voorzitter had een pagina op Facebook, was actief op Twitter en YouTube en had een website onder de titel 'Op reis met Mullen: In Gesprek met het Land'.[3]

Daarna dook Mullen zelf in de lobby op en ontdekte dat hij het onderwerp was van een verhit palaver. Ook Jones kwam erbij staan.

Emanuel en Donilon probeerden hun houding te temperen door hem te vragen: Hoe moeten we hier mee omgaan? Jij hebt dit gezegd, wat moeten wij nu zeggen?

'Het wordt vanavond het openingsverhaal van alle nieuwsrubrieken,' zei Emanuel. 'Het wordt de dubbelgrote kop op de voorpagina van elke krant.'

Terwijl ze daar stonden, liep McDonough hen voorbij. Mullen keek naar McDonough alsof hij, als de stafchef van de Nationale Veiligheidsraad, hem te hulp zou schieten. Maar McDonough liep zonder een woord te zeggen door.

Mullen was verbaasd dat ze hem de mantel uitveegden. De angst voor krantenkoppen was overdreven. Het Witte Huis wist van tevoren wat hij ging zeggen. In zijn verklaring werd niets over troepenaantallen gezegd. hij had zich zo veel mogelijk op de vlakte gehouden. Maar tijdens de hoorzitting moest hij de waarheid vertellen. En de waarheid was dat hij een voorstander was van het algemene concept met betrekking tot terreurbestrijding. 'Daar geloof ik in.' Hij had geen ander alternatief.

Waarom zei je 'waarschijnlijk'? vroeg Donilon op de man af. Zou 'ik weet het niet' niet beter zijn geweest?

Mullen liet hen uitrazen. 'Ik liet het over me heen gaan,' zei hij later.

'Mullen: "Waarschijnlijk" Meer Troepen Nodig', luidde de volgende morgen de kop op de voorpagina van The Washington Post.[4]

Later belde Jones met Mullen en vroeg of alles goed met hem ging.

'Dat weet ik niet, zeg jij het maar,' antwoordde de admiraal.

'Je verliest hoogte,' zei Jones.

Obama vroeg op 16 september generaal buiten dienst Colin Powell, de voormalige minister van Buitenlandse Zaken en oud-voorzitter van de Verenigde Chefs van Staven, om voor een privé-gesprek naar het Oval Office te komen. Powell, in naam Republikein, had Obama tijdens diens presidentscampagne belangrijke ruggesteun gegeven. Velen hadden verwacht dat Powell, die bijna vijfentwintig jaar ouder was, en vijfendertig jaar in het Amerikaanse leger had gediend, de eerste zwarte president zou worden. Maar Powell had ervoor gekozen niet mee te doen aan de verkiezingen in de jaren negentig, zelfs niet toen zijn naam in de opiniepeilingen omhoogschoot.

'Dit is geen eenmalig besluit,' zei Powell over Afghanistan tegen de president. 'Deze beslissing zal gevolgen hebben voor de rest van uw regeringsperiode. Meneer de president, laat u niet door links onder druk zetten om niets te doen en laat u niet door rechts onder druk zetten om alles te doen. Neem er de tijd voor om dit uit te zoeken.'

Laat u evenmin onder druk zetten door de media, adviseerde hij. Neem de tijd, verzamel alle informatie die u nodig heeft en zorg ervoor dat u absoluut tevreden bent met het eindresultaat.

Als u tot het besluit komt om meer troepen te sturen, of wat er naar uw oordeel ook maar nodig is, wees er dan zeker van dat u een goed beeld heeft van wat die troepen gaan doen en dat ze voor enig succes zullen zorgen. Algeheel succes kunt u niet garanderen binnen een ingewikkeld actieterrein als Afghanistan, waarbij het naburige Pakistaanse probleem steeds belangrijker wordt.

'U moet er zeker van zijn dat deze inspanning op een stevig fundament rust, en dat fundament is op dit moment tamelijk wankel,' zei hij, een verwijzing naar Karzai en de wijdverspreide corruptie binnen zijn regering.

Tijdens deze periode had ik voor dit boek gesprekken gevoerd over de inhoud van McChrystals rapport. Dat was de basis voor de controversiële uitspraken van zowel Petraeus als Mullen, maar niemand buiten de kring van een hecht groepje ingewijden had het werkelijk gelezen. Mijn bronnen zeiden dat de analyse van McChrystal zich bezighield met een verschrikkelijk raadsel: acht jaar oorlog waarin nauwelijks vooruitgang was geboekt.

Onder het publiek heerst de indruk dat politiek gemotiveerde insiders simpelweg gevoelige documenten aan journalisten overhandigen, en dat journalisten rustig bij hun bureau afwachten tot ze als werktuigen door iemand anders gebruikt worden. Maar niemand bood aan informatie naar mij te lekken of me een exemplaar van het McChrystal-rapport te overhandigen. Dankzij diverse interviews was het tot me doorgedrongen dat het rapport vol zat met onrustbarend nieuws. Bij elk interview probeerde ik steeds wat meer te weten te komen.

Halverwege september vroeg ik aan iemand, met wie ik bijna twee uur had gesproken: 'Heeft u hier ook een exemplaar van het rapport van McChrystal?'

'Om een beroemde Amerikaan te citeren,' zei president Barack H. Obama tegen de auteur in een interview op 10 juli 2010, '"Oorlog is hel." En als de gesel van de oorlog eenmaal ontketend is, weet je niet waar dat heen zal voeren.'

2

Vicepresident Joseph R. Biden was tegen
inwilliging van het verzoek van generaal
McChrystal om 40.000 manschappen
extra, en was de mening toegedaan dat de
vooruitgang in Afghanistan eerder afhing
van het terugdringen van corruptie. 'Als
de overheid over een jaar nog een
criminele organisatie is, hoe moeten
troepen dan het verschil uitmaken?'

3

Nationale veiligheidsadviseur James L.
Jones was van mening dat de oorlog in
Afghanistan een centrale rol speelde in
de internationale stabiliteit. 'Als we
hier niet slagen, dan kun je organisaties als de NAVO, en in het verlengde
daarvan de Europese Unie, en ook de
Verenigde Naties wel naar de
prullenbak van de geschiedenis
verwijzen.'

4

Minister van Buitenlandse Zaken Hillary Rodham Clinton stond achter de opstelling van de strijdkrachten aangaande de strategiewijziging in Afghanistan en Pakistan. 'We moeten een dergelijke benadering hebben, anders is het vergeefse moeite. Dan verknoeien we alleen maar tijd, mensenlevens en geld,' zei ze.

5

Minister van Defensie Robert M. Gates zei tijdens een bijeenkomst in het kader van de strategiewijziging in Afghanistan en Pakistan: 'We moeten een plan opstellen waarin staat dat we na achttien tot vierentwintig maanden weer tot troepenvermindering over zullen gaan, de rangen gaan uitdunnen.' Die uitspraak greep Obama aan om voor juli 2011 te kiezen als het moment waarop een begin zou worden gemaakt met het verminderen van de Amerikaanse troepen.

Obama's stafchef Rahm I. Emanuel beschouwde de oorlog in Afghanistan als 'politiek vliegenpapier' en vond dat de strijdkrachten Obama in het nauw brachten met de uitspraken die ze in het openbaar maakten. 'Het is grote onzin, dat gedoe met de voorzitter [admiraal Mullen] en Petraeus, en dat iedereen naar buiten treedt en in het openbaar achter die extra troepen gaat staan. De president heeft helemaal geen kans gehad!'

De hoogste adviseur van de president David M. Axelrod had zijn bedenkingen tegen Hillary Clinton, die de belangrijkste rivaal van Obama was geweest tijdens de campagne voor het presidentschap. Toen Obama zei dat hij overwoog haar een hoge post in het kabinet aan te bieden, vroeg Axelrod: 'Hoe kun je Hillary nu vertrouwen?'

7

8

Woordvoerder van het Witte Huis Robert L. Gibbs zei dat de troepen absoluut in juli 2011 naar huis zouden gaan komen, zoals Obama had aangekondigd. Dat was een wet van Meden en Perzen. En volgens Gibbs had hij die afgekondigd.

9

Plaatsvervangend adviseur Nationale Veiligheid Thomas E. Donilon (uiterst rechts) wilde zeker weten dat de strijdkrachten de specifieke bevelen van de president begrepen en uitvoerden, dus stelde hij met Obama een 'terms sheet' op waarin de definitieve bevelen van Obama waren uitgewerkt.

10

Plaatsvervangend adviseur Nationale Veiligheid voor Terrorismebestrijding John O. Brennan stelde vraagtekens bij de ambitieuze plannen voor Afghanistan. 'Als er een totaal niet corrupte overheid wordt bedoeld die de gehele bevolking van dienst is... die zal er van mijn leven niet komen. Daarom wordt onze taak alleen maar gecompliceerd door het gebruik van termen als "succes", "overwinning" en "winnen".'

11

Obama's coördinator voor Afghanistan en Pakistan luitenant-generaal Douglas E. Lute zei tegen de president dat hij geen 30.000 manschappen extra hoefde te sturen, omdat de nieuwe strategie te veel risico's met zich meebracht. 'Voor mij ruikt het nog steeds naar een gok,' zei hij. 'U moet dit niet baseren op een soort onverwacht gelukkig toeval.'

12

Voormalig CIA-analist Bruce O. Riedel werd aangetrokken om leiding te geven aan de be-oordeling van de strategie in Afghanistan en Pakistan. Hij liet de president weten dat Pakistan het grote probleem was en dat Al-Qaida nog net zo gevaarlijk was als het op 10 september 2001 was geweest.

Plaatsvervangend adviseur Nationale Veiligheid voor Strategische Communicaties Benjamin Rhodes (links) schreef Obama's speeches betreffende Afghanistan. Voormalig campagneadviseur van Obama Denis Donough (rechts) die in oktober 2009 stafchef werd van de Nationale Veiligheidsraad, was een van de meest vertrouwde adviseurs van de president en zette zich in voor helder geformuleerde boodschappen.

Mark W. Lippert, een belangrijke medewerker van Obama op het gebied van buitenlands beleid uit de tijd dat Obama in de Senaat zat, werd later stafchef van de Nationale Veiligheidsraad. Hij vertrok bij het Witte Huis toen nationaal veiligheidsadviseur Jim Jones had geklaagd dat Lippert hem probeerde te dwarsbomen.

Adviseur nationale veiligheid van de vicepresident Antony J. Blinken had zijn twijfels of de Verenigde Staten wel in Afghanistan zouden slagen. 'Ik weet niet of ze dit hier ooit voor elkaar krijgen,' zei hij, toen hij begin 2009 een bezoek bracht aan het oorlogsgebied. 'Hoe gaan we hier weg?'

Dennis C. Blair, die directeur nationale inlichtingendiensten was totdat Obama hem in mei 2010 ontsloeg, ontbeerde het gezag om de CIA aan te kunnen. 'Ik geloof dat de CIA eigenlijk een organisatie is die te vergelijken valt met een heel goed afgericht, maar niet erg slim, gevaarlijk beest dat zeer nauwlettend door volwassenen in de gaten moet worden gehouden,' zei hij.

17

Generaal van de Amerikaanse landmacht David H. Petraeus was bevelhebber van het Centraal Commando en volgde daarna generaal McChrystal op als bevelhebber in Afghanistan. Onder vier ogen zei hij: 'Ik vind dat deze oorlog niet te winnen valt. Ik denk dat je blijft vechten (...) Dit is het soort gevecht waar we de rest van ons leven aan vast zullen zitten, en waarschijnlijk onze kinderen ook nog.'

18

Voorzitter van de verenigde chefs van staven admiraal Michael G. Mullen zette zich onvermoeibaar in voor de 40.000 man extra waar McChrystal om had gevraagd. Toen hem werd gevraagd wat hij zou doen als McChrystal niet zou slagen, zei Mullen: 'Dan moet ik ontslag nemen, want ik heb hem in die positie geplaatst.'

19

Vicevoorzitter van de verenigde chefs van staven generaal James E. Cartwright van het korps mariniers formuleerde op verzoek van vicepresident Biden een conceptoptie van 20.000 manschappen. Toen voorzitter Mullen weigerde deze voor te leggen aan het Witte Huis, zei Cartwright: 'Ik hou er gewoon niet van om opties achter te houden. Ik heb een eed gezworen en als me om advies wordt gevraagd, voorzie ik daarin.'

In juli 2008 maakten de toenmalige senator Obama en de toenmalige bevelhebber in Irak generaal Petraeus daar samen een helikoptervlucht. Obama kon zich herinneren dat hij tegen Petraeus had gezegd: 'Van u als bevelhebber van onze strijdkrachten in Irak verwacht ik dat u om alles zult vragen wat u nodig hebt en wat u verder ontbeert om ervoor te zorgen dat u slaagt. Dat bent u verplicht aan de troepen die onder uw bevel staan. En dan is het mijn taak, die in sommige opzichten nog lastiger is, om te kiezen. Omdat ik nu eenmaal niet over onbeperkte middelen beschik.'

Generaal Stanley A. McChrystal kreeg 30.000 van de 40.000 manschappen waarom hij had gevraagd, maar later ontsloeg Obama hem wegens kleinerende opmerkingen van McChrystal en zijn staf over hoge ambtenaren in een omstreden artikel in het tijdschrift *Rolling Stone* van juni 2010.

22

Directeur van de CIA Leon Panetta zei tegen anderen: 'Geen enkele Democratische president kan tegen een legeradvies ingaan, vooral niet als hij daar zelf om heeft gevraagd.' Er had binnen een week over de kwestie moeten worden beslist, zei hij.

23

Viceadmiraal b.d. Michael McConnell, die onder Bush directeur nationale inlichtingendiensten was geweest, zei tegen aanstaand president Obama dat de gevoelige informatie over doelen in Pakistan en Afghanistan in orde was. 'Zij praten, wij luisteren,' zei hij. 'Zij verplaatsen zich, wij observeren. Zodra we de kans krijgen, reageren we operationeel.'

Generaal b.d. van de luchtmacht en vertrekkend directeur van de CIA Michael V. Hayden
waarschuwde dat de aanvallen met onbemande
vliegtuigjes op terroristen in Pakistan geen
oplossing boden voor de lange termijn. 'Als je
hier niet eeuwig mee wilt blijven doorgaan,' zei
hij tegen stafchef Rahm Emanuel, 'moet je iets
doen aan de situatie ter plekke.'

Speciaal gezant voor Afghanistan en Pakistan
Richard C. Holbrooke kreeg nooit goed contact
met de president. Aan de vooravond van Obama's
beslissing om 30.000 manschappen extra te sturen
sprak een pessimistische Holbrooke de verwachting uit: 'Dit gaat nooit lukken.'

De Amerikaanse ambassadeur in Afghanistan
luitenant-generaal b.d. van de landmacht Karl W.
Eikenberry plaatste vraagtekens achter een
troepenvermeerdering, wat tot verwijdering leidde
tussen hem en de militaire hiërarchie.

De Afghaanse president Hamid Karzai (links) werd door Amerikaanse functionarissen beschouwd als een onbetrouwbare gesprekspartner. 'Jantje lacht en Jantje huilt,' zei de Amerikaanse ambassadeur Eikenberry. De Pakistaanse president Asif Ali Zardari (rechts) liet de
CIA weten dat ze de leiders van Al-Qaida in zijn land moesten aanpakken. 'Dood de leiders
nou maar,' zei hij. 'Jullie Amerikanen maken je altijd zorgen om de bijkomende schade. Ik zit
er niet mee.'

Stafchef van het Pakistaanse leger generaal
Ashfaq Kayani weigerde om alle extremistische Islamitische groeperingen in zijn land
voor zijn rekening te nemen. 'Ik zal de eerste
zijn om het toe te geven, maar ik ben geheel
gespitst op India,' zei hij.

Senator Lindsey O. Graham, een Republikein uit South-Carolina, gaf generaal Petraeus advies over de manier waarop hij argumenten moest aanvoeren voor het opvoeren van de troepen in Afghanistan. 'Als je een minimum-aantal in je hoofd hebt dat nodig is om te kunnen slagen,' zei hij, 'maak dan nooit een scenario waarin je dat idee uit het oog verliest. (...) je moet blijven zeggen: "Dat daar is het minimum."'

De sessie op 9 oktober 2009 in het kader van de strategieherziening in Afghanistan en Pakistan, in de Situation Room van het Witte Huis. Met de klok mee vanaf president Obama: generaal b.d. Jim Jones; Hillary Clinton; Amerikaans ambassadeur bij de Verenigde Naties Susan R. Rice; admiraal b.d. Dennis Blair; Leon Panetta; Richard Holbrooke; generaal David Petraeus; Tom Donilon; Rahm Emanuel; admiraal Mike Mullen; vicepresident Joe Biden. Op de videoschermen zijn te zien: generaal b.d. Karl Eikenberry en generaal Stanley McChrystal (links) en de Amerikaanse ambassadeur in Pakistan Anne W. Patterson (rechts).

'Ik blijf geloven dat we een terroristische aanslag het hoofd kunnen bieden,' zei president Obama tegen de schrijver. 'We zullen alles doen wat we kunnen om hem te voorkomen, maar zelfs een 11 september, zelfs de grootste aanslag ooit, die ook nog heeft plaatsgegrepen op ons grondgebied, hebben we verwerkt en we zijn er sterker uitgekomen.(...) Een mogelijke verandering in het spel zou een nucleair wapen zijn in de handen van terroristen, dat afgaat in een grote Amerikaanse stad.'

'Ja, dat ligt op mijn bureau,' was het antwoord, en deze persoon gaf mij een fotokopie van het rapport.

De geïnterviewde legde mij geen beperkingen op met betrekking tot het gebruik van het rapport, maar het gesprek had plaatsgevonden binnen het langetermijnonderzoek voor dit boek. Pas vrijdagavond 18 september had ik gelegenheid het rapport te lezen.

Gewapend met een rode pen ging ik deze vertrouwelijke rapportage van 66 bladzijden lezen. Op de tweede pagina van de 'Samenvatting door de Commandant' onderstreepte ik een passage die ik niet verwacht had: 'Falen we op korte termijn (de komende 12 maanden) bij het nemen van het initiatief en het indammen van het oplevende verzet, nu het potentieel van de Afghaanse veiligheidstroepen toeneemt, dan nemen we het risico dat het neerslaan van de opstand niet meer mogelijk is.'[5] Met andere woorden, de Verenigde Staten kunnen de oorlog tegen september 2010 verloren hebben.

Een cultuur van aanpakken overheerst in het Amerikaanse leger en generaals hebben het zelden over 'niet langer mogelijk', vooral niet op papier. Maar dit rapport werd rechtstreeks aan de minister van Defensie gestuurd. Ik moest de passage herlezen, en zette er een rood uitroepteken bij.

Toen ik verderging, werd duidelijk dat het rapport veel meer was dan een routineuze evaluatie van de situatie op het slagveld. Er klonk een dringende toon in door. Ik besefte dat het om een hártekreet ging. McChrystal zei dat zijn strijdmacht 'slecht toegerust' was om de mensen bescherming te bieden.

Ik onderstreepte weer een zin: 'Aangezien we druk bezig waren met de bescherming van onze eigen troepen, zijn we op een manier te werk gegaan die ons – fysiek en psychologisch – heeft geïsoleerd van de mensen die we willen beschermen.' Het rapport zei onomwonden dat 'we het risico van een strategische nederlaag' lopen vanwege acties waarbij burgerdoden vallen. Ik omcirkelde het begrip 'strategische nederlaag', dat het verliezen van de oorlog kon betekenen. 'Nederlaag'? Generaals praten meestal niet op die manier.

Op de vierde pagina van de samenvatting schoot mijn rode pen vervolgens heen en weer onder een zin die alarm sloeg over McChrystals eigen commando: 'Bijna elk facet van onze gezamenlijke inspanningen en de daarmee verbonden verdedigingsmiddelen is achtergebleven bij de groei van het verzet – historisch gezien is dat voor verzetsbestrijding een recept voor falen.' Daar had je dat woord 'falen' weer. Daarna las ik dat de Afghaanse veiligheidstroepen 'op korte termijn niet genoeg capaciteit zullen hebben in het licht van de groei van het verzet', dus stelde hij een 'overbruggingsreserve' van extra coalitietroepen voor.

De pen dook daarna onder de zin: 'De status quo zal tot een mislukking leiden...'

De boodschap was duidelijk. Ik vroeg me af hoe deze beoordeling bij Gates was aangekomen, die ten slotte de afgelopen twintig maanden minister van Defensie was geweest – minister van Defensie in een oorlog die hij ging verliezen, volgens zijn nieuwe commandant te velde.

Gates had de president in de eerste maanden van de nieuwe regering, nadat de president toestemming had gegeven om 21.000 extra troepen te sturen, gezegd dat hij hoopte dat er geen nieuwe verzoeken om troepen zouden volgen.

Hoewel het rapport van McChrystal geen vraag om extra troepen inhield, was het wel zeker dat het om een groot aantal zou gaan. Uit andere bronnen hoorde ik dat het om 40.000 of meer zou gaan, ergens tussen laag en hoog in.

'We kunnen niet slagen door gewoon beter ons best te doen,' las ik. 'De hele cultuur – hoe de ISAF (International Security Assistance Force) staat tegenover het land en de strijd aanpakt, hoe het omgaat met de Afghaanse bevolking en regering, en hoe het functioneert in het veld en binnen de coalitie – moet grondig veranderen.' Commandanten schrijven zelden over de noodzaak om iets te 'veranderen'. In plaats daarvan geven ze daar opdracht voor.

McChrystal zei dat het welslagen van zijn missie inhield dat hij 'de opstand moest verslaan, wat in dit rapport gedefinieerd werd als een toestand waarbij de opstand niet langer een bedreiging voor de levensvatbaarheid van de staat zou vormen'. In totaal gebruikte hij veertien keer de woorden 'falen' of 'mislukking' of een afgeleide ervan.

Ik onderstreepte deze zin: 'De zwakte van staatsorganen, kwaadaardige acties van machtige tussenpersonen, wijdverbreide corrupte en machtsmisbruik door diverse ambtenaren, en door de ISAF zelf gemaakte fouten, hebben de Afghanen weinig reden gegeven om hun regering te steunen.'

Opstandelingen hadden 'een Taliban-schaduwregering geïnstalleerd die de bevolking actief probeert te besturen en de nationale regering en de traditionele machtsstructuren wil vervangen.' Dat was nieuw voor mij en het betekende dat het verzet dieper in de verschillende provincies was doorgedrongen dan ik had verwacht.

Vanwege 'het gebrek aan goede inlichtingen' wist McChrystal niet precies hoe groot het deel van Afghanistan was – het was wel een 'aanzienlijk deel' – dat beheerst dan wel betwist werd door de opstandelingen.[6] Dat was een verbijsterende klacht over de tekortkomingen van de inlichtingendiensten.

Het rapport beschreef vervolgens de drie belangrijkste opstandige groepen, die onderling losjes samenhingen: de Quetta-Shura Taliban, het Haqqani-netwerk en de Hezb-e-Islami Gulbuddin. De Quetta-Shura Taliban had een alternatieve regering gevestigd die rechtstreeks met die van Karzai concurreerde. 'Ze wijzen schaduwgouverneurs voor de meeste provincies aan, beoordelen hun prestaties en vervangen ze geregeld,' zei het rapport. 'Ze installeren shariarechtbanken [die de islamitische wet toepassen] die in betwiste en door hen beheerste gebieden snel recht spreken en uitvoeren. Ze leggen belastingen op en ronselen strijders en arbeiders.'

McChrystal zette zijn aanvankelijke plannen voor een toekomstig offensief van de ISAF uiteen, en deelde mee dat de coalitietroepen 'zich zouden richten op belangrijke dichtbevolkte gebieden die door het verzet betwist of beheerst werden, niet vanwege het feit dat de vijand er aanwezig is, maar omdat de bevolking hier bedreigd wordt door de opstandelingen.' Hij deelde vervolgens de Afghaanse provincies in drie groepen in, gebaseerd op de mate waarin de opstandelingen er aanwezig waren, en gaf de volgorde aan waarin hij een offensief zou kunnen beginnen.

Het rapport bevatte ook een grimmige appendix van vier bladzijden over het Afghaanse gevangenissysteem, 'dat een schuilplaats en basis was geworden voor levensgevaarlijke acties' tegen de Afghaanse regering en de ISAF. 'Er bevinden zich meer opstandelingen per vierkante meter in gevangenissen dan overal elders in Afghanistan.'

Tegen het eind las ik de algemene conclusie van de generaal: 'Een beleid dat tekortschiet in de levering van voldoende hulpmiddelen, kan leiden tot een langerdurend conflict, meer slachtoffers, toename van kosten en uiteindelijk tot een essentieel verlies van steun. Al deze risicofactoren kunnen op hun beurt leiden tot het falen van de missie.'

Tegen de tijd dat ik uitgelezen was, was er bij mij weinig twijfel meer dat het rapport zo snel mogelijk gepubliceerd moest worden.

Diezelfde vrijdagavond stuurde ik een e-mail naar Marcus Brauchli, die iets langer dan een jaar hoofdredacteur van *The Washington Post* was, om hem te laten weten dat ik het rapport in mijn bezit had en vond dat hij het moest lezen. We ontmoetten elkaar de volgende morgen, op zaterdag, op de *Post*. Brauchli las het rapport snel door en zei dat hij van mening was dat het meteen en in zijn geheel gepubliceerd moest worden.

Ik belde mijn bron en en vroeg of het goed was dat de gemaakte afspraken veranderd zouden worden.

'Als mijn boek volgend jaar uitkomt,' zei ik, 'dan is dit rapport zulk oud nieuws dat het helemaal geen nieuws meer is. Het is dan irrelevant geworden.' Ik zei dat het alleen op dit moment nieuws was.

Na een paar vragen, stemde mijn bron met mijn voorstel in en ik beloofde dat ik zijn naam op geen enkele manier zou noemen.

Brauchli vroeg me om zowel het Witte Huis als het Pentagon te bellen en uit te leggen dat we in het bezit waren van een compleet exemplaar van het rapport en dat we het binnen een paar dagen wilden publiceren, maar dat we van hen wilden horen welke delen, zo die er waren, niet openbaar gemaakt mochten worden en om welke redenen.

De uitspraak van het Supreme Court van 30 juni 1971 over de Pentagon Papers, nu bijna veertig jaar geleden en drie maanden voor ik bij de *Post* kwam, had de deur voor dergelijk overleg met de regering geopend.[7] In het arrest stelde het hooggerechtshof in essentie dat de regering de pers niet van de publicatie van geheime documenten kon weerhouden, waardoor het voor *The New York Times* en *The Washington Post* mogelijk was om door te gaan met het afdrukken van het uiterst geheime, 47-delige onderzoeksverslag over de Vietnamoorlog, dat liet zien dat de regering het publiek geregeld over de oorlog had voorgelogen.

Omdat de regering ons niet op wettelijke gronden kon verbieden om het rapport van McChrystal te publiceren, hadden we een voorsprong toen we luisterden naar de argumenten om passages uit het rapport weg te laten. Bij de Pentagon Papers voerden de *Times* en de *Post* vooraf geen overleg met de regering. Was dat wel gebeurd, dan hadden we de regering gealarmeerd en dat had waarschijnlijk tot een kort geding geleid om de publicatie te stoppen, en dat was ook precies wat de overheid deed nadat de eerste artikelen waren verschenen. De schoonheid van de uitspraak van het Supreme Court over de Pentagon Papers, die dus belemmering vooraf verbiedt, is dat die ons aanmoedigt om bij de regering te informeren naar specifieke bezwaren tegen de publicatie van geheime documenten.

Ik kreeg generaal Jones zaterdag aan de lijn.[8] Hij zat op zijn boot in de Chesapeake Bay. Ik legde uit dat ik het volledige McChrystal-rapport van 66 bladzijden had en dat ik van plan was het te publiceren, maar dat ik daarover eerst iets van hem en het Pentagon wilde horen.

'Het zal de taak van de president alleen maar moeilijker maken,' zei hij. Publicatie zou 'in het voordeel zijn van degenen die ons tegenwerken,' zei hij, waarmee hij de opstandelingen van de Taliban in Afghanistan bedoelde.

Ik zei dat ik het een dramatische alarmkreet van de nieuwe commandant over de loop van de oorlog vond en dat het publiek geïnformeerd hoorde te worden. We zouden de pagina met voorstellen voor toekomstige operaties niet publiceren. We wilden graag argumenten horen als er andere bladzijden waren die we om veiligheidsredenen beter konden weglaten.

'Ik ben hier niet blij mee,' zei Jones. 'Het is een geheim stuk.' Hij merkte ook nog op dat hij een heleboel vragen over het rapport had. McChrystal was 'een jonge viersterren-generaal', zei Jones. 'Hij is naïef.'

Ik zei dat ik na zorgvuldige lezing en herlezing niet zag wat voor kwaad publicatie kon doen, maar dat we bereid waren, en er zelfs op gebrand waren, om naar hun argumenten te luisteren.

'Ik moet een paar telefoontjes plegen,' zei Jones.

Ik belde Morrell, de woordvoerder van het Pentagon, die zei: 'Ze willen dit bestrijden,' en hij zei dat we snel iets van iemand zouden horen.

Binnen het uur, ongeveer twee uur op zaterdagmiddag, werd er een groepstelefoongesprek gevoerd tussen Gates, Jones, Donilon en generaal Cartwright, de vicevoorzitter van de Verenigde Chefs van Staven, en *Post*-hoofdredacteur Brauchli, een jurist van de *Post* en mij.[9]

Gates, die buiten de stad was, vroeg of wij binnen 24 uur niets over het rapport wilden publiceren. Hij zei dat publicatie 'veel schade aan onze inspanningen in Afghanistan zou toebrengen en dat de levens van onze soldaten in gevaar gebracht zouden worden'.

Generaal Cartwright voegde eraan toe dat het rapport een 'operationele en tactische beoordeling' was en dat publicatie 'de vijand zou laten zien waar we mee bezig zijn'. Hij vroeg me tijd om het rapport nog eens goed te bekijken.

We herhaalden wat ik ook al aan Jones had gezegd dat we de pagina met toekomstige aanvallen niet zouden publiceren.

Donilon zei: 'Ik heb nog geen antwoord gekregen op het verzoek van de minisiter van Defensie', namelijk dat we 24 uur zouden wachten.

Brauchli en ik zeiden dat we dat redelijk vonden, waarna Brauchli wilde weten waar en wanneer we al hun bezwaren konden vernemen. Hij zou publicatie van het verhaal tegenhouden, zei hij, maar hij wilde wel zeker weten dat we iemand te spreken zouden krijgen die voldoende autoriteit had om niet alleen namens het Pentagon, maar ook namens het Witte Huis en de inlichtingendiensten op te treden.

De volgende morgen, zondag om 11.00 uur, hadden we een afspraak op het Pentagon.

We begrepen heel goed dat we goed moesten luisteren maar dat we ook waakzaam moesten zijn, klaar om de echte belangen van nationale veiligheid te scheiden van de nepbelangen. We maakten er ons zorgen over dat de regering dit vernietigende rapport niet gepubliceerd wilde hebben. Twee weken geleden, op 3 september, had Gates op een persconferentie gezegd: 'Ik geloof niet dat de oorlog ons door de vingers glipt.'[10] Het rapport van McChrystal sprak dat tegen.

Bovendien zou Obama die ochtend in vijf talkshows op de televisie verschijnen om een pleidooi te houden voor de hervorming van de gezondheidszorg.[11] Het was duidelijk dat het Witte Huis niet wilde dat deze boodschap door ander nieuws zou worden verdrongen.

Op zondag reden Brauchli, Rajiv Chandrasekaran, een oudgediende bij de *Post* die de oorlog versloeg, en ik naar het Pentagon voor de bijeenkomst om elf uur.[12] Nu Gates afwezig was, werd het Pentagon vertegenwoordigd door Cartwright, Morrell en de onderminister voor Defensiebeleid Michèle Flournoy. We gingen rond de conferentietafel in Cartwrights kantoor zitten.

Cartwright, extravert en uitermate aardig, zei dat er drie hoofdbezwaren waren: het bekendmaken van toekomstige operaties, het tekortschieten van de inlichtingendiensten, en het verstrekken van informatie die de mogelijkheid van McChrystal om met de Afghaanse regering of andere internationale partners samen te werken negatief zou kunnen beïnvloeden.

Bij het begin van de discussie leek het of er tussen de mensen aan de regeringskant een wedstrijd aan de gang was wie Brauchli het verst kon krijgen om zo veel mogelijk te schrappen. In totaal kwamen ze met veertien specifieke bezwaren. De eerste serieuze kwestie ging erover of McChrystal geciteerd mocht worden over de extra troepen die hij de komende twaalf maanden nodig had, omdat de oorlog anders 'waarschijnlijk zou mislukken'. Flournoy stelde dat het bekendmaken van het tijdskader van twaalf maanden 'de vijand er in principe toe zou kunnen aanzetten om vol te houden' en zijn inspanningen met een extra twaalf maanden te 'verdubbelen', omdat ze dit gegeven als een aanwijzing zouden zien dat de Amerikaanse vastbeslotenheid maar van beperkte duur was. Ze zei ook dat publicatie van de termijn van twaalf maanden, 'als die door de Taliban gelezen zou worden, van hun kant tot een verandering van tactiek kon leiden die tot meer Amerikaanse slachtoffers zou leiden'.

Het was een tamelijk directe waarschuwing.

McChrystal en zijn team waren geraadpleegd, zei ze, en 'ze wilden niet dat het tijdschema bekend zou worden'.

Ik voerde aan dat het om de kern van McChrystals argumentatie ging en dat we dat moesten tonen.

Brauchli merkte op dat Gates en anderen hadden gezegd dat de Verenigde Staten ongeveer twaalf tot achttien maanden hadden om het initiatief in de oorlog naar zich toe te trekken, dus de twaalf maanden van McChrystal kwamen niet als een verrassing.[13]

Uiteindelijk stemde Cartwright toe en trok hij de bezwaren in, maar hij wilde wel de laatste woorden uit de volgende zin geschrapt zien: 'De opstandelingen beheersen of betwisten delen van het land, hoewel het moeilijk is precies vast te stellen om hoeveel land het gaat, vanwege de afwezigheid van ISAF-troepen en GEBREK AAN GOEDE INLICHTINGEN.'

De Taliban laten weten dat we over 'gebrekkige inlichtingen' beschikten, zou hen alleen maar aanmoedigen en hen ertoe brengen om vanwege dat gebrek zich vrijelijker te bewegen.

Brauchli stemde hiermee in en zei: 'Ik sta daar positief tegenover en denk dat we niets hoeven te zeggen over die gebrekkige informatie.'

De woorden werden verwijderd.

Ik vond dat redelijk, maar ik neem ze toch in dit boek op, want die gebreken kwamen steeds meer aan het licht. Brauchli en Cartwright maakten naast het weglaten van die laatste woorden de globale afspraak dat ze de details van het komende opiniestuk nader zouden redigeren.

We waren in staat om circa 97 procent van het rapport te publiceren zonder nadere bezwaren van de regering, en de conclusies en details in het verhaal te tonen. Die avond bezorgde het Pentagon ons een niet meer geheime versie van het rapport, waarin de afgesproken weglatingen waren doorgevoerd.[14]

We keerden terug naar de *Post* om mijn eerste versie van het artikel voor de maandagkrant te redigeren. De volgende morgen nam de kop in *The Washington Post* van 21 september driekwart van de voorpagina in beslag: 'McChrystal: Meer Troepen of de Missie Faalt'.[15] De niet meer geheime versie van het rapport was te lezen op de website van de krant. Binnen een paar minuten nam *The New York Times* het hele verhaal bijna alinea voor alinea over.[16]

Op het internet verschenen talloze reacties. Landmachtkolonel buiten dienst Pat Lang schreef in zijn blog: 'Dit zeer geheime document werd op kunstige wijze gelekt door mensen die Obama en Gates willen dwingen om zich onvoorwaardelijk te binden aan een strategie van terrorismebestrijding in Afghanistan die de nation building moet bevorderen.'[17]

Peter Feaver, die lid was geweest van de Nationale Veiligheidsraad van Bush, schreef in zijn blog voor het blad *Foreign Policy*: 'De binnenlandse politiek-militaire belangen zijn door dit lek aanzienlijk opgejaagd. Het is niet helemaal vergelijkbaar met "het telefoontje van drie uur 's nachts over een crisis" [een verwijzing naar een tv-spotje van het Hillary Clinton-kamp over de onervarenheid van Obama – *vert*.], maar het is waarschijnlijk wel de ernstigste test inzake de nationale veiligheid die het team van Obama tot nu toe onder ogen heeft gezien.'[18]

Op de persbriefing die 's ochtends aan boord van de presidentiële Air Force One, die op weg was naar Troy in New York, werd gehouden, legde Gibbs er tegenover journalisten de nadruk op dat McChrystal nog om een specifiek aantal troepen moest vragen.[19]

'We gaan die strategische evaluatie leiden en we zullen dat, voordat we besluiten over extra troepen en middelen zullen nemen, op een manier doen die ons de best mogelijke voorwaarden voor de toekomst biedt, in plaats van het omgekeerd te doen, waarbij men eerst beslist over extra manschappen en dan pas een strategie formuleert.'

Tijdens mijn interview met de president negen maanden later, zei hij dat het rapport van McChrystal nuttig was omdat 'het een leemte had gevuld in het rapport van Riedel. Ik denk dat het Riedel-rapport een dubbelzinnigheid bevatte over de vraag wat onze centrale opdracht was,' vertelde Obama mij.[20] 'Sommigen interpreteerden het als een argument voor een versterkte strijdmacht die het verzet moest bestrijden.' Enkelen, zoals de vicepresident, waren vanwege de nadruk die Riedel op Pakistan legde, van mening dat de strategie gericht moest zijn op de veilige havens in Pakistan voor Al-Qaida en de opstandige Taliban. Door anderen, zei Obama, werd het rapport geïnterpreteerd als een ondersteuning voor een volledige strategie van terreurbestrijding, 'zoals dat op klassieke wijze door generaal Petraeus is uiteengezet'. Maar de president zei dat hij niet akkoord ging met een algehele terreurbestrijding, omdat dit betekende 'dat je dan op lange termijn de verantwoordelijkheid voor Afghanistan zou dragen.

'Toen dus McChrystal met zijn taxatie kwam,' zo zei de president tegen mij, 'was het mij op dat moment wel duidelijk dat we iedereen bij elkaar in een kamer moesten krijgen en ons ervan moesten vergewissen dat we uit hetzelfde liedboek zongen.'

16[1]

Op 29 september riep Jones de hoofdrolspelers in de Situation Room bijeen voor een twee uur durende bespreking als voorbereiding op de vergadering van de Nationale Veiligheidsraad die de volgende dag zou plaatsvinden. Hij noemde de bijeenkomst een 'repetitie', een gelegenheid om zonder de president erbij hun argumenten en presentaties aan te scherpen. Jones vond dat een paar van hen afdwaalden, vooral Biden en Holbrooke.

Wie een video-opname van de bijeenkomst zou zien, zou waarschijnlijk behoorlijk ongerust worden. Na acht jaar oorlog hadden ze nog steeds moeite om aan te geven wat de kerndoelen precies waren.

Biden had speciaal voor de president een memo van zes bladzijden geschreven waarin hij vraagtekens zette bij de rapporten van de inlichtingendiensten over de Taliban. De Taliban werden hierin afgeschilderd als de nieuwe Al-Qaida. Omdat de Taliban nu tegen de Amerikanen vochten, kwamen er veel Arabieren, Oezbeken, Tadzjieken en Tsjetsjenen op af om mee te strijden in de zogenoemde 'zomer van de jihad' in Afghanistan.

In zijn memo schreef Biden dat dit, voor zover hij uit de inlichtingenrapporten kon opmaken, zwaar overdreven was. Er waren misschien vijftig tot vijfenzeventig buitenlandse strijders tegelijk in Afghanistan, een hoeveelheid die ver beneden de duizenden lag – onder wie de tweeëntwintigjarige Osama bin Laden – die het land hadden overspoeld na de bezetting door de Sovjet-Unie in 1979. De vicepresident zag geen bewijzen dat de Pasjtoen Taliban een wereldwijde jihad-ideologie verspreidden, laat staan dat ze het op Amerika zelf hadden voorzien.

In het nieuws was al aangekondigd dat McChrystal om 40.000 nieuwe militairen zou vragen. Er werd op televisie live over dit aantal gedebatteerd voordat het in de Situation Room werd besproken.[2]

Op woensdag 30 september nam Obama om drie uur 's middags plaats voor de tweede bespreking van strategieherziening in Pakistan en Afghanistan.[3] Er waren ongeveer achttien mensen aanwezig, een grotere groep dan bij de eerste vergadering. Petraeus was er deze keer ook bij. Iedereen in het Witte Huis begreep dat hij aanwezig moest zijn; het zou verdacht zijn om zonder hem besluiten te nemen.

Het mediadebat over Afghanistan was gepolariseerd en werd nu voorgesteld als de keuze tussen het zenden van een gigantische troepenmacht of complete terugtrekking.

'Is er iemand die vindt dat we uit Afghanistan moeten vertrekken?' vroeg de president.

Het bleef stil in de kamer. Ze keken hem zonder een woord te zeggen aan.

'Oké,' zei hij. 'Nu we dat gehad hebben, kunnen we verdergaan.'

Een notulist omcirkelde wat hij had geschreven: 'POTUS zegt: haal het idee van tafel dat we uit Afghanistan vertrekken.' POTUS is kort voor 'president of the United States'.

Maar Obama wilde de rest van de bijeenkomst zoveel mogelijk het onderwerp Afghanistan vermijden.

'Laten we beginnen bij waar onze belangen liggen, en dat is eigenlijk in Pakistan en niet in Afghanistan,' zei hij. 'Trouwens, u kunt als u wilt tegen de Pakistaanse leiders zeggen dat we niet uit Afghanistan vertrekken.'

Toen dat van de baan was, begon Lavoy, de onderdirecteur analyse van de nationale inlichtingendiensten, zijn briefing over het werk van zijn organisatie. Hij sprak over de dynamiek tussen de Taliban en Al-Qaida, die nu vooral in Pakistan zat. Al-Qaida vormde een directe dreiging voor de Verenigde Staten, zei Lavoy.

De betekenis van de Taliban, voegde de directeur van de nationale inlichtingendiensten Blair eraan toe, was dat deze aan Al-Qaida gelieerde extremistische beweging succes had. De Taliban vonden het prima om Al-Qaida aan hun zijde te hebben, zolang ze maar wonnen.

Maar het was moeilijk om een goed onderscheid te maken tussen de Taliban, Al-Qaida en andere groeperingen, zeiden Lavoy en Blair. Zoals ook McChrystal in zijn evaluatie aangaf, kreeg het Haqqani-netwerk geld en manschappen uit het buitenland 'dankzij hun nauwe banden met Al-Qaida en andere terreurgroepen die vanuit Pakistan opereerden'. Door de banden die ze hadden met Al-Qaida, konden gelieerde extremistische bewegingen wellicht 'weer bases in Afghanistan gaan inrichten'.

Al-Qaida zou volgens Lavoy onder twee omstandigheden naar Afghanistan terugkeren: als de Taliban het land weer in hun macht hadden of gebieden beheersten die onbereikbaar waren voor de grondtroepen van de Verenigde Staten en de NATO; en als de veiligheidssituatie van de niet bestuurde gebieden van de FBS in Pakistan te gevaarlijk werden voor Al-Qaida. Ondanks veelvuldige succesvolle aanvallen van onbemande CIA-vliegtuigjes in de FBS en de acties van het Pakistaanse leger tegen de eigen tak van de Taliban, waren er geen bewijzen dat Al-Qaida terugkeerde naar Afghanistan. Waarom zouden ze ook? Het was voor hen nog steeds veiliger in Pakistan.

Obama schetste de basisregels voor de verdere vergadering.

'Ik wil het eigenlijk vooral hebben over ons eigen land,' zei hij. 'Ik zie drie hoofddoelen. In de eerste plaats bescherming van ons eigen land, onze bondgenoten en de Amerikaanse belangen in het buitenland. In de tweede plaats de zorg om de Pakistaanse kernwapens en de stabiliteit. Als ik alleen naar ons eigen land kijk, kunnen we dan een onderscheid maken tussen de gevaren die Al-Qaida en die de Taliban opleveren?'

Biden ging hierop in – waardoor het derde doel over de verstandhouding tussen Pakistan en India werd overgeslagen – en vroeg: 'Zijn er bewijzen dat de Afghaanse Taliban voorstander zijn van aanvallen op doelen buiten Afghanistan – in ons land – of dat ze zich meer op het buitenland zouden richten als ze een groter deel van Afghanistan zouden bezetten?'

Daar zijn geen bewijzen voor, zei Lavoy. Biden had een belangrijk punt gescoord. De president keerde terug naar zijn vorige gedachtegang en zei: 'Een verandering bewerkstelligen in de Pakistaanse toestand is van doorslaggevend belang voor het bereiken van onze kerndoelen.'

De Verenigde Staten waren druk bezig te besluiten of ze meer troepen naar de oorlog in Afghanistan zouden sturen, maar de veiligheid van het land was afhankelijk van Pakistan.

Obama zei dat het leger ervan uitging dat blijvende aanwezigheid in Afghanistan stabiliserend zou werken op Pakistan. Hij vroeg waar dat op gebaseerd was. Waarom zou niet het tegenovergestelde het geval kunnen zijn?

Petraeus nam het woord. Iets meer dan een maand eerder had hij in Pakistan de hoogste Pakistaanse legerleider ontmoet, generaal Kayani, die steeds meer invloed en macht kreeg. Twee uur lang had Petraeus met een landkaart voor zich zitten luisteren naar de Pakistanen die hem hun plannen en operaties uitlegden. Hun analyse was veranderd, omdat ze nu rekening hielden met terroristische groepen als de TTP. Deze Pakistaanse tak van de Taliban had zelfmoordaanslagen gepleegd tegen overheidsdoelen en had eerder dat jaar gebied bij Tarbela in handen gehad waar de Pakistanen een deel van hun kernwapenarsenaal hadden opgeslagen. Het Pakistaanse leger was in Swat al een grondoperatie begonnen en stond op het punt om hetzelfde te doen in Zuid-Waziristan. Dat was een bemoedigend teken.

McChrystal hield vervolgens een presentatie over 'het pad' dat hem tot zijn oorspronkelijke evaluatie had gebracht. Hij vertelde hoe hij was gekomen tot wat hij als zijn missies zag en hoe hij de mogelijkheden inschatte om die te doen slagen.

'Oké,' zei Obama. 'Jullie hebben je werk goed gedaan. Maar er hebben zich sindsdien drie ontwikkelingen voorgedaan. De Pakistanen doen het beter, de Afghaanse situatie is ernstiger dan verwacht en de Afghaanse verkiezingen hebben niet het keerpunt gebracht waarop we hoopten, in de vorm van een legitiemer regering. En nu moeten we een aantal besluiten nemen.'

Ze bekeken een overzichtskaart van McChrystal waarop de terroristische bedreigingen werden opgesomd: Al-Qaida, de Taliban en andere groeperingen. Kon er een aantal worden geïsoleerd en hoefde de regering zich alleen zorgen te maken over de groepen die een bedreiging vormden voor Amerikaans grondgebied?

Biden en de plaatsvervangend nationale veiligheidsadviseur Donilon waren sceptisch over het idee dat de Verenigde Staten achter alle groeperingen aan moesten gaan, alleen omdat er een symbiotische relatie tussen hen bestond.

De vicepresident meende dat hij Lavoy moest corrigeren, die dacht dat Al-Qaida zo mogelijk zou willen terugkeren naar een door de Taliban beheerst Afghanistan.

'Dat zeggen sommigen bij de inlichtingendiensten,' zei Biden, 'maar het lijkt me niet zo zeker. In de eerste plaats: zouden Al-Qaida-leden teruggaan als ze dachten dat het onveilig was om in Afghanistan te opereren? Waarschijnlijk niet. In de tweede plaats is Pakistan een land met veel meer verbindingsmogelijkheden, dus opereren ze duidelijk liever van daaruit. En nog belangrijker, zoals ik eerder zei, is dat het nog maar de vraag is of de Taliban Al-Qaida wel terug willen, omdat hun banden met deze groep een reële bedreiging van de veiligheid van Afghanistan opleveren.'

Biden besteedde vervolgens de rest van zijn monoloog aan het idee (dat ook door de president werd betwijfeld) dat alles wat er met Afghanistan gebeurde, ook met Pakistan zou gebeuren.

'Ik denk dat het precies tegenovergesteld is,' zei hij, 'en dat wat er in Afghanistan gebeurt misschien wel wat invloed heeft, maar het resultaat in Pakistan niet fundamenteel verandert. Veel verschillende kwesties en factoren zijn van invloed op de kant die Pakistan uitgaat. Afghanistan is daar slechts één van. Maar voor Afghanistan is de rol van Pakistan wel doorslaggevend, vooral als Pakistan de leiders van de Afghaanse Taliban blijft herbergen en hun bescherming biedt, is succes onmogelijk.'

De vergadering was een uur en vijfenveertig minuten bezig, zonder dat minister van Defensie Gates een woord had gezegd.

'Bob,' zei Obama op een gegeven moment, terwijl hij achterover leunde in zijn stoel. 'Ik wil graag horen wat je denkt. Ik weet dat stille wateren diepe gronden hebben. Waar zit je op te broeden?'

'Ik zou graag niet alleen de hoogste prioriteit willen geven aan ons eigen land, maar ook aan onze belangen in het buitenland,' zei Gates, 'aan onze belangrijkste bondgenoten, partners en onze troepen overal ter wereld. We concentreren ons op Al-Qaida en de mate waarin Al-Qaida's macht toeneemt door successen van de Taliban. Als de Taliban significante resultaten boeken, wordt dat uitgelegd als een nederlaag voor de westerse wereld. Ik zie pas kans op verzoening als de Taliban onder druk staan. Al-Qaida blijft waarschijnlijk waar ze is in de FBS als de Taliban het gebied overnemen, tenzij de druk in de FBS een kritiek punt bereikt.' Ter ondersteuning van Lavoy tijdens een eerdere vergadering zei Gates: 'Maar we moeten erkennen dat Al-Qaida meelift met de Taliban, en dat als de Taliban succes hebben, dat gunstig is voor Al-Qaida.'

Obama gebruikte een andere metafoor om een stap uit te leggen die Amerika diende te nemen: 'We moeten het moeras droogmalen en de aantrekkingskracht van het terrorisme voor jonge moslims verminderen. We moeten meer aan publiciteit doen en meer lobbyen.'

'Ons kerndoel in Pakistan is prima,' vervolgde de president. Het doel was om de veilige havens van Al-Qaida in Pakistan te elimineren, dus het jagen op Taliban zou daarvan kunnen afleiden. 'Als er maatschappelijke kosten zijn verbonden aan de jacht op de Taliban is het misschien niet verstandig om dat te doen.'

Door deze opmerking gingen er alarmbellen rinkelen bij Gates, Mullen, Petraeus en McChrystal. De president had nauwelijks iets verontrustenders kunnen zeggen voor het leger. Hij leek hiermee de wijsheid van de oorlog in Afghanistan zelf in twijfel te trekken.

Maar voordat een van de militaire leiders kon antwoorden, kwam Biden tussenbeide. Hij bepleitte een strategie voor terrorismebestrijding die minder extra troepen zou vergen. Sommige leiders in de regio, zei de vicepresident, maakten zich zorgen over de toenemende Amerikaanse militaire aanwezigheid – of 'footprint' – in het Midden-Oosten en Zuid-Azië. Hij noemde de Egyptische president Hosni Mubarak en koning Abdullah van Saudi-Arabië.

Petraeus zei hierop: 'Zij maakten zich ook zorgen over onze militaire aanwezigheid in Irak, en daar bleken ze ongelijk te hebben.' Hij herinnerde hen eraan dat een van de belangrijkste uitgangspunten in de strategische evaluatie die zijn CentCom eerder dit jaar had gemaakt, was dat veel overheden samen het terrorisme moesten bestrijden. De Verenigde Staten konden het niet alleen af, maar moesten samenwerken met regeringen van andere landen, zoals Egypte en Saudi-Arabië. In een speech voor de National Press Club, niet ver van de huidige vergaderplek vandaan, had Petraeus de Saudi's geprezen voor hun hulp tegen Al-Qaida.

McChrystal deed ook een duit in het zakje om zijn chef bij te staan en om Bidens opvatting tegen te spreken dat er voor de strijd tegen het terrorisme automatisch minder militairen nodig waren dan om een opstand tegen te gaan.

'Terroristenleiders gevangennemen of doden werkt alleen als ook de verzetsbewegingen effectief worden onderdrukt,' zei hij. 'Ze complementeren elkaar.'

Petraeus bracht het onderwerp weer op Irak. 'In Irak hebben we Zarqawi gedood,' zei hij. 'Hij was waarschijnlijk de beste, meest competente en charismatische topman van Al-Qaida, een echte leider op het slagveld, maar het geweld bleef toenemen.' Zarqawi's dood in juni 2006 bracht geen vrede of stabiliteit. Destijds stond Special Operations onder bevel van luitenant-generaal Stanley McChrystal.

Axelrod, die langs de zijlijn zat, was niet verbaasd dat Petraeus maar bleef terugkomen op Irak. Tegen vrienden en bekenden sprak hij over de generaal als 'Mr. Counterinsurgency'. Axelrod had gehoord dat het *Counterinsurgency Field Manual* van Petraeus een bijbel voor jonge legerofficieren was, die promotie kregen als ze de regels beheersten. Petraeus meende dat hij zijn Irakmodel eenvoudigweg elders kon toepassen, terwijl Axelrod dacht dat Afghanistan stukken veeleisender zou zijn dan Irak: een andere bevolkingssamenstelling, een andere cultuur, lage alfabetisering, lastig terrein. Axelrod had enorm veel vertrouwen in Obama; hij meende dat de president zich dat alles goed bewust was en de regio en de geschiedenis begreep. Hoewel Obama nog jong en onervaren was, meende Axelrod dat de president zo snel leerde dat hij een tegenwicht kon vormen tegen Petraeus.

Aan het eind van de vergadering vroeg minister van Buitenlandse Zaken Clinton: 'Hoe worden de extra toepen ingezet? Waar gaan ze naartoe? Gaan ze anderen opleiden? Hoeveel medewerkers? Hoe kunnen we de lessen die in Irak zijn geleerd toepassen?'

De plaatsvervangend nationale veiligheidsadviseur Donilon somde vervolgens op welke informatie ze zouden verzamelen en welke vragen ze aan de orde zouden stellen in de vergaderingen van de deputies. 'We werken de computerinformatie verder uit,' zei hij. 'We heroverwegen de doelstellingen. Wie zijn de bondgenoten van de terroristen? Moeten de Taliban worden verslagen?'

'Wat betekent het?' onderbrak de president. 'Ga na wat het betekent, het stuiten van de opmars van de Taliban. Moeten we werkelijk de Taliban aanpakken om Al-Qaida te treffen? We hebben ondanks het gebrek aan vorderingen tegen de Taliban wel vooruitgang geboekt tegen Al-Qaida.'

Komt in orde, meneer.

Petraeus verliet de vergadering met zorgen over de ontwikkelingen. Er werd in Pakistan met behulp van onbemande vliegtuigjes vooruitgang geboekt tegen Al-Qaida, maar Pakistan bleek steeds meer het land waar oorlog noodzakelijk was. En dus werd zijn verzetsbestrijdingsoorlog in Afghanistan een secundaire oorlog.

Analyse van de inlichtingen op het hoogste niveau had nooit een doorslaggevend argument opgeleverd om nu in Afghanistan op te treden. Wel overtuigend was het argument dat als het tij van de oorlog niet werd gekeerd, de neergang van de Afghaanse regering onvermijdelijk zou zijn. Het zou een langzame dood kunnen worden, die wellicht tien jaar zou duren. Maar op een gegeven moment zou de neergang onomkeerbaar zijn en zou zelfs het sturen van 50.000 of meer troepen niet meer helpen. En een volledig gedestabiliseerd Afghanistan zou vroeger of later ook Pakistan destabiliseren. En dus was de vraag voor de president en zijn team: konden de Verenigde Staten dat risico nemen?

Na de vergadering van 30 september vroeg de president Gates om een schriftelijk exemplaar van McChrystals verzoek om meer troepen. McChrystals aanbeveling om 40.000 man extra te sturen was al uitgelekt, maar het document zelf werd met veel geheimzinnigheid omgeven. Om verder lekken te voorkomen, was er een beperkt aantal exemplaren beschikbaar en mochten maar weinig mensen die inzien. Het uit elf bladzijden bestaande document, gedateerd 24 september 2009, viel in de categorie SECRET/NOFORN en was getiteld 'Resourcing the ISAF implementation strategy' (Financiering van de ISAF-implementatiestrategie).[4]

Een half jaar later kon ik het document bekijken, dat ik kreeg van een informant voor dit boek. Ik was verbaasd over het contrast met het evaluatierapport over Afghanistan van McChrystal. Beide documenten leken alleen in naam van dezelfde auteur afkomstig. Waar het eerdere rapport indrukwekkend rechtdoorzee was geweest, stond dit vol bureaucratische formuleringen en onleesbare zinnen. McChrystal somde drie alternatieven op voor de troepensterkte:

1. 10.000-11.000, vooral om Afghaanse troepen te trainen;
2. 40.000 voor verzetsbestrijding;
3. 85.000 voor steviger verzetsbestrijding.[5]

Helemaal aan het eind stond McChrystals conclusie. 'Professioneel militair oordeel: na zorgvuldige militaire analyse van de huidige situatie adviseer ik het zenden van vier brigades gevechtstroepen met hulptroepen – 40.000 personen.'

In feite zei McChrystal: geef me er 40.000 troepen bij en ik doe mijn uiterste best.

Rond die tijd werd er in het programma 60 minutes van CBS een vooraf opgenomen interview met McChrystal uitgezonden, waarin hij zei dat hij in de voorgaande zeventig dagen slechts één keer met president Obama had gesproken, via een beveiligde videoverbinding.[6] Door zijn opmerking leek de president – de opperbevelhebber – vreemd ver van de oorlog af te staan. Bloggers spuiden kritiek en de president kreeg er ook in een artikel in *The New York Times* van langs.[7] Het Witte Huis besloot een ontmoeting met de generaal te regelen. Obama vloog naar Denemarken om Chicago als gaststad voor de Olympische Spelen van 2016 te promoten[8] en McChrystal zou die dag in Londen zijn, volgens Jones om uit te rusten en zich te ontspannen.

Maar McChrystal was in Londen voor een reünie met Britse Special Forces die in Irak hadden gevochten. Hij had ook een uitnodiging gekregen om te speechen voor de denktank het International Institute for Strategic Studies en Mullen had hem gezegd die te aanvaarden.

'Uiteraard moet je voorzichtig zijn,' had Mullen gezegd.

Iedere driesterrengeneraal die vier sterren krijgt moet groeien, dacht Mullen later. De uitdaging voor McChrystal was dat dit op het wereldtoneel moest gebeuren.

In de speech die McChrystal op 1 oktober voor het instituut hield, hield hij vast aan wat hij in zijn evaluatie had geschreven, namelijk dat alleen een strategie van verzetsbestrijding zou werken.[9] Hij benadrukte het belang van vastberadenheid en waarschuwde voor het demoraliserende effect van onzekerheid.

McChrystal probeerde tegenover het publiek grapjes te maken over zijn rede. 'Als ik in de opzet voor mijn speech slaag, bent u zo dadelijk totaal op dit onderwerp uitgekeken en verlaat ik de zaal onder wild gejuich, waarna me allerlei lucratieve banen worden aangeboden. Als mijn plan mislukt, zoals de meeste van mijn plannen, zal ik met alle genoegen uw vragen beantwoorden.'

Het was een slechte start voor iemand die sinds vijf maanden bevelhebber was in een grote oorlog, deze opmerkingen over lucratieve andere banen en plannen die mislukten.

Na zijn voorbereide opmerkingen werd hem gevraagd of een beperkter initiatief om achter de terroristen aan te gaan een kans van slagen had.[10] Zijn antwoord was ondubbelzinnig: 'Het korte antwoord luidt: nee. Je moet rekening houden met de situatie zoals hij is, niet met hoe je hem zou willen hebben. Een strategie waarbij Afghanistan onstabiel blijft, is waarschijnlijk een kortzichtige strategie.'

Hij zei dat hij was aangemoedigd om er in zijn vertrouwelijke evaluatie geen doekjes om te winden. Hij prees het proces van beraadslagingen in Washington, maar toen lachte hij en zei dat hem niet altijd de vrijheid zou worden vergund om vrijuit te spreken. Hij voegde eraan toe: 'Wellicht veranderen ze van mening en verpletteren ze me op een dag.'

McChrystals opmerkingen sloegen in als een bom bij de staf op het Witte Huis. Was dit geen onomstotelijk bewijs dat het leger bezig was met een vernietigingsactie tegen de president? Emanuel, Donilon en McDonough waren woedend. Zelfs Jones was geschokt. 'Dit was weer een Whiskey Tango Foxtrot-moment (een *What The Fuck*-moment),' zei hij. Had McChrystal vanwege zijn afgeschermde bestaan in het geheime Special Operations Command misschien totaal geen verstand van public relations?

Al op weg naar Denemarken zei Obama: 'We moeten zorgen dat dit ophoudt. Dit helpt ons niet echt verder.'

McChrystal zei tegen Petraeus: 'Ik weet dat ik dit verknald heb. Ik probeer uit het nieuws te blijven.' Petraeus had eerder nog gehoopt dat de problemen tussen het Witte Huis en het leger nu waren gekalmeerd en gaf McChrystals opmerking door aan Gates. De minister zei tegen de president zei dat McChrystal wist dat zijn speech ongepast was geweest.

Obama en McChrystal spraken elkaar de volgende dag 25 minuten lang aan boord van Air Force One.[11] Geen van beiden ging in op de speech, maar ze kwamen overeen dat zoiets niet nog eens zou gebeuren.

McChrystal bleef bij zijn geschreven evaluatie van 66 bladzijden, maar voegde eraan toe: 'Meneer de president, u beschrijft de missie en wij doen wat nodig is om die uit te voeren.'

Volgens beiden verliep het gesprek zonder vuurwerk of verwijten. Obama was beheerst. Toen de president naar huis terugkeerde, zei hij tegen Axelrod en Gibbs: 'Ik mag hem wel. Ik denk dat hij een goede vent is.' McChrystal was de juiste man voor deze taak, zei hij, maar voegde eraan toe dat de output die ze van het leger kregen, veel te maken had met de input die burgerbevelhebbers als Gates en hijzelf gaven. McChrystals missie was beperkt tot Afghanistan, merkte Obama op, maar zoals ze nu ontdekten, kwamen de grootste problemen uit Pakistan.

Colin Powell, de vorige voorzitter van de verenigde chefs van staven, die als jonge officier met McChrystals vader, majoor-generaal Herbert J. McChrystal had gewerkt, mailde McChrystal met het advies zich voorlopig gedeisd te houden.

De president had al ingestemd met 21.000 extra troepen en het verzoek om nog eens 40.000 man te sturen kwam daar meteen achteraan. Dit was waarschijnlijk een van grootste schokken die een president kon krijgen.

Het deed verschrikkelijk denken aan het verzoek van generaal William Westmoreland van 7 juni 1965 om nog een 41.000 troepen naar Vietnam te sturen. In zijn boek *In Retrospect* uit 1995 noemde Robert McNamara Westmorelands verzoek een 'bom' die 'een dramatisch uitbreiding, met een open einde, van de Amerikaanse militaire betrokkenheid betekende.[12] Van de duizenden telegrammen die ik tijdens mijn zeven jaar op het ministerie van Defensie ontving, wekte dit bij mij de meeste onrust. We werden gedwongen om een besluit te nemen.'

Obama had er niet op gerekend dat hij in de herfst van zijn eerste jaar als president zo onverwacht met zo'n verbijsterend strategisch verzoek geconfronteerd zou worden. Bovendien voerde het leger er al campagne voor, waardoor de president minder keuze had en het Witte Huis de controle over de pr verloor.

Obama blies stoom af bij Emanuel, Axelrod en Donilon. Tegenover Donilon, de medewerker van de Nationale Veiligheidsraad die hij het vaakst zag, luchtte hij zijn boosheid het meest. Donilon zei volgens een bron tegen een collega dat hij zo vaak door de vinger van de president in zijn borstkas was geprikt dat hij er zowat een blauwe plek aan over had gehouden.

Obama wilde weten hoe het zover gekomen was. Hoe heb ik hem in februari troepen kunnen toezeggen? Die troepen zijn nog niet eens ter plaatse. Ze staan op het punt om een strategieverandering te vragen, richten zich tot het publiek en lekken om ons erin te laten lopen.

Donilon ging uit naam van de president tekeer tegen een stel mensen op het Pentagon en riep dat Obama dit onmiddellijk hersteld wilde zien. Hij was een advocaat met één cliënt: de president. Maar in plaats van Obama's frustratie te absorberen, kaatste hij die verder. Hij kreeg de volle laag van de president en gaf die net zo hard door, waardoor er commentaar kwam dat Donilon de brede ervaring miste die voor deze gevoelige positie op het Witte Huis nodig was en dat hij in een advocatenwereld leefde. Donilon had zelfs nooit Afghanistan bezocht. Hij had geen gevoel voor het leger en de situatie ter plaatse. Hij had ambtenaren op het Pentagon aangevallen en had daardoor de verstandhouding met een aantal van hen op het spel gezet, onder wie Gates.

Jones was met stomheid geslagen over McChrystal. Hoe kon hij zo'n speech houden en zo beslist antwoorden terwijl de president zocht naar alternatieve strategieën? Het verbaasde hem allemaal enorm, vooral omdat het Witte Huis Mullen en Petraeus een week daarvoor nog de oren had gewassen vanwege hun opmerkingen.

De nationale veiligheidsadviseur zei tegen Gates dat McChrystals speech het toppunt was en dat de president zich erg had ingehouden.

'Dat moet gewoon ophouden,' zei hij, 'of de president zal iemand moeten ontslaan.'

Gates zei gefrustreerd dat hij meende de juiste stappen te hebben genomen, waaronder het uitvaardigen van richtlijnen, om te zorgen dat dergelijke incidenten niet konden voorkomen.

Jones meende dat het geen kwestie was van richtlijnen, maar van gezond verstand en dat het daar helaas aan ontbrak.

Hij belde ook woedend naar admiraal Mullen, de grootste promotor van McChrystal. 'Ik weet niet waar jullie mee bezig zijn,' zei hij. McChrystals speech was 'óf insubordinatie óf een grote stommiteit'. Het leek alsof hij rechtstreeks de president uitdaagde.

'Het is een fout die ontslag rechtvaardigt, maar we sturen McChrystal niet de laan uit, want we hebben hem nodig,' zei Jones. Tegen Mullen en Petraeus samen zei Jones: 'Een van jullie wordt ontslagen, dat zal ik adviseren.' Jones herhaalde zijn eerdere waarschuwing en zei: 'Jullie verliezen vlieghoogte.'

Het was een grotendeels eenzijdig gesprek geweest met Jones. Mullen had weinig kans gekregen om wat te zeggen. Een van zijn verantwoordelijkheden als de voorzitter van de verenigde chefs van staven was om een breuk tussen de president (en zijn burgerstaf) en de strijdkrachten te voorkomen. Mullen wist dat een dergelijke breuk, zelfs zonder dat er ontslagen vielen, rampzalig kon zijn. Het behoorde tot zijn taak om president Obama te beschermen tegen de strijdkrachten, die enorm veel status genoten bij het publiek. Maar het hield ook in dat hij de strijdkrachten moest beschermen tegen de president, die tenslotte de opperbevelhebber was. De verstandhouding ontwikkelde zich weinig voorspoedig.

Sprak Jones namens de president? Waren zijn opmerkingen – dreigementen eigenlijk – de uitbarsting van een gepensioneerde viersterrengeneraal die zich beledigd voelde door zijn collega's? Of probeerde Jones de president te verdedigen en af te schermen? Jones was ingehuurd als tegenwicht tegen Gates en de hoge omes van het Pentagon. Probeerde hij zichzelf te beschermen?

Tijdens de volgende wekelijkse ontmoeting met Mullen en Gates, bracht de president McChrystals opmerkingen ter sprake.

Ik werd daar echt door in het nauw gebracht, zei Obama, en ik hou er niet van om in het nauw te zitten.

'Het zal niet meer gebeuren' zei Mullen. 'Het was geen opzet.'

Obama had het gevoel dat hij in de val zat en onvoldoende werd gerespecteerd. Het Witte Huis zag de speech als onderdeel van een plan van McChrystal, Mullen en Petraeus.

'Dat is niet het geval,' zei Mullen in een poging om hem gerust te stellen. 'We zouden dat nooit met opzet zo doen.'

Jones kampte zelf ook al maanden met tumult in de Nationale Veiligheidsraad. Een gigantische nagel aan zijn doodskist was de zesendertigjarige Mark Lippert, die drie jaar Obama's assistent buitenlandbeleid was geweest in de Senaat, en op basis daarvan een aanstelling als chef-staf van de Nationale Veiligheidsraad in de wacht had gesleept. Jones meende dat Lippert geringschattende en lasterlijke informatie over hem naar de media had gestuurd en zijn positie in het Witte Huis ondermijnde. Jones had een paar stevige gesprekken met hem, maar dat hielp niet.

Lippert, die als luitenant voor de inlichtingendienst van de Reserve van de Marine had gewerkt, was tijdens de presidentiële campagne naar Irak uitgezonden, maar bleef even hecht met Obama als altijd. De president noemde hem 'brother'. Jones miste een dergelijke nabijheid en losse omgang – of zelfs vriendschap – met Obama. Hij had de dagroosters doorgenomen van Steve Hadley, zijn voorganger als nationaal veiligheidsadviseur. Hadley bracht vaak zes uur of zelfs hele dagen door met president Bush, waarvan een groot deel voor routinevergaderingen en telefoontjes.

Jones wilde niet de indruk wekken dat hij zich opdrong aan Obama. Maar zijn onopvallende, geruisloze optreden leek het gefluister te bevestigen dat hij een nationaal veiligheidsadviseur was zonder voeling, die slechts twaalf uur per dag werkte terwijl veel jongere medewerkers vaak tot laat in de avond in hun kantoor in de West Wing zaten. De kritiek in sommige blogs en publicaties over het buitenlandbeleid werd zo fel dat Jones begin mei besloot om zich door The Washington Post en The New York Times te laten interviewen.[13]

De artikelen die verschenen, brachten de fluistercampagne niet tot staan. Op 11 juni berichtte Fox News dat Jones niet tegen zijn functie was opgewassen met de woorden: 'Een staflid van de Nationale Veiligheidsraad zei dat Jones zo vergeetachtig was dat het leek of hij Alzheimer had.'[14]

Jones was woedend en had de aantekeningen van de uitzending op zijn kantoor liggen.

Jones ging uiteindelijk met Emanuel praten over de lekken, die volgens hem van Lippert kwamen.

'Toen ik het drie keer had gehoord, negeerde ik het nog,' zei hij. 'Maar toen hoorde ik het vier, vijf, zes keer. Oude vrienden van me zeiden dat iemand die informatie doorgaf. Ze konden niet zeggen wie, maar zijn initialen waren M.L., zeiden ze.' Emanuel moest een andere baan vinden voor Lippert.

'Je moet met de president gaan praten,' zei Emanuel. 'Dit is zijn man.'

In juli legde Jones de zaak aan Obama en anderen voor. Iedereen leek het erover eens dat dit flagrante insubordinatie was. Obama beloofde om Lippert aan te pakken.

'Ik zeg het tegen hem,' zei Obama tegen Jones.

Dat duurde twee maanden. Op 1 oktober, de dag waarop McChrystal in Londen zijn speech hield, gaf de perssecretaris van het Witte Huis een verklaring van drie alinea's uit waarin stond dat Lippert weer in actieve dienst zou gaan bij de marine.[15] De verklaring klonk alsof het Lipperts eigen keuze was.

'Ik was niet verbaasd,' zei Obama in de verklaring, 'toen hij me vertelde dat hij zich had aangemeld voor een volgende mobilisatie, want Marks hart gaat uit naar de marine.'

Jones werd als volgt geciteerd: 'Mark heeft een belangrijk rol gespeeld bij de opbouw van een sterke, hernieuwde Nationale Veiligheidsraad, die klaar is voor de talloze uitdagingen waarmee we in de eenentwintigste eeuw worden geconfronteerd. Ik ben ervan overtuigd dat Mark bij de marine zijn land met dezelfde toewijding en vaderlandsliefde blijft dienen als hij hier in het Witte Huis heeft gedaan. Ik feliciteer hem met zijn nieuwe functie.'[16]

Jones dacht ook na over wie hem moest opvolgen als nationaal veiligheidsadviseur. Hij peinsde over een exitstrategie. Zijn assistent, ex-advocaat Donilon, was onvervangbaar geworden. Hij was een kantoorjunkie, die later bleef, meer las en als geen ander agenda's, memo's en taakorders opstelde. Hij zou dat jaar 147 vergaderingen van deputies leiden – soms twee of drie per dag. Dit waren vaak vergaande besprekingen van beleid, geheime inlichtingen en gedetailleerde achtergrondinformatie.

Jones was onder de indruk maar stoorde zich ook aan de hechte band die Donilon had met Emanuel, Axelrod en een aantal anderen. Het ergerde hem dat Emanuel en Donilon nog steeds de voornaamste pijplijn leken te vormen. Deze mannen waren als stemvorken: als de een in trilling werd gebracht, trilde de ander vanzelf mee.

In de traditie van het Korps Mariniers meende Jones dat zijn belangrijke ondergeschikten recht hadden op een functioneringsgesprek. Hij vroeg Donilon om naar zijn kantoor te komen.

'Ik vertrek op een gegeven moment,' zei Jones alsof dat misschien al binnenkort ging gebeuren. Hij had in zijn vorige functies altijd geprobeerd om een opvolger in te wijden, zei hij. 'Misschien word je mijn vervanger, misschien niet,' vervolgde hij. Maar ik zal je vertellen hoe ik denk dat je het doet, wat je goed doet en wat je misschien fout doet.

Jones prees zijn grote organisatorische vaardigheden en zei dat Donilon onmisbaar was voor de president, de *principals* – onder wie Jones zelf – de hele interdepartementale organisatie en de staf van de Nationale Veiligheidsraad. Maar Donilon had drie fouten gemaakt. In de eerste plaats was hij nooit naar Afghanistan of Irak gegaan en had hij nooit het kantoor verlaten om serieus veldwerk te doen. Daarom had hij geen op ervaring stoelend begrip van deze plaatsen. 'Je bent niet geloofwaardig voor de strijdkrachten.' Je zou naar het buitenland moeten gaan. Het Witte Huis, de Situation Room, het interdepartementale spel, hoe belangrijk die ook zijn, zijn niet alles.

In de tweede plaats, vervolgde Jones, doe je regelmatig stellige uitspraken over plekken waar je nooit geweest bent, leiders die je nooit hebt ontmoet of collega's met wie je samenwerkt. Gates had erover gepraat met Jones en gezegd dat Donilons standpunten en sterke ad-hocmeningen, vooral over een bepaalde generaal, hem tijdens een vergadering in het Oval Office zo hadden geërgerd dat hij bijna de zaal was uitgelopen.

In de derde plaats, zei hij, heb je te weinig gevoel voor de mensen die dag en nacht voor de staf van de Nationale Veiligheidsraad werken. Je weet te weinig over hun salarissen, hun ouderschapsverlof, hun gezinsproblemen – over al die dingen die een mensenmanager hoort te weten. 'Het draait allemaal om persoonlijke banden,' zei Jones.

Op vrijdag 2 oktober kwam de Pakistaanse ambassadeur Haqqani, zoals regelmatig gebeurde, op uitnodiging van minister Gates lunchen op het Pentagon.

Haqqani wandelde in opperbeste stemming door de buitenste E-ring van het Pentagon. Er was op zoveel fronten vooruitgang geboekt. In de daaropvolgende weken zou het Pakistaanse leger Waziristan binnentrekken, een offensief waar president Zardari zich sterk voor had gemaakt. Sinds Zardari door zijn pro-Amerikaanse houding aanhangers was kwijtgeraakt, dacht hij steun te kunnen winnen door hard op te treden tegen de Taliban.

Haqqani's verstandhouding met Gates werd met zorg onderhouden, net als die met andere belangrijke figuren in Washington. Hij kende de minister van Defensie al meer dan twintig jaar.

Ze zaten in de privéeetkamer van de minister, met – door kogelvrij glas – uitzicht op de rivier de Potomac. Een staatssecretaris van Defensie ging erbij zitten om aantekeningen te maken.

Gates had een expliciete boodschap voor Haqqani, dezelfde die hem twee dagen eerder door de president was ingegeven.

'We vertrekken niet,' zei hij tegen de ambassadeur en vroeg hem om dat te benadrukken in zijn rapportage aan Islamabad. 'We vertrekken niet uit Afghanistan. Hoeveel meer troepen we sturen en met welk doel, dat zijn de vragen. Wat voor troepen en voor welk doel? We hebben er geen enkel belang bij om het aantal troepen te verminderen dat al in Afghanistan is.'

Haqqani kwam met een boodschappenlijst van materieel dat het Pakistaanse leger nodig had. Het Congres had hem het equivalent van een cadeaubon van het Pentagon toegewezen. Het had in mei een fonds van 400 miljoen dollar goedgekeurd om verbeteringen te kunnen doorvoeren in het Pakistaanse arsenaal voor verzetsbestrijding.

Haqqani nam de lijst met noodzakelijke aankopen door. Vrachthelikopters, Beechcraft 350-vliegtuigen, onbemande vliegtuigjes en raketten, nachtzichtapparatuur, IED-*jammers* (om de werking van bermbommen te blokkeren), vliegtuigonderhoudmaterieel, afluisterapparatuur, fregatten en P-3C Orion-vliegtuigen om op zee te kunnen patrouilleren. Dit alles had het Pakistaanse leger nodig voor het komende offensief tegen de Taliban in Zuid-Waziristan.

Gates fiatteerde meteen bijna alles op de lijst, maar hield zich op de vlakte wat betreft de fregatten en de Orion-vliegtuigen. Die zouden van weinig nut zijn in de ver van zee gelegen stammengebieden waar de Taliban en Al-Qaida zaten.

Toen de koopwoede uitgeleefd was, bracht Haqqani de 1,6 miljard dollar ter sprake die Amerika aan het Pakistaanse leger schuldig was voor operaties langs de Afghaanse grens. Na 9/11 hadden de Verenigde Staten voor Pakistan en andere landen een potje gevormd, het Coalition Support Fund. Hieruit werden bondgenoten betaald voor hun hulp, hoewel een vernietigend rapport uit 2008 van de Amerikaanse financiële toezichthouder 2 miljard dollar aan Pakistaanse claims niet kon verifiëren.[7] De nieuwe 1,6 miljard dollar was geleidelijk opgebouwd tussen mei 2008 en maart 2009. Volgens schattingen van de CIA kwam deze som voor Pakistan neer op meer dan 30 procent van het totale defensiebudget. Haqqani drong aan op het geld en Gates beloofde de zaak te onderzoeken.

17

J ones en de principals vergaderden op maandag 5 oktober ter voorbereiding van de volgende vergadering van de Nationale Veiligheidsraad.
Het debat ging weer over de vraag wie de primaire vijand was.

'We besteden te veel aandacht aan het onderscheid tussen de Taliban en
Al-Qaida,' zei Petraeus gefrustreerd. 'De Taliban worden nu bijna zelf een
nieuwe terroristische groepering.'

'De Taliban en Al-Qaida vormen één groep als ze winnen,' zei Blair. Hij
hoefde er niet aan toe te voegen dat de Taliban inderdaad aan de winnende hand waren. 'Ze kunnen niet worden gesplitst, tenzij ze onder druk
staan.'

De Amerikaanse ambassadeur in Pakistan, Anne Patterson, vergaderde mee via een beveiligde videoverbinding. Ze zei dat de Taliban, Al-Qaida en andere groepen 'elkaar wederzijds versterken'.

Er werden vragen gesteld over een mogelijke overname van Afghanistan door de Taliban.

'Als we vertrekken,' zei Petraeus, dan zou dat 'echt behoorlijk snel' gebeuren.

Gates zei dat ze moesten beseffen dat Afghanistan een unieke symboli-
sche functie had voor de jihad. 'De jihad is hier ontstaan.'

'We hebben de grootste moeite om groepen uit elkaar te houden die in
meer of mindere mate verbonden zijn,' zei de directeur van de CIA Panetta.

De redenering ging als volgt: een overwinning voor de Taliban telde als overwinning voor Al-Qaida, en dus konden de Verenigde Staten niet uit Afghanistan vertrekken.

Maar Jim Steinberg, de plaatsvervanger van minister Clinton, zag het anders. 'Wat moeten we doen om de oorlog te winnen?' vroeg hij. 'Hoe erg moeten we de oorlog tegen de Taliban zien te winnen?'

Niemand antwoordde rechtstreeks, maar Peter Lavoy herhaalde zijn gebruikelijke argumentatie. 'Als men ziet dat de Taliban in Afghanistan winnen, is dat wereldwijd een opsteker voor militanten.'

Eikenberry, die vanuit Kabul eveneens via een beveiligde videoverbinding meevergaderde, zei het daarmee eens te zijn. Hij maakte ook een praktische opmerking: 'We moeten een onderscheid maken tussen de Afghaanse en de Pakistaanse Taliban. Het zou enorm helpen als we Pakistan zover krijgen om iets te ondernemen tegen de Afghaanse Taliban.' Terwijl Pakistan de strijd aanging met de eigen Taliban, had de Pakistaanse inlichtingendienst ISI om zich in te dekken nog steeds contacten met het Haqqani-netwerk en andere bondgenoten van de Afghaanse Taliban.

Mullen steunde Gates in zijn opvatting dat het grensgebied tussen Pakistan en Afghanistan het epicentrum van het terrorisme was. Hij herhaalde ook Petraeus' waarschuwing dat er te veel aandacht was voor het onderscheid tussen de groeperingen.

Clinton zag dat anders. 'De Taliban hebben banden met Al-Qaida,' zei ze beslist. 'Riedels kerndoelen en zijn ondersteunende doelstellingen waren juist en terecht. We hoeven die niet te veranderen om te bespreken wat we in Pakistan en Afghanistan moeten doen. De discussie gaat over de vraag of we een volledig gefinancierde, veel omvattende verzetsbestrijdingcampagne gaan voeren en massale hulp geven aan Pakistan.'

Dat is niet exact de discussie, dacht Petraeus. In de eerste plaats gaat het erom dat we vaststellen wat de werkelijkheid ter plaatse is wat betreft deze groepen. Al het andere komt daaruit voort.

Lute herinnerde Clinton aan de context van McChrystals verzetsbestrijdingstrategie. 'Je weet dat in het door generaal Jones getekende implementatieplan staat dat het veld de Taliban moet verslaan, omdat er werd verondersteld dat dit noodzakelijk was.'

Volgens Jones' richtlijn was het kerndoel om de 'extremistische verzetstrijders te verslaan', waarmee de Taliban werden bedoeld.

Donilon zei: 'Je moet het zinnetje betekenis geven.' De vraag na twee uur discussie was nog steeds of ze de Taliban moesten vernietigen om het kerndoel te bereiken of hen moesten ontwrichten of terugdringen tot de Afghaanse nationale veiligheidstroepen klaar waren.

Petraeus wist zeker dat het moeilijk, zo niet onmogelijk zou zijn om in niet-veilige omstandigheden de Afghaanse veiligheidstroepen op te bouwen. Dat had hij in Irak ondervonden met de Iraakse troepen. Dat was de realiteit waarmee ze te rekenen hadden. Maar hij zou moeten wachten om dat duidelijk te maken.

Clinton en Gates vertrokken naar de George Washington Universiteit voor een rondetafeldiscussie en een interview met de toenmalige CNN-correspondente Christiane Amanpour.[1] Daarna dineerden ze in de Blue Duck Tavern, waar ze het eens leken over de benodigde troepensterkte en over wat er in Afghanistan moest gebeuren. Gates en Clinton zouden een team vormen in de Situation Room, een geducht team.

Op 6 oktober om half drie 's middags ontving Obama in de State Dining Room een groep van ongeveer dertig Republikeinse en Democratische leiders uit het Congres.[2] Het was een gelegenheid om hen bij te praten over de strategieherziening.

Afgevaardigde Eric Cantor, de fractieleider van de Republikeinse minderheid in het Huis, bood de steun van zijn partij aan. 'Als u besluit om iets nieuws te ondernemen, dan staan we achter u,' zei het Congreslid van Richmond, Virginia.

Obama zei dat hij het aanbod appreciëerde. 'Het valt me onwillekeurig op dat toen er laatst om extra fondsen werd gevraagd,' zei hij (hij doelde op het verzoek van mei om 94,2 miljard dollar toe te kennen voor de oorlogen in Afghanistan en Irak), 'die steun veel minder snel werd goedgekeurd. Ik herinner me niet dat dat besluit toen vlot door het Huis glipte. Ik ben heel blij dat die steun er nu wel is.'

Een aantal afgevaardigden uitte kritiek op de nadruk op terrorismebestrijding die Biden voorstond. Zij interpreteerden die als een poging om de Amerikaanse aanwezigheid te verminderen. Er moesten troepen ter plaatse zijn, zeiden ze, om de steun van de bevolking te winnen en informatie te verzamelen. Dat kon niet vanuit de lucht of vanaf zee.

'Laten we hier duidelijk over zijn,' zei Biden nadat hij drie versies van deze klacht had gehoord. 'Ik ben geen voorstander – dat is niemand die aan deze vergaderingen deelneemt – van een aanpak van terroristen die alleen 's nachts door een handvol Special Forces en onbemande vliegtuigjes wordt uitgevoerd.'

'Hoor eens,' onderbrak de president, 'niemand heeft het over vertrek uit Afghanistan.'

McCain zei: 'Ik hoop dat het besluit niet al te veel tijd vergt.' Hij voegde eraan toe dat hij respect had voor het feit dat Obama dit besluit als opperbevelhebber moest nemen.

'John,' antwoordde Obama. 'Ik kan je verzekeren dat ik dit besluit niet op mijn gemak neem. En je hebt helemaal gelijk. Dit is mijn besluit en ik ben de opperbevelhebber.'

Wat een verheffend moment, dacht Axelrod.

'Niemand,' vervolgde Obama, 'heeft meer haast om dit besluit te nemen – maar om het juiste te nemen – dan ik.'

Petraeus en Senator Lindsey Graham hadden die dag een gesprek, zoals ze regelmatig hadden. De generaal bewonderde de handigheid waarmee de Republikeinse Senator Washington bespeelde. Hij beschouwde Graham als een briljante politieke schaker. Maar Grahams opmerkingen een paar dagen eerder in *Fox News Sunday* waren niet erg behulpzaam.[3]

De Senator had McChrystal geciteerd, die volgens hem had gezegd dat de Verenigde Staten zonder versterkingen de Taliban niet konden verslaan. Er waren net acht Amerikanen gedood in Afghanistan, zei Graham. 'De president heeft een tijdskader om de zaak zorgvuldig te overwegen, maar dat loopt ten einde. En wat u gister zag, is precies wat dit land te wachten staat. Onze troepen kunnen het niet plotseling over een andere boeg gooien. Ze zijn een makkelijke prooi. Ze hebben versterkingen nodig.'

Petraeus zei tegen Graham dat hij een paar van Stan McChrystals opmerkingen uit hun context had gerukt. 'Stan wil niet tegen de president worden opgezet,' zei hij. 'Matig je toon, schakel een tandje lager.'

Graham zag de wijsheid hiervan in. Hij wilde niet nog meer olie op het vuur gooien dan al door McChrystals speech in Londen was gebeurd.

'Als ik opperbevelhebber was geweest, had ik dat niet geapprecieerd,' zei Graham. 'En ik denk niet dat Stan het meent. Hij is redelijk, hij ziet wat er komen gaat. Wat er zaterdag gebeurde met die acht doden, dat gaan we vaker zien.'

Petraeus beaamde dat er iets moest gebeuren. Hij zei dat hij en Gates het wat troepenniveau betreft waarschijnlijk eens waren. De militaire hiërarchie – Gates, Mullen, Petraeus en McChrystal – zou in de Situation Room de rangen niet verbreken.

Tijdens hun gesprek zei Graham tegen Petraeus hoe het volgens hem moest worden aangepakt met het benodigde troepenaantal.

'Als je een minimumaantal in je hoofd hebt dat nodig is om te kunnen slagen,' zei Graham, 'maak dan nooit een scenario waarin je dat idee uit het oog verliest. Ze kunnen je om twintig alternatieven vragen en die kun je geven, maar je moet blijven zeggen: "Dat daar is het minimum."'

Graham vervolgde: 'Als je daar niet stevig achter blijft staan, zullen ze het afzwakken, want ze hebben altijd de neiging om voorstellen af te zwakken.' Hij raadde aan om enige speelruimte te nemen, zodat het niet erg was als Obama niet voor het exacte aantal koos. 'Maar als je daar zwak bent,' zei hij, als een lager aantal 'op welke manier en in welke vorm dan ook aantrekkelijk wordt, zit je in de penarie'.

Graham, kolonel bij de Luchtmacht Reserve, adviseerde de generaal. 'Ik ben politicus. Ik weet precies hoe ik een achterdeurtje voor mezelf moet maken. Iedere goede politicus heeft een uitweg. De dag waarop je een probleem krijgt zonder dat er een uitweg is, wordt je een gevaar voor jezelf en anderen.' Help de president, zei Graham. 'Je doet hem een plezier door het hem echt moeilijk te maken.'

Petraeus zei dat hij het niemand makkelijk of moeilijk wilde maken, ook niet de president. 'Ik ga alleen mijn beste professionele militaire advies geven. Punt.'

O, natuurlijk, dat begreep Graham. 'Dat is iets waar de president altijd rekening mee heeft te houden. We zitten al twintig jaar in Europa en Japan, al die landen. Dat interesseert niemand een moer. De slachtoffers, daar gaat het om.' Wat ertoe deed, waren de Amerikanen die sneuvelden en gewond raakten, zoals regelmatig gebeurde. 'Ga erop af met de grootste stootkracht die je maar bij elkaar kunt krijgen, en verander de dynamiek ter plaatse wat betreft de slachtoffers.'

Petraeus zei dat ze 40.000 extra troepen nodig hadden, maar dat zijn minimumaantal waarschijnlijk 30.000 bedroeg.

Rond die tijd bracht Mullen ook een bezoek aan Graham. De admiraal zat op de canapé in het kantoor van de Senator en zei dat Graham zich geen zorgen hoefde te maken over de tijd die Obama nam om een besluit te nemen.

'Ik wil u alleen laten weten, Senator Graham, dat we goede gesprekken voeren,' zei Mullen. 'We denken niet dat die te veel tijd kosten.' Graham besloot zich koest te houden en tijdens zijn volgende televisie-interview zei hij dat de kwaliteit van Obama's volgende beslissing belangrijker was dan de hoeveelheid tijd die hij ervoor uittrok om hem te nemen.[4]

Zowel Emanuel als Obama meende dat Graham hun redelijkste Republikeinse bondgenoot was, maar hij had Petraeus wellicht het beste advies gegeven om te krijgen wat de strijdkrachten wilden: vasthouden aan een minimumaantal troepen.

Op woensdag 7 oktober ontving Jones Clinton en Gates voor een privégesprek in zijn kantoor op het Witte Huis. De president was niet blij. De bijeenkomsten tot dusver hadden het eenvoudige feit aan het licht gebracht dat ze niet precies konden formuleren waarom de Verenigde Staten in Afghanistan waren. Wat was het belang voor Amerika?

Ze moesten een betere manier vinden om dit uit te leggen. Ze hadden niet alleen een betere pr nodig, hoewel dat wel degelijk een onderdeel was. Het oorspronkelijke doel van de oorlog was helder: wraak voor de terroristische aanvallen van 11 september 2001 en vernietiging van Al-Qaida's veilige havens in Afghanistan, wat gelukt was. Maar de oorlog was verder nogal doelloos verder gekuierd, en had eigenlijk al acht jaar een tekort aan middelen.

De discussie bracht nogmaals aan het licht hoe onconventioneel deze oorlog was. De opbouw van de Afghaanse regering was van doorslaggevend belang voor de vraag of de Verenigde Staten zich ooit zouden kunnen terugtrekken.

Ja, zei Gates, ze moesten zich concentreren op het bestuur – dat van de Afghaanse nationale regering, de provincies, de plaatselijke districten en de stammen. Ze moesten de ministeries van de centrale regering helpen die hun steun waard waren, zei hij. Afghanistan moest zijn status van *failed state* achter zich zien te laten, een gigantische taak.

Alle drie gaven ze toe dat ze te veel vastzaten aan termen als *counterterrorism* en *counterinsurgency*. Het publiek begreep niet wat die woorden betekenden. Er waren te veel labels. Ze waren het er ook over eens dat McChrystals missie van nieuwe, realistische doelen en tijdslimieten moest worden voorzien.

Ze ontweken ook de ongerustmakende vraag wat ze er eigenlijk precies probeerden te doen.

Later die dag, om half vier 's middags, verzamelde Obama zijn team voor een drie uur durende bespreking over Pakistan.

Weer begon Lavoy met een samenvatting van de informatie van de inlichtingendiensten. Pakistan leed wat hun loyaliteit betreft aan chronische schizofrenie, het land werd gedomineerd door het leger en de inlichtingendienst, en president Zardari was politiek zwak.

De consensus bij de inlichtingendiensten was dat het met Afghanistan pas goed kon komen als de verstandhouding tussen Pakistan en India stabiel was. Een rijpere, minder explosieve relatie tussen de twee oude vijanden was belangrijker dan de opbouw van Afghanistan, zei Lavoy.

Lavoy sprak over de jaren van Bush. 'We gingen met Musharraf om alsof hij Pakistan was, en dat was hij ook.' Maar toen Musharraf niet meer aan de macht was en in Londen woonde, hadden de Verenigde Staten nog altijd niet genoeg gedaan om een band op te bouwen met andere politieke entiteiten. Er heerst onder Pakistanen nog een diep wantrouwen ten aanzien van de Amerikaanse bedoelingen.

Mullen wees erop dat de omvangrijke hulpprogramma's waarbij het Amerikaanse leger het Pakistaanse trainde, van apparatuur voorzag en andere zaken regelde, nu bijna 2 miljard dollar per jaar kostten. De betrekkingen werden beter. De admiraal sprak vaak met generaal Kayani om vertrouwen tussen beide landen op te bouwen.

De grote kwestie was of er Amerikaanse soldaten in Pakistan zelf mochten opereren. Vanouds was de Pakistaanse grens de rode lijn, maar dit was de kern van het probleem dat opgelost moest worden. Als ze het belangrijkste aspect van het veiligheidsprobleem wilden oplossen, dan moesten ze in Pakistan kunnen opereren. Maar niemand bracht de kwestie die dag ter sprake.

Panetta gaf een lijst door met een voorstel voor uitbreiding van tien tegen het terrorisme gerichte activiteiten van de CIA. Nog meer onbemande Predator-vliegtuigjes in Pakistan was er een van. Een andere was het vergroten van de gebieden waar Pakistan aanvallen met deze vliegtuigjes toestond. Er waren ook voorstellen om in Pakistan nieuwe faciliteiten te openen, om via de ISI het aantal contacten binnen de stammen uit te breiden en om Amerikaanse militaire adviseurs te laten meelopen met Pakistaanse operationele units. De meeste activiteiten zouden met toestemming van de Pakistanen worden uitgevoerd.

Laten we dit doen, zei Obama, en hij keurde alle acties stante pede goed. Het was ongebruikelijk om een onmiddellijke opdracht te krijgen van de president, vooral omdat de besprekingen tot dan toe waren verlopen met het idee om alleen te praten en geen besluiten te nemen.

Het was moeilijk om binnen de begroting na te gaan hoeveel er aan Pakistan werd uitgegeven. Jones krabbelde een aantekening voor zichzelf om na te gaan welke aanvragen er waren gedaan voor materieel en middelen, zowel wit, in de openlijke wereld, als zwart, in de wereld van de geheime operaties.

De president kwam terug op India. 'We moeten met kracht de problemen tussen India en Pakistan te lijf om de spanningen tussen de twee landen te verminderen.'

Minister Clinton ging de consequentie na van het feit dat er de afgelopen jaren geen contact was gemaakt met het Pakistaanse publiek, wat had bijgedragen aan het gebrek aan populariteit van Amerika in dat land.

'Er is de afgelopen jaren weinig openbare diplomatie bedreven,' zei ze. De geschiedenis, met de Verenigde Staten die na de Koude Oorlog de regio hadden verlaten, bepaalde nog steeds de sfeer.

Ondertussen 'wordt de band tussen de Verenigde Staten en India steeds steviger', zei ze en dat werd in Pakistan op zijn zachtst gezegd als negatief ervaren. Toen de Pakistaanse media negatieve verhalen publiceerden, werd er niet genoeg gedaan om die tegen te spreken. Waar was het 'contra-propagandaplan'? vroeg ze.

'Er is gebrek aan fondsen, mensen, concepten, structuren en autoriteiten,' zei Petraeus grinnikend. 'Maar verder doen we het prima.'

Tijdens een groot deel van Bush' presidentschap werd Musharraf beleidsmatig verwend en werden de 170 miljoen inwoners van Pakistan genegeerd. Clinton wilde een besluit over meerjarige civiele hulp voor de Pakistaanse infrastructuur, energievoorziening en landbouw, plus een campagne in de media.

Biden begon een verhaal over hoe een Pasjtoenleider in Afghanistan invloed uitoefende in Pakistan, een relaas met zoveel veronderstellingen dat een paar anderen in de kamer al snel het spoor bijster raakten. Petraeus zei later tegen de anderen dat de vicepresident de neiging had om zich in zijn eigen woorden te verstrikken, en dat hij schijnargumenten aandroeg die hij dan vervolgens makkelijk zelf de grond in kon boren.

De discussie stokte. Obama las een lijst vragen door over hoe ze de Pakistanen konden overtuigen dat het in hun belang was om te veranderen.

'Er is nog geen helder antwoord op de vraag wat Pakistan zou kunnen overtuigen om een strategische koerswijziging te maken in onze richting,' zei hij. 'Waarom kunnen we niet open en eerlijke gesprekken met India voeren over de noodzaak van een stabiel Pakistan?' India is bezig naar een hogere plek te klimmen wat wereldwijde status betreft. Een stabiel Pakistan zou daarbij helpen.

De andere vragen luidden onder andere: zou Pakistan door de inzet van extra Amerikaanse troepen in Afghanistan meer of juist minder bereid zijn tot medewerking? Kunnen we de Pakistaanse corruptie omzeilen en zorgen dat Amerikaanse hulp terechtkomt bij de mensen voor wie deze is bedoeld? Via een videoverbinding bracht ambassadeur Anne Patterson de hulpvraag ter sprake. 'We moeten de Pakistanen enige controle over de projecten geven, hoewel het ook goed zou zijn om de civiele sector te mobiliseren.'

Obama eindigde de bijeenkomst met de opmerking dat hij het beeld wilde verbeteren dat Pakistanen van de Verenigde Staten hadden.

Bij een discussie over de spanningen tussen India en Pakistan, kwam Holbrooke met een nieuwe invalshoek. 'De strijd heeft in bepaalde opzichten ook te maken met de opwarming van de aarde,' zei hij.

Velen in de kamer waren verbijsterd door deze opmerking.

Tienduizenden Indiase en Pakistaanse troepen zijn in de Himalaya gelegd op gletsjers waar rivieren ontspringen die door Pakistan en India stromen, zei hij.[5] 'Door deze kampementen smelten de gletsjers heel snel.' Er is een kans dat rivieren in Pakistan en zelfs in India hierdoor overstromen.

Na de vergadering vroeg iedereen in verschillende toonaarden: maakte Holbrooke een grapje?

Nee. Holbrooke preciseerde zijn zorgen naderhand in een schriftelijk rapport. De diplomaat – die aanvoelde dat hij uit de gunst was bij Obama – deed zijn uiterste best om iets opvallends te zeggen, iets wat indruk maakte op de president. Eerder had hij gesproken over een verdrievoudiging van het aantal burgerexperts in Afghanistan, tot duizend aan het eind van het jaar, volgens hem 'de grootste inzet van burgertroepen in de geschiedenis'. En Holbrooke verwees telkens weer naar wat volgens hem neerkwam op een enorme vooruitgang in de Afghaanse landbouweconomie. Donilon moest hem uiteindelijk vertellen dat hij de Nationale Veiligheidsraad meer diende te geven dan een lijst activiteiten en issues. De president wilde een complete strategie van Holbrooke, zei Donilon.

Pas later tijdens Obama's presidentschap zou Holbrooke echt begrijpen hoe weinig de president met hem ophad. Toen president Obama in de eerste paar dagen van zijn regering Holbrookes aanstelling bekendmaakte, spraken de twee elkaar even onder vier ogen.

Holbrooke had gezegd dat hij heel dankbaar was voor zijn aanstelling op deze zeer zichtbare post en had daarna gezegd: 'Meneer de president, ik wil u om een gunst vragen... Wilt u me het plezier doen me "Richard" te noemen? Mijn vrouw wil dat zo graag.' Holbrookes echtgenote hield niet van de naam 'Dick' die de president tot dan toe had gebruikt. Tijdens de ceremonie noemde Obama Holbrooke inderdaad 'Richard'. Maar later zei de president tegen anderen dat hij het verzoek hoogst ongebruikelijk en zelfs vreemd had gevonden. Holbrooke was ontzet toen hij vernam dat zijn verzoek – waarover hij verder tegen niemand iets had gezegd – door de president was doorverteld.

Petraeus vond het heen-en-weergepraat tijdens deze bijeenkomsten op een bepaald niveau nuttig, maar het sleepte zich volgens hem te lang voort. Er zaten grenzen aan het brainstormen. Afgaand op de teneur van de vergadering schreef hij optimistisch in zijn zwarte aantekenboekje: 'Er komt een hernieuwde inzet voor Afghanistan.'

18

McChrystal kreeg op donderdag 8 oktober om half elf 's morgens eindelijk de kans om zijn alternatieven voor de troepenaantallen aan de principals te presenteren – Obama zelf was er niet bij. McChrystals ernstige, sombere gezicht verscheen op een van de platte monitoren die in de Situation Room aan de muur hingen. Het was zeven uur 's avonds in Kabul.

Hij had veertien computerillustraties – *slides* – bij zijn verhaal.

De generaal hield vast aan zijn voornaamste punt: de omstandigheden in Afghanistan waren een stuk slechter dan hij had verwacht en de enige remedie was volledig toegeruste counterinsurgency.

Jones bracht hier korzelig tegenin dat een aantal essentiële vragen niet was beantwoord. De Verenigde Staten hadden nog een lange weg te gaan wat betreft hun inzet aan de Pakistaans-Afghaanse grens. In zijn aantekenboekje omcirkelde en onderstreepte hij de opmerking: 'We kunnen onmogelijk een strategie voor Afghanistan implementeren die de bases in Pakistan ongemoeid laat.'

Jones vroeg hoe het zat met de wil van de Afghaanse troepen om te vechten. En met de wil van het Afghaanse volk? En met de mogelijkheden om het lokale, regionale en nationale bestuur te hervormen? Ze hielden zichzelf voor de gek als ze dachten dat de oplossing bestond uit het sturen van nog meer troepen.

'Het plan is niet uitvoerbaar als het bestuur niet verandert – fundamenteel verandert,' zei Jones.

McChrystal somde zijn drie alternatieven op. Voor het eerste waren 10.000 tot 11.000 troepen nodig, vooral voor het trainen van Afghaanse veiligheidstroepen. Voor het tweede waren er 40.000 troepen nodig om de bevolking te beschermen, terwijl er bij het laatste, voor hetzelfde doel, 85.000 troepen nodig waren.

De alternatieven waren op een slide van een kaart van Afghanistan geïllustreerd met behulp van blauwe 'inktvlekken' die de gebieden aangaven waar troepen gestationeerd zouden worden. De vlekken waren groter en talrijker naarmate de aantallen toenamen.

Maar geen van de vlekken bevond zich langs de grens met Pakistan. Dit was wit gebied, dat openstond voor de Taliban. De ontbrekende vlekken wezen op een fundamentele tekortkoming in het plan, meende Jones. In zijn aantekenboekje schreef hij: de aanvraag voor meer troepen komt, zoals deze er op dit moment uitziet, niet overeen met onze kerndoelen.

En zelfs met 85.000 troepen erbij – waarschijnlijk werd er vooral zo hoog ingezet om het aantal van 40.000 aantrekkelijker te doen lijken – konden de Verenigde Staten slechts 60 procent van de bevolking beschermen. Met deze optie was volledige verzetsbestrijding onmogelijk. Hoe kon McChrystal dus denken dat hij de Taliban kon verslaan?

Iedereen zat met het doel van het verslaan van de Taliban in zijn maag, zo ook Holbrooke, die het onnodig en ook onbereikbaar achtte. Hij had McChrystal er onlangs nog om bekritiseerd en gevraagd wat 'verslaan' precies betekende.

Het betekent terugdringen, antwoordde McChrystal, zorgen dat de Taliban niet grote delen van het land kunnen overnemen. Dit was een belangrijke wijziging van de definitie, die voorheen bijna was geïnterpreteerd als: totale vernietiging van de Taliban.

Clinton vroeg of hij het met minder troepen af kon, nu het doel dus terugdringen was.

'Nee, mevrouw,' zei de generaal. Hij hield vast aan zijn aantal van 40.000.

De volgende morgen bij het wakker worden hoorde Obama dat hem de Nobelprijs voor de Vrede was toegekend.[1] De president belde zijn speechschrijver voor het buitenlandbeleid, Ben Rhodes, nu directeur Strategische Communicatie van de Nationale Veiligheidsraad. Kon Rhodes helpen bij het opstellen van een paar woorden?

De tweeëndertigjarige Rhodes belde zijn lunchafspraak af. Voordat de in de Upper East Side van Manhattan geboren Rhodes de politiek inging, wilde hij romanschrijver worden. Hij had één verhaal gepubliceerd, getiteld 'The Goldfish Smiles, You Smile Back', over iemand die op een kantoor werkt en carrière maakt dankzij zijn uitzonderlijke notulen.[2] 'Mijn aantekeningen maken zoveel indruk dat ze de vorm krijgen van ideeën [...] Ik vat de woorden van anderen zodanig samen dat ze niet alleen structuur krijgen, maar dat ze helderder en doelgerichter worden dan het oorspronkelijke idee.' Rhodes deed in feite hetzelfde voor de president. Hij gebruikte Obama's gedachten en uitspraken, maar maakte ze 'helderder en doelgerichter'.

Obama verscheen om half elf 's morgens op een podium bij de rozentuin.[3] Hij was niet, zoals velen die de Nobelprijs voor de Vrede winnen, vervuld van idealisme, maar van de harde realiteit.

'We moeten de wereld tegemoet treden zoals we die vandaag de dag kennen,' zei hij. 'Ik ben opperbevelhebber van een land dat verantwoordelijk is voor de beëindiging van een oorlog en dat op een ander toneel werkt aan de confrontatie met een meedogenloze vijand die het Amerikaanse volk en onze bondgenoten rechtstreeks bedreigt.'

Het was een onthullend zinnetje. De Amerikaanse troepen vochten niet in Afghanistan. Ze 'werkten' op een 'toneel'.

De voltallige vergadering van de Nationale Veiligheidsraad, met de president erbij, zou die middag om half drie plaatsvinden. Het was hun vierde vergadering. Petraeus was overgevlogen vanuit zijn woonplaats, het stadje Cornwall in de staat New York, waar de dag ervoor een straat naar hem was vernoemd.

De president opende de vergadering met de vraag of alle aanwezigen hem wilden vertellen wat er volgens hen met de oorlog moest gebeuren.

Zoals gewoonlijk nam Lavoy, de zacht sprekende expert van de nationale inlichtingendiensten, als eerste het woord. De meesten in de kamer waren hem als bijzonder geloofwaardig gaan zien; sommigen leken hem zelfs als het orakel van de bijeenkomsten te beschouwen. Lavoy was goed, maar anderen meenden dat een groep die zulke immense verantwoordelijkheden droeg, niet zo sterk op één persoon mocht vertrouwen, hoe goed hij ook was geïnformeerd, vooral omdat de meesten van hen verhoudingsgewijs weinig over Pakistan wisten.

Lavoy herinnerde hen er weer aan dat Pakistan geobsedeerd was door India. De Indiërs hebben bijvoorbeeld een 1 miljard dollar kostend hulpprogramma in Afghanistan, dat volgens Pakistan geheime informanten betaalt. Ieder jaar gaan duizend Afghaanse studenten in India landbouwkunde studeren – volgens de Pakistanen zijn dat duizend spionnen, terwijl de CIA meent dat er slechts een paar onder zitten. De Pakistanen dachten ook dat het hoofd van de Afghaanse inlichtingendienst, Amrullah Saleh, die tot de Noordelijke Alliantie behoorde, een etnische Tadzjikische groep van vóór 9/11 die tegen de Taliban vocht, een agent was van India.

Men was ook bezorgd dat India separatistische bewegingen in verschillende delen van Pakistan financierde, vooral onder de autochtone bevolking van Baluchistan, een dunbevolkte provincie waar een deel van de Afghaanse Taliban hun bases had.

Lavoy zei dat de Pakistanen de Verenigde Staten tot op zekere hoogte tegemoetkwamen, maar dat ze hun bedenkingen bleven hebben over de inzet van de Amerikanen. Ze weten dat ze onmisbaar zijn voor ons en onze missie in Afghanistan. Het land veranderde zijn gedrag naar aanleiding van Amerikaans optreden tegen terroristen en, nog belangrijker, van terroristische acties tegen de Pakistaanse regering. Dit leidde tot steun van politici en de bevolking voor recente militaire acties door het Pakistaanse leger in de stamgebieden.

Maar de Pakistanen, zei Lavoy, denken ook dat een grotere Amerikaanse militaire betrokkenheid in Afghanistan bepaalde risico's met zich meebrengt. Taliban-strijders en vluchtelingen die naar Pakistan uitwijken, helpen de terroristen in Pakistan om hun eigen acties te rechtvaardigen in de naam van de islam.

Lavoy herinnerde hen er weer aan dat Afghanistan en Pakistan tegengestelde belangen hebben. Terwijl Karzai meer troepen van de Verenigde Staten en de NAVO wil, zijn de Pakistanen bang dat een sterke Afghaanse nationale regering banden zal hebben met hun aartsvijand India en dat hun land wordt omsingeld en geïsoleerd. De Pakistanen, vooral het leger en de ISI, maken zich zorgen dat het aantal Amerikaanse troepen te groot is en Karzai dat het aantal te gering is.

Volgens Lavoy bleek uit gevoelige informatie van de inlichtingendiensten dat Pakistan halfslachtig optrad tegen verzetstrijders en bases van Al-Qaida ongemoeid liet. Om de zaak nog erger te maken, bleek uit de informatie ook dat geld alleen niet voldoende is om Pakistanen tot meer inspanningen over te halen, omdat ze waarschijnlijk ook betaald worden door andere landen met andere belangen, zoals China en Saudi-Arabië.

Ik lag vannacht wakker en heb de rapporten van de inlichtingendiensten gelezen, zei Obama op een gegeven moment. Op een van de eerste bladzijden stond – zoals Lavoy al opmerkte – dat Pakistan zich grote zorgen maakte dat de Verenigde Staten zich net als eerder uit Afghanistan en de regio zouden terugtrekken.

Een stuk verderop in het rapport, zei Obama, stond ook dat de Pakistanen bezorgd waren dat er aan de grens een groot Afghaans leger kwam te staan dat banden had met India. De opbouw van dat leger was een van de doelen van de Verenigde Staten.

Hoe verklaar je die tegenstelling? vroeg Obama. Waar maakte Pakistan zich nu precies zorgen over: over te veel of te weinig troepen? 'Wat moet ik geloven?'

Meneer de president, beide is waar, antwoordde Lavoy. Zo was Pakistan nu eenmaal. Clinton, Holbrooke en Gates zeiden dat ze het in principe eens waren met Lavoy. Er waren overvloedige bewijzen voor beide stellingen. Holbrooke zei later tegen de anderen dat hij de president had zien optreden op de manier van een advocaat. Iedere advocaat pikte zo'n oppervlakkige tegenstelling er meteen uit.

Vervolgens hield McChrystal een presentatie van een half uur, met veertien slides, over zijn evaluatie en zijn drie alternatieven voor troepenversterking; het was de presentatie die hij de dag ervoor had geoefend.

Toen hij bij de slide kwam waarop het doel 'de Taliban verslaan' werd vermeld, stond er nu een klein blauw kadertje naast het diagram, waarin stond dat met 'verslaan' werd bedoeld dat de Taliban geen wezenlijke bedreiging meer zouden vormen voor de Afghaanse regering, dat ze niet konden slagen als verzetsbeweging.

Anders dan tijdens de oefenpresentatie zei McChrystal dat als de missie werd gewijzigd, de benodigde hoeveelheid troepen ook zou veranderen. Maar hij stelde precies dezelfde alternatieven voor: 10.000-11.000, 40.000 en 85.000.

McChrystal benadrukte hoe belangrijk het was dat de Afghanen zelf werden getraind. Leger en politie moesten in 2013 samen 400.000 man sterk zijn. Het doel van 400.000 was afkomstig van de bespreking met Riedel in maart. Het Afghaanse leger bestond op dat moment uit 100.000 soldaten en de politie uit 80.000 agenten, dus de hoeveelheden zouden meer dan verdubbeld moeten worden.

Uiteindelijk kan Afghanistan alleen maar worden gestabiliseerd door de Afghanen zelf, zei McChrystal. Verbetering van het bestuur en de aanpak van corruptie waren van doorslaggevend belang.

Zijn verhaal over verzetsbestrijding was volgens het boekje. Het doel van 400.000 man leger en politie kwam perfect overeen met de richtlijn voor verzetsbestrijding van één soldaat of politieman per veertig tot vijftig inwoners. Maar sommigen vonden dat McChrystal afbreuk deed aan de kwaliteit van zijn presentatie door zo op diagrammen, powerpoint-slides en kaarten te steunen.

Er werd de volgende vraag gesteld aan McChrystal: generaal, als u een op de bevolking gerichte strategie volgt, waarom dan die afwijkingen tussen de plaatsen waar mensen wonen en de plaatsen waar u troepen hebt of wilt inzetten? Niet alle vlekken die de aanwezigheid van troepen symboliseerden, kwamen overeen met de vlekken op de kaart die de bevolkingsdichtheid aangaven.

McChrystal zei dat troepen moesten waken over de productiecentra en de communicatielijnen. Als de lijnen tussen bevolkingscentra niet in stand werden gehouden, dan zouden die als Fort Apache worden: kwetsbare eilanden die het in hun eentje moesten zien te rooien.

Lute vroeg zich af waarom de president niet verder op de zaak inging door McChrystal te vragen om alle vlekken die troepeninzet aangaven te vergelijken met die van de bevolkingsdichtheid. En door vragen te stellen als: waarom al dat blauw op deze kaart? Waarom zou ik dat allemaal moeten geloven? Waarom zijn sommige gebieden langs de Pakistaanse grens niet blauw?

Biden begon een kruisverhoor. 'Als ik goed begrijp wat u nu zegt en wat er in uw rapport staat, dan bedoelt u dat we ongeveer een jaar hebben,' zei hij, 'en dat uw succes afhankelijk is van het ontstaan van een bestuur dat als een sterke, betrouwbare partner kan fungeren?'

Ja meneer, antwoordde McChrystal.

Biden sprak vervolgens de gepensioneerde driesterrengeneraal en ambassadeur in Afghanistan Karl Eikenberry aan, die via een videoscherm meevergaderde. Eikenberry was een jaar voor Petraeus van West Point afgestudeerd, sprak vloeiend Chinees en had de reputatie van een veeleisende militair. Volgens voormalige jonge officieren was onder hem dienen zoiets als een stage bij een piratenkapitein. Eikenberry had tussen 2005 en 2007 anderhalf jaar als militair bevelhebber in Afghanistan gediend. Obama had hem in januari gekozen als ambassadeur, hoewel er zelden gepensioneerde generaals als ambassadeur werden benoemd.

In plaats van Eikenberry 'ambassadeur' te noemen, vroeg de vicepresident: 'Generaal, kan het – of kunnen we – naar uw inschatting volgend jaar al zover zijn?'

Nee, meneer, zei Eikenberry, want een dergelijk betrouwbaar, sterk partnerschap bestond niet in Afghanistan.

Eikenberry gaf een tien minuten durende pessimistische samenvatting van hoe hij erover dacht. Hij was het eens met de inschatting dat de situatie verslechterde en dat er meer troepen en materieel nodig waren, maar een strategie om het verzet te onderdrukken was te ambitieus en zou uitdraaien op nation building, wat een gigantische onderneming was, die op dramatische wijze kon mislukken.

Bij verzetsbestrijding, zei hij, 'hebben we het over vrijmaken, vasthouden en opbouwen, maar we moeten hier ook rekening houden met overdracht', zei Eikenberry. Deze 'overdracht' was het vertrek van de Verenigde Staten en daarvoor moest er eerst een betrouwbare partner zijn, maar die was er op dat moment niet.

Zitten we op één lijn met Kabul? vroeg hij. We gaan daarvan uit. 'Ik waag dat te betwijfelen,' zei hij. Ze werden ernstig gehinderd door Karzais zwakte als president en de afwezigheid van een sterke centrale overheid.

'Op dit moment kampen we met een buitengewoon corrupte overheid.' Dit alles, zei hij, 'is deprimerend en ontmoedigend'. De villa's van de hoge ambtenaren in Kabul waren alleen nog maar weelderiger geworden sinds zijn tijd als militaire opperbevelhebber van het land.

Er zijn grenzen aan wat we tegen corruptie kunnen doen, zei hij. Ze moesten realistisch zijn.

'De Afghanen denken dat we daar zijn omdat we daar moeten zijn, en dat ze zich dus niets hoeven aan te trekken van wat wij willen dat ze doen,' zei de ambassadeur. Hij had bijna gezegd dat het hopeloos was.

Hij zei dat ze bij een eventuele toename van het aantal troepen in Afghanistan rekening moesten houden met de politieke en psychologische implicaties in de buurlanden Irak en Pakistan.

'Voordat we naar de middelen kijken,' zei Gates, 'hebben we onszelf over de volgende drie opties gebogen.' Dat waren: 1. Verzetsbestrijding, wat nation building is gaan betekenen; 2. terrorismebestrijding, waarbij mensen denken aan raketten die worden afgevuurd vanaf een schip op zee; en 3. terrorismebestrijding-plus, zoals voorgesteld door de vicepresident. Er zijn natuurlijk nog meer alternatieven dan deze, zei Gates.

De doelen die we daar gesteld hebben, zijn goed, maar 'we verwoorden ze te ambitieus'. Het doel dat we hebben is goed: de Taliban verslaan. Maar dan: 'Wat bedoelen we met "de Taliban verslaan"?'

Gates ging in op de nieuwe kadertekst bij McChrystals slide van de Amerikaanse doelen in Afghanistan.

'De Taliban worden waarschijn een onderdeel van het politieke landschap dat ontstaat,' zei Gates. 'Wat betreft de veiligheid, moeten we zorgen dat de Taliban geen "grote stukken terrein en grondgebied" kunnen bezetten.' Dat gold vooral voor het zuiden en oosten van Afghanistan.

Het is heel belangrijk dat de Taliban niet tot in de steden kunnen doordringen en dat het geweld wordt beteugeld tot een niveau waarop de Afghaanse nationale veiligheidstroepen het aankunnen.

'We moeten het doel opnieuw definiëren,' zei Gates. 'Dat is niet de Taliban vernietigen, want dan leggen we de lat waarschijnlijk te hoog.' Hij kwam terug op zijn eerdere mening, verwoord in het implementatieplan van die zomer, dat ze de opstandelingen zouden 'verslaan'.

De Verenigde Staten hadden waarschijnlijk meer geprobeerd te bereiken dan mogelijk was, zei Gates. Goed bestuur staat haaks op de geschiedenis van Afghanistan, dus moeten we ons concentreren op de individuele ministeries die ertoe doen. Hij gaf zijn mening over de regering-Karzai: 'De corruptie gaat alle perken te buiten.'

'We hebben vaak iets van de corruptie gezegd, maar nooit echt druk uitgeoefend. Als de verkiezingen eenmaal achter de rug zijn, zouden de Verenigde Staten bereid moeten zijn om fondsen te blokkeren.'

'We hebben een nieuwe overeenkomst nodig die zegt dat er niet één dollar naar een corrupte minister gaat en dat we degenen steunen die het wel goed doen,' zei Gates.

De minister van Defensie vatte het samen. Ze moesten een alternatief formuleren voor verzets- en terrorismebestrijding. In een strategisch plan moest in elk geval de Taliban de mogelijkheid worden ontzegd om gebied te bezetten en te beheersen – zijn nieuwe maatstaf – maar het plan diende wel de reïntegratie van Taliban in het bestuur te faciliteren en het bestuur te verbeteren.

Zoals gewoonlijk had Petraeus een samenvatting uitgeschreven van wat hij op de vergadering wilde zeggen. Deze was volledig gericht op beschrijving van de hachelijke situatie en de noodzaak om meer troepen te sturen.

Hij steunde Gates. 'We zullen de Taliban niet verslaan,' zei hij, maar we moeten voorkomen dat ze in de belangrijkste bevolkingscentra komen of de communicatielijnen aantasten die hen 'binnen de perken houden'.

'Als we de neerwaartse veiligheidsspiraal niet weten om te draaien, krijgen we net als in Irak een spiraal van de dood.'

'In Irak hebben we geleerd' – sommigen kreunen onderdrukt – 'dat als het geweld erger wordt, eerst de plaatselijke politie en vervolgens andere krachten steeds meer onder vuur komen te liggen.'

De veiligheid, waar naar zijn gevoel nog onvoldoende over was gezegd, was de hoeksteen voor alle vooruitgang in Afghanistan. Zonder veiligheid was het onmogelijk om de Afghaanse troepen afdoende te trainen, maar maakte ook de ontwikkeling van plaatselijk bestuur en de reïntegratie van eerdere vijanden weinig kans. Door alle moorden en bomaanslagen waren mensen te bang om de noodzakelijke stappen te nemen. Ze vonden het makkelijker om zich te onderwerpen aan de schaduwregeringen van de Taliban.

'Ik begrijp de aarzeling om meer troepen in te zetten voordat de politieke situatie in Kabul is geregeld,' zei Petraeus, 'maar tijd is een belangrijke factor. We moeten de opmars van de Taliban tot staan brengen en het initiatief weer naar ons toe trekken.'

Hij trok alle registers open. 'Dit is niet alleen fysiek belangrijk, maar ook moreel. Bij een dergelijke strijd gaat het om een beproeving van de wilskracht. Ik denk dat de doelen die we besproken hebben niet alleen voor Afghanistan, maar ook voor de regio, de NAVO en de Verenigde Staten belangrijk zijn. En volgens mij beseffen we dat we niet weten hoe lang het gaat duren om de politieke situatie te regelen en moeten we daar nuchter over zijn, zoals Karl al opmerkte.'

'Ik heb begrepen dat de overheid een criminele organisatie is,' zei hij. 'Maar we moeten helpen voor veiligheid te zorgen en, zoals opgemerkt, het initiatief weer oppakken en een aantal recente tactische overwinningen vertalen in een operationele impuls. Ik ben het volkomen eens met Stans evaluatie en aanbeveling, zij het dat er nog enige verheldering nodig is' over de Taliban. 'Minister Gates voegt begin volgende week mijn officiele opmerkingen bij de bevestiging van de voorzitter en de verenigde chefs van staven.'

Biden kwam tussenbeide met een vraag: 'Als de overheid over een jaar nog een criminele organisatie is, hoe moeten troepen dan het verschil uitmaken?'

Niemand heeft het antwoord op de vraag in zijn aantekeningen opgenomen. Biden haalde hard uit naar McChrystal, Gates en Petraeus.

'Wat is jullie beste schatting van wat er nodig is om de dingen in de juiste richting te krijgen?' vroeg hij. 'Wat doen we als er over een jaar geen aantoonbare vorderingen zijn geboekt met het bestuur?'

Geen antwoord.

Biden probeerde het nogmaals. 'Als de overheid niet verbetert en als jullie over een jaar de troepen krijgen, welke invloed hebben die dan?'

'De afgelopen vijf jaar zijn niet hoopgevend,' antwoordde Eikenberry, 'maar op deelgebieden is vooruitgang geboekt. Daar kunnen we op voort-bouwen.' In de komende zes tot twaalf maanden, zei hij, 'zijn er geen gro-te doorbraken te verwachten'.

Biden bewonderde Eikenberry; hij bewierookte hem en noemde hem privé een 'verrekt eerlijke vent'.

19

Het was op de vergadering van 9 oktober de beurt van de minister van Buitenlandse Zaken. 'Meneer de president,' begon Clinton, 'het dilemma waarmee u wordt geconfronteerd...'

Op de achterste rij merkte perssecretaris Gibbs op dat ze 'u' zei, alsof er slechts één persoon in dit schip zat en de anderen zich op een aangename afstand bevonden. Gibbs had het gevoel alsof Clinton vanuit de verte haar mening gaf. Herinneringen aan de felle ruzies en diepe vijandigheid van tijdens de Democratische presidentiële voorverkiezingen leefden nog voort in het Witte Huis, zeker bij voormalige campagnemedewerkers als Gibbs en Axelrod.

Ook Holbrooke was verbijsterd over Clintons gebruik van het woordje 'u'. Ze had 'wij' moeten zeggen om te benadrukken of zelfs van de daken te schreeuwen dat ze een teamspeler was. Holbrooke vermoedde dat Obama-aanhangers haar 'u' zouden beschouwen als een poging om afstand te namen. Hij hield zijn mond terwijl ze aan het woord was, aangezien het onvergefelijk zou zijn om haar te onderbreken terwijl ze zo in de schijnwerpers stond. Holbrooke noemde het later tegenover anderen een 'freudiaanse verspreking'. De enige vraag was of ze dit bewust had gezegd of niet. Hij meende hoe dan ook dat Clinton zichzelf los vond staan van het beleid en het proces. En hoe meer ze voor de oorlog was, des te verdachter ze werd gevonden door Witte Huis-medewerkers die trouw waren aan de president.

Maar de 'u'-formulering werd ook door anderen gebruikt. En het was tenslotte ook Obama die het besluit diende te nemen, dus het woord was correct. Maar uit de reactie van Gibbs en Holbrooke blijkt wel dat de emoties hoog opliepen.

Clinton zei dat er sprake was van een dilemma: moesten er eerst meer troepen of eerst een beter bestuur komen? 'Maar als we geen troepen sturen, weten we zeker dat we niet bereiken wat we willen en dat er geen psychologische impuls ontstaat. Om een ineenstorting te voorkomen, hebben we meer troepen nodig, maar dat maakt vooruitgang nog niet zeker.'

Ze liet zich nog iets meer in de kaart kijken. De Afghanen moesten zich veilig voelen voordat hun bestuur beter kon worden, zei ze. Het was hetzelfde argument als Petraeus in eerdere vergaderingen had gebruikt en dat ze toen leek te bekritiseren. Obama 'moet meer troepen sturen', zei ze. 'Is het mogelijk om onze doelen te bereiken in Afghanistan en Pakistan zonder dat we ons vastleggen op meer troepen?' Ze beantwoordde haar eigen vraag: 'De enige manier om te zorgen dat het bestuur verandert, is extra troepen sturen, maar er is geen garantie dat dit werkt.'

Clinton ratelde vervolgens de redenen af waarom er geen garantie was. Als we toezeggen troepen te sturen, hoeveel dan? Hoe kunnen we dit met Pakistan coördineren? Hoe kunnen we de reïntegratie van Afghanen steunen en partnerschappen opzetten? Wat is de meeste effectieve weg voorwaarts met de Afghaanse leiders?

'Dit zijn moeilijke, onbevredigende opties,' zei ze. 'Het is in het belang van onze nationale veiligheid om te voorkomen dat we door de Taliban worden verslagen. Hetzelfde geldt voor de vernietiging van Al-Qaida, wat moeilijk zal gaan zonder Afghanistan. Het is een bijzonder moeilijk besluit maar de opties zijn beperkt, tenzij we inzet tonen en het psychologisch voordeel aan onze kant weten te krijgen.'

Admiraal Mullen bracht dezelfde argumenten ten gunste van meer troepen naar voren, en zei dat de herformulering van de doelstellingen door minister Gates correct was. 'Veiligheid is haalbaar, maar de tijdsfactor is belangrijk.' Naar zijn mening was het een 'redelijke verwachting om binnen drie tot vijf jaar een leger van 240.000 Afghanen te trainen'.

'Mogelijk zien we aan het eind van volgend jaar of dit gaat werken,' voegde Mullen eraan toe. 'De urgentie ervan wordt ingezien. Psychologisch is het iets enorms. De commitment en de toekomst van de NAVO zijn in het geding.'

De directeur van de nationale inlichtingendienst Blair zei dat de binnenlandse politiek een probleem kon zijn. Het zou moeilijk worden vanwege de slachtoffers, zei hij. Vorige maand was erg: veertig dodelijke slachtoffers, twee keer zoveel als het jaar ervoor.

'Is het dit waard?' vroeg hij. 'Het antwoord luidt: mensen zullen het steunen zolang ze het gevoel hebben dat we vooruitgang boeken.' Voor het eerst zou de president zijn strategie laten ontwikkelen door het gehele oorlogskabinet, en we zullen het Amerikaanse volk kunnen uitleggen wat we aan het doen zijn, zei hij.

Wat ze niet konden doen, zei CIA-directeur Panetta, is de status-quo accepteren. 'Je kunt niet vertrekken.' En hij beaamde: 'Je kunt de Taliban niet verslaan.' Ze hadden het niet over een jeffersoniaanse democratie in Afghanistan, zei Panetta, die dit als basis zag voor een beperking van de Amerikaanse misse en aanvaarding van Karzai, in weerwil van zijn tekortkomingen.

'Daarmee blijft er een missie met een specifiek doel over: de strijd tegen Al-Qaida, zorgen dat ze nergens naartoe kunnen,' zei Panetta.

We moeten met Karzai werken, ging hij verder. Hij klonk als Karzais *case-officer*. De CIA had al meer dan acht jaar banden met de familie Karzai. Bij een beperkter missie zouden er nog altijd bevolkingscentra veiliggesteld moeten en zou er nog jacht gemaakt moeten worden op Taliban. Ze moesten de leiders van de Taliban op de korrel blijven nemen, zei hij. Maar de grote vraag was: 'Kunnen we binnen een jaar zorgen dat wij en niet zij de wind in de rug hebben?'

Susan Rice, de Amerikaanse ambassadeur bij de Verenigde Naties, sprak hierna. Ze was een voormalig Rhodes Scholar en tijdens de campagne van 2008 een van Obama's belangrijkste adviseurs voor het buitenlandbeleid. Rice had in de regering van Bill Clinton, waar ze op drieëndertigjarige leeftijd de staatssecretaris van Buitenlandse Zaken was geweest voor Afrika, de reputatie van een wonderkind gehad.

'Ik heb zelf nog geen besluit genomen,' zei Rice. Ze meende dat een betere veiligheid in Afghanistan nodig was om Al-Qaida te verslaan, omdat Al-Qaida en de Taliban op allerlei manieren onderling waren verbonden en de twee groepen niet van elkaar te scheiden waren.

Rice vestigde de aandacht op de Afghaans-Pakistaanse grens, waar volgens McChrystals plan slechts een minimaal aantal troepen van de Verenigde Staten en de NAVO gelegerd zou zijn. Daar zijn mogelijk bases van Al-Qaida, zei ze.

Er moest vaker worden opgetreden tegen de corruptie, 'waaronder misschien van Karzais broer', zei ze. Waar anderen de veiligheid benadrukten, meende Rice dat de nadruk in de Amerikaanse strategie op een campagne tegen de corruptie moest liggen. 'Als de overheid de ergste figuren verwijdert, dan kan onze investering nog dividend opleveren.'

De president ging in op het probleem met de troepenverdeling op McChrystals kaart. Op een gegeven moment merkte hij op dat de vlekken die de plaatsen aangaven waar troepen zaten, niet over het hele land waren verspreid. Bovendien bevonden ze zich, op een paar na, niet op plekken waar Afghanen woonden. Een lag dicht tegen de Iraanse grens in het westen aan. Uitgaand van de handleiding voor verzetsbestrijding, waarin één militair of politieman per veertig tot vijftig inwoners wordt aangeraden, merkte Obama op dat er, om op het niveau van Irak te komen, in totaal 500.000 tot 600.000 veiligheidstroepen nodig waren: Amerikanen, NAVO-militairen en Afghanen.

'Meneer,' zei Petraeus, terwijl hij zoals bij een overval zijn handen hoog in de lucht hield. 'Ik vertel de mensen niet dat dit net als Irak is.'

Maar de president had een ontmoedigende opmerking gemaakt voor de COIN-istas (de voorstanders van de counterinsurgency-strategie). Deze aantallen waren onmogelijk te realiseren. Petraeus was bang dat dit een reden zou zijn om onvoldoende middelen toe te wijzen aan een strategie voor verzetsbestrijding.

Stans aanbevelingen, zei Holbrooke, zijn goed voor één land dat met één zaak bezig is. U hebt Afghanistan als taak gekregen, zei hij tegen McChrystal, maar uw verantwoordelijkheid eindigt bij de grens. Het verzoek om meer troepen houdt geen rekening met Pakistan of met terroristen die vanuit Pakistan Afghanistan binnenkomen.

'Als ik er volledig van overtuigd was dat er geen andere kwesties waren, zou dit een goed verzoek zijn,' zei Holbrooke. 'Maar ik heb mijn zorgen.' Hij merkte op dat generaal Pasha, het hoofd van de Pakistaanse inlichtingendienst, expliciet tegen meer Amerikaanse troepen in Afghanistan gekant was.

De twee zwakste schakels waren corruptie en de Afghaanse politie. 'Onze aanwezigheid is een corrumperende kracht,' zei Holbrooke. Aannemers die aan ontwikkelingsprojecten werken, betalen de Taliban voor bescherming en het gebruik van de wegen, dus helpen onze dollars en die van de coalitie de Taliban financieren. Meer ontwikkeling, meer verkeer op de wegen en meer troepen – dat levert de Taliban meer geld op.

Hij ging dieper in op zijn zorgen over de Afghaanse politie. Volgens de planning zou het opleidingscentrum in de daaropvolgende drie jaar 400.000 Afghaanse veiligheidstroepen trainen: 160.000 politieagenten en 240.000 soldaten. Holbrooke meende dat dit aantal politieagenten een illusie was en steeds verder van de waarheid kwam te staan, dus had hij een paar van zijn medewerkers naar Afghanistan gestuurd om te kijken hoe het er met hen voor stond. Ongeveer 80 procent van de Afghaanse politieagenten was analfabeet. Velen waren verslaafd aan drugs. En heel wat politiemensen waren 'spoken', die wel regelmatig een cheque met hun salaris kregen, maar nooit kwamen opdagen.

Holbrooke opende de map met stukken die iedereen voor de vergadering had gekregen. Hij haalde de documenten van McChrystal over de Afghaanse politie tevoorschijn.

Het jaarlijkse verloop bedroeg meer dan 25 procent, een cijfer dat het aantal nieuwe rekruten te boven ging. Bij het aantal nieuwe rekruten dat McChrystal voor ogen stond, zou de omvang van de politiemacht van ongeveer 80.000 man afnemen. Een verdubbeling naar 160.000 was rekenkundig onhaalbaar.

'Het is alsof we water gieten in een emmer met een gat erin,' zei Holbrooke.

'Richard,' zei McChrystal, 'je hebt helemaal gelijk. En daarom moeten we zorgen dat het verloop minder wordt.'

Holbrooke zei dat hij in 2006 een politiecentrum in de West-Afghaanse stad Herat had bezocht. Twee maanden geleden was hij weer in dat centrum en hoewel iedereen zei dat het er veel beter was, merkte hij geen enkele verandering.

'De politie is de zwakste schakel,' zei hij en het beleid in Afghanistan was maar zo sterk als de zwakste schakel.

Het gemodder bij de Afghaanse presidentsverkiezingen, zei Holbrooke, heeft de Amerikaanse geloofwaardigheid beschadigd. Bijna twee maanden na de verkiezingen wachtten de Afghanen nog steeds op officiële bevestiging van de einduitslag.

Ja, zei hij, we hebben meer troepen nodig. Het was alleen de vraag hoeveel en hoe ze moesten worden ingezet. We hebben significant meer opleidingspersoneel nodig, maar meer strijdkrachten kunnen ook tot een grotere afhankelijkheid leiden.

Net als de anderen zette Holbrooke zwaar in wat betreft zijn analyses, maar was hij luchtig als het om oplossingen ging. Verschillende notulisten hadden geleerd om hetzelfde te doen als Holbrooke aan zijn redeneringen begon. Ze legden hun pen neer en ontspanden hun vermoeide vingers. De grote persoonlijkheid had zijn glans verloren. Hij was het contact met Obama kwijt.

'Wat proberen we te bereiken?' vroeg John Brennan, de vijfenvijftigjarige assistent voor Terrorismebestrijding en Binnenlandse Veiligheid van de president, een voormalig CIA-agent die het grootste deel van zijn carrière in het Midden-Oosten had gezeten. 'De beslissingen over de veiligheid hier spelen ook op andere gebieden een rol.'

Brennans kop zou rollen, en ook die van Blair en Panetta, als er weer een succesvolle terroristische aanslag plaatsvond in de Verenigde Staten. Die aanval voorkomen was Brennans grootste zorg en de focus van zijn carrière.

Waarom willen we dit in Afghanistan? vroeg Brennan. Hij kon er werkelijk geen oplossing voor bedenken.

'Als er een totaal niet corrupte overheid wordt bedoeld die de gehele bevolking van dienst is... die zal er tijdens mijn leven niet komen,' zei Brennan. 'Daarom wordt onze taak alleen maar gecompliceerd door het gebruik van termen als "succes", "overwinning" en "winnen".'

Hij zei dat ze maatstaven moesten bepalen waaraan ze de vooruitgang in Afghanistan konden afmeten en dat ze de inzet van middelen aan de hand van die maatstaven moesten bepalen. Al-Qaida is heel beperkt aanwezig in Afghanistan. Volgens de inlichtingendiensten wilden de Taliban Al-Qaida misschien niet eens terug als ze de macht weer in handen hadden. Onderdak bieden aan Al-Qaida had de Taliban in 2001 de macht over Afghanistan gekost. En waarom zou Al-Qaida terug willen naar Afghanistan, waar de Verenigde Staten en de NAVO nu al 100.000 grondtroepen hadden?

Nee, zei Brennan, ze moesten nadenken over plaatsen als Jemen en Somalië, die vol Al-Qaida-strijders zaten. En Al-Qaida profiteert van deze gebieden zonder bestuur, waar weinig of geen Amerikaanse troepen aanwezig zijn. Dit besluit bracht ook grotere problemen met zich mee, die in een mondiale context moesten worden gezien.

'We ontwikkelen hier geostrategische beginselen en we beschikken niet over de middelen om in Somalië en Jemen te doen wat we in Afghanistan doen,' zei Brennan.

Afghanistan is maar een klein stukje 'onroerend goed', zei het hoofd terrorismebestrijding. Hij maakte zich zorgen over de rest van de wereld.

Het was vijf over vijf. Ze hadden tweeënhalf uur vergaderd.

'Ik denk dat deze bijeenkomsten een bruikbare definitie van het probleem hebben opgeleverd,' zei de president. 'En ik denk dat de pas geformuleerde doelstellingen tegen de Taliban nuttig zijn en dat er een goede definitie op komst is.' Maar ze waren er nog niet, zei hij, en voegde eraan toe dat het laat begon te worden voor degenen in Pakistan en Afghanistan, waar het al na middernacht was.

'Wij zullen dit vandaag niet oplossen,' zei Obama. 'We erkennen dat we de Taliban niet volledig zullen verslaan, daar zijn we het allemaal over eens. Bobs samenvatting was, denk ik, duidelijk en haalbaar.' Het probleem, zei hij, van de slecht gedefinieerde en moeilijk te verwezenlijken doelstelling van het verslaan van de Taliban, is dat we 'behoefte hebben aan een doel dat we wel kunnen bereiken'.

'Ten tweede,' zei de president: 'Ik ben van mening dat we niet gewoon uit Afghanistan kunnen vertrekken. Ik sta achter de nieuwe definitie van verzetsbestrijding die vooral gericht is op de veiligheid van de bevolking, in plaats van zo veel mogelijk dode Taliban. Ik denk dat dit goed is. Maar we moeten nog wel bepalen hoe breed de doelstelling is.' Zij zouden dat nog verder bespreken.

Obama zei dat hij de strategie van de inktvlekken op zich goed vond. Maar ze moesten nog beter definiëren wat die belangrijke gebieden waren.

'Als ik 40.000 troepen stuur, is dat nog niet voldoende voor verzetsbestrijding in het hele land. Dus we moeten een aantal belangrijke strategische gebieden aanwijzen waar we voorkomen dat de Taliban voet aan de grond krijgen en we zelf een springplank bouwen om onze doelen te bereiken.'

Zoekend naar consensus, merkte hij op dat ze het eens waren dat het bijzonder lastig zou worden om de Taliban te verslaan en dat bescherming van de Afghanen van het grootste belang was.

'Het feit dat we het eens zijn over de pijlers van de strategie logenstraft het idee dat er grote verdeeldheid zou heersen in ons team en is een basis voor vooruitgang,' zei Obama, zonder recht te doen aan de aanzienlijke meningsverschillen. Biden en Brennan waren het er bijvoorbeeld niet mee eens.

Maar de president had nog een aantal zaken die in volgende sessies moesten worden besproken.

'Zijn de belangen van de Afghaanse regering op één lijn met de onze?' vroeg hij. Wat betreft bepaalde onderwerpen kunnen ze niet op één lijn komen, zei hij. We zitten met belangrijke vragen over corruptie, over afhankelijkheid.

'Zijn de Afghaanse troepen die we trainen ingewijd in de strategie die we net beschreven?' vroeg Obama. 'We moeten de situatie zodanig verbeteren dat we een exitstrategie met een zinnig tijdsbestek in het vizier hebben. Afghanen trainen volstaat niet als ze niet weten waarom ze vechten. Ze moeten deel kunnen hebben aan successen.' De Afghanen vochten in hun eigen land niet met dezelfde inzet als 'onze jongens', zei hij. 'Ze moeten ergens voor vechten.'

Tijdens dit soort vergaderingen schreef de president in een klein, net handschrift een lijstje van vijf of zes opmerkingen over de discussie in een kladblok. Het was zijn manier om controle uit te oefenen; aan het eind van de bijeenkomsten bepaalde hij de agenda door vragen te stellen uit zijn aantekeningen.

'Krijgen we hen zover dat we ons over twee, drie, vier jaar kunnen terugtrekken?' vroeg Obama.

Ook op zijn lijstje stond: 'Waarom zou Karzai veranderen?' Als Karzai niet de juiste prikkels kreeg om te hervormen, zouden de Verenigde Staten het land voor hem moeten besturen.

'Dus de vraag is: we kunnen vrijmaken, vasthouden en opbouwen, maar kunnen we ook overdragen?' Is de strategie op den duur te handhaven? 'We hebben veel levens en geld in Afghanistan geïnvesteerd.' Om de emotionele kant van de tijdslimiet te benoemen, vervolgde hij: 'Ik wil niet over acht jaar nog het Walter Reed en het Bethesda hoeven te bezoeken.' Dit waren militaire ziekenhuizen waar veel oorlogsgewonden lagen.

'Het zal moeilijk worden voor onze bondgenoten', zei Obama, en voor het Amerikaanse publiek.

Reïntegratie was het belangrijkst voor een eventuele terugtrekking, meende de president. Niet alle Taliban waren blij dat ze Al-Qaida onderdak hadden geboden. Sommige Taliban-krijgsheren waren geobsedeerd door stammenkwesties. Ze hadden niet de middelen en waren ook niet van plan om vliegtuigen in Amerikaanse wolkenkrabbers te laten crashen. Als de oorlog werd beëindigd, moesten minder fanatieke Taliban neutraal worden en worden overgehaald om de Afghaanse nationale overheid te steunen.

'Hoe ontdoen we ons van de mensen die tegen ons vechten?' zei Obama. Dat was wat Petraeus had gedaan in Irak.

'Gezien de sommen die we uitgeven aan hulp en bijstand voor burgers, moeten we zeker zijn van de juiste bestedingsstrategie,' vervolgde hij. Deze opmerking was een antwoord op Holbrookes waarschuwing dat buitenlandse hulpfondsen in Afghanistan een corrumperende invloed hadden.

Hij kwam terug op de kwestie van de tijdschema's, een andere belangrijke discussie die uit Irak afkomstig was.

'Ik worstel voortdurend met dit probleem,' zei Obama en woog de voors en tegens hardop af. De vijand kon uit een tijdschema de conclusie trekken dat hij alleen nog maar hoefde te wachten tot hij de boel weer in handen kreeg.

'We willen niet dat onze vijand gewoon langer wacht dan wij; we moeten ook zorgen dat er licht gloort aan het eind van de tunnel,' zei hij. Hij gebruikte een versleten uitdrukking die van de Vietnamoorlog dateerde.

'We kunnen de Verenigde Staten zich niet voor onbepaalde tijd laten inzetten,' zei hij. 'We kunnen niet op binnenlandse steun en steun van de bondgenoten blijven rekenen als we geen uitleg en tijdpad hebben.'

Het woord 'tijdpad' was een rode lap voor het leger. Ze zouden de Afghanen al beschermen, de Afghaanse veiligheidstroepen trainen en de Afghaanse regering helpen orde op zaken te stellen. De president zei nu ook dat ze dit binnen een bepaalde deadline tot stand moesten brengen. Voor hoge militairen is het een axioma dat een oorlog niet volgens een opgelegd tijdschema kan verlopen.

'Hoe kunnen we de situatie verbeteren zoals aanbevolen en binnen een redelijke termijn een exitstrategie hebben?' vroeg Obama. 'Hoe kunnen we acht jaar na dato een overdracht regelen?'

In die acht jaar, zei Obama, hadden ze telkens over Afghanistan gesproken alsof de oorlog net was begonnen en het verleden kon worden genegeerd.

'Als we hierover praten, moeten we begrijpen dat het Amerikaanse volk dit nu niet als begin ziet. Toch?'

Niemand bracht hier iets tegen in.

'Hun herinneringen aan de oorlog gaan acht jaar terug,' vervolgde hij. Vervolgens was er de invasie van Irak. 'De strijd in Afghanistan is in hun beleving niet in de laatste zes tot acht maanden begonnen.'

Obama ging weer in op de eerder gestelde vragen over de plaatsing van de 'inktvlekken' op McChrystals kaart: We sturen niet genoeg troepen om in het hele land verzet te kunnen onderdrukken. We moeten ons daarom goed afvragen waar we de veiligheid van de bevolking willen beschermen. In het zuiden? Staan er ook in het noorden vlekken op de kaart?

'Tenslotte zegt Pakistan in het openbaar dat ze tegen meer troepen zijn,' zei Obama. 'Als het buurland dat zegt, wat zegt dat over hun betrokkenheid?' Als hij meer troepen stuurde, zei hij, dan zouden ze de Pakistanen goed moeten uitleggen wat dit betekende.

Biden viel de president bij. 'We betaalden een prijs voor het indrukken van de pauzeknop,' zei hij. 'Iedereen is het erover eens dat als wij worden gezien als de verliezers van Afghanistan, dat een overwinning voor Al-Qaida zou zijn en de werving van jihadisten zou bevorderen.' Hij kwam vervolgens terug op het verschil van mening onder de aanwezigen en zei dat hij bang was om extra troepen te sturen zonder er zeker van te zijn dat er vooruitgang zou worden geboekt met het bestuur.

'We vertrekken niet,' gooide Holbrooke er nog maar eens tussen toen de vergadering al drie uur bezig was en de president zijn samenvatting had gegeven en wilde afsluiten. Holbrooke zei dat de lopende civiele projecten vruchten af begonnen te werpen. 'Ik maak me zorgen over het instellen van een tijdschema. Dit is een langdurige oorlog, die meer tijd zal vergen dan die in Vietnam.[1]

'Als het belangrijk is, en dat is het, dan moeten we inzet tonen. Maar we moeten zeker weten dat het uitvoerbaar is.'

De president kwam tussenbeide.

'Van deze appel valt nu niets meer af te bijten,' zei hij en voegde er alsof hij tegen zichzelf sprak aan toe: 'De bespreking was nuttig, maar we moeten een besluit nemen.'

Maar de ernstige problemen rond het Afghaanse bestuur en Karzai moesten nog worden opgelost.

'Neem nog één hap van de appel,' zei Petraeus, bijna smekend. 'Maar zorg dat die verschil maakt. Probeer te voorkomen dat we een situatie achterlaten waarvoor we moeten terugkomen. Maar ik zie in dat we eind 2010 moeten kunnen zeggen of het werkt.'

Rahm Emanuel maakte een ongebruikelijke opmerking over Karzai, die volgens hem goed doordrongen moest worden van de Amerikaanse mening dat hij goede gouverneurs diende te benoemen in de vierendertig provincies. Emanuel, een politieke functionaris die groot was geworden in het politieke circus van Chicago, zei: 'Zeg maar tegen hem dat we zo nodig onze eigen gouverneurs sturen.'

De president negeerde dit onhaalbare, zo niet onmogelijke voorstel.

'Ik ben geen voorstander van een tijdpad, zei Obama, 'maar het Congres zal dat zeker eisen.' Een Democratisch Congres wilde een tijdschema, zei hij, hoewel het Congres dit zelf nooit gelukt was voor Irak, de veel impopulairdere oorlog. Het tijdpad voor Irak was uiteindelijk door de regeringen van Bush en Obama gesteld.

'We hebben een plan waarmee we daadwerkelijk vooruitgang kunnen laten zien,' ging de president verder. 'Deze gesprekken zijn behulpzaam en ik zie meningen veranderen' sinds de eerste bijeenkomst in september. Ze groeiden naar elkaar toe, benadrukte hij. 'Eerst keken we alleen met grote ogen naar het probleem. Nu is het tijd om een aantal beslissingen te nemen.'

Obama keek de kamer rond terwijl hij nog een laatste opmerking maakte.

'Ik zou het waarderen als ik niet in *The Washington Post* over deze vergaderingen hoef te lezen,' zei hij.

Jones schreef in zijn zwarte boekje dat de zo belangrijke Afghaanse nationale politie 'altijd zwak is geweest en mislukt is'. Niet gewoon problematisch, maar 'mislukt'.

De president was niet helemaal tevreden met de bijeenkomsten tot nu toe. In deze periode liep Obama op een dag met Gibbs naar het Oval Office. Hij stoorde zich aan de traagheid van het debat en de clichématige uitspraken. Hij was het zat om iedereen te horen zeggen dat de uitdagingen groot waren, dat Afghanistan over te weinig middelen beschikte, meer troepen vereiste en een beter bestuur nodig had. De meeste principals herhaalden alleen wat ze al in hun verslagen hadden gezegd.

'Mensen moeten ophouden me te vertellen wat ik al weet,' zei hij. 'We we moeten naar het punt waar we horen over wat de mensen willen doen.'

Holbrooke ging terug naar zijn kantoor op het ministerie van Buitenlandse Zaken, waar zijn kleine groepje medewerkers had geklaagd dat ze hele
nachten doorwerkten aan analyses die vervolgens niet werden gelezen.

'Er is hier één iemand die ze leest,' zei Holbrooke tegen hen, 'en dat is
de man voor wie ze zijn bedoeld.' De slapeloze nachten waren daarom de
moeite waard; ze moesten nog een pakket rapporten voor de president
gaan schrijven.

20

Generaal Lute probeerde het Pentagon zover te krijgen om *counter-terrorism-plus* (CT-plus) als optie te overwegen. Dit was Bidens idee voor terrorismebestrijding. Het hield in dat er extra CT-troepen zouden worden gestuurd om jacht te maken op de Taliban, plus instructeurs om het Afghaanse leger en de politie op te leiden. Hoeveel troepen waren daar precies voor nodig? Kon CT-plus werken?

Bij CT-plus zouden er dodelijke precisieaanslagen worden gepleegd, meestal op een persoon, een kleine groep of een enkel gebouw. Er waren meestal minder troepen voor nodig dan voor verzetsbestrijding en be-scherming van de bevolking, wat een van de redenen was waarom het de vicepresident aansprak.

Er werd een memo van de Nationale Veiligheidsraad naar Gates ge-stuurd, die het doorgaf aan McChrystal. De bevelhebber in Afghanistan reageerde met een vluchtig rapport van twee bladzijden waarin hij schreef dat CT niet zou werken.[1] Het succes van CT hing af van de hoeveelheid conventionele strijdkrachten die voor verzetsbestrijding werden gebruikt. Deze conventionele troepen verzamelden plaatselijk inlichtingen bij Af-ghaanse dorpelingen of door verzetstrijders van lage rang te ondervragen. Door die informatie weten de CT-troepen wie ze moeten opsporen, aan-vallen en doden. Zonder die informatie, die alleen door mensen ter plaat-se kan worden ingewonnen, zou CT ondoelmatig zijn.

Biden was niet overtuigd. Er waren al 68.000 Amerikaanse troepen in

Afghanistan die zich met verzetsbestrijding konden bezighouden en informatie konden verzamelen voor terrorismebestrijding.

'Waarom sturen we niet gewoon meer CT-troepen?' vroeg Biden op een bijeenkomst met Tom Donilon, generaal Cartwright en zijn nationale veiligheidsadviseur, Tony Blinken. Ze konden de Taliban ontwrichten, waardoor de opstandelingen in het defensief bleven, en zo zorgen dat ze niet het hele land konden overnemen, zei Biden.

'Ik ben geen militair,' zei Biden. 'Ik zou dit strategisch zo aanpakken, maar we hebben een militair plan nodig.' Hij wilde een gedetailleerde analyse en cijfers.

'We zullen die aanleveren,' zei Cartwright, de vicevoorzitter van de verenigde chefs van staven.

Met deze woorden begon een van de ergste perioden in zijn achtendertig jaar militaire carrière. Cartwright was een kleine, potige man van zestig, die gevechtspiloot was geweest bij de mariniers en in het Witte Huis bekendstond als favoriete generaal van Obama. De president had vaak met hem te maken bij gevoelige operaties met codewoord JSOC en andere programma's met speciale toegang, omdat voorzitter Mullen vaak op reis was. Obama wilde dergelijke acties zelf goedkeuren en persoonlijk op de hoogte blijven, zodat de twee heel wat tijd samen hadden doorgebracht.

Voordat hij vicevoorzitter werd van de chefs van staven – de op één na hoogste militair van het land – gaf hij als hoofd van Strategic Command leiding aan de luchtverdediging en raketafweer. Cartwright betwijfelde of het sturen van nog eens 40.000 troepen de beweerde resultaten zou opleveren. Naar zijn mening kon verzetsbestrijding niet werken als de grenzen niet werden gecontroleerd. De Afghaans-Pakistaanse grens was berucht open. Taliban-strijders konden oversteken naar Pakistan om 'te rusten, zich te ontspannen en zich opnieuw te bewapenen' voordat ze terugkeerden naar Afghanistan om Amerikanen te doden.

Cartwright was bovendien van mening dat de president wettelijk recht had op een waaier van keuzemogelijkheden.

De vicevoorzitter belde Blinken.

'Ik heb geprobeerd om de gegevens bij elkaar te krijgen die jullie ter sprake brachten,' zei Cartwright. Hij beschikte over de cijfers en had een analyse opgesteld. Wilde Blinken er even naar kijken?

Ze ontmoetten elkaar in Blinkens kantoor op de tweede verdieping van het Eisenhower Building. Cartwright schetste zijn plan. Het probleem met verzetsbestrijding was dat er troepen en middelen in een gebied moesten worden geconcentreerd totdat de Afghaanse troepen het konden overnemen, wanneer dat ook was. Als de Amerikaanse troepen alleen binnen een paar inktvlekken opereerden, kon de vijand buiten die vlekken vrij manoeuvreren. De Taliban konden dan continu de stationaire Amerikaanse troepen op de korrel nemen en hielden het initiatief. Met de inktvlekstrategie konden de Taliban ook bases handhaven in delen van Afghanistan waar geen coalitietroepen gevestigd waren.

In plaats van de opties die McChrystal voorstelde, zouden de Verenigde Staten twee brigades Special Forces kunnen sturen, in totaal 10.000 soldaten. Deze CT-troepen konden de Taliban te slim af zijn. In plaats van stil te zitten om mensen te beschermen, zouden deze troepen op de vijand afgaan en deze vernietigen.

'We kunnen hun tactieken tegen hen gebruiken,' zei Cartwright.

De Verenigde Staten konden verder nog eens 10.000 instructeurs sturen om de Afghaanse troepen voor te bereiden op de overname van gebieden die al zijn veiliggesteld door de VS en de bondgenoten. Daarmee zouden de coalitietroepen meer vrijheid krijgen om de inktvlekken uit te breiden of nieuwe te beginnen. Het was een combinatie van verzetsbestrijding en terreurbestrijding. Of, eenvoudig gezegd, een hybride optie, waarvoor slechts 20.000 soldaten nodig waren, de helft CT-troepen, de helft instructeurs.

Met behulp van die schets schreef Blinken een memo voor de vicepresident. Blinken en Cartwright legden de hybride optie ook voor aan John Brennan, de adviseur terrorismebestrijding van de president.

Biden bekeek het memo samen met de president en legde uit wat hij bedoelde. Met een hybride benadering kon het leger proberen of verzetsbestrijding in delen van Afghanistan werkte voordat het zich er in het hele land op vastlegde.

'Moeten we ons concept niet eerst bewijzen voordat we de inzet verdubbelen?' zei Biden.

Maar er was een kink in de kabel. Admiraal Mullen was vol minachting over de hybride optie. Hij wilde niet dat deze werd besproken in het Witte Huis. Dus hij zorgde dat het idee niet verder kwam dan het Pentagon.

'Dat kunnen we niet leveren,' zei Mullen tegen Cartwright.

'Ik hou er gewoon niet van om opties achter te houden,' zei Cartwright. 'Ik heb een eed gezworen en als me om advies wordt gevraagd, voorzie ik daarin.' Volgens de wet was hij als chef-staf bevoegd om de president zelfstandig militair advies te geven, zelfs als dit verschilde van dat van de voorzitter van de chefs van staven.[2] En volgens de wet moest de voorzitter alternatieve adviezen voorleggen 'op hetzelfde moment dat hij zijn eigen advies voorlegt aan de president, de Nationale Veiligheidsraad of de minister van Defensie'.[3]

De relatie tussen Mullen en Cartwright was al gespannen en werd nu nog veel slechter. Volgens een paar hoge burgerambtenaren in het Pentagon waren ze nauwelijks nog on speaking terms.

Jones meende dat de mogelijkheid eventueel overwogen moest worden, maar Cartwright had in feite de voorzitter en de militaire hiërarchie omzeild. De nationale veiligheidsadviseur sprak meer dan een uur met hem om te kijken hoe ze de onenigheid de wereld uit konden helpen. Mullen was nog steeds de baas. Hem passeren was zelfs op verzoek van de vicepresident riskant. Cartwright was in een lastige positie beland. Zo hoorde het systeem niet te werken. Dergelijke adviezen moesten volgens een vast proces verlopen. Jones was ook geschokt door Mullens gebrek aan flexibiliteit, maar het advies moest gehoord worden zonder dat er tegen de voorzitter hoefde worden ingegaan.

'Uiteindelijk,' zei Cartwright tegen Jones, 'is dit mijn werk. Het is waarvoor ik in dienst ben genomen. Ik geef alternatieve adviezen als ze daarom vragen. Ik ben een van de chefs en heb daarvoor een eed afgelegd.'

Jones wist dit goed. Hij was vier jaar bevelhebber geweest van het Korps Mariniers, en had toen ook tot de chefs van staven behoord.

'Ik voel me er niet ongemakkelijk over,' zei Cartwright. 'Ik snap dat ik hier misschien niet tot de hoofdmoot behoor.' Maar Bidens idee van een hybride optie met 20.000 troepen was niet getikt. Het kon zelfs de juiste weg blijken te zijn. Waarom waren ze bang om de president keuzemogelijkheden te bieden? Mullen was niet gewend om een oorlog uit te vechten, merkte Cartwright op. Hij had daar geen ervaring mee, hij was nog nooit in een gevechtssituatie geweest. Dus Cartwright zei dat hij voet bij stuk zou blijven houden.

'Ik begrijp je positie,' zei Jones. 'Ik ben het niet met je oneens.'

Het was de president die het systeem kon omzeilen. Toen hij van het alternatieve advies hoorde, verzocht Obama Gates en Mullen om een presentatie van de hybride optie.

Op een vergadering van de principals zonder de president, straalde de analist van de nationale inlichtingendiensten Peter Lavoy zoveel zelfvertrouwen uit dat sommigen hem arrogant begonnen te vinden.

'De hele wereld wil graag weten wat er in deze kamer gebeurt,' zei hij. 'Dat is niet goed,' reageerde Jones boos. 'Zeg dat niet. De wereld hoort hieraan deel te nemen.' Het optreden in Afghanistan was een project van de NAVO waar eenenveertig andere landen bij waren betrokken. Deze bondgenoten moesten worden geraadpleegd. 'We moeten zorgen dat de NAVO meer doet,' zei hij. 'En de wereld hoort niet op ons te wachten.'

'Jim,' zei Blair, Lavoys baas, 'heeft de NAVO ooit iets gedaan als wij niets doen?'

De twee begonnen te kibbelen; Clinton en Holbrooke kwamen tussenbeide en zeiden dat ze een plan moesten hebben om de uiteindelijke beslissing van de president aan iedereen uit te leggen, eerst natuurlijk aan de NAVO en de bondgenoten, en vervolgens aan het Congres en het publiek.

De voorvergadering van de principals op dinsdagmiddag 13 oktober was grotendeels gewijd aan de civiele projecten in Afghanistan.

We weten de verkiezingsuitslag over een paar dagen, zei Holbrooke. Mogelijk hoefde Karzai het niet in een tweede ronde op te nemen tegen zijn rivaal Abdullah Abdullah, omdat die bereid was om een coalitie te vormen.

Maar Holbrooke was niet helemaal zeker van Karzai. Terwijl het verkiezingsdrama zich afpeelde, had Holbrooke anderen gewaarschuwd dat de Afghaanse president dreigde de uitslag van de kiescommissie af te wijzen, die concludeerde dat hij minder dan 50 procent van de stemmen had gekregen. Hoe kon je troepen aan Afghanistan geven als de overheid haar democratische legitimiteit verloren had? Dat zou de Taliban-propaganda wel erg in de kaart spelen.

Holbrooke zei dat er meer nadruk moest worden gelegd op overheden op provincie- en districtniveau, en minder op Karzai en de hoofdstad Kabul. McChrystal kon alleen succes hebben als er ten minste een minimum aan overheidscompetentie bestond.

Wat betreft civiele hulp lag de prioriteit bij landbouw, onderwijs en het terugdringen van de opiumteelt, zei Holbrooke. Door op alle drie de gebieden hulp te bieden, zou de steun voor de Taliban worden ondermijnd.

Jones schreef in zijn notitieboekje: 'Maar de grote vraag is, wat kun je in een jaar doen?' Dat was het probleem met Holbrookes benadering van zijn taak. Hij sprak over initiatieven voor de lange termijn, terwijl de zaken in Afghanistan onmiddellijk moesten veranderen. Het herstel van de Afghaanse landbouw kon nog tien oogstjaren duren.

De vergadering van de Nationale Veiligheidsraad met de president erbij begon op woensdag 14 oktober om kwart voor tien 's morgens.

Donilon vroeg: 'Wat zijn de vooruitzichten voor een geloofwaardige Afghaanse overheid binnen vijf jaar?'

Niemand antwoordde.

Obama benadrukte dat overdracht de belangrijkste factor was. Was het mogelijk om de corruptie terug te dringen tot 'Bangladesh-niveau'? Dit betekende dat de Verenigde Staten de onvermijdelijke '*baksjisj*' en geringe, tot de bedrijfskosten behorende steekpenningen zou moeten tolereren die deel uitmaakten van de Afghaanse cultuur. Clinton, Holbrooke en de directeuren van de inlichtingendiensten Blair en Panetta waren het erover eens dat ongebreidelde corruptie het grootste probleem was.

De president bracht de onderwerpen verzoening en reïntegratie ter sprake.

'Zijn we in staat om afspraken te maken met lokale leiders die legitiem zijn en kunnen helpen de Taliban terug te dringen? Hebben we een plan om contact te maken met geloofwaardige lokale stamhoofden, zodat we de Taliban kunnen weerstaan zolang de centrale overheid niet repressief optreedt?' Ik heb daar geen plan voor gezien, zei hij.

'Hoe regelen we de overdracht?' vervolgde hij. 'Zijn er bestaande structuren waarmee we kunnen werken? Mijn uitgangspunt is dat we niet in elke stad voor politieagent kunnen spelen, dus zijn er lokale partners die dat kunnen doen? Zijn we in een positie om iets legitiems te versterken wat al bestaat en waarvoor niet een constante aanwezigheid van ISAF is vereist? Is er een elite die Afghanen hun eigen regering kan laten vormen, zodat wij het land niet hoeven te besturen?'

Eikenberry probeerde het spervuur van vragen te pareren.

'Vanwege het eerdere beleid heeft Karzai een pact met buitenlandse regeringen, niet met zijn eigen volk,' zei de ambassadeur. Het probleem was niet alleen Karzais verhouding met de Verenigde Staten, maar die met de rest van Afghanistan, dat als partner tegen de Taliban kon optreden.

Petraeus herinnerde iedereen eraan dat 'overdragen' niet hetzelfde was als 'terugtrekken'. Er zouden nog Amerikanen in Afghanistan blijven. Bij een overdracht, 'trek je niet je handen ervan af', zei hij, maar dunde je uit.

Gates probeerde de vragen van de president te beantwoorden.

'Om successen te kunnen boeken, moeten we onze focus vernauwen en onze missie verkleinen,' zei hij. 'Geen enkele regering in Centraal-Azië is een democratie of is haar burgers goed van dienst. We kunnen de lat niet te hoog leggen. Hoe kunnen we lokale Afghaanse leiders weer macht in handen geven? Het is van groot belang om ons aan te passen aan de lokale Afghaanse cultuur en niet te proberen onze westerse democratie op te leggen.'

Ze bespraken vervolgens hoe het sturen van troepen kon bijdragen tot uitbreiding van de Afghaanse troepen en of er voldoende instructeurs waren om de overdracht te versnellen. Ambassadeur Rice vroeg hoeveel Amerikaanse instructeurs er op hoeveel Afghanen waren.

Er zijn waarschijnlijk niet genoeg troepen om op te leiden, merkte Biden op.

Obama had specifieke vragen. Hoeveel, vroeg hij, krijgen de Afghaanse troepen betaald? Zouden we beter af zijn met minder soldaten die beter zijn getraind en een hoger salaris krijgen? Was het mogelijk om Afghaanse Special Forces te vormen die beter werden opgeleid en betaald?

Holbrooke, de onderhandelaar die beroemd was vanwege het verdrag dat de oorlog in Bosnië-Herzegovina beëindigde, had uitgebreid nagedacht over een vreedzame oplossing voor deze oorlog. Hij zag verzoening en reïntegratie als afzonderlijke concepten. Verzoening was iets esoterisch, dat via twijfelachtige verdragen op hoog niveau met Taliban-leiders geregeld moest worden. Reïntegratie voltrok zich op lokaal niveau in dorpen en steden, en kon eventueel gefinancierd worden door het discretionaire noodhulpprogramma (de Commander's Emergency Response Program) van het Amerikaanse leger.

Door het Amerikaanse ministerie van Buitenlandse Zaken werden al continu in het geheim verzoeningspogingen gedaan. Er werd via Saudi-Arabië onderhandeld met afzonderlijke elementen van de Quetta-Shura, de centrale Afghaanse Taliban-organisatie met bases in Pakistan. Hun leider, Mullah Omar, had gedreigd iedereen te vermoorden die met de Saudi's of Karzai sprak.

Enkele jaren eerder had Karzai de Saudische koning geschreven met het verzoek om geheime gesprekken te regelen. De vertegenwoordigers die door de Taliban werden gestuurd, werden verstoten door Mullah Omar. Ten minste drie gespreksronden vond plaats, maar het bleef twijfelachtig of de Taliban-vertegenwoordigers wel te goeder trouw waren. Geen enkele Amerikaanse ambtenaar had ooit rechtstreeks met een vertegenwoordiger van de Quetta-Shura gesproken.

Tegen het einde van de vergadering wendde Obama zich tot Petraeus. De president had de generaal eerder om een briefing gevraagd over wat hij op basis van zijn ervaringen in Irak kon zeggen over de vooruitzichten voor verzoening in Afghanistan.

Nou, ik heb het volgende memo geschreven, zei Petraeus. Hij deelde exemplaren uit van een memo met de titel 'Lessen voor verzoening'.

Voorzitter Mullen was verbaasd. Wat is dat voor memorandum, Dave? vroeg hij.

Het memorandum dat was vrijgegeven door de minister van Defensie, zei Petraeus.

Gates luisterde, maar vertrok geen spier.

Een paar ogenblikken lang heerste er een ongemakkelijke stilte.

'Oké,' zei Mullen ten slotte. 'Laat ik... ik wist niets over deze nota.' Hij voegde eraan toe dat de chefs van staven het memo evenmin hadden gezien.

Als Mullen versterking nodig had, deed hij vaak een beroep op de andere chefs van staven, alsof ze een eenheid vormen. Maar het instituut van de chefs van staven was, net als het hooggerechtshof, een vat vol afwijkende meningen.

Volgens de wet rapporteerde Petraeus als bevelhebber in de strijd rechtstreeks aan Gates. Ze hadden afgesproken dat Mullen, die slechts een communicatieve, toezichthoudende en adviserende rol had, op de hoogte zou worden gehouden.

Mullen gaf een briefje door aan Petraeus, die het las, opvouwde en terzijde legde terwijl hij zijn gedachten ordende.

'Ik wil dit memo graag weer intrekken,' zei hij. 'Kan iedereen het aan mij teruggeven?'

De memo's werden verzameld.

Dat was vreemd, dacht Jones. Dat zie je niet elke dag. Voor de neus van de opperbevelhebber geven twee viersterrengeneraals openlijk blijk van interne spanningen.

Voor degenen die veel ervaring hadden met de machtspolitiek in het Witte Huis en rond de nationale veiligheid, was het een bizar tafereel. Maar het baarde ook zorgen. De president had Petraeus gevraagd om informatie over verzoening en Mullen had beslist geweigerd om te voldoen aan dit presidentiële verzoek. Velen vonden dat de voorzitter van de chefs van staven zich kleingeestig gedroeg. Er kwam nog een andere slechte verstandhouding door aan het licht. Holbrooke, die uitgebreid met beide mannen had gesproken, meende dat dit meer was dan rivaliteit, en dat de twee elkaar haatten.

'Ik geef alleen een beschrijving,' zei Petraeus nadat hij het merendeel van de memo's terug had gekregen. Toen begon hij zijn briefing.

Ten minste één exemplaar werd achtergehouden. Het geheime document bestond uit drie delen, die in punten waren onderverdeeld. In het eerste deel, dat was getiteld 'Factoren die verzoening mogelijk maakten in Irak', werd gewezen op het belang van besluitvaardig optreden door de Verenigde Staten. Een van de factoren was:

- De [opstandige] soennieten begrepen dat de coalitie vastberaden was en dat ze niet konden winnen van de coalitie en de Iraakse troepen.

In die tijd begonnen soennitische moslims in Irak de buitenlandse verzetsstrijders meer en meer af te wijzen en ontwikkelden ze een politiek alternatief voor het geweld:

- de soennieten waren de activiteiten van de verzetsstrijders moe;
- ze waren teleurgesteld in de buitenlandse leiders van [Al-Qaida in Irak];
- de soennieten stonden afwijzend tegenover de extremistische ideologie, de onderdrukking en het willekeurige geweld van Al-Qaida in Irak en de soennitische opstandelingen;
- het feit dat er een Irakese politiek bestond die tot op zekere hoogte legitiem was.

Uit het tweede deel, getiteld 'Factoren voor verzoening die niet aanwezig zijn in Afghanistan', bleek hoe moeilijk het zou worden om onderdelen van de Taliban onder de vleugels van de bestaande Afghaanse overheid onder te brengen. In scherpe, verklarende zinnen werd uit de doeken gedaan dat bijna geen van de positieve punten uit Irak in Afghanistan bestond:

- de Taliban en andere groepen opstandelingen denken dat ze niet verliezen, maar winnen;
- de besluitvaardigheid van de coalitie is twijfelachtig;
- het politieke proces ontbeert de relatieve legitimiteit van dat in Irak;
- leiders en leden van verzetsbewegingen zijn merendeels autochtoon in plaats van buitenlands;
- de Taliban zorgen in sommige gebieden voor een beter bestuur, meer

veiligheid en betere methoden om geschillen op te lossen dan de regering van Afghanistan.

In het derde deel, 'Acties die verzoening/reïntegratie in Afghanistan zouden kunnen vergemakkelijken', werd een manier geschetst om deze problemen te overwinnen. Deze overkoepelende oplossing kwam voort uit de verzetsbestrijdingsdoctrine van de auteur, Petraeus:
- Zeg de levering toe van middelen en voorwaarden die nodig zijn om onze doelstellingen in Afghanistan te bereiken, met inbegrip van het veiligstellen van de belangrijkste bevolkingscentra;
- ontwikkel genuanceerde kennis van plaatselijke situaties, nodig om na te gaan met wie verzoening mogelijk is en met wie niet;
- ontwikkel een individuele benaderingen voor individuele gebieden.

'We hebben nu een vrij goed idee van de werkelijkheid,' zei de president. Hij hoefde er niet aan toe te voegen dat deze grimmig was. 'Op de eerstvolgende vergadering moeten we keuzes maken en beslissingen nemen.' De besprekingen waren al langer dan een maand bezig.

De vergadering eindigde rond kwart voor een. Petraeus en Mullen gingen naar het Pentagon. Om twee uur leidde Mullen een vier uur durend 'oorlogsspel', dat bedoeld was om na te gaan wat de gevolgen zouden zijn van verschillende veranderingen in de aantallen troepen, vooral die van McChrystals verzoek om 40.000 man en Cartwrights hybride optie van 20.000 man.

Blair had dit in september voorgesteld. De gepensioneerde admiraal was enthousiast over dergelijke oefeningen. Hij was in de vroege jaren dan ook directeur geweest van de afdeling Oorlogsspelen van de verenigde chefs van staven. In die positie had Blair de oude Vietnam-onderzoeken doorgelezen die bekendstaan als de Sigma-serie, die hij hartverscheurend vond. De gebreken van de strategieën in Vietnam waren vantevoren aangetoond door het oorlogsspel, maar het leger had de voorspellingen genegeerd. Blair dacht dat een oorlogsspel-analyse Obama kon helpen denken.

Ook Lute was uitgenodigd voor het spel, maar hij vond dat de Nationale Veiligheidsraad er niet naartoe moest gaan.

'We moeten hier niet aan deelnemen,' zei hij. 'In de eerste plaats hebben we geen oorlogsspel nodig. Ik kan u zo al vertellen wat het antwoord gaat worden. Ik ga niet een dag daar in het Pentagon slechte koffie zitten drinken om tot vanzelfsprekende conclusies te komen.'

Het zou een schijnvertoning worden, bedoeld om te bewijzen dat er 40.000 man extra nodig zijn, zei Lute, waarmee hij uiting gaf aan de steeds sceptischer houding tegenover militaire leiders die niet meer openstonden voor andere geluiden. 'Als BuZa, de inlichtingendiensten en de Veiligheidsraad deelnemen aan dit oorlogsspel, geven we het een legitimiteit die het niet verdient.'

Maar BuZa en de inlichtingendiensten namen wel deel.

De codenaam voor het spel was 'Poignant Vision' ('Navrante Visie'). In plaats van het klassieke spel met machten die tegenover elkaar staan – in rode en blauwe teams die zet na zet op elkaar reageren – was het meer een seminar waarin Mullen een reeks vragen stelde. Wat zou er gebeuren als de Taliban luchtdoelraketten hadden? Wat als de Pakistanen de belangrijke aanvoerroutes naar Afghanistan zouden afknijpen?

Petraeus merkte op dat een normaal oorlogsspel ontworpen was voor conventionele conflicten, waarbij de ene macht het tegen de andere opnam. Hij kende geen oorlogsspellen die verzetsbestrijding simuleerden, waarbij zovele sociale variabelen een rol spelen. En de discussie tijdens Poignant Vision maakte duidelijk dat hij niet geloofde dat 20.000 soldaten extra voor een strategie van terrorismebestrijding zou werken. Mullen was het daarmee eens.

Maar Cartwright vond dat er een component terrorismebestrijding nodig was. Door verzetsbestrijding werden troepen vastgepind op één locatie waar de vijand aanvallen op hen kon blijven uitvoeren. Hun flanken zouden kwetsbaar zijn.

Niemand betwistte dit.

Met meer troepen voor terrorismebestrijding op het platteland, zouden de Verenigde Staten beter achter de Taliban aan kunnen gaan, zei Cartwright. Hij meende dat uit het oorlogsspel bleek dat de hybride optie nog steeds levensvatbaar was.

Blair, die beter in deze kwesties was ingevoerd dan wie ook, vond dat Poignant Vision niet verder ging dan een normale stafanalyse. Met een dergelijk spel kwam je nog niet in de buurt van een definitieve conclusie.

'Nou,' zei Blair aan het eind, 'dit was een goede warming-up. Wanneer is de volgende wedstrijd?'

Maar hij besefte dat Mullen en Petraeus niet van plan waren om ermee verder te gaan.

21[1]

O p dinsdagavond 20 oktober zaten Axelrod en Gibbs samen biefstuk te eten toen Axelrods BlackBerry begon te piepen. *The Washington Post* en ABC News zouden de volgende dag een opiniepeiling publiceren over de president. Axelrod las het mailtje hardop voor.[2] 'Steun voor Obama's Afghanistan-beleid neemt af. Weinigen zien nog duidelijke lijn in strategie,' luidde de kop. 'Het percentage van de bevolking dat Barack Obama's strategie in Afghanistan steunt, duikt omlaag. Twee op de drie Amerikanen vinden zijn beleid onduidelijk. De bevolking is verdeeld over wat de voortgang moet zijn, met aan de ene kant de moeilijkheden van deze strijd en aan de andere kant de dreiging van de Taliban en de door Al-Qaida gesteunde terroristen.'

Axelrod zuchtte. De bevolking maakte geen onderscheid tussen de Taliban en Al-Qaida. Dat kon weleens een deel van het probleem zijn. Het lag genuanceerder. In eerste instantie was het er bij de besprekingen ook om gegaan een onderscheid tussen deze twee groeperingen te maken. Axelrod wist dat kiezers weinig waardering konden opbrengen voor genuanceerde politici, wat Obama bij uitstek was.

'Nu zegt nog 54 procent het eens te zijn met de aanpak van de president,' vervolgde hij, '10 procent minder dan vorige maand, een daling van 15 procent sinds augustus en 18 procent minder dan toen de steun op zijn hoogtepunt was.' De achteruitgang kwam vooral op conto van Republikeinen die niet langer het beleid steunden.

Axelrod zei dat hij hierdoor niet geschokt of zelfs maar verbaasd was. Ze stonden nu voor het enorme probleem om een goede communicatiestrategie voor de president te bedenken.

'Uiteindelijk,' zei hij, 'gaat het erom of hij en wij in staat zijn onze beslissing in duidelijke bewoordingen uit te leggen, zodat het volk begrijpt wat we doen en waarom. [...] We doen er goed aan onze tijd te nemen voor een beslissing, maar het probleem is dat die er wel moet komen. [...] En welke beslissing we ook nemen, het wordt moeilijk.'

Volgens Panetta, het hoofd van de CIA, die zestien jaar in het Congres had gezeten en vervolgens als directeur begrotingsbeleid en hoofd presidentiële staf in dienst van president Clinton was geweest, zag Obama zich voor een groot politiek probleem geplaatst. 'Geen enkele Democratische president kan tegen een legeradvies ingaan, vooral niet als hij daar zelf om heeft gevraagd.' Zijn raad zou luiden: 'Gewoon doen wat ze zeggen.' Tegen andere belangrijke functionarissen van het Witte Huis zei hij herhaaldelijk dat er binnen een week over de kwestie beslist had moeten worden. Maar Obama had hem nooit naar zijn mening gevraagd en zelf had hij die ook nooit aangedragen bij de president.

De lange bijeenkomsten over de strategiewijziging begonnen een aantal deelnemers op te breken. Emanuel presteerde het een aantal keren op te staan om hevig gebarend en een en al nervositeit door de Situation Room te drentelen. De een vond dat vermakelijk en de ander werd erdoor afgeleid, maar verder voelde niemand zich zo vrij en zelfverzekerd om zich op deze manier te gedragen tijdens een presidentieel overleg. Donilon noemde het een 'aanval van ADHD'.

Voormalig vicepresident Dick Cheney verstoorde het beleidsherzieningsproces toen hij op woensdag 21 oktober namens het Centrum voor Veiligheidsbeleid de Keeper of the Flame-onderscheiding kreeg uitgereikt.[3]

'Het Witte Huis moet ophouden met het getwijfel nu onze gewapende troepen gevaar lopen,' zei Cheney.

Tijdens de persbijeenkomst van het Witte Huis de volgende dag verweet Gibbs de vicepresident dat juist hij degene was die steeds getwijfeld had.[4] 'Ik vind het een merkwaardige opmerking gezien het feit, en dat kunnen we rustig zeggen, dat de vicepresident zeven jaar lang geen aandacht heeft gehad voor Afghanistan,' zei hij. 'Ze is des te merkwaardiger als men weet dat een verzoek tot troepenversterkingen meer dan acht maanden op de bureaus van het Witte Huis is blijven liggen, waaronder dat van de vicepresident. Een verzoek waaraan president Obama in maart heeft voldaan.'

De opmerkingen van Gibbs wekten de woede van de woordvoerder van het Pentagon, Geoff Morrell. Het Witte Huis leek te zijn vergeten dat hetzelfde verzoek ook een tijdje op Gates' bureau had gelegen. In Gibbs' poging Cheney te kijk te zetten, werd ook de minister van Defensie te kijk gezet, die zo vaak door het Witte Huis werd opgevoerd om presidentiële beslissingen te rechtvaardigen.

Tijdens nog weer een andere vergadering van de belangrijkste leden van de Nationale Veiligheidsraad richtte Hillary Clinton de blik op het scherm van het beveiligde videocircuit, waarop Adrian Mullen te zien was, die op een vijfdaagse reis naar Japan en Zuid-Korea was om daar goodwill te kweken.

'Ik heb zojuist met Frank Ruggiero gesproken, de regeringsvertegenwoordiger van het Zuidelijke Commando,' zei ze. In juni was Ruggiero benoemd tot het hoofd van de Amerikaanse Provinciale Reconstructieteams in het zuiden van Afghanistan. Hij was gestationeerd op de luchtmachtbasis van Kandahar, maar kon zijn post zelden verlaten.

'Hij is nog maar twee keer de stad in geweest en moest beide keren in een MRAP worden vervoerd. Niettemin hebben we nu achtduizend man in Kandahar en omgeving waar dat er een paar jaar geleden nog maar achthonderd waren.' Ze stipte een groot probleem aan: ondanks tien keer zoveel manschappen werd de veiligheid er niet groter op.

Het was geen geheim dat het welslagen van de oorlog weleens kon afhangen van Kandahar, waar de Taliban ooit was ontstaan. Toen op 7 december 2001 Kandahar viel, betekende dat het einde van het Talibanregime en van het eerste deel van de oorlog. Maar ondanks de troepenversterkingen in de provincie Kandahar moest de hoogste vertegenwoordiger van de Amerikaanse regering worden rondgereden in een zwaar bepantserd voertuig.

'Hoe kan het dat we totaal geen greep hebben op de stad?' vroeg Clinton.

Daarom wil McChrystal ook meer troepen, luidde Mullens antwoord.

Uit geheime informatie over Kandahar bleek dat de Taliban al de controle hadden over Loya Wiala, een uitgestrekte vluchtelingenwijk ten noorden van het stadscentrum, die de Amerikanen aanduidden met 'Wijk 9'. Andere delen van de stad waren in handen van Ahmed Wali, de corrupte broer van Karzai, die met rivaliserende stammen een strijd om de macht voerde.

Een in opdracht van het Canadese ministerie van Buitenlandse Zaken en Internationale Handel uitgevoerd onderzoek naar de bevolking van Kandahar bevatte de weinig vrolijk stemmende observatie dat een deel van de bewoners zich het meest geholpen achtte door de Taliban smeergeld te betalen: 'Momenteel denken veel inwoners dat de beste bescherming tegen de rebellen van de Taliban niet wordt afgedwongen door een grotere politiemacht of meer internationale troepen, maar door het betalen van protectiegeld. Dit gebruik is al wijdverspreid en toont aan dat de Taliban-rebellen in de hele stad hun invloed doen gelden.'5 Dit onderzoek werd later in een rapport, mede opgesteld door generaal-majoor Michael Flynn, McChrystals inlichtingenofficier, geprezen als een voorbeeld van hoe de Amerikaanse inlichtingendiensten in Afghanistan te werk moesten gaan.[6]

Volgens sommige analyses leek Kandahar vatbaar voor een massale opstand overeenkomstig het Vietnamese Tet-offensief uit 1968, dat destijds uit propagandistisch oogpunt een complete ramp was geweest en de psychologische ommekeer bij de Amerikaanse bevolking had ingeluid. Let goed op Kandahar, waarschuwden de inlichtingendiensten. Die stad zou weleens van meer betekenis kunnen zijn dan de hoofdstad Kabul.

Op vrijdag 23 oktober bekeek Jones de niet ingeloste verzoeken om meer manschappen in Afghanistan die zich hadden opgestapeld voordat Obama president was geworden. Daaruit bleek dat niet alleen president Bush, maar ook Gates de kwestie jarenlang had laten versloffen. De onbuigzame opstelling van het hoogste kader van het Pentagon – met name van Mullen en McChrystal – bij de strategieherziening stuitte Jones tegen de borst.

Een keer had hij half schertsend tegen Mullen gezegd: 'Hoor eens, volgens mij zouden jullie zelfs om 40.000 man vragen als wij opdracht geven om in Afghanistan twee barakken te bewaken.'

Mullen lachte. 'Dat is een goeie,' zei de voorzitter, 'maar het blijven er 40.000.'

Obama wilde dat zijn naaste adviseurs hem tijdens een bijeenkomst de maandag daarop hun definitieve adviezen lieten weten.

Met de hand schreef Jones dat McChrystal 'volgens diens verzoek vier brigades toegewezen zou moeten krijgen, waarvan twee door de Verenigde Staten uitgezonden dienden te worden. Een derde zou afkomstig moeten zijn van het Afghaanse nationale leger en een vierde van de NAVO-bondgenoten.'

Hij schatte in dat de president hetzelfde aantal van 20.000 Amerikaanse soldaten voor ogen had, maar door dit aantal aan te dikken met een brigade van de kant van zowel Afghanistan als de NAVO zou het lijken alsof McChrystals verzoek werd ingewilligd. Jones vond het een goed compromis. Hij zocht naar wat hijzelf het 'beste raakpunt' noemde.

Op zaterdag tikte Jones zijn advies in op zijn computer, maar paste het niet aan voor de bijeenkomst en printte het ook niet uit. Het bleef op zijn harde schijf staan en kwam nooit bij de president terecht.

Maanden nadat de strategiewijziging was afgerond, bekende Jones: 'Achteraf gezien had ik het moeten versturen. Maar ik dacht dat het toch al die kant opging.'

Jim Steinberg, Clintons staatssecretaris van Buitenlandse Zaken, had haar onder vier ogen gezegd dat hij bang was dat het op een herhaling van Vietnam zou uitdraaien. De missie had een 'open einde' en hij vreesde dat McChrystal nog vaker om troepenversterkingen ging vragen. Hij drong aan op duidelijkheid over het verdere verloop.

Ook Holbrooke liet Clinton zijn advies alleen in vertrouwen weten.

Welke positie je ook inneemt, ik steun je omdat je mijn baas bent, zei hij. Maar je moet wel weten wat ik er feitelijk van vind. Ik vind 40.000 te veel. Het leger heeft niet duidelijk kunnen maken waarom. Laten we nu in plaats daarvan 20.000 man sturen en de andere helft paraat houden zodat die indien nodig later ingezet kan worden.

Ze luisterde naar wat Steinberg en Holbrooke te zeggen hadden, maar daar bleef het bij.

Heel wat stoelen rond de tafel in de Situation Room waren leeg op maandag 26 oktober, half twaalf 's ochtends. Mullens stoel bleef onbezet. Petraeus bevond zich in de Centraal-Aziatische republiek Tadzjikistan. Er waren geen legervertegenwoordigers uitgenodigd. Ook de stoelen op de tweede rij bleven onbezet. Geen van de gebruikelijke Witte Huis-functionarissen was aanwezig. Geen Axelrod, geen Gibbs, geen Rhodes, geen McDonough, geen Lute. Ze waren geen van allen uitgenodigd.

Na bijna zes weken vergaderen had de president deze bijeenkomst georganiseerd om de aanbevelingen van Clinton en Gates te vernemen.

Voordat ik over twee weken aan mijn reis naar Azië begin, wil ik een beslissing hebben genomen, zei Obama. Het wereldkundig maken ervan kon nog wel wachten, maar hij wilde nu spijkers met koppen slaan.

Zijn inschatting van de mogelijkheden voorspelde weinig goeds. 'Momenteel hebben we maar één keuze,' zei hij meteen. '40.000 of niks.'

Niemand kon dat tegenspreken. Obama zei dat hij nog die week meer opties wilde hebben. In zijn hand hield hij een memo van twee pagina's, dat hij de dag ervoor gekregen had van Peter Orszag, directeur begrotingsbeleid. Orszag had een schatting had gemaakt van de kosten van de oorlog in Afghanistan. Als de door McChrystal aanbevolen strategie werd gevolgd, zouden volgens het memo de kosten voor de volgende tien jaar 889 miljard dollar bedragen, ofwel bijna één biljoen.

'Voor mij is dat geen optie,' zei de president. 'Ik wil niet dat het tien jaar duurt. Zo lang wil ik niet aan de opbouw van een land besteden. Ik ga geen biljoen uitgeven. Daarop heb ik al eerder bij jullie aangedrongen.'

En met een gebaar naar het rapport van McChrystal, het verzoek om versterkingen en het memo van Orszag voegde hij daaraan toe: 'Dat is niet in het belang van dit land.' De president had al eerder over alternatieve uitgaven gesproken. Als er een biljoen aan Afghanistan werd uitgegeven zou dat ten koste gaan van andere prioriteiten: binnenlands beleid of het terugdringen van het begrotingstekort.

De eerste 'onvolkomenheid in Stans voorstel', zo vervolgde hij, was dat hij geen ruimte bood aan internationale samenwerking. McChrystals verzoek betrof elk kwartaal een nieuwe brigade van 10.000 man gedurende een jaar. De vierde Amerikaanse brigade zou de vertrekkende Nederlandse en Canadese troepen dienen te vervangen.

Gates zei dat het de NAVO moeilijk zou vallen landen voor die vierde brigade te vinden. De regering zou ook opnieuw forse druk op de vertrekkende landen kunnen uitoefenen om hun troepen te handhaven of zelfs uit te breiden. Maar aangezien dit pas over een jaar speelde, hoefden ze nu niet over die vierde brigade te beslissen, maar kon de kwestie opgeschort worden.

'Ja,' zei Obama, 'dit dient een internationale zaak te worden. Dat is één van de zwakste punten van het aan mij voorgelegde plan.' Een algemeen punt was, zei hij, dat er ook evaluatiemomenten ingelast dienden te worden, dat het mogelijk moest zijn om te beoordelen of welke troepenversterking dan ook effect had.

Als er meer troepen worden ingezet, zo zei Gates, zouden ze na twaalf tot achttien maanden een evaluatie kunnen inlassen. 'Op dat moment kunnen we zien of het effect heeft of niet. Een overdracht moet dan tot de mogelijkheden behoren.'

Het woord 'overdracht' leek Obama wel te bevallen. Hij zei dat de nadruk moest komen te liggen op opleidingen voor terrorismebestrijding en de verantwoordelijkheid van het lokale bestuur. Uiteindelijk dienden de Afghanen de veiligheid zelf ter hand te nemen.

'Het plan dat mij is voorgelegd, behelst heel wat anders dan de *surge*,' zei Obama, waarmee hij verwees naar Bush' beslissing in 2007 een extra 30.000 man naar Irak te sturen. Zouden ze ten aanzien van Afghanistan niet een vergelijkbare operatie moeten uitvoeren om het verzet een halt toe te roepen?

Obama bracht vervolgens McChrystals verzoek ter sprake om meer manschappen op te leiden voor de Nationale Veiligheidstroepen van Afghanistan (NVA), zodat die een sterkte van 400.000 man zouden krijgen. Dat aantal was louter en alleen gebaseerd op de zogenaamde 'verzetsbestrijdingsformule', die ervan uitging dat op elke veertig à vijftig burgers één soldaat of politieagent nodig was. (400.000 Afghaanse militairen en 1.8.000 soldaten van de VS en de NAVO waren volgens deze formule voldoende voor de in de totaal 28,4 miljoen Afghanen.) Meer dan deze berekening had de analyse niet om het lijf, klaagde de president. Het leek weinig doordacht.

Gates was het met hem eens. 'De doelstelling van 400.000 strijdkrachten voor de Nationale Veiligheidstroepen van Afghanistan is noodzakelijk noch wenselijk,' zei hij.

Wat het verzoek om de extra troepen betrof, zei Gates dat hij het verzoek van McChrystal in principe steunde, maar dat ze de vierde brigade voorlopig nog even achter de hand dienden te houden.

De president vatte de woorden van Gates samen. Binnen twaalf tot achttien maanden zou bekeken worden of de versterkingen effect hadden. 'We hebben de vierde brigade niet nodig. We hebben ook niet alle 400.000 nodig en zouden eens kunnen kijken naar een beperktere groei van de NVA. Een grote troepenversterking kan de macht van de opstandelingen breken, maar we houden niet oneindig vast aan de strategie van verzetsbestrijding.'

Nu was het de beurt aan Clinton. Ze vond dat aan het verzoek van McChrystal voldaan diende te worden, maar was het er ook mee eens dat de vierde brigade nog kon wachten. Haar advies leek meer overeen te komen met McChrystals oorspronkelijke verzoek dan dat van Gates.

'Wat de regering betreft,' zei ze, 'mogen we niet langer de ogen sluiten.' Iedereen was het met haar eens dat er wat Karzai betrof behoorlijk wat werk aan de winkel was.

Jones was van mening dat het leger onvoldoende duidelijk had gemaakt waarom de troepen nodig waren, maar stelde wel voor de 11.000 instructeurs waarom McChrystal had gevraagd allemaal te sturen, met benodigde hulptroepen.

Wat betreft de brigades meende Jones dat de troepen voor Kandahar meteen gestuurd moesten worden. Kandahar was de stad die het grootste gevaar liep. Drie van de vier dichtstbevolkte gebieden waren stevig in handen van de Afghaanse regering. De uitzondering was Kandahar. Als deze stad verloren ging, zou het land uiteenvallen en kon de oorlog weleens voorbij zijn, zei hij. Gezien de tijd die de andere brigades nog hadden – één brigade per kwartaal luidde McChrystals verzoek – kon de definitieve beslissing met betrekking tot de overige brigades wachten. Jones zei ook dat McChrystal te zeer gericht was op de VS en op troepen voor het zuiden en oosten van Afghanistan, en over het hoofd zag welke rol de NAVO-legers in de rest van het land vervulden. Naar zijn mening was het mogelijk de NAVO-landen nog 5.000 man te laten sturen.

Obama gaf aan dat hij nog geen beslissing kon nemen. 'Er is geen einddoel,' zei hij. 'Ik zie dat niet duidelijk voor me. Er is geen enkele garantie dat de toestand binnenkort verbetert. Het plan heeft te zeer een open einde. Binnen tien jaar is er nog geen sprake van een overwinning of nederlaag.'

Hij zag ook de mogelijkheid van een troepenversterking ineens voor de duur van maximaal een jaar. Iedereen, zo zei hij, diende de zaak opnieuw te overdenken. Hij wilde de verenigde chefs van staven bijeenroepen om hun ideeën te vernemen.

Gates zei dat hij het op twee punten niet eens was met het leger. Het eerste betrof hun gebruik van het woord 'verslaan' met betrekking tot de Taliban. Dat was onmogelijk, dus daarom zouden ze 'terugdringen' moeten zeggen. Evenmin kon hij zich vinden in de frase: 'volledig toegeruste verzetsbestrijding'. Ook dat was onmogelijk.

Ik wil de manschappen terugbrengen tot een realistischer aantal, zei Obama, tot een punt waarop het nog beheersbaar is, en een duidelijker einde.

Jones schreef in zijn zwarte notitieboekje: 'McChrystals plan mist een beredeneerde benadering van een allesomvattende overdracht.'

Obama vroeg Gates of hij werkelijk 40.000 man nodig had om de Taliban tot staan te brengen en vervolgens terug te dringen.

Voordat Gates kon antwoorden, zei Obama: 'Wat als we 15.000 à 20.000 man sturen? Is dat niet voldoende?' Hij herhaalde dat een één biljoen kostende en tien jaar durende strijd tegen de rebellen wat hem betrof uitgesloten was.

'Ik wil een exitstrategie,' zei de president.

Bijna iedereen begreep dat Clinton door het uitspreken van haar steun aan McChrystal de zijde van het leger en de minister van Defensie had gekozen, en daarmee ook de speelruimte van de president had ingeperkt. Ze bood niet langer dekking mocht hij besluiten tot een aanzienlijk lager aantal manschappen of een mildere aanpak. Het was een beslissend moment voor haar opstelling tegenover het Witte Huis. Was ze nog wel te vertrouwen? Zou ze ooit echt helemaal partij kiezen voor Obama? Had ze dat ooit wel gedaan? Hoewel haar electorale toekomst al leek vast te staan, weten politici zoals zij dat er van alles mis kon lopen. Doorgaans spelen ze hun eigen spel. Maar Gates geloofde dat Clinton uit politieke overtuiging had gesproken.

De volgende dag, 27 oktober, stuurde Jones Gates het formele verzoek tot het presenteren van een plan waarin alle met de president besproken aspecten aan de orde kwamen, een plan waarin werd voorzien in een snellere uitzending van de troepen.

Jones en Donilon waren ervan overtuigd dat de president duidelijkheid wilde. De lessen uit de Irak-oorlog en Gordon Goldsteins boek over Vietnam, *Lessons in Disaster*, leerden dat een president in dit soort verstrekkende militaire aangelegenheden nauwgezet diende te handelen. Wanneer het ontbrak aan duidelijke adviezen en beslissingen neigde de legerleiding ernaar haar zin door te drijven. Het leger diende duidelijkheid van hogerhand opgelegd te krijgen.

Na alle besprekingen ruim een maand aangehoord te hebben, vreesde de stafchef van de Nationale Veiligheidsraad, Denis McDonough, dat het hele proces op een ramp uitdraaide en consensus alleen nog met de grootste moeite kon worden bereikt.

Het duurde niet lang voordat een groepje gelijkgestemden elkaar vond. Ook Biden en Blinken maakten zich zorgen, evenals Tom Donilon, generaal Lute en John Brennan.

Deze zes (Biden, Blinken, Donilon, Lute, Brennan en McDonough) hielden een aantal officieuze bijeenkomsten. Het was een groep met macht waarvan de leden op diverse manieren dicht bij de president stonden, en die een tegenwicht bood aan het verzamelde front dat gevormd werd door Gates, Mullen, Petraeus, McChrystal en nu ook Clinton. Lute noemde hun bijeenkomsten bij voorkeur 'ontsnappingsvergaderingen'. Het waren kleinschalige, informele bijeenkomsten die plaatsvonden na de drukbezochte vergaderingen van de Nationale Veiligheidsraad. Er werden er een stuk vijf gehouden, onder meer op de kamers van Lute, Brennan en Donilon en zelfs één in de ambtswoning van de vicepresident.

'Waar gaat dit naartoe?' vroeg Biden een keer. 'Wat is hier aan de hand, jongens?' De vicepresident zei dat hij nog altijd van mening was dat Obama niet alle 40.000 manschappen diende te sturen. De kosten daarvoor waren te hoog en de vooruitzichten op succes te gering. Hoe konden ze dit alternatief van 'terrorismebestrijding-plus' op een goede manier presenteren?

Op woensdag 28 oktober, vlak voor middernacht, stapte Obama op het gazon van het Witte Huis in de presidentiële helikopter voor een vlucht van drie kwartier naar de luchtmachtbasis Dover in Delaware om daar getuige te zijn van de aankomst van de lichamen van achttien in Afghanistan gesneuvelde Amerikaanse soldaten.[7] Hij had zijn medewerkers gezegd dat hij eens zelf de plechtigheid van het overbrengen van de kisten van het vliegtuig naar de auto's in ogenschouw wilde nemen. Hij wilde met de families van de gevallenen spreken. Ik wil met eigen ogen zien hoe moeilijk dit voor hen is, had hij een medewerker gezegd.

Om half een in de nacht van woensdag op donderdag landde de helikopter op Dover naast het enorme C-17-vrachtvliegtuig. Het grote vrachtluik aan de achterzijde van het vliegtuig was geopend, maar Obama kon de achttien met vlaggen overdekte doodskisten die erin stonden, niet zien. Een auto bracht hem naar de kapel waar zestig familieleden wachtten. Hun naasten waren eerder die week gestorven. De schok en het verdriet waren nog vers.

'Het spijt me heel erg voor u,' zei hij, telkens als hij een groepje nabestaanden naderde. Hij legde zijn handen op schouders, klopte op ruggen, omhelsde en knuffelde de kinderen. 'Dankbaar... Het land is dankbaar... Iedereen in dit land bidt voor u, Michelle en ik bidden voor u.'

De autostoet bracht hem terug naar de massieve, grijze C-17. Hij liep naar het achterste laadplateau waar op een rij de kisten stonden. Bij elke kist stopte hij even, sprak een kort gebed uit en legde er een presidentiële herdenkingsmunt op.

Bijna twee uur lang stond hij in zijn lange overjas in de kille duisternis en keek toe hoe een zeskoppige militaire eenheid in gevechtskledij met zwarte baretten en witte handschoenen de kisten stuk voor stuk van het vliegtuig naar een auto droeg. Het gebeurde allemaal nauwgezet. De eenheden kwamen regelmatig in actie, aangezien de luchtmachtbasis Dover de belangrijkste aankomstplek was voor Amerikaanse oorlogsslachtoffers. Tegen vier uur 's morgens zat de plechtigheid erop. De president bedankte iedereen, glipte de helikopter in en deed het lichtje boven zijn hoofd uit. Tijdens de drie kwartier durende vlucht terug naar het Witte Huis zei niemand iets.

22

Vrijdagmiddag 30 oktober rond half twee riep Obama de verenigde chefs van staven op naar het Witte Huis te komen. Dit betrof niet zomaar een stap in het beslissingproces. De president was wanhopig op zoek naar een andere keuze.

De twee voorbije maanden hadden de legervertegenwoordigers – Mullen, Petraeus en McChrystal – hardnekkig vastgehouden aan verzetsbestrijding en 40.000 man extra. Maar in het kader van de strategiewijziging dienden de militaire leiders nog afzonderlijk geraadpleegd te worden.

De hoogste bazen van de landmacht, de marine, het Korps Mariniers en de luchtmacht waren verantwoordelijk voor de rekrutering, opleiding en uitrusting van de strijdkrachten, die zij vervolgens ter beschikking stelden van commandanten als Petraeus en de aan hen ondergeschikte commandanten van de grondtroepen zoals McChrystal. Petraeus noch McChrystal was bij deze vrijdagse bijeenkomst aanwezig omdat beiden in Afghanistan verbleven en lager in rang stonden. Maar alles rond het leger lag ingewikkeld, dus ook hun bazen voerden niet het bevel. Sinds Colin Powell twintig jaar geleden met krachtige hand de verenigde chefs van staven had geleid, waren zij terzijde gemanoeuvreerd. George W. Bush had hen hooguit plichtmatig geraadpleegd nadat hij zelf de beslissing al had genomen.

Niettemin hadden de chefs van staven in de krijgsgeschiedenis een bijna mythische reputatie. Tijdens de Tweede Wereldoorlog had George Marshall op bijzonder krachtige wijze leidinggegeven aan de landmacht. Daarentegen had de reputatie van de chefs van staven ernstige schade ondervonden door hun weifelende optreden tijdens de Vietnam-oorlog toen zij het nalieten president Johnson van eerlijk advies te dienen, zoals brigadegeneraal H.R. McMaster had beschreven in zijn in 1997 verschenen boek *Deriliction of Duty*.

'Ik heb maar één keuzemogelijkheid, die mij gepresenteerd is als had ik er drie,' vertelde Obama de militaire leiders. 'Ik wil drie echte keuzes hebben.' Dit was een ongebruikelijke verzoek aan de stafchefs.

'Ik ben vastbesloten dit tot een gezamenlijke inspanning te maken', tot een succes, vervolgde hij. 'Dit is een strijd van de VS, maar ik wil mij niet verbinden aan een eindeloze operatie.' Ze hadden allemaal McChrystals rapport en zijn verzoek om troepenversterkingen gelezen. Het doel van deze bijeenkomst was, zei de president, onbevooroordeelde meningen over alternatieven te horen en over de kosten die aan alle opties verbonden waren.

Biden voegde toe: 'Als het geen goede oplossing is, horen we dat ook graag.'

Voor alle duidelijkheid zei de president: 'Het doel is Al-Qaida te vernietigen en te ontmantelen.' Dat is waar het voor ons om draait. Maar het doel in Afghanistan is het 'ontwrichten van de Taliban, hen verzwakken zodat de Afghanen deze beweging zelf kunnen aanpakken'.

Generaal James Conway, bevelhebber van de mariniers, bracht in dat militairen een enorme afkeer hadden van het verlengen van een missie als de tegenstander al verslagen was. De potige Conway, die er ongezouten meningen op na hield, had in Irak leidinggegeven aan 60.000 man tijdens twee gevechtscampagnes. Naar zijn mening was het voor een marinier een aanfluiting om als maatschappelijk werker te moeten optreden. Een marinier wilde doden. 'Ik wil u aanraden, meneer de president,' zei hij, 'om niet voor lange tijd te verbinden aan de wederopbouw van het land.'

Obama was dat van harte met hem eens.

'De Voorzienigheid is niet op onze hand als wij dat land op de een of andere manier weer willen opbouwen,' vervolgde Conway. 'Sommige dingen krijg je gewoon niet gedaan in een mensenleven. We moeten het Afghaanse leger opleiden en de macht overdragen.'

Gates reageerde met wat klonk als een gedeeltelijke weerlegging en zei dat hij weinig vertrouwen had in extra regeringstroepen en evenmin in werkelijke bestuurshervormingen door Karzai.

Generaal George Casey, de stafchef van de landmacht, die in Irak twee-eenhalf jaar leiding had gegeven aan de troepen toen de strijd op zijn hevigst was, zei dat door de voorziene terugtrekking van de troepen uit Irak de landmacht in staat was de benodigde militairen voor de troepenversterking van 40.000 man aan te dragen. Casey was echter sceptisch over de inzet van grote aantallen manschappen in een dergelijke oorlog. Naar zijn mening was in zowel Irak als Afghanistan een snelle machtsoverdracht het allerbelangrijkste, diende het leger het land te verlaten en ondertussen het volk te helpen zichzelf te besturen en te beschermen. Maar, zo zei hij, het voorstel voor 40.000 man behelsde een aanvaardbaar risico voor de landmacht. Met de ophanden zijnde terugtrekking uit Irak had hij voldoende strijdkrachten beschikbaar mocht er opnieuw een crisis uitbreken.

Wil je voor mij een inschatting maken, vroeg de president, hoeveel effect het 'ontwrichten' van de Taliban in Afghanistan heeft?

Tekenend voor hoe weinig de verenigde chefs van staven nog bij alles betrokken werden, was dat Casey zei dat hij, hoewel de president het woord 'ontwrichten' had gebruikt, dacht dat de missie nog altijd de vernietiging van de Taliban als doel had. Daarop was McChrystals verzoek om extra middelen gebaseerd.

'Het verzet helemaal uitbannen is geen simpele opdracht,' zei Casey. 'Dat kost tijd. Maar als vernietiging niet langer het doel is, maar alleen het ontwrichten van de rebellen, dan heb je het over iets heel anders.'

'Eén van Stans conclusies,' zei Obama, 'is dat in het geval van de Taliban een vernietiging waarschijnlijk te ambitieus geformuleerd is. Zorg dat de Taliban ontwricht raakt, hou ze in de gaten, voorkom dat ze een nieuw platform vinden voor hun activiteiten, frustreer hun inspanningen.'

Casey liet weten dat hij blij was dit te horen. 'Het is niet mogelijk de Taliban te vernietigen in de ouderwetse betekenis van het woord. Dat is net zoiets als het vernietigen van de Hamas,' zei hij, refererend aan de Palestijnse beweging die over de Gazastrook heerste en door de vs als een terroristische groepering wordt beschouwd.

De opdracht was 'ontwrichten', zei de president.

'Nou, dat maakt nogal verschil,' zei Casey.

Obama verzocht hem om een toelichting.

'Dat maakt vooral verschil, meneer de president,' zei Casey, voor de benodigde hoeveelheid manschappen.'

Generaal Conway stemde in met Casey. De stafchefs van de marine en de luchtmacht wisten weinig te zeggen. Ze merkten op dat hoe de Afghanistan-beslissing ook uitviel, de gevolgen voor hun strijdkrachten gering zouden zijn.

Voorzitter Mullen had slechts geluisterd toen Casey en Conway zijn argument voor de troepenversterking van 40.000 man onderuithaalden. Hij verdedigde die optie door te pogen een van Obama's bedenkingen weg te nemen.

Hierna zullen we niet weer om manschappen verzoeken, beloofde de voorzitter.

Hij stelde een limiet. Dat leed geen twijfel. Mullen, die de voorbije zomer zoveel bezwaar had gemaakt tegen Obama's voorstellen voor een limiet, had er nu zelf een aangedragen. Biden was heimelijk in zijn nopjes.

De president zei dat hij nog meer keuzemogelijkheden wilde, maar dat die wel betaalbaar en uitvoerbaar dienden te zijn. Hij wilde zich niet voor enorme stijgingen in kosten en manschappen gesteld zien.

'We moeten een inspanning leveren waar we achter staan en die de bevolking accepteert,' zei hij. 'En we moeten vasthouden aan een exitstrategie.'

Na de bijeenkomst sprak de president zijn waardering uit voor Casey en Conway, en vertelde hij zijn medewerkers dat hij vond dat beiden zich onderscheiden hadden door een advies dat gebaseerd was op de missie zoals hij die in gedachten had, en niet op de missie waar Mullen, Petraeus en McChrystal aan bleven vasthouden.

Op 30 oktober stuurde Gates Obama een memo van twee pagina's met als opschrift GEHEIM.[1] 'Bijgevoegd is onze reactie op het verzoek van de Nationale Veiligheidsraad aan het ministerie van Defensie tot een alternatief voor generaal McChrystals strijdkrachtenoptie 2A.'

Onder de kop 'Alternatieve missie in Afghanistan' schreef de minister van Defensie: 'Voor de uitvoer van deze alternatieve missie is een aanvullende verhoging met drie Amerikaanse brigades inclusief hulptroepen noodzakelijk (30.000 tot 35.000 extra troepen).'

Het was voor Gates een makkelijke rekensom geweest. Ten minste 5.000 man konden pas over een jaar naar Afghanistan, dus daarover zou de president niet meteen hoeven te beslissen. Ook dacht hij dat hij van de bondgenoten minimaal 5.000 man los zou kunnen krijgen. Op zijn manier had Gates het 'beste raakpunt' gevonden, zoals Jones zich dat had in-gedacht, dat in zijn visie ergens tussen de 20.000 van de gemengde optie en McChrystals 40.000 lag.

Op de tweede pagina van het memo nam Gates afstand van zijn in de zomer verkondigde mening dat 'het vernietigen van het extremistische verzet' het doel was. Hij verlangde nu een 'ontwrichten en terugdringen van de Taliban', wat een veel minder ambitieuze doelstelling was. 'Onze strijdkrachten die optrekken tegen de terreur,' schreef hij, 'zullen door-gaan met het terugdringen van de Taliban door langdurige operaties op te zetten tegen hun bevelhebbers, de door hen bezette gebieden en de hen ondersteunende netwerken.'

Tijdens een vergadering van de principals van de Nationale Veiligheids-raad begin november – toen de strategieherziening al zes weken liep – hield ambassadeur Eikenberry een lang pleidooi over waarom een strate-gie van verzetsbestrijding op basis van een forse troepenversterking waarschijnlijk niet zou werken. Hij sprak zijn zorgen uit over de daaraan verbonden kosten, over een te groot vertrouwen in de Amerikaanse strijd-krachten, een grotere afhankelijkheid van Afghanistan, de onbetrouw-baarheid van Karzai, het enorme verloop binnen het Afghaanse leger en het daar heersende tekort aan rekruten. Deze problemen waren zo groot dat de Afghanen niet in staat zouden zijn om in 2013 het bestuur op zich te nemen, zoals eerst de bedoeling was. Een Amerikaanse troepenverster-king zou geen einde maken aan het verzet in Afghanistan zolang de Quet-ta Shura Taliban en de Haqqani-organisatie nog hun toevlucht konden vinden in Pakistan.

Donilon vond zijn argumenten overtuigend. 'Waarom werk je dat niet verder uit?' vroeg hij Eikenberry. 'Zet het in een telegram en verstuur dat.'

Jones was het daarmee eens en Eikenberry zegde toe dat te doen.

Holbrooke wachtte in Manhattan in het restaurant Four Seasons op Pe-traeus. Door louter toeval hadden beiden een lunchtoespraak gehouden in één van de aparte zaaltjes van dit befaamde restaurant. Ze hadden drin-gende zaken te bespreken. Vrijdagochtend 6 november was er een tele-gram uit Afghanistan gekomen.

De ambassadeur van de Verenigde Staten in Afghanistan had minister Clinton een telegram gestuurd waarin hij zijn 'bedenkingen over een strategie van verzetsbestrijding op basis van een forse troepenversterking van de zijde van de VS' schetste.[2] Eikenberry vreesde dat niet alle alternatieven bestudeerd waren. De voorgestelde troepenversterking kon 'leiden tot aanzienlijk hogere kosten' en een 'onduidelijke hoofdrol voor het leger van de VS' in Afghanistan. Die aanwezigheid kon 'een grotere afhankelijkheid van Afghanistan' in de hand werken en tot een verdere legerbemoeienis leiden met een missie die niet alleen met militaire middelen tot een goed einde kon worden gebracht. Eikenberry liet weten dat de klokvormige grafieken van de troepeninzet naar zijn mening 'weinig exact en te optimistisch' waren.

Terwijl hij op Petraeus wachtte, nam Holbrooke een telefoontje van Mullen aan. Hij had de voorzitter van de verenigde chefs van staven nog nooit zo kwaad gehoord.

'Wat bezielt die Eikenberry?' vroeg Mullen.

'Je wist toch wat hij ervan vond?'

'Maar niet dat hij dit zou doen,' zei Mullen. 'Hij zet het hele systeem op zijn kop.'

Eikenberry was zo onbeleefd geweest Petraeus en McChrystal niet eerst in te seinen over zijn telegram, wat Donilon en Jones hem wel hadden verzocht.

Toen Holbrooke Petraeus op de hoogte bracht van de inhoud van de telegram ontplofte Petraeus.

De belangrijkste Amerikaanse diplomaat in Afghanistan had afstand genomen van het leger en zich vervreemd van McChrystal, zijn militaire tegenhanger. Een belangrijke voorwaarde voor de verzetsbestrijding was dat de hoogste militair en de hoogste regeringsvertegenwoordiger met elkaar samenwerkten. Aan die samenwerking was nu met één klap een einde gekomen.

Op maandag 9 november werd tijdens weer een andere vergadering van de belangrijkste leden van de Nationale Veiligheidsraad de aandacht gericht op McChrystals plan het aantal manschappen van de Nationale Veiligheidstroepen van Afghanistan te verhogen naar 400.000. Dat aantal diende te bestaan uit 240.000 militairen (bijna een verdrievoudiging ten opzichte van de 92.000 manschappen die het Afghaanse leger nu telde) en een politieapparaat van 160.000 man.

'We moeten ervoor zorgen dat de NVA 400.000 man sterk wordt,' zei Petraeus, 'niet iets halfslachtigs' zoals voorgesteld in een memo aan de staf van de Nationale Veiligheidsraad die voor de vergadering de ronde had gedaan. Dit was een langetermijnproject, zei hij, en als nu reeds beslissingen werden genomen, kon men overgaan tot het bestellen van materieel, mortieren en handwapens, tot een opbouw van de infrastructuur en de opleiding beter afstemmen. Als je geen idee hebt waar je heen gaat, voldoet elke route, vond hij, maar hij wilde dat er duidelijk een weg werd ingeslagen.

Mullen steunde hem in zijn idee. Gates, die het aantal van 400.000 niet noodzakelijk achtte, merkte alleen op dat 'het goed was een doel voor ogen te hebben'.

Jones vond het verdacht veel lijken op het land dat de Amerikanen hadden achtergelaten voor de Iraakse regering. Hij wist wel zeker dat de president dit in het geval van Afghanistan precies niet wilde. Maar Jones liet het aan de vicepresident over tussenbeide te komen.

'Is dat wel haalbaar?' vroeg Biden. Voor het Afghaanse leger werden nu elke maand 2.000 rekruten opgeleid. In dat tempo zou het trainen van de nieuwe soldaten zes jaar in beslag nemen, aangenomen dat er geen verloop zou zijn, maar dat was juist hoog. Bij de politie was de situatie nog slechter. Daar vertrokken regelmatig meer mensen dan er werden geworven.

De legerleiders wilden het aantal van 400.000 niet loslaten als was het Gods woord. Toen ze zich steeds dogmatischer begonnen op te stellen, voer Biden uit. Nu de president ontbrak op de vergadering had de vicepresident het gevoel dat hij nog vrijer dan anders kon spreken. Volgens een deelnemer 'was hij een beroerte nabij'. De vicepresident vond het getal van 400.000 nergens op gebaseerd, net zo'n onzinnig cijfer als door Rumsfeld was aangedragen tijdens de Irak-oorlog. Hij probeerde Petraeus en McChrystal een kruisverhoor af te nemen, maar zij gaven geen duimbreed toe. Een tijdpad was niet het enige wat telde. Petraeus en McChrystal zeiden dat om het plan te doen slagen er een volwaardig opleidingssysteem moest worden opgetrokken, inclusief scholen, gebouwen, rekruteringsteams, handleidingen, personeel en een hele infrastructuur. Dit werd geen kortstondige operatie. Het systeem moest duurzaam zijn.

De houding van Petraeus was: hé, dit is niet de eerste keer dat ik zoiets doe. Hij had vanaf 2004 ongeveer vijftien maanden leidinggegeven aan het opleidingscentrum in Irak. Toen hij dat bevel op zich nam, zette *Newsweek* hem op het omslag met als kop: 'Gaat deze man Irak redden?'[3]

De onuitgesproken vraag die door de Situation Room ging was: gaat deze man Afghanistan redden?

Tijdens een vervolgbijeenkomst met de president bleef McChrystal verwoed aandringen op 400.000 manschappen voor de NVA.

'Wat gaat dat kosten?' vroeg Obama.

Bij een volgende vergadering kwamen de cijfers opnieuw ter sprake. De president was hoogst verbaasd over de kosten. 'Dus als ik het goed begrijp,' zei hij, 'moeten die mannen ervoor zorgen dat wij het land weer kunnen verlaten. Als we hiermee instemmen, dan stemmen we in met vijfenvijftig miljard dollar opbouwkosten alleen maar om weg te kunnen gaan, en vervolgens zullen we tot het einde der tijden elk jaar een rekening van acht miljard dollar krijgen. Wat is er zo bijzonder aan dat getal van 400.000? Hoe ben je op die 400.000 gekomen?'

Donilon, Lute en de staf van de Nationale Veiligheidsraad vroegen McChrystal en zijn medewerkers naar de berekening. Het korte antwoord luidde dat die gebaseerd was op de COIN-standaardverhouding van één verzetsbestrijder op elke veertig à vijftig burgers. Maar de doelstelling voor de NVA was aangepast, aangezien het verzet niet in het hele land actief was. De opstandelingen bevonden zich vooral in de regio met de bijnaam Pasjtoenistan. Niet meer dan 42 procent van de Afghanen behoorde tot de Pasjtoens.[4] Maar ze hoefden zich bijvoorbeeld geen zorgen te maken over de Taliban in de gebieden waar de Tadzjieken woonden, die ten minste 27 procent van de bevolking uitmaakten,[5] de Taliban was daar geen lang leven beschoren vanwege de grote vijandigheid van de Tadzjieken tegenover deze rebellen.

'De politie voert niets uit,' zei Lute tegen de president. 'Het is allemaal onzin wat ze ons vertellen.' Hij drong er bij Obama op aan de kwestie niet te laten rusten.

'Hoe groot is de kans dat je deze aantallen weet te realiseren en dat ze ook kwalitatief voldoen?' vroeg Obama bij een volgende vergadering.

Twee bijeenkomsten lang had McChrystal geen antwoord op deze vraag. Daarom zette Lute het maar op de lijst voor de volgende vergadering.

'Redelijk groot' in het geval van het leger, luidde uiteindelijk McChrystals antwoord, maar 'klein' bij de Afghaanse politie.

'Heren, wat staaft de noodzakelijkheid en de haalbaarheid hiervan?' vroeg de president. Daarop had niemand een goed antwoord. Dat leek voor Obama het keerpunt te zijn. De door hem verlangde, met bewijzen gestaafde redenen voor de doelstelling van 400.000 bleven uit. Het was een vaag idee, ondersteund met grafieken en theoretische standaardverhoudingen.

'Dit plan drijft op goedgelovigheid,' zei Obama. Met een dergelijk extreem voorstel kon hij niet akkoord gaan. In plaats daarvan diende het leger op jaarlijkse basis doelstellingen voor de NVA te formuleren. Een duidelijker 'nee' had hij niet kunnen laten horen. Het betekende ook dat hij niet geloofde dat het Irak-model op Afghanistan toepasbaar was.

Gates had geen vrolijke vlucht toen hij terugkeerde van de op 10 november gehouden herdenkingsdienst voor de dertien mensen die op de militaire basis Fort Hood door majoor Nidal Malik Hasan waren doodgeschoten. Geoff Morrell, de perschef van het Pentagon, merkte op dat Gates wat aantekeningen neerkrabbelde voor zijn volgende overleg met Obama.

'Is dat voor een vergadering?' vroeg Morrell.

'Ja,' antwoordde Gates.

'Zullen we dat overdoen in het net?' vroeg Morrell. Het handschrift was slordig en het vel stond vol pijltjes en andere tekens. 'Er iets moois van maken?' Het Pentagon ging prat op netheid.

'Absoluut niet,' zei Gates licht verontwaardigd. Hij had urenlang diep nagedacht. 'Dit is van mijn hand en dat dient iedereen te weten,' zei hij. 'Dit is wat ik ervan vind. Dit is mijn analyse, mijn vaststelling.' Het was een taak die hij zichzelf had opgelegd en hij wilde dat iedereen in de Situation Room dat in de gaten had. 'Het is niet afkomstig van mijn medewerkers.'

Jones was bang dat DNI Blair zich te veel met het beleid ging bemoeien en wilde hem niet langer bij het overleg over de strategiewijziging hebben.

Maar als Blair weg moest, zou ook Panetta uitgesloten moeten worden. Omdat ook de president Blair er niet meer bij wilde hebben, waren beide directeuren van de inlichtingendiensten niet langer welkom bij de resterende bijeenkomsten. Jones had hun laten weten dat de rol van de inlichtingendiensten nu voor iedereen duidelijk was en dat ze daarom niet langer nodig waren.

In elk geval Blair was verbijsterd hierover. En Panetta, die aan het hoofd stond van het geheime CIA-leger van 3.000 terrorismebestrijders in Afghanistan, werd nu niet meer betrokken bij de discussie over de troepenversterking.

23

Op woensdag 11 november – Veteranendag – rond twaalf uur stapten de president en zijn vrouw Michelle uit de auto op Arlington National Cemetery.¹ Het regende en het was koud. Ze liepen rond in Sectie 60, waar de doden uit de oorlogen met Irak en Afghanistan begraven liggen.² Een schrijver heeft dit eens gekarakteriseerd als de 'het droevigste stukje Amerika'. Obama liep over de paden tussen de kleine witte grafstenen door om de familie en vrienden van de gesneuvelden te begroeten. Grote regendruppels verzamelden zich in zijn haar, op zijn gezicht en zijn zwarte jas. In de natte aarde werden nieuwe graven aangelegd.

De voorlichter van het Pentagon, Geoff Morrell, had onder het werk op de achtergrond vaak een aantal tv's hard aan staan. Hij keek naar de alom aanwezige schermen als een autobestuurder die het naderende verkeer in de gaten hield. Morrell zat klaar om bij de minste of geringste afwijking van Gates' bevel dat het leger zich tijdens de strategieherziening uit de publiciteit diende te houden, in actie te komen.

Om twee uur die woensdagmiddag hoorde Morrell hoe CNN een exclusief interview met generaal Petraeus aankondigde.³ Het was iedereen uit het Pentagon en het leger verboden om op tv te verschijnen, zelfs als ze alleen maar een oud dametje hielpen oversteken.

'U gaat de menselijke kant zien van een leider die alles overheeft voor zijn manschappen,' zei CNN-presentatrice Kyra Phillips. 'En daarmee heeft hij het leven van een soldaat gered.'

De camera toonde Dave Petraeus in de briefingruimte van het Witte Huis. Ho ho, wacht eens even. Niemand had Morrell hiervan op de hoogte gebracht. Was het al eerder opgenomen? Nee, dit waren live-beelden. Rechtstreeks vanuit de West Wing, midden tijdens de strategieherziening.

Petraeus sprak over eerste luitenant Brian Brennan, die het ternauwernood had gered nadat hij met zijn Humvee anderhalf jaar eerder in Afghanistan op een bermbom van twintig kilo was gestuit. Door de ontploffing had hij beide benen verloren en was hij als gevolg van een hersenbeschadiging in coma geraakt, waarna hij overgebracht was naar het legerhospitaal Walter Reed in Washington. Op 4 juli 2008 had Petraeus een bezoek gebracht aan Brennan, die toen bewegingloos in het ziekenhuisbed lag. Hij had zijn ogen open maar zag niets. En op dat moment deed Petraeus iets wat – in de gloedvolle woorden van de presentatrice – 'geen familielid of dokter' had kunnen doen, iets 'wonderbaarlijks'.

Brennan had gediend in het 506de Infanterieregiment, de eenheid die tijdens D-Day per parachute in Normandië was geland en legendarisch was geworden als de 'Band of Brothers'. Petraeus herinnerde Brennan aan de leus van het regiment: 'Currahee!' De soldaat gaf heel even een teken van leven. Petraeus probeerde het opnieuw samen met de sergeant-majoor van de luitenant. Ze telden tot drie en riepen toen hard: 'Currahee!'

Als Lazarus kwam de jonge militair weer tot leven. Zijn hoofd en wat er van zijn benen restte kwamen omhoog bij het horen van het voor hem zo bekende woord uit de taal van de Cherokees, dat 'wij zijn uniek' betekent. Brennan herstelde, leerde weer lopen, en geïnspireerd door generaal Petraeus richtte hij een stichting op om gewonde veteranen bij te staan.

De CNN-presentatrice merkte op dat Petraeus binnen tien minuten naar de Situation Room zou gaan om daar deel te nemen aan de achtste bijeenkomst van Obama's krijgsoverleg. Ze was benieuwd of Obama ging instemmem met het verzoek om 40.000 extra manschappen naar Afghanistan te sturen.

'Dat is aan de president. Dat mag duidelijk zijn,' zei Petraeus terwijl het embleem van het Witte Huis zichtbaar was over de schouder van zijn groene uniform. 'En nogmaals: het is onze taak hem te voorzien van ons deskundige militair advies.'

De presentatrice kwam met nog één vraag op de proppen: was de generaal van plan zich kandidaat te stellen voor het presidentschap in 2012? Volgens sommige Republikeinen was hij een uitstekende kandidaat.

'Daar zal ik nu in jullie programma voor eens en altijd duidelijk over zijn,' zei Petraeus. 'Ik herinner je graag aan dat geweldige countrynummer met de tekst "Welk deel van mijn 'nee' begrijp je niet?"'

Morrell was woest. Wat had Petraeus niet begrepen aan zijn 'nee'? Hij werd verondersteld aan niemand een interview te geven, niet over Afghanistan en Pakistan, en zeer zeker niet over zijn ambities voor het presidentschap. De generaal wist dit donders goed, aangezien hij in september met zijn opmerkingen tegenover een columnist van *The Washington Post* over de noodzakelijkheid van verzetsbestrijding, zich de woede van de president op de hals had gehaald.

Morrell belde later kolonel Erik Gunhus, de persofficier van Petraeus. 'Wat was dat verdomme?' vroeg hij.

Het was een feelgoodverhaal ter gelegenheid van Veteranendag over iemand die beide benen was kwijtgeraakt, antwoordde Gunhus.

'Klootzak!' brulde Morrel in de telefoon. Hij herkende dit als een nieuwe uiting van Petraeus' oneindige campagne tot zelfpromotie. Dave de wonderdoener die de zieken geneest. En hij had er uitgerekend voor gekozen dit verhaal vanuit het Witte Huis te doen, enkele minuten voor een afspraak met de president.

'Waarom wist ik niets van dit interview af?' vroeg Morrell.

Morrell had er geen idee van dat Gunhus bij Petraeus was. Hij gaf zijn mobiel over aan de generaal.

Gunhus had je op de hoogte moeten stellen, gaf Petraeus toe. Maar misschien, zo vervolgde hij, moet het Pentagon ook niet een bevelhebber van het Centraal Commando willen muilkorven.

'Wanneer besef je nu eens dat ik zulk soort dingen de hele tijd doe zonder dat het nieuws wordt?' zei Petraeus. 'Ik help de goede zaak uit te leggen.'

'Sorry dat ik te laat ben,' zei Obama toen hij voor de achtste bijeenkomst in het kader van de strategiewijziging de Situation Room binnenliep. Sarcastisch voegde hij daaraan toe: 'Ik was verdiept in een artikel in *The Wall Street Journal* over wat wij hier aan het doen zijn.'[4]

Het artikel citeerde 'een hooggeplaatste militaire functionaris' die gezegd had dat de president een nieuwe optie voorgelegd zou krijgen die een versterking van 30.000 à 35.000 manschappen inhield. In het stuk werd niet onthuld dat dit de reactie van het Pentagon was geweest op Jones' memo van 27 oktober. Obama was kwaad. Het was de zoveelste keer dat er naar de pers was gelekt, terwijl Gates en Mullen hadden beloofd daaraan een einde te maken.

Erger nog was dat ze nog altijd geen antwoord op de fundamentele vraag hadden wat de missie nu in diende te houden. Wat willen we eigenlijk? Wat zijn onze doelen en waarom? Deze vragen bleven bijeenkomst na bijeenkomst centraal staan, maar na twee maanden waren ze nog altijd niet beantwoord. Degenen die Obama hadden meegemaakt tijdens zijn presidentiële campagne konden zien dat hij hierover uitermate gefrustreerd en geïrriteerd was.

Admiraal Mullen begon met een powerpointpresentatie, getiteld 'Briefing van de voorzitter van de verenigde chefs van staven voor de president, 11 november'. De dia's vormden een pleidooi voor psychologische oorlogvoering, legden nadruk op het belang van het tonen van vastberadenheid omdat oorlog grotendeels ook een psychologisch spel is. De enthousiaste boodschap beklemtoonde de grote betekenis van betrokkenheid, wat ook op de Afghanen overgebracht moest worden. Mullen zei dit weliswaar niet, maar het tonen van betrokkenheid begon helemaal bovenaan, bij de president. Bij verzetsbestrijding gaat het erom dat mensen een gevoel van veiligheid krijgen. De constatering dat perceptie vaak de doorslag geeft, kwam rechtstreeks uit Petraeus' strategiehandboek.

'Vastberadenheid leidt tot meer slagkracht,' zei Mullen, en het 'is van grote psychologische invloed'.

Hij vervolgde zijn briefing: 'Door te laten zien dat het ons menens is, geven we een teken aan vele partijen.' Daardoor zal 'de Taliban het geloof verliezen' en zal het Afghaanse volk zijn politieke toekomst anders gaan zien.

'Het leidt ertoe dat de NAVO en onze bondgenoten ons blijven steunen en het moedigt de Pakistani aan tot het voortzetten van de verzetsbestrijding aan hun kant van de grens.

Het kan ook politieke en diplomatieke gevolgen hebben en zo de aanzet geven tot een hereniging en verzoening en eveneens ertoe leiden dat extra manschappen overbodig zijn' – vermoedelijk nadat de eerste 40.000 uitgezonden waren – 'doordat er een sfeer van onvermijdelijkheid wordt gecreëerd.' Al met al biedt dit 'significante mogelijkheden hen in hun strategie te raken'.

Jones bracht in dat ze met deze discussies de goede kant opgingen.

'Ons doel,' zei hij, waarmee hij een consensus suggereerde, 'is het wegnemen van de dreiging van de Taliban om de Afghaanse regering omver te werpen en van hun mogelijkheden een schuilplaats te bieden aan Al-Qaida. Het gaat er niet om de Taliban weg te vagen of te vernietigen. De militaire doelstellingen blijven beperkt tot het bereiken van het gestelde doel.'

'Ik mag hopen dat het daar inderdaad bij blijft,' zei Biden.

'We moeten de Taliban de mogelijkheid ontnemen de macht in handen te krijgen,' zei Gates.

'Specifieker geformuleerd,' zei Petraeus, 'we moeten voorkomen dat ze voet aan de grond krijgen in de dichtstbevolkte gebieden, evenals in de industriële centra en binnen de communicatienetwerken.'

Maar in zijn algemeenheid, voegde hij toe, was een ontwrichting van de Taliban onvoldoende. Hen uit hun evenwicht brengen was niet genoeg. Dat klonk als te tijdelijk. Het moment waarop de Afghanen zelf hun veiligheid konden waarborgen, lag ver in de toekomst. Daarom moest het doel zijn te voorkomen dat de Taliban greep op de bevolking kregen.

'Ontwrichten alleen is niet voldoende,' zei McChrystal, waarmee hij instemde met wat zijn baas had gezegd.

Gates was het eens met zijn generaals.

Biden ondervroeg hen. Was dat werkelijk noodzakelijk?

'Het belangrijkste is,' zei McChrystal, 'hen een halt toe te roepen en ervoor zorgen dat grote delen van de bevolking en van de communicatie-infrastructuur uit hun handen blijven.' Zijn voorstel tot 40.000 man extra was, zei hij, 'onvoldoende voor een volledig uitschakelen van het verzet.' Daarvoor was eerder 85.000 man nodig, maar iedereen was het erover eens dat het leger niet zoveel manschappen ter beschikking kon stellen.

Petraeus en McChrystal leken hun uiterste best te doen het gesprek terug op het onderwerp van het 'vernietigen' van de Taliban te krijgen. De top van de Nationale Veiligheidsraad had al besloten niet te willen streven naar een vernietiging van de Taliban in de klassieke betekenis van het woord, maar toch wilden de generaals duidelijk maken dat een ontwrichting niet zou voldoen.

'Laten we eens kijken of we Joe's bezwaren en die van Dave met elkaar in overeenstemming kunnen brengen,' zei de president.

Gates zei dat het hem eerder een begripsverwarring leek dan een werkelijk meningsverschil. 'We willen voorzien in genoeg tijd en ruimte om de rust terug te brengen in het land en een strijdmacht op te bouwen die de rebellen op afstand weet te houden.'

Obama onderbrak de discussie. 'De doelstelling blijft: ontwrichten. En in mijn definitie komt ontwrichten neer op het in die mate verminderen van hun dreiging dat de Nationale Veiligheidstroepen van Afghanistan de veiligheid in het land weten te handhaven. Ontwrichten betekent niet uiteen jagen. Het betekent: het verminderen van hun dreiging.' Hij gaf de voorkeur aan de omschrijving dat een zo groot mogelijk deel van de bevolking gevrijwaard moest worden van de Taliban en de communicatie-infrastructuur moest worden veiliggesteld.

Biden vroeg zich af of het mogelijk was de Taliban op dezelfde manier in het gareel te krijgen als de Hezbollah in Libanon. Door een aantal zetels in het parlement te veroveren was deze partij onderdeel van het democratische proces geworden.

'Wat Joe wil zeggen,' zei Obama, 'en waar ik het mee eens ben, is dat we daar niet een volmaakte maatschappij willen scheppen. Daar hebben we de middelen niet voor.'

'Daar is iedereen het mee eens,' zei Gates. 'Er moet sprake zijn van re-integratie, verzoening. Maar we moeten definiëren – en dat heel precies – op welke manier de Taliban daarvoor een bedreiging vormen.'

McChrystal drong er nogmaals op aan dat ze moesten voorkomen dat de dichtstbevolkte gebieden verloren gingen.

'We hebben achttien tot vierentwintig maanden nodig voordat we weten of de nieuwe strategie werkt,' zei Mullen. Hij had Gates' inschatting van twaalf tot achttien maanden met een half jaar verlengd. 'Ontwrichten alleen is niet voldoende.'

Had Mullen misschien niet geluisterd? Niemand reageerde, maar hij ging hiermee recht tegen de verklaring van de president in dat het bij 'ontwrichten' zou blijven. Vervolgens herhaalde Mullen: 'We moeten ze een halt toeroepen en terugdringen.'

Het voortdurend herhalen van woorden als 'een halt toeroepen' was de legermanier om te zeggen dat ze de strijd aan het verliezen waren. 'Die 40.000 man extra biedt de meeste kans om de bevolking te beschermen,' voegde Mullen nog toe.

'We moeten een plan opstellen,' zei Gates, 'waarin staat dat we na achttien tot vierentwintig maanden weer tot troepenvermindering over zullen gaan, de rangen gaan uitdunnen. Dat wordt dan ook voor de Afghaanse leiders een streefdatum.'

Dit was een spannend en cruciaal moment voor de president. Gates had gezegd dat ze in achttien tot vierentwintig maanden tijd tot vermindering van de Amerikaanse troepen, tot het uitdunnen van de rangen zouden overgaan. Dat kon weleens het beginpunt vormen voor de exitstrategie waar Obama zo nadrukkelijk om had verzocht. Maar de president ging nog verder. Waarom zouden we ons nu niet vastleggen op 25.000 en er zo nodig later nog een brigade aan toevoegen? 'Kunnen we niet twee brigades sturen en daarna verder beslissen? We hoeven nu niet per se over alles te beslissen.'

Dat was ook in Irak een discussiepunt geweest, zeiden Gates en Petraeus. Het uitsmeren over de tijd zou alleen maar tot nog meer beroering leiden en tot vragen over hoeveel soldaten op welke momenten aan de troepen werden toegevoegd. Dergelijke toevoegingen zouden dan ook weer tot allerlei verwachtingen, twijfels en nog meer krantenkoppen leiden en de indruk wekken dat ze de strijd aan het verliezen waren, aangezien er meer manschappen nodig waren.[*]

De meeste aanwezigen waren het erover eens dat ook van belang was wat Karzai de duidelijkste boodschap zou geven en waarvan de meeste druk zou uitgaan.

Biden las enkele passages voor uit een telegram dat gestuurd was door ambassadeur Eikenberry, waaronder diens twijfels of Karzai wel de juiste bondgenoot was en of 40.000 man nu wel zoveel effect had. Dit waren de argumenten die de ambassadeur op verzoek van Donilon verder had uitgewerkt.

Eikenberry had geschreven[5]: 'De voorgestelde troepenversterking leidt tot aanzienlijk hogere kosten en een onduidelijke hoofdrol voor het leger van de vs in Afghanistan, waardoor er ook meer Amerikaans burgerpersoneel nodig zal zijn. Een prominentere aanwezigheid van de vs en andere mogendheden binnen de landsbescherming en het bestuur zou een grotere afhankelijkheid van Afghanistan in de hand werken, in elk geval op de korte termijn, en tot een verdergaande legerbemoeienis leiden met een missie die niet alleen met militaire middelen tot een goed einde kan worden gebracht.'

---

[*] Eind 2006, toen Petraeus de aanstaande commandant van de troepen in Irak was, drong hij bij president Bush aan op een duidelijke toezegging voor het sturen van vijf brigades met de woorden: 'Doe niet de moeite mij naar Irak te sturen als u er maar twee wilt toezeggen.'

In een vervolgtelegram raadde Eikenberry het Witte Huis aan om, in plaats van toestemming te verlenen voor 40.000 man, 'een commissie in te stellen van militaire en niet-militaire deskundigen om de strategie voor Afghanistan en Pakistan en alle opties daarbinnen door te lichten'. De commissie diende tijdens de rest van het jaar overleg te plegen.

Petraeus vond het daarvoor veel te laat. Hoewel hij de bezwaren begreep, had hij het idee dat alles al voldoende was doorgesproken.

Mullen was nog altijd woest op Eikenberry en er verontwaardigd over dat McChrystal vooraf geen inzicht had gekregen in de telegrammen.

Maar Mullen richtte zich weer op de kwestie die besproken werd en gaf een overzicht van de opties die er waren inclusief het nieuwe, vierde alternatief: de gemengde optie die door Biden en Cartwright was uitgedacht en waarvan de president had gezegd dat het leger die eveneens diende te overwegen.

Deze afsluitende presentatie van alle mogelijkheden was via beveiligde video- en telefooncircuits uitgewerkt in nauwe samenspraak met Gates, Petraeus en McChrystal:

Optie 1 betrof 85.000 manschappen, maar dat was onhaalbaar, zei Mullen. Iedereen was het ermee eens dat er niet zoveel troepen beschikbaar waren.

McDonough vond het een miskleun van Gates, Mullen, Petraeus en McChrystal dat zij nu het overleg al twee maanden gaande was de president een optie voorlegden waarvan ze zelf zeiden dat hij niet haalbaar was.

Optie 2 was 40.000 man extra, een aantal dat naar het idee van McChrystal en het leger de beste mogelijkheden bood tot het beschermen van de burgerbevolking.

De nieuwe optie 2A betrof het aantal van 30.000 à 35.000 over een periode van vierentwintig maanden, zoals door Gates was voorgesteld in zijn memo van 30 oktober. *The Wall Street Journal* had het bij het juiste eind gehad. Deze optie behelsde drie gevechtsbrigades en vereiste een dringend beroep op de NAVO tot het leveren van een vierde brigade. In deze optie 'accepteerde' men 'een hogere kans op mislukking ten aanzien van het opleiden van de plaatselijke veiligheidstroepen'. De vierde Amerikaanse brigade van optie 2 werd achter de hand gehouden. Obama had de mogelijkheid daarover te beslissen in december 2010.

De gemengde optie telde 20.000 manschappen, ofwel twee brigades, waarvan de voornaamste taken waren het door middel van antiterroristische aanvallen ontwrichten van de Taliban en het opleiden van de Afghaanse troepen. Dit voorstel was voortgekomen uit de oorlogssimulatie van 14 oktober en ingebracht door vicevoorzitter Cartwright, die het op verzoek van Biden in samenwerking met de verenigde chefs van staven had uitgewerkt. Mullen presenteerde deze optie met weinig enthousiasme.

Petraeus maakte zich behoorlijk druk. Hij vond de gemengde optie van 20.000 man uiterst zorgwekkend. Het betekende een afwijzing van zijn strategie van verzetsbestrijding en bescherming van de bevolking en verdiende geen enkele serieuze aandacht. Maar helaas leek deze gemengde 'wegwerpoptie' in de wanhopige zoektocht naar alternatieven steeds meer steun te krijgen.

'Je gaat dan wat rondbanjeren door het land om de vijand te ontwrichten, waarmee je alleen maar nieuwe vijanden maakt,' zei hij. 'Want je doet op zo'n moment niks anders dan een beetje rondtrekken in een poging schurken te doden of gevangen te nemen, die dan spoorloos verdwijnen, waarna je weer wegtrekt. En wat heb je dan bereikt?' Dan vervreemd je de bevolking van je – wat nu precies niet het doel van verzetsbestrijding is – zonder de vijand werkelijk schade te berokkenen doordat 'de operaties geen duidelijk doel hebben'.

Petraeus vervolgde. 'Je vecht dan niet met een stiletto, maar met een kettingzaag.' We hebben ook onze eenheden van de Joint Special Operations Command, de verenigde speciale strijdkrachten, die snel kunnen reageren en 'stiletto-acties uitvoeren, heel precies, met alle middelen, veel ondersteuning en hulptroepen en ISR [intelligence, surveillance, reconnaissance – inlichtingen vergaren en verkenningen uitvoeren] en allerlei centra waar inlichtingen worden verzameld en nog veel meer. Maar nu hebben we het over conventionele eenheden die op geen enkele manier dezelfde ondersteuning kunnen krijgen. Er zit hoe dan ook een grens aan het aantal nauw omschreven doelen dat je tegelijkertijd kunt aanpakken. Dit komt erop neer dat je alleen maar her en der een stok in een wespennest steekt en dan maar ziet wat er gebeurt. Maar je doet niks anders dan de boel opstoken.'

'Met twee brigades kunnen we de vijand niet ontwrichten,' vervolgde hij. 'We moeten het aantal eenheden van de JSOC opvoeren en daarbinnen hebben we een kleine ontwrichtingseenheid nodig.'

Petraeus keerde terug naar Mesopotamië.

'In Irak hebben we dat ook gedaan. We maakten gebruik van een bataljon van de 82ste Luchtlandingsdivisie, die in de zomer van 2007 speciaal getraind en uitgerust werd en die we Task Force Falcon noemden. Als die op missie ging, kregen ze alle ondersteuning die een operatie van de speciale strijdkrachten ook kreeg. Ze trokken gebieden in waarvan we wisten dat er schurken zaten en die joegen ze dan min of meer uiteen en daarna konden de andere eenheden ze grijpen. Maar dit waren uitermate goed ondersteunde operaties want ze konden echt in grote moeilijkheden komen en je moet dan ook allerlei materieel bij je hebben in het geval je op iets bijzonders stuit. We konden die operaties 's nachts doen en dan namen ze bijvoorbeeld AC-130's [gevechtshelikopters] mee of allerlei ander materieel waar de vijand geen antwoord op had.' Hij legde uit waarom ze tijdens dergelijke operaties hooguit een compagnie van enkele honderden manschappen konden inzetten.

Bovendien werden die operaties uitgevoerd toen de strijd in Irak op zijn hevigst was en in gebieden die in handen waren van de vijand, waar de legers van de VS hun aanvallen konden uitvoeren zonder aan de veiligheid van de bevolking te hoeven denken.

Voor Afghanistan konden ze een soortgelijk plan van aanpak bedenken, waarin een rol was weggelegd voor de geheime dienst, de hulptroepen en andere ondersteuning. Maar voor het soort operaties van de Task Force Falcon was een brigade – minstens drie keer de omvang van een bataljon – te groot vanwege het aantal helikopters en de omvangrijke inlichtingendienst die dan nodig waren. Petraeus bedoelde eigenlijk te zeggen dat terreurbestrijding niet mogelijk was met infanteriebrigades. Hij haalde ook de Poignant Vision-oorlogssimulatie aan, waaruit naar zijn zeggen bleek dat 20.000 manschappen zinloos was. De oorlogssimulatie als uitgangspunt nemen was misleidend en nogal kort door de bocht. Daarmee werd de indruk gewekt alsof er een grondig, onafhankelijk onderzoek had plaatsgevonden. Maar feitelijk was de oorlogssimulatie onderwerp van veel discussie en de enige twee die hierover uitleg hadden kunnen geven – DNI Blair en generaal Cartwright – waren niet aanwezig.

'Dus,' zei Obama, '20.000 is geen haalbare kaart?'

Dat was juist. Gates, Mullen, Petraeus en McChrystal waagden het zelfs de woorden uit te spreken die een opperbevelhebber liever helemaal niet hoort. Als ze maar 20.000 manschappen kregen konden ze de missie, die Jones nu omschreef als 'ervoor zorgen dat de Taliban niet meer in staat zijn de Afghaanse staat omver te werpen', niet voltooien. Bovendien was terreurbestrijding nu ook al onderdeel van hun strategie. Ze waren van plan de komende zomer meer strijdkrachten in te zetten tegen terreurbestrijding. De geheime speciale eenheid 714 was bezig dat plan uit te werken.

'Goed,' zei Obama, 'als jullie beweren dat dit niet kan en jullie hebben dat allemaal goed in kaart gebracht, dan heb ik dat te accepteren.'

Later ontving Biden een verslag van de oorlogssimulatie en vertelde hij de president dat de beweringen van Mullen en Petraeus 'lariekoek' waren. Dergelijke conclusies over extra terreurbestrijding kon je op basis van zo'n simulatie onmogelijk trekken. Biden verkeerde in de veronderstelling dat de president dat ook wel doorhad.

In mijn interview met president Obama gaf hij er geen blijk van dat hij vond dat hem op basis van de simulatie een foutieve voorstelling van zaken was gepresenteerd.[6] 'De besluiten die ik uiteindelijk heb genomen waren niet op welke simulatie dan ook gebaseerd,' zei hij.

Op een ander moment tijdens de vergadering vroeg de president: 'Als Stan 40.000 man extra nodig heeft, waarom moeten die dan allemaal van ons komen? Waarom kan de NAVO geen bijdrage leveren?'

Het militaire antwoord luidde dat NAVO-troepen niet altijd over dezelfde slagkracht konden beschikken. Hierbij werd echter verzwegen dat de oorlog hoe langer hoe meer een Amerikaanse aangelegenheid werd. Troepen van NAVO-landen opereerden onder eigen geweldsinstructies en moesten verantwoording afleggen aan hun eigen ministeries van Defensie. Het volledige gezag dat McChrystal over de Amerikaanse manschappen had, kon hij niet over hen laten gelden. Deze onsamenhangende structuur druiste in tegen een van de belangrijkste principes van oorlogvoering: eenheid van gezag.

Maar een deel van de 40.000 manschappen zou worden ingezet voor training en beveiliging. Dat konden de NAVO-troepen dan voor hun rekening nemen, merkte Obama op. 'Ik wil dat een NAVO-brigade onderdeel van die 40.000 is,' zei hij.

Petraeus was er vooral op uit een derde brigade te krijgen. Gates had de vierde brigade al min of meer vergeven en nu kwam de derde ook in gevaar. 'Stan heeft deze brigade nodig om plannen te kunnen maken,' zei Petraeus, 'om een strategie voor de komende jaren te ontwikkelen.'

Petraeus dacht in tijdspannen, maar Obama ook.

De president toonde een groene grafiek met 'Alternatieve missie in Afghanistan' als titel, waarop de beoogde uit te zenden manschappen in een gestaag stijgende lijn werden weergegeven. Als de 40.000 in de komende vijftien maanden werden toegevoegd zou dat een recordaantal van 108.000 Amerikaanse manschappen opleveren. Daarna werd een daling ingezet totdat na zes jaar weer het huidige aantal van 68.000 werd bereikt.

'Zijn we over zes jaar terug bij af?' vroeg Obama met een lichte afkeer. 'Hiermee zijn we over zes jaar even ver als nu. Daar geef ik geen toestemming voor.'

Het was duidelijk bedoeld als standje voor de hele legerleiding, niemand uitgezonderd. Twee maanden werk. Maar de president was nog niet klaar.

Eerder had hij een vertrouwelijk gesprek gevoerd met Donilon en Lute, die hem hadden verteld dat het Pentagon geen haast maakte. Het was enorm in tegenspraak met elkaar: enerzijds schatte Defensie de situatie zo ernstig in dat ze binnen een jaar een nederlaag verwachtte, maar anderzijds wilde ze het sturen van de 40.000 extra manschappen over vijftien maanden uitsmeren. Het Pentagon en de legerleiding leken dan misschien wel goed georganiseerd, weloverwogen te handelen en gedreven, maar volgens Donilon en Lute moesten daar vraagtekens bij worden geplaatst.

Tijdens de vergadering zei Obama: 'Luister eens, ik snap niet waarom dit zo lang moet duren... Op deze manier schiet de troepenversterking zijn doel voorbij.'

Hij richtte zich tot Petraeus. 'Dave, waarom kost het zoveel tijd om die manschappen daar te krijgen? Hoe lang duurde dat in Irak?'

'We zijn er van januari tot juni 2007 mee bezig geweest,' antwoordde Petraeus. 'Het duurde dus een half jaar om 30.000 manschappen in te vliegen en te stationeren.'

'Waarom kost dit dan meer tijd?' vroeg Obama op scherpe toon.

Petraeus legde de verschillen uit tussen het door land omgeven Afghanistan, waar materieel over gebergtes moesten worden aangevoerd via een beperkt aantal gevaarlijke wegen, en Irak, waar de wegen beter waren en dat een haven had aan de Perzische Golf.

'Ik weet wel dat dit geen Irak is,' zei Obama. 'Ik weet dat dit een totaal ander land is. Ik zeg ook niet dat we precies dezelfde strategie als in Irak moeten toepassen, maar ik wil een troepenversterking die de voorwaarden voor een overgangsperiode kan scheppen.' De president wilde dat het leger niet alleen bedacht hoe ze in Afghanistan kwamen, maar ook hoe ze het land weer konden verlaten.

'Als we sneller handelen,' vervolgde Obama, 'zou dat dan niet meer effect hebben op de politieke situatie in dit land?' Hij wees naar de geleidelijk stijgende grafieklijn die de beoogde troepenversterking voor Afghanistan weergaf. 'Die moet naar links. Als het zo ernstig is als we denken, waarom moet het dan tot 2011 duren voordat we daar op totale sterkte zijn?'

Obama zwaaide met de grafiek alsof het belastend bewijs in een rechtszaak was. 'Nu hebben we er,' zei hij, wijzend naar het actuele getal van 68.000 militairen, 'meer manschappen dan toen we het land binnenvielen.' Bij de inval waren 35.000 man betrokken geweest. 'Over vijf jaar zijn we even ver als nu,' zei hij. Volgens de grafiek zou het aantal militairen dan ook circa 68.000 bedragen. Als dit plan doorging, zou hij als zijn termijn erop zat – of hij er nu één of twee zou volmaken – meer militairen in Afghanistan hebben zitten dan toen hij werd beëdigd. En pas 'na mijn presidentschap', zoals hij het formuleerde, zou het aantal Amerikaanse manschappen afnemen tot 20.000.

Rhodes schoof McDonough een briefje toe waarop stond: 'Meer troepen in Afghanistan in 2016 dan toen hij aantrad!'

Obama raakte geïrriteerd. 'Een oorlog die zes tot acht jaar duurt en 50 miljard dollar per jaar kost, is niet in het belang van de Verenigde Staten.' Dat vormde het probleem. Het tijdschema van uitzending tot terugtrekking strekte zich te ver uit. 'Eigenlijk,' vervolgde hij, 'moeten we over achttien tot vierentwintig maanden afwegen hoe we ons geleidelijk aan zullen terugtrekken en hoe we het aantal manschappen kunnen verminderen. Onze missie mag geen open einde hebben.'

Petraeus verkondigde toen ronduit dat hij verwachtte de troepen in de eerste helft van het volgend jaar al in Afghanistan te kunnen hebben.

De president bekeek de vier opties van Mullen nog eens.

'Even voor alle duidelijkheid,' zei Obama, 'jullie hebben me net vier opties gepresenteerd waarvan er twee niet realistisch zijn' – het gedroomde aantal van 85.000 en de gemengde optie van 20.000 manschappen. Hij merkte op dat de aantallen van de twee resterende opties – de 40.000 en de 30.000 à 35.000 van Gates – wel heel dicht bij elkaar lagen. 'Ik ben hier niet tevreden mee.' Uit de grafiek bleek bovendien dat de optie van Gates eigenlijk een verkapte manier was om toch 40.000 manschappen te krijgen, omdat er over een jaar, in december 2010, zou worden bekeken of een vierde brigade nodig was. Hij vroeg of optie 2A eigenlijk gewoon optie 2 was, maar dan zonder de laatste brigade.

'Ja,' zei McChrystal.

Optie 2 en 2A zijn eigenlijk hetzelfde, zei Obama. 'Waar kan ik dan uit kiezen? Jullie hebben me feitelijk maar één optie geboden.' Somber voegde hij eraan toe: 'Jullie geven me eigenlijk helemaal geen keus. We hadden afgesproken vandaag over drie opties te praten. Bij de vergadering met de verenigde chefs van staven heb ik om drie opties gevraagd.' Dat was inmiddels een kleine twee weken geleden. 'Jullie hebben beloofd die voor me uit te werken.'

Op een gegeven moment zei Mullen: 'Nee, volgens mij hebben we geprobeerd meer opties te bieden, maar wij zijn van mening dat Stans optie de beste is.'

Maar Obama onderstreepte nogmaals dat er nauwelijks verschillen waren.

Er viel een lange stilte.

'Tja, dat klopt, meneer de president' antwoordde Mullen ten slotte. Na een poosje zei hij: 'Ik zag geen andere mogelijkheid.'

Het leek alsof de geesten van de Vietnam- en de Golfoorlog door het vertrek zweefden en aanstuurden op een herhaling van het verleden, waarin het leger vrijwel altijd de troepensterkte had bepaald. Dit vormde de tweede les uit het boek van Gordon Goldstein over McGeorge Bundy en Vietnam: 'Ga er nooit van uit dat de bureaucraten het bij het rechte eind hebben.'[7]

De president zei nogmaals dat de piek in de grafiek naar links moest. De troepen moesten sneller worden uitgezonden en sneller weer vertrekken. 'Volgens jullie is het grootste probleem de steeds machtiger wordende Taliban, wat ook de reden voor de troepenversterking is. Maar om deze manschappen in Afghanistan te krijgen' hebben jullie meer dan een jaar nodig. 'Ik ben niet van plan me ergens toe te verplichten waardoor mijn opvolger straks nog meer militairen in Afghanistan heeft zitten dan ik bij mijn aantreden had.'

'We zitten daar met een regering die veel te afhankelijk is,' zei Obama over Afghanistan. 'Als ik Karzai was, zou ik dit wel prima vinden, want dan hoef ik zelf niets te doen.'

'Het is onacceptabel,' zei hij. Hij wilde nog een optie hebben.

'Tja,' zei Gates toen, 'meneer de president, volgens mij zijn we u dat ook wel verschuldigd.'

Toch is die optie er nooit gekomen. Later heb ik nog twee keer aan de president gevraagd hoe dat zo had kunnen gebeuren.[8] Uiteindelijk erkende hij dat hij persoonlijk bij het bedenken ervan had moeten helpen. 'Eerlijk is eerlijk, ik werd erbij betrokken,' zei Obama, 'maar ik was er meer bij betrokken dan eigenlijk hoorde.'

Na afloop nam Petraeus via het beveiligde videocircuit meteen contact op met zijn logistieke team, dat troepen en middelen van en naar oorlogsgebieden verplaatste.

'Goed,' zei hij tegen het team, dat hij kameraadschappelijk 'logistiek volk' noemde en dat werd geleid door generaal-majoor Ken Dowd, de intendant van de commandant van de strijdkrachten. 'Ik heb net een cheque uitgeschreven en jullie moeten me helpen die te verzilveren.'

'Hooah, generaal!' zei Dowd, de militaire uitroep gebruikend die wereldwijd werd gebezigd en alles kon betekenen behalve 'nee'.[9]

Petraeus vertelde dat hij de president had gezegd dat ze de manschappen en uitrusting in de eerste helft van 2010 in Afghanistan konden hebben. 'We moeten dit echt tot in de puntjes voorbereiden. Hoe kunnen we het tijdpad verkorten?' Het was een kwestie van alles in een zo'n kort mogelijk tijdsbestek uitvoeren.

De legerleiding ging dus aan de slag, terwijl Obama aan een tiendaagse reis naar Azië begon. Tijdens de reis belde hij Gates vanuit Air Force One via een beveiligde telefoonverbinding.

'Bob, ik wil nog even doornemen waarover we hebben gesproken,' zei hij en herhaalde welke elementen de nieuwe optie wat hem betreft moest bevatten.

'Daar zijn we mee bezig,' beloofde Gates.

Later gaf Obama tegenover zijn naaste adviseurs blijk van zijn frustratie. Het leger probeerde 'met gekonkel zijn zin door te drijven'. Als ze eenmaal alles hadden gefaciliteerd en de gewenste flexibiliteit hadden gecreëerd, zou het volgens hem slechts nog een keuze tussen 40.000 en 36.000 manschappen zijn.

Dat was belachelijk. 'Ze laten me gewoon geen keus.'

De president was er ook volstrekt niet over te spreken dat het leger er gedurende meerdere jaren ruim honderdduizend militairen wilde stationeren. 'Ik wil niet dat mijn opvolger dat moet oplossen,' zei hij. Bovendien wordt door deze militaire strategie 'al het andere in gevaar gebracht. We willen nog dingen in eigen land doen. We willen op internationaal gebied dingen doen.'

Obama was van mening dat er grotere belangen geschaad werden als er voor onbepaalde tijd een grote troepenmacht in Afghanistan verbleef. Ten eerste zou de regering-Karzai alleen maar afhankelijker van de VS worden en het prima vinden dat die het lastige werk voor hem bleven opknappen. Ten tweede zou de corruptie zo niet worden aangepakt en zouden de Taliban het opnieuw als bewijs aanvoeren dat de VS het land permanent wilden bezetten. Dus aan hem de taak, zo zei hij, om een evenwicht te zoeken tussen de legereisen en alle andere.

'Als ze me zouden zeggen dat ze deze troepenversterking echt nodig hebben om de macht van de Taliban te breken, dan moeten we dat doen' in enige vorm. 'Maar ik moet ervoor zien te zorgen dat deze optie rijmt met wat volgens mij onze strategische belangen in Afghanistan zijn.' En die waren begrensd. Hij moest op de een of andere manier een plan voor terugtrekking bedenken.

Obama gaf aan dat het zijn opzet was geweest de strategische herziening te rekken tot het punt waarop ze nu waren, omdat hij zoveel mogelijk afstand had willen scheppen tot de gebeurtenissen aan het begin van de herfst toen McChrystals rapport openbaar was geworden en die zijn Londense toespraak had gehouden. Dat had de schijn gewekt dat het leger het voor het zeggen had. Obama zei dat hij geen besluit opgedrongen wilde krijgen maar uiteindelijk in overleg met het leger zelf een beslissing wilde nemen. Hij wilde zichzelf en het land van die schijn verlossen. Een oorlog mocht niet ten koste van alles gaan. Deels kwam het door de neiging tot oorlog voeren dat de VS zich nu geroepen voelden plaatselijke rebellen te bestrijden. Een uiteindelijke overwinning zou met weinig vreugde worden begroet. Eén van zijn grootste bezwaren tegen Bush was geweest dat die continu over een 'overwinning' had gesproken hoewel die onhaalbaar was geweest.

Obama had campagne gevoerd tegen de ideeën en handelwijzen van Bush. Maar in elk geval Donilon was van mening dat Obama had onderschat hoezeer hij te maken zou krijgen met Bush' nalatenschap: alles en iedereen dacht alleen in termen van oorlog voeren.

Na de bijeenkomst van 11 november hadden Mullen en Lute een gesprek onder vier ogen.

'Meneer de voorzitter,' zei Lute, 'de president wenst daadwerkelijk nog een optie. Het is geen bevlieging van de vicepresident. Het lijdt geen twijfel dat het hem serieus is. Hij wil werkelijk iets te zien krijgen. Het moet er komen.' Zachtjes voegde hij eraan toe: 'U heeft een probleem. De president gaat u hierop aanspreken.'

Mullen deed alsof hij zich niet onder druk gezet voelde. Lute was verbijsterd.

Drie dagen later kwamen Mullen en de verenigde chefs van staven voor de dag met een vernieuwde versie van een geheim schema dat de titel 'Alternatieve missie in Afghanistan' had meegekregen.[10]

Hierdoor nam de frustratie van de president alleen maar verder toe. In dit herziene voorstel stelde een denkbeeldige stippellijn de troepenterugtrekking voor, eventueel aan te vangen in 2012, het jaar van zijn mogelijke herverkiezing. De huidige troepensterkte van 68.000 man zou volgens het schema pas weer in het voorjaar van 2013 worden bereikt. Dan zou de missie veranderen in een 'advies/assistentie'-taak. Maar volgens hetzelfde schema kon daar alleen maar sprake van zijn als aan vier 'belangrijke voorwaarden' was voldaan, waarvan geen enkele tijdens de strategieherziening als realistisch was beoordeeld. Die voorwaarden waren dat de Taliban teruggedrongen waren tot een voor de Afghanen 'hanteerbare' omvang, dat de NVA in staat waren het door de Amerikanen veroverde gebied te behouden, dat de schuilplaatsen in Pakistan 'geëlimineerd of ernstig aangetast' waren, en dat de Afghaanse overheid stabiliteit in het land kon brengen.

Het schema projecteerde voor 2015 een totaal van zo'n 30.000 Amerikaanse manschappen in Afghanistan. Tijdens mijn interview met de president vertelde ik hem dat iemand naar aanleiding van dit schema had gesuggereerd mijn boek de titel *Geen uitweg* mee te geven.[11]

Obama sprak dit tegen. 'Je kent de afloop nog niet,' zei hij, 'maar op een gegeven moment zal de oorlogstaak van de VS in Afghanistan erop zitten.'

De president zei niet wanneer precies.

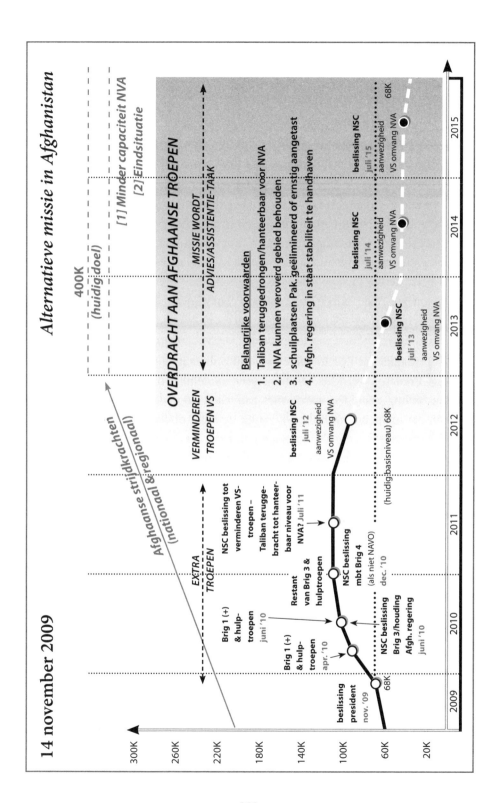

Alternatieve missie in Afghanistan

14 november 2009

24

Ondanks dat de CIA verzot was op onbemande vliegtuigjes zoals de
Predator, werd het Obama steeds duidelijker dat de VS op de lange
duur weinig geholpen waren met aanvallen door dergelijke drones. 'Ik
denk dat niemand vindt dat we vanuit de lucht of door het afwerken van
het lijstje met belangrijkste doelen ook maar iets meer kunnen doen dan
het ontwrichten van Al-Qaida of zijn bondgenoten,' zei Lute.[1]

Toch was Emanuel altijd bijzonder benieuwd naar het effect van de aanvallen met drones. Hij belde CIA-directeur Leon Panetta regelmatig met
maar één vraag: 'Wie hebben we vandaag te pakken genomen?'

De president wilde de Pakistani ertoe bewegen over te gaan tot enige
rechtshandhaving in de gebieden die nu louter door stammen werden beheerst en tot het ter plekke nadrukkelijker opsporen van leden van Al-
Qaida en de Taliban.

'De Pakistani vormen een risicofactor die we moeten aanpakken,' zei
Obama. 'Waarom sturen we er niet een keer een zware delegatie heen?'
Hij wendde zich direct tot Zardari, de president van Pakistan, stelde een
brief op en stuurde Jones en John Brennan eropuit om die persoonlijk te
overhandigen.

In deze brief van twee kantjes, gedateerd 11 november, deed Obama een
voorstel voor een officiële 'langlopende strategische samenwerking' voor
de komende maanden en jaren.[2] Onder verwijzing naar 'recente arresta-
ties in de Verenigde Staten van personen gelieerd aan extremisten in Pa-

kistan,' met wie hij Najibullah Zazi en David Coleman Headley bedoelde, schreef Obama: 'We moeten op zoek naar nieuwe en betere manieren van samenwerken teneinde hun vermogens tot het plannen van aanslagen te verstoren.' Met een niet mis te verstane verwijzing naar de door de ISI, de geheime dienst van Pakistan, gesteunde terreurgroep LeT, schreef hij dat het inschakelen van dergelijke 'ondersteunende groeperingen' niet langer te tolereren was.

In deze vertrouwelijke brief, waarvan niet de bedoeling was dat hij ooit openbaar zou worden, deed Obama een ongebruikelijk beroep op de weduwnaar van de vermoorde Benazir Bhutto: 'Ik besef dat ik u persoonlijk aanspreek wanneer ik zeg dat mijn vastbeslotenheid een eind te maken aan de dreiging van aanslagen door deze groep mij evenzeer wordt ingegeven door zorgen om mijn gezin als om het uwe.'

Hij stelde een intensivering van de banden voor. 'Als uw regering mijn gebaar beantwoordt, draag ik er zorg voor dat mijn regering de samenwerking zal verdiepen en verbreden, vooral op het gebied van terrorismebestrijding, met als uiteindelijk doel de vernietiging van Al-Qaida, TTP, LeT, de Haqqani-organisatie, de Afghaanse Taliban' en andere groeperingen.

Jones en Brennan vlogen naar Pakistan en overhandigden op 13 november de brief aan Zardari. 'Pakistan vormt het epicentrum van de strategiewijziging,' zei Jones. De president hechtte steeds meer belang aan Pakistan. Jones zei dat de regio voortaan aangeduid zou worden als PakAf in plaats AfPak.

Dit leidde tot onrust bij de Pakistani, die antwoordden dat deze omdraaiing de suggestie wekte dat Pakistan het grootste probleem vormde. Dat was weinig positief en ook niet in de geest van de voorgestelde samenwerking, zeiden ze.

Jones zei dat hij dit begreep en maakte de nieuwe benaming weer ongedaan.

Brennan, Obama's gewaardeerde adviseur voor terrorismebestrijding, vertelde dat de afgelopen paar maanden in de VS ten minste twee personen waren opgespoord die waren opgeleid in Pakistaanse terroristenkampen, en hij haalde de gevallen Zazi en Headley aan. Ze stonden op het punt over te gaan tot het beramen van aanslagen in New York en Europa, zei Brennan, en waren ontmaskerd door Amerikaanse en buitenlandse inlichtingendiensten.

'Het is bijna niet voor te stellen,' zei Jones ernstig, 'wat de gevolgen zouden zijn geweest voor onze relatie als zij in hun opzet geslaagd waren.'

Dit was zowel een appel als een waarschuwing. Als een gewelddadige aanslag te herleiden was tot Pakistan zouden de VS dat niet onbeantwoord laten.

Jones' boodschap was dat Pakistan nagenoeg alles kon krijgen wat het land wilde wat wapens, handelsovereenkomsten en geld betrof als het instemde met de samenwerking. Hij was ervan overtuigd dat geen enkel land een dergelijk aanbod van de VS naast zich neer zou leggen.

En dan waren de VS niet eens uit op het soort aanwezigheid dat ze hadden in Afghanistan of zelfs maar Duitsland en Japan. 'We vragen niet om bases in Pakistan,' zei Jones op een bepaald moment.

Op 17 november had Tony Blinken een ontmoeting met de Pakistaanse ambassadeur Haqqani. Blinken zei dat ondanks de indrukwekkende Pakistaanse inspanningen in de Swatvallei en de regio Waziristan men zich nog altijd zorgen maakte over de ISI en enkele terroristische groeperingen. 'De ene dag is er verzoening, de dag erop is er strijd en vervolgens weer eensgezindheid,' zei hij.

Diezelfde week bracht Panetta een bezoek aan Islamabad waar hij een ontmoeting had met Zardari en andere hoogwaardigheidsbekleders.

De Verenigde Staten,' zei de CIA-directeur, 'verwachten de volledige steun van Pakistan, aangezien Al-Qaida en zijn zusterorganisaties gemeenschappelijke vijanden zijn.' Deze samenwerking, zo voegde hij toe, was van groot belang voor Pakistan wilde het land 'overleven'.

Panetta merkte op dat het hoofdkwartier en de leiding van de Taliban gevestigd waren in de Pakistaanse stad Quetta. Inlichtingen hadden duidelijk gemaakt dat hun bommen daar gefabriceerd werden. 'Die worden daarna over de grens gebracht om Amerikanen op te blazen,' zei Panetta. 'Daar moeten we een eind aan maken.'

De CIA beschikte weliswaar over een geheime basis in Quetta, maar de Pakistani probeerden de CIA-vertegenwoordigers zoveel mogelijk binnen te houden. Ze stonden hun nauwelijks toe zich door de stad te begeven met het argument dat ze door hun blanke huid veel te snel werden opgemerkt. Het voelde voor de CIA'ers bijna aan als huisarrest. De CIA beweerde dat ze veel meer druk konden uitoefenen op het opperbevel van de Taliban als duidelijk werd dat ze agenten in Quetta gestationeerd hadden. Het zou de indruk wekken dat ze in de Taliban geïnfiltreerd waren, wat ook de boodschap was die de CIA wilde uitdragen.

Het CIA-team had toestemming om Mullah Omar te doden of gevangen te nemen. Maar doordat Quetta een grote stad was, zouden drones weinig kunnen uithalen. Vandaar – en daar was het hem ook om te doen – was er behoefte aan 'door de ISI en de CIA gezamenlijk uitgevoerde operaties ter plekke', zei Panetta. Werd tot deze stap besloten, dan was het mogelijk meer geheime CIA-eenheden in Pakistan te stationeren.

De Pakistani schrokken terug voor gezamenlijke operaties, maar stelden wel al snel meer visa ter beschikking voor CIA-agenten. Zo werd bijvoorbeeld op 18 januari 2010 het verzoek tot een visum voor 36 CIA'ers snel ingewilligd, en CIA-onderdirecteur Steve Kappes deed op 19 april 2010 persoonlijk het verzoek tot nog tien visa.

Eind november stuurde Zardari Obama een warrige brief terug, die naar het oordeel van het Witte Huis was opgesteld door een commissie waarin het Pakistaanse leger en de ISI het voor het zeggen hadden gehad.[3] Het antwoord ging uitgebreid in op de gevolgen van de al dertig jaar durende Afghaanse conflicten: 'We lijden nog immer. Pakistan bloedt nog immer.' De brief bevatte geen directe verwijzingen naar het conflict met India, maar tussen de regels door viel daar genoeg over te lezen. 'Onze veiligheid is kwetsbaar,' stond er, 'als gevolg van een zich snel ontwikkelende ongelijkheid op internationaal gebied.' De operatie in de Swatvallei had 'Pakistan niet minder dan 2,5 miljard dollar gekost'.

'Hier moet ik even uw aandacht vestigen op een oorlog bij volmacht tegen Pakistan, die nu in volle gang is,' schreef Zardari, 'en waarin de geheime diensten van naburige landen' – lees: India – 'van het Afghaanse grondgebied gebruikmaken om over te gaan tot gewelddadige acties in Pakistan.' De president hechtte eraan in zijn brief te laten weten dat de Pakistaanse bijdragen aan de strijd tegen het terrorisme 'van Al-Qaida en de Taliban niet onderdoen voor die van welk land ook'. In plaats van het aanbod tot een strategische samenwerking te accepteren of van de hand te wijzen, schreef Zardari – of de commissie – dat het zijn 'hoogste aandacht' had.

Dit leidde tot flink wat hoofdkrabben in het Witte Huis. Men besloot het als een 'ja' te interpreteren, en al snel kwamen de Pakistani tot de ontdekking dat de speciale strijdkrachten van het Amerikaanse leger aanvallen oefenden op de stammengebieden in Pakistan. Tijdens een diner met ambassadeur Haqqani zei Blair, directeur nationale inlichtingendiensten, aandringend op een strategische samenwerking, dat de twee landen hun wantrouwen tegenover elkaar dienden te laten varen. Anders, zo zei Blair, 'zien we ons gedwongen dat te doen wat nodig is om de Amerikaanse belangen te beschermen'. Met andere woorden: dan knappen we het zelf wel op.

Er zat nog een ander aspect aan deze grootspraak. Aansluitend op de nagenoeg eindeloze beleidsbesprekingen in het Witte Huis hadden Jones, Donilon, Lute en anderen herhaaldelijk gevraagd: hoe krijgen we die Pakistani zo ver dat ze van beleid veranderen? Ze beseften dat dit vooralsnog de verkeerde vraag was. Pakistan zou nooit van beleid veranderen. De Pakistani hielden zich alleen met India bezig. In plaats van telkens nul op het rekest te krijgen konden ze dat maar beter accepteren.

In een conventionele oorlog zou Pakistan dermate in het nadeel zijn tegenover India, dat twee keer zoveel manschappen op de been kon brengen, dat het zijn toevlucht had gezocht tot twee afwijkende hulpmiddelen: terrorisme, waarvoor het de terreurgroep LeT gebruikte, en de dreiging van kernwapens. Om die reden negeerde Pakistan ook elke oproep om de productie van nucleair materiaal voor hun kernwapens te staken.

De boodschap die Jones probeerde over te brengen was dan ook: na dat jaren geprobeerd te hebben, hebben we besloten niet langer invloed uit te willen oefenen op jullie strategisch beleid. Ga jullie gang. We accepteren het en doen ons best er begrip voor op te brengen. Binnen deze samenwerking blijven jullie gewoon wie jullie zijn en wij ook. We zullen jullie niets opdringen.

Blair was ervan overtuigd dat het Pakistaanse beleid van geen kanten deugde omdat het slechts op vriendjespolitiek was gebouwd. Niemand hoefde zich te verantwoorden.

Naar zijn idee hadden Al-Qaida en de Taliban in hun schuilplaatsen een hemel op aarde. 'Die stammen in dat gebied wisselen hun denkbeelden, leiders, bommen, hulpmiddelen, geld en zelfmoordterroristen met elkaar uit,' vertelde Blair een collega. 'Daarom maakt het Haqqani, TTP, zelfs LeT en Al-Qaida weinig uit of ze nu een groep mensen opblazen in Pakistan, India, Afghanistan of de Verenigde Staten. Het dient allemaal de goede zaak.'

De Pakistaanse leiders hadden beweerd dat hun bewind zo wankel was dat het onmiddellijk zou instorten wanneer de Amerikanen hen hard zouden aanpakken. Daarmee bedoelden ze te zeggen: dat willen jullie vast niet, want dan breekt de hel pas echt los.

Blair schatte in dat een goede, eerlijke discussie van tien minuten tij-

dens een bijeenkomst van de Nationale Veiligheidsraad voldoende zou
zijn om uit te vinden tot hoe ver de druk op Pakistan werkelijk opgevoerd
kon worden. Stel dat de president in alle oprechtheid zou vragen: 'Tot
hoever kunnen we volgens jou gaan?'

Als hem deze vraag gesteld werd, zou Blair naar eigen zeggen geant-
woord hebben: 'We zouden wat acties over de grens kunnen doen en enkele bombardementen uitvoeren' op extremistische groeperingen in Pakistan.

Daarna zou de president natuurlijk hebben gevraagd: 'En Denny, wat
zouden volgens jou daarvan de gevolgen zijn?'

'Ik denk dat Pakistan volledig over de rooie gaat en mogelijk actie tegen
ons zal ondernemen,' zou zijn reactie zijn geweest, 'maar waarschijnlijk
leggen ze zich erbij neer. Afhankelijk van het soort acties van onze kant,
denk ik dat we er wel mee wegkomen.'

Naar Blairs mening hadden de gesprekken in het Oval Office en de Situation Room altijd iets kunstmatigs. Als elke andere president streefde
Obama naar eensgezindheid. Als dat niet zijn streven was, zou snel naar
buiten komen dat men in de Situation Room met elkaar op de vuist was
gegaan en dan zou het lijken dat de president geen controle had over zijn
team. In Blairs ogen had de hele discussie een zinloos karakter. De president stelde de juiste vragen, waarop de andere aanwezigen al snel geen
antwoord meer hadden. In plaats van dat er flink en goed gediscussieerd
werd, leek alles vooraf bepaald. In de aanloop naar zo'n vergadering belde
iemand van de Nationale Veiligheidsraad die graag de inhoud wilde bepalen Blair op en zei dan: 'Denny, je hebt vijf minuten voor het laatste in-
lichtingennieuws.'

Blair besefte dat Jones niets in te brengen had. Donilon en Brennan
hadden directe toegang tot de president en hadden Jones niet nodig. Er
waren ten minste drie veiligheidsadviseurs: Jones, Donilon en Brennan.
Maar Denis McDonough had ook zijn terrein, dus hij was de vierde. En
Emanuel had ook beleid als liefhebberij, waardoor hij soms als vijfde adviseur optrad.

'Het is echt een onmogelijke situatie,' zei Blair.

Nadat hij zich bij het presidentiële gezelschap in China had gevoegd, verzocht Jones aan Obama een aantal dagen eerder terug te mogen keren
naar Washington zodat hij verder kon werken aan de strategiewijziging.

Obama had zich iets belangrijks gerealiseerd. Hij had besefte dat Gates de bindende factor was binnen zijn nationaleveiligheidsteam. Ik wil Gates beslist behouden, vertelde hij aan Jones. Ik wil mijn minister van Defensie niet kwijt.

De president deelde mij later mee dat ik hem hier niet helemaal juist geciteerd had, maar het gaf wel zijn mening weer.[4] 'Mijn band met Bob is zo hecht,' zei hij, 'en mijn waardering voor zijn werk zo groot dat welke eindbeslissing ik ook moet nemen ik zijn mening altijd zwaar laat meewegen. Ook omdat ik hem vervolgens vraag' die beslissing ten uitvoer te brengen.

'Ik weet niet zeker of hij dit opvat als een compliment of als een belediging, maar in grote lijnen denken we hetzelfde.' De president zei dat hij besefte dat Gates ook de functie van spreekbuis van het leger had. 'Hij heeft een andere taak dan ik. En een deel van zijn taak als minister van Defensie is dat hij rekening houdt met zijn achterban in het Pentagon.'

Na zijn terugkeer uit Azië riep Obama zijn veiligheidsteam bijeen voor een vergadering op maandag 23 november, op het ongebruikelijke tijdstip van kwart over acht 's avonds.

'De definitieve beslissing valt binnen een paar dagen,' beloofde hij.

Gates had voor Obama een memo opgesteld waarin hij de zes belangrijkste militaire doelen voor Afghanistan op een rijtje had gezet, waarbij hij de opmerkingen van de diverse diensten had meegenomen.*

Obama zei dat hij instemde met deze minder ambitieuze, realistischer doelstellingen. Hoewel de legerleiding eerst nog had beweerd dat het 'verslaan' van de Taliban noodzakelijk was, keerde dit woord niet in het memo terug. De VS richtten zich nu op het 'ontwrichten' en 'terugdringen' van de Taliban.

* 1 Het tot staan brengen en terugdringen van de Taliban.
2 Voorkomen dat de Taliban voet aan de grond krijgen in de dichtstbevolkte gebieden, evenals in de industriële centra en de communicatienetwerken.
3 Het ontwrichten van de Taliban buiten de veilig gemaakte gebieden en voorkomen dat Al-Qaida weer toevlucht kan vinden in Afghanistan.
4 Het terugdringen van de dreiging van de Taliban tot een voor de Afghanen hanteerbaar niveau.
5 Het vergroten van het aantal manschappen en de slagkracht van de Afghaanse veiligheidstroepen.
6 Opbouw van de Afghaanse regering, met name de belangrijkste ministeries.

De president verklaarde dat deze doelstellingen op veel kortere termijn bereikt dienden te zijn dan dat het Pentagon eerder had voorgesteld. Naar Obama's zeggen diende het aantal manschappen al teruggebracht te worden vanaf juli 2011, het moment dat Gates tijdens de vorige bijeenkomst had voorgesteld.

'Als iemand hier van mening is dat deze tijdspanne niet realistisch is gezien wat we willen, moet hij dat nu zeggen,' beval hij. Ons doel is het handhaven van de vrede in de dichtstbevolkte gebieden en daarna een overdracht aan de Afghaanse strijdkrachten. 'Dit is niet volmaakt. Als je denkt dat we dit niet halen, moet je dat nu zeggen. Dit betreft een ander tijdschema dan het oorspronkelijke, dat zich over vijf jaar uitstrekte.' Je moet beseffen dat wanneer dit tijdschema niet reëel is, de realiteit ons een schema zal opleggen, dus het moet gewoon reëel zijn. We dienen goed tot ons door te laten dringen wat we hiermee willen bereiken. 'Als twee jaar voor het realiseren van onze doelen niet genoeg is, zeg dat dan nu.'

Obama verwachtte geen perfect resultaat maar wel een exacte inschatting door zijn adviseurs en de legerleiding. Er zou geen sprake zijn van een uitgebreide troepenversterking die lang genoeg duurde om de Nationale Veiligheidstroepen van Afghanistan op een sterkte van 400.000 man te brengen en zo te voldoen aan de door het Pentagon geopperde standaardverhouding die benodigd was voor verzetsbestrijding.

'Het hoeft niet allemaal volmaakt te zijn,' zei Obama. 'Wanneer we de rangen weer gaan uitdunnen, zal dat aantal van 400.000 man nog niet gerealiseerd zijn.'

Clinton zat te wiebelen op haar stoel en gaf alle mogelijke signalen af dat ze het woord wilde krijgen. Maar de volgorde van spreken was vastgesteld door Jones. Eerst diende de minister alle commentaar van Biden nog aan te horen. Diverse personen op de tweede rij bemerkten haar verlangen het woord te nemen en haar teleurstelling omdat ze moest wachten.

Biden liet een antwoordmemo rondgaan dat aansloot op het voorstel van de president om het tijdpad en de doelstellingen van de nieuwe strategie ter discussie te stellen.

Toen hij begon, kreeg Petraeus het benauwd.

Ten eerste, zei Biden voor de zoveelste keer, betwijfelde hij het of die 40.000 man politiek haalbaar was. Ik heb nog altijd grote bedenkingen bij de uitvoerbaarheid van de verschillende onderdelen van een verzetsbestrijdingsstrategie. Eikenberry's telegram roept tal van vragen op. We moeten het plan toetsen voordat we verdergaan. Hoe zit het met de wensen van ander personeel van Buitenlandse Zaken in andere landen? Kunnen we niet meer doen met betrekking tot Pakistan? Hij zei dat volgens hem in het plan van het Pentagon het paard van de troepen achter de wagen van de verzetsbestrijding werd gespannen. Wordt er ook voldoende burgerpersoneel ingezet? Hoeveel kost dit alles? Deze operatie gaat ten koste van de speelruimte binnen het buitenlandse en binnenlandse beleid, zei hij.

Toen kreeg Clinton de kans. 'Ik sta helemaal achter deze benadering,' zei ze, 'en ik denk dat we hiermee vooruitgang gaan boeken. We wachten nu al een jaar op verkiezingen en een nieuwe regering. Zowel de internationale gemeenschap als Karzai weet wat er gaat gebeuren als wij geen extra inspanningen leveren.'

De huidige situatie was volstrekt onacceptabel, zei ze. 'Wat we daar nu doen, heeft geen enkele zin.' Het plan voldeed wellicht niet aan ieders wensen, 'maar als we ons er niet voor inzetten, komen we daar nooit achter.' De zes operationele doelen waren prima en vertoonden samenhang.

'Ik onderschrijf deze inspanning,' zei ze. 'De kosten ervan zijn gigantisch, maar als we halfhartig aan de gang gaan, bereiken we niets. We moeten de houding aannemen van een toekomstige winnaar.'

Dat was een variant op de uitdrukking die ze vanaf dat ze first lady was geworden regelmatig had gebruikt: 'Bluf totdat je je doel bereikt hebt.'

Ze ging verder. 'We moeten een dergelijke benadering hebben, want anders is het vergeefse moeite. Dan verknoeien we alleen maar tijd, mensenlevens en geld.' Het plan – de zes doelstellingen van Gates en het verzoek om 40.000 manschappen door McChrystal – betekende dat 'we, als we ons volledig inzetten, kans op welslagen hebben'. Ze sloeg met haar vuist op tafel.

Petraeus was er ondersteboven van. Wat een overtuigend, krachtig, geweldig optreden, dacht hij.

'Het is erop of eronder,' zei Gates als volgende. 'Nu winnen we de strijd niet. Ik steun dit plan.' Maar hij vond juli 2010, na zes maanden, te vroeg voor de eerste volledige evaluatie. 'Onze strijdkrachten krijgen dan net vat op de situatie; de internationale troepen komen nog aan; het burgerpersoneel is nog nauwelijks aan de slag; de afspraken met Karzai en de rekrutering voor de NVA beginnen dan vorm te krijgen. We moeten wachten tot december 2010' voor de eerste volledige evaluatie.

Dat was in politiek opzicht een aantrekkelijke datum: een maand na de tussentijdse Congres-verkiezingen in november. Als de officiële evaluatie werd uitgesteld tot na die datum zou Afghanistan tijdens de verkiezings-debatten geen discussieonderwerp zijn. Dat was Emanuel, Axelrod, het beleidsteam en de president meer dan welkom.

Over de kwestie van de derde brigade zei Gates: 'Ik denk dat we daar nu al onze goedkeuring aan moeten hechten. Dit ligt ook niet bijzonder gevoelig. Het achter de hand houden ervan bemoeilijkt ook slechts Mc-Chrystals strijdplan. We gaan alles op alles zetten om aan het tijdschema te voldoen en brengen de derde brigade zo snel mogelijk in. Daarmee wordt voldaan aan de voorwaarden voor een geslaagde missie. Dus een of-ficiële voortgangsrapportage in juli 2010, een grote evaluatie in december 2010. Goedkeuring aan drie brigades.' Hij zei dat hij instemde met Clin-ton ten aanzien van juli 2011 als de datum om een begin te maken met de overdracht en het terugtrekken van de troepen. Deze gezamenlijke aan-pak lag voor de hand en had de instemming van velen in dit vertrek.

Mullen, die via een videoverbinding inbelde vanuit Genève, stond vol-ledig achter het plan en zei dat ze de strijdkrachten zo snel mogelijk kon-den gebruiken. Hij was ervan overtuigd dat de verzetsbestrijding effect zou hebben en stemde in met het tijdpad van Gates. Mullen gaf toe dat er risico's verbonden waren aan het uitbreiden van de Afghaanse veiligheids-troepen, maar de instructeurs moesten vlug ter plaatse zijn en al het mo-gelijke doen. 'In juli 2011 weet ik of deze strategie werkt', of we de strijd aan het winnen of verliezen zijn.

Op een bepaald moment, toen hij zich geconfronteerd zag met een co-alitie die pleitte voor 40.000 manschappen, merkte de president op: 'Ik wil niet in de situatie terechtkomen dat ik over zes maanden hier weer zit en we het dan over nog eens 40.000 man hebben.'

'We zullen geen nieuw verzoek tot troepenversterkingen indienen,' zei Mullen, waarmee hij zijn belofte herhaalde die hij tijdens de vergadering met de chefs van staven op 30 oktober had gedaan en waarmee hij een be-langrijke concessie deed.

'Meneer de president,' begon Petraeus, 'we steunen uw beslissing.' Het leger was geen eigen baas, merkte Petraeus op, maar opgeleid om bevelen te gehoorzamen. Iedereen in militaire dienst beloofde bij de eedaflegging 'de bevelen van de president van de Verenigde Staten te gehoorzamen'. Deze eed kende hij uit het hoofd en herhaalde hij diverse keren per week wanneer hij hem afnam bij ceremonies ter gelegenheid van indiensttre-ding of bevordering van militairen.

'We steunen u in alles,' zei Petraeus. 'U kunt ook op ons rekenen voor

ons deskundige militaire advies tot op het punt dat u de uiteindelijke beslissing neemt.'

Na zijn onvoorwaardelijke trouw te hebben uitgesproken, verklaarde
hij dat zijn militaire advies luidde dat die 40.000 manschappen een absolute vereiste waren.

'U krijgt deze kans maar één keer,' vervolgde Petraeus, 'en dan kunt u
maar beter meteen een beslissende slag slaan. Ik ben het eens met de minister en de voorzitter dat het niet verstandig zou zijn de beslissing over
de derde brigade in tweeën op te splitsen. Ik begrijp niet helemaal wat we
ermee opschieten als we de derde brigade achter de hand houden. Bovendien zorgt het voor problemen binnen het legerstrijdplan.' Juli 2010 is
waarschijnlijk te vroeg voor een volgende herziening, zei hij. 'De beste
handelwijze is om tot een inzet van alle manschappen in één keer te besluiten met mogelijk later een troepenvermindering in plaats van een ver-
meerdering.' In legerbewoordingen betekende dit dat de president later
alsnog kon besluiten sommige strijdkrachten niet in te zetten.

Petraeus zei dat hij er een groot voorstander van was dat er bij de NAVO
sterk werd aangedrongen op meer manschappen, maar voegde eraan toe
dat 10.000 man van de bondgenoten minder nuttig waren dan 10.000
Amerikaanse soldaten.

'Denk goed na voordat je onze NAVO-bondgenoten zo kenschetst,' zei
Obama scherp. 'We hebben hen nodig. Ze zijn straks zeer bruikbaar binnen deze coalitie.'

'De doelstellingen zijn goed zoals ze geformuleerd zijn,' zei Petraeus.
Ook het doel van een troepenvermindering per juli 2011 is prima, maar
zijn advies als militair was, zo zei hij, voorwaarden te verbinden aan een
machtsoverdracht omdat de president dan meer speelruimte zou hebben.

'Even terzijde,' voegde hij toe, 'Pakistan boekt vooruitgang. Het gaat
moeizaam, maar we moeten ons best doen hen te blijven steunen.' Alleen
omdat nogmaals te benadrukken, zei Petraeus: 'Ik steun uw beslissing en
neem graag deel aan deze gezamenlijke inspanning.'

Het onderwerp op de uitbreiding van de Afghaanse veiligheidstroepen
brengend, sloot hij zich aan bij McChrystals opmerking dat dit veel tijd
zou vergen: '2013 op zijn vroegst en er zitten veel risico's aan vast, maar
met behulp van de aanvullende Amerikaanse en internationale strijdkrachten kunnen we voldoende tijd en ruimte creëren voor de opbouw
van de NVA. Het gaat allemaal lukken als we voldoende strijdkrachten en

materieel hebben. We moeten ook de NVA en het Afghaanse volk ervan overtuigen dat het gaat lukken en de Taliban ervan overtuigen dat ze de strijd gaan verliezen.'

Omdat Mullen in het buitenland verbleef, trad generaal Cartwright nu op als voorzitter van de verenigde chefs van staven en gaf de mening van de stafchefs weer. Hij raakte aan de kern van de zaak door een onderwerp ter sprake te brengen waarover tijdens de bijeenkomst nog niet gesproken was.

'We moeten flexibel opereren,' zei Cartwright. 'En iedereen moet bereid zijn te luisteren naar de commandant ter plekke.'

In reactie op het presidentiële verzoek voor een snellere troepenuitzending had het Pentagon voorafgaand aan het uitzendschema ondersteunende informatie, die als 'geheim' was aangeduid, naar het Witte Huis en de belangrijkste leden van de Nationale Veiligheidsraad gestuurd. De eerste lichting zou bestaan uit 18.000 manschappen in plaats van de 10.000 uit McChrystals oorspronkelijke plan.

Volgens Cartwright was de laatste lichting zo klein dat daarvan geen extra druk op Karzai zou uitgaan, hoewel de vier onverzettelijke legerleiders juist steeds hadden gezegd dat Obama door de troepenversterking duidelijk kon maken dat het hem menens was en de druk op de Afghaanse regering kon opvoeren.

'Het gaat niet om het aantal manschappen,' zei hij. 'Het gaat erom hoe snel we ze daar kunnen hebben.' Het achterliggende idee was dat door zo vlug met zoveel strijdkrachten te komen een schokeffect werd gecreëerd. 'We voeren de druk op door een snelle uitzending en vast te houden aan het schema van achttien tot vierentwintig maanden.' De duur van de troepenversterking was doorslaggevend om Karzai tot ander gedrag aan te zetten.

Dit was totaal in tegenspraak met wat ze de president tot nu toe gezegd hadden. Obama leek ermee in te stemmen.

'Meneer de president, voordat ik hierheen kwam heb ik de stafchefs op de hoogte gesteld van deze optie,' zei Cartwright. 'Volgens hen gaat er van uw plan zowel in het begin als aan het einde druk uit. Het feit dat u sneller meer troepen transporteert en duidelijk heeft gemaakt dat ze aan het einde weer teruggaan, verhoogt de druk op de Afghanen.' Daarmee geeft u de boodschap: 'Ik ben geen bezetter. Het staat vast dat op een bepaalde datum onze aanwezigheid hier van een andere aard zal worden.' De boodschap aan de Afghanen was dat zij sneller weer de verantwoordelijkheid op zich dienden te nemen.

Cartwright besefte dat hij door niet in te stemmen met de voorzitter en door de andere stafchefs erbij te betrekken admiraal Mullen onderuithaalde.

McDonough begreep meteen dat dit de optie was waarnaar de president op zoek was geweest. Het draaide om 'druk' op de Afghanen, op hun leider Karzai en anderen. McDonough was stomverbaasd dat Cartwright de gezamenlijke mening van de stafchefs verkondigde. Ze hadden overduidelijk begrepen dat het tijdschema de crux vormde, niet het aantal manschappen, in tegenstelling tot Mullen, die elke keer alleen maar de mening van McChrystal had overgebracht.

Axelrod en McDonough waren ervan overtuigd dat dit het beslissende moment in het debat was. Ze hadden bewondering voor de manier waarop Cartwright helderheid leek te scheppen.

'We zouden een totaal aantal manschappen moeten aankondigen zonder in te gaan op de verdeling ervan,' vervolgde Cartwright. Er zou niet langer over brigades gesproken moeten worden, maar de president diende een totaal aantal strijdkrachten vast te stellen en de verdeling daarvan aan McChrystal over te laten, zei hij.

Peter Orszag, directeur begrotingsbeleid, die ook was uitgenodigd voor de vergadering, zei dat de kans groot was dat hiervoor bij het Congres een verzoek om aanvullende financiering ingediend moest worden.

Holbrooke was dezelfde mening als Clinton toegedaan en het hartgrondig eens met de constatering dat juli 2010 te vroeg was voor een grote evaluatie, aangezien dat al over een maand of acht was. Hij zei dat iedereen voorzichtig moest zijn met termen als het 'uitbannen' van corruptie want zoiets was ondoenlijk. Hij vond dat er nu onvoldoende druk op Karzai werd uitgeoefend. Ook Pakistan moet onze aandacht blijven krijgen, zei hij.

Vanuit Pakistan liet ambassadeur Anne Patterson weten dat het het belangrijkste was duidelijk te maken dat het de VS menens was en dat Pakistan de verzekering moest krijgen straks niet met een chaos in het buurland te worden opgescheept. Het was zaak de twijfels rond de Amerikaanse intenties weg te nemen om zo een einde te maken aan de negatieve berichtgeving in Pakistan. 'Zij boeken vooruitgang bij de bestrijding van binnenlandse extremisten, wij bij de bestrijding van Al-Qaida, maar dat blijft allemaal moeizaam. Hoe sneller we in actie komen, hoe beter dat is.'

Via een videoverbinding vanuit Kabul zei Eikenberry dat men niet mocht vergeten dat de Taliban voorlopig nog deel bleven uitmaken van het politieke spectrum. Ten tweede, zei hij, was het een feit dat 'het gevaar voor ons vooral aan de kant van de regering zit en niet het veiligheidsaspect betreft.' Die kwesties rond de regering dienden opgelost te worden, onafhankelijk van hoe de beslissing zou uitvallen ten aanzien van het aantal nieuwe manschappen. Er was meer mankracht nodig om de Nationale Veiligheidstroepen van Afghanistan op te leiden, maar de VS zouden het ook niet kunnen stellen zonder een overeenkomst met de Pasjtoen-gemeenschap. Hij wees erop dat Karzai niet het idee had dat een oorlog tegen de Taliban nu zo noodzakelijk was.

Brennan zei: 'Het programma van terreurbestrijding zal doorgaan, op welke militaire optie de keuze ook valt.' Meer troepen waren daarvoor eigenlijk niet relevant. Hij had grote twijfels bij het vijf jaar lang investeren in verzetsbestrijding en gaf aan dat hij eraan twijfelde of de doelen alle verliezen en al het geld waard waren. Naar zijn mening diende de nadruk te liggen op het opleiden van het nationale leger en de politie om daarna de oorlog aan de Afghanen over te laten. Alles stond gereed om de terreurbestrijdingsmissie ten uitvoer te brengen. 'Het duurt al snel twintig, dertig jaar voordat we een Afghanistan op poten hebben staan dat in staat is bescheiden regeringsvoornemens te realiseren en de vrede te handhaven in de veroverde gebieden.' Hij onderstreepte het belang van de operaties in Pakistan, Jemen en Somalië.

Toen Petraeus Brennan hoorde zeggen dat de nadruk diende te liggen op het opleiden van het Afghaanse leger en de politie, dacht hij meteen terug aan de gebeurtenissen in Irak. Er moest eerst sprake zijn van een zekere mate van veiligheid en zekerheid – bereikt door meer soldaten in te brengen – voordat de plaatselijke veiligheidstroepen het gebied konden overnemen.

Donilon probeerde het samen te vatten. 'We stemmen niet in met het in deze discussie aangedragen argument dat om Al-Qaida te vernietigen een langdurige strategie van verzetsbestrijding tegen de Taliban nodig is,' zei hij. 'Een strategie van verzetsbestrijding om de Taliban te vernietigen zou een biljoen dollar kosten en zes tot acht jaar duren.' De plaatsvervangend adviseur Nationale Veiligheid had het idee dat Petraeus en 'kompanen' de voorbije drie maanden herhaaldelijk hadden gepleit voor verzetsbestrijding. Maar Donilon wilde nog eens gezegd hebben dat de kosten die daaraan verbonden waren niet in het belang van de VS waren. Het bestrijden van het verzet in het hele land vormde een zwakke plek binnen de voorgestelde strategie, een strategische onvolkomenheid die naar zijn idee voortdurend ter discussie gesteld diende te worden. Het belangrijkste verschil tussen het voorstel en wat de strategie uiteindelijk zou worden, was volgens Donilon dat bij de laatste geen sprake was van een verzetsbestrijding op brede schaal.

'Iedereen moet zich kunnen vinden in het besluit van het binnen achttien tot vierentwintig maanden beginnen met de troepenvermindering zodat we eind 2012 weer op hetzelfde niveau zitten als voor de versterkingen,' zei hij. Hij maakte er geen melding van, maar het jaar van de deadline, 2012, was ook het jaar waarin Obama zich vrijwel zeker weer kandidaat ging stellen voor het presidentschap.

Donilon wees erop dat iedereen zich er ook in diende te vinden dat het aantal van 400.000 Afghaanse strijdkrachten en politieagenten wellicht niet werd gehaald. Als de inzet van een NAVO-gevechtsbrigade een jaar verlengd kon worden tot augustus 2010 kon McChrystal zelfs over meer troepen beschikken dan waarom hij oorspronkelijk had verzocht.

Dan was er nog de lastige, onvoldoende aan de orde gekomen kwestie van de Pakistani die onderdak boden aan terroristen, zei Donilon. Binnen nu en zes maanden moest er duidelijkheid zijn over hoe ze dit specifieke probleem gingen aanpakken.

Rahm Emanuel meldde dat het lastig zou worden het verzoek om aanvullende financiering door het Congres te loodsen. 'Voor deze onderneming hebben we de steun van het Amerikaanse volk nodig,' zei hij. Emanuel verklaarde dat als de optie gevolgd werd waarnaar de legervoorkeur uitging de Amerikaanse inzet binnen een jaar in feite werd verdrievoudigd.

De president ging hierop in. 'Ik heb de nationale politiek opzettelijk steeds buiten de discussie gehouden,' zei Obama. 'Zoals het een goede stafchef betaamt, heeft Rahm deze kwestie nu ingebracht. Die behoort ook aan de orde te komen. Ik wil niet brutaal zijn, maar wat zou er gebeuren, wat zouden jullie doen als het Congres weigert het geld voor 40.000 extra manschappen te geven?' Het was hoogst onwaarschijnlijk dat dit ging gebeuren. Als een Democratische president 40.000 man wilde sturen, dan ging het Congres met zijn Democratische meerderheid ongetwijfeld akkoord. Zo niet, dan zouden de Republikeinen vast en zeker hun steun uitspreken. Maar het was een manier om te vragen wat ze zouden doen als de president niet akkoord ging met 40.000.

Obama leek zich tot Petraeus te wenden, maar de generaal reageerde niet.

Hij verzaakte, concludeerden McDonough en Rhodes verbaasd. Petraeus liet het aan McChrystal over om deze vraag te beantwoorden, dachten ze. Donilon vermoedde dat Petraeus deze mogelijkheid helemaal niet bespreekbaar wilde maken.

'Dat maakt me niet uit,' zei McChrystal. 'ik blijf vechten. 'Ik heb hier niet heel zorgvuldig over nagedacht, maar we zouden overstappen op Plan B. Dat is: ons concentreren op de dichtstbevolkte gebieden, het opleiden van de NVA, en ons blijven richten op de belangrijkste schuilplaatsen, waaronder de schuilplaatsen in Pakistan.'

Cartwright zei dat Plan B in feite de gemengde optie betrof van 20.000 aanvullende troepen, inclusief instructeurs en middelen voor terreurbestrijding, die hij voor Biden had ontwikkeld.

'Kort gezegd,' zei Eikenberry, 'zou dat juist zijn. We richten ons op het opzetten van de Afghaanse Nationale Veiligheidstroepen omdat dat ons een uitweg zou bieden en omdat daardoor de eenheid in het land sneller terugkeert.'

Donilon, McDonough en Rhodes vonden Plan B nog niet eens zo slecht klinken. Het deugde eigenlijk wel en klonk aannemelijk. Hier was weer eens sprake van een keuze die het leger nooit had geopperd, van een alternatieve optie met kans van slagen die de president zo graag van het Pentagon te horen had gekregen.

Nu was de beurt aan Petraeus om antwoord te geven op de vraag wat er zou gebeuren als er geen financiering kwam voor de 40.000 manschappen of als het leger die anderszins niet kreeg.

'Op de kaart kunnen we zien dat de gebieden die wij – en de Afghaanse regering – onder controle hebben langzaam kleiner worden,' zei hij. 'We zouden dan langzaam maar zeker de strijd verliezen.' Als de veiligheid ontbrak in het land zou het moeilijker worden maar ook des te belangrijker zijn om een betere NVA op te zetten. 'Iedereen dient onder ogen te zien dat een opbouw van de NVA groot gevaar loopt en uiterst moeilijk wordt als de veiligheid achteruitgaat.'

De president probeerde alles op een rijtje te zetten. 'Na twee jaar,' zei hij, 'kan een aantal zaken nog onduidelijk liggen. Sommige regio's zijn onder onze controle en vrij van terroristen, de veiligheidssituatie is verbeterd en de NVA telt meer manschappen, maar is nog niet op volle sterkte. De Taliban is niet langer aan de winnende hand. De politieke situatie ligt ingewikkeld. De economie gaat vooruit, maar nog lang niet zoveel als we zouden wensen. De vraag die we dan in feite moeten stellen, is: vinden we dit voldoende?'

'Wie hieraan nog iets wil toevoegen,' zei hij, 'moet mij dat nu zeggen.' Obama voegde daaraan toe: 'Ik neig ertoe in te stemmen met het aankondigen van de derde brigade. Ik heb liever dat de troepensterkte straks wordt afgebouwd dan dat ik nog meer manschappen moet sturen. Maar als we geen vooruitgang zien, dan kunnen we afbouwen.' Hij sloot af. 'Oké, bedankt iedereen. Er moet snel een besluit komen. Ik ga er dit weekeinde verder aan werken en zou graag willen dat we begin volgende week een besluit kunnen nemen.'

Op dinsdag 24 november belde Biden met Petraeus, die in een vliegtuig zat op weg naar de USS Nimitz, het vliegdekschip dat ondersteuning bood bij de strijd. Petraeus ging Thanksgiving op het schip doorbrengen.

Ik wil alleen even zeker weten dat je akkoord bent met het tijdschema van achttien tot vierentwintig maanden, zei Biden. Het zag ernaar uit dat Obama een specifieke datum – juli 2011 – ging noemen om met de troepenterugtrekking te beginnen. Biden wilde zekerheid hebben dat de generaal die het meest in de aandacht stond niet zou tegenstribbelen.

'Dat is akkoord,' zei Petraeus. Hij concludeerde dat de president en de vicepresident eraan twijfelden of het leger de beslissing wel ging steunen.

Als Petraeus ergens in de volgende week even in Washington was, wilde Cartwright de gemengde optie met hem bespreken.

'Laat we het daar nog even over hebben,' zei hij. 'Wat is het probleem?'

Petraeus zei dat hij het onderwerp niet wilde bespreken.

'Ik heb jouw ideeën gevolgd,' zei Cartwright, die opmerkte dat het plan om de troepenversterking zo snel mogelijk te realiseren en de terreurbestrijding te intensiveren rechtstreeks afkomstig was uit Petraeus' strategiehandboek voor Irak. 'Wat deugt er niet aan dit plan?'

'Je snapt er niks van,' luidde Petraeus' reactie, waarmee hij de discussie meteen de kop indrukte.

Cartwright had lang gedacht dat hij de enige legerleider was die zijn stem verhief tegen de heersende opinie, maar was nu verbaasd te ontdekken dat Petraeus een open discussie uit de weg ging.

Gates sprak Cartwright hierover aan. Hij wilde weten hoe hij zijn advies diende op te stellen 'zonder gevaar voor de samenwerking' binnen het leger. Cartwright dacht dat ze een onderhandelingsgesprek voerden, maar het liep bijna op ruzie uit.

De minister van Defensie zei dat hij 35.000 manschappen wilde, het maximale aantal van optie 2A.

De vicevoorzitter zei dat hij eerder dacht aan 25.000, dus 5.000 meer dan de gemengde optie.

25

Op woensdagmiddag 25 november, de dag voor Thanksgiving, om ongeveer half drie vergaderden de president en zijn stafchef in het Oval Office met het nationale veiligheidsteam van het Witte Huis: Jones, Donilon, McDonough en Rhodes, die de speeches over het buitenlandbeleid schreef.

Obama zei dat dit de moeilijkste beslissing was waar hij ooit voor had gestaan. Het was hem aan te zien.

Hij vertelde wat hem door het hoofd ging, liet enkele conclusies weten, sprak enkele onzekerheden uit en gaf Rhodes een aantal aanwijzingen met betrekking tot zijn aanstaande speech. Hij zei dat hij ertoe 'neigde in te stemmen met 30.000' manschappen, maar dat klonk alsof hij nog niet definitief had besloten.

'Dit plan dient te draaien om hoe we straks de macht overdragen en Afghanistan weer verlaten,' zei Obama. 'Alles wat we doen dient gericht te zijn op het punt waarop we onze aanwezigheid kunnen terugbrengen. Dat is in het belang van onze veiligheid. Er mag geen enkele speelruimte meer zijn. Het moet duidelijk zijn dat we dit en niets anders gaan doen.'

Er waren enkele onzekerheden, zei hij. 'Als we dit bekendmaken, is het Amerikaanse volk niet geïnteresseerd in dingen als het aantal brigades. Wel in het aantal manschappen. En ik heb besloten tot 30.000.' Dat was het minimum van optie 2A van Gates, die drie weken eerder was ingediend. Obama klonk alsof hij nu meer overtuigd was van dit aantal. 'We moeten duidelijk maken dat dit een andere kwestie is dan Irak. We stellen geen datum vast voor de terugtrekking van onze troepen en het verminderen van onze bemoeienis. We hebben het over het vaststellen van het tijdschema voor de overdracht' aan de Afghaanse veiligheidstroepen.

We moeten ook duidelijk maken dat we belangen in Afghanistan hebben die van langer duur zijn, zoals terreurbestrijding, het landsbestuur en ondersteuning.' We moeten ook op het opleiden focussen, zei hij. 'Ik wil de nadruk leggen op de vaart waarmee we alles doen. Sneller erin, sneller eruit.'

Bijzonder was dat hij zei: 'Ik wil dat iedereen het onderschrijft: McChrystal, Petraeus, Gates, Mullen, Eikenberry en Clinton. Dat wil ik op papier hebben en in het dossier.' Omdat het nu leek alsof de president een overeenkomst wilde laten ondertekenen, kregen sommigen de verkeerde indruk dat er daadwerkelijk handtekeningen gezet dienden te worden.

'We gaan niet in detail treden over de snelheid waarmee we ons terugtrekken,' zei Obama. Ze zouden alleen het moment van omschakelen [naar troepenvermindering] – juli 2011 – noemen. Onder verwijzing naar Petraeus zei hij: 'Praat in het openbaar niet over verzetsbestrijding.' De woorden die hij wilde gebruiken waren 'doelstelling, opleiding en overdracht'.

Hij herhaalde dat hij McChrystals voorstel tot het opleiden van de NVA tot een omvang van 400.000 manschappen zonder meer afwees. 'We stellen alleen doelen die haalbaar zijn.' Hij voegde ten aanzien van het benodigde bedrag toe: 'We gaan in onze schattingen de kosten niet opzettelijk lager voorstellen. We moeten op elk moment zo duidelijk mogelijk zijn over hoeveel geld hiermee gemoeid is.'

'We moeten terughoudend zijn in onze uitlatingen,' zei Obama, die zich geërgerd had aan Bush' uitdrukking 'Pak ze' en aan diens vroegere retoriek over Bin Laden te pakken krijgen, 'dood of levend'. Hij voegde eraan toe: 'We moeten de publieke verwachtingen zo bespelen dat iedereen begrijpt dat het een lastige zaak is die tijd nodig heeft.'

Donilon vroeg naar Pakistan. Hoe gingen ze precies uitleggen dat de VS het niet langer accepteerden dat de terroristen daar onderdak vonden? Dat mocht door Pakistan niet opgevat worden als een oorlogsverklaring. Dit was een lastig punt.

'We moeten iedereen duidelijk maken dat het kwaad ook in Pakistan zit,' zei Obama. De reden waarom we verschillende doelstellingen in Afghanistan nastreven, is dat we niet willen dat het kwaad zich verspreidt.

We moeten ook het kwaad in Pakistan wegnemen.' Een verdere verklaring zou en kon hij in zijn speech ook niet geven vanwege de verborgen aanvallen met drones en andere geheime operaties. 'We moeten ook een verband leggen met de terreurbestrijding in eigen land.'

Met betrekking tot de regeringen van Afghanistan en Pakistan zei hij dat zij duidelijk dienden te maken dat 'beide onze doelen steunen en aan de strijd deelnemen. Dit biedt hun een kans de samenwerking met ons te intensiveren.'

Obama zei dat de toespraak ook diende in te gaan op de achterliggende doelstelling van deze besluiten. 'We doen dit omdat we zo ruimte willen scheppen voor een goede samenwerking met de Afghanen en voor het opleiden van hun troepen.' De troepenversterking diende om te zorgen dat de VS het land weer konden verlaten.

Donilon zei dat er nog problemen waren. Het Pentagon had de aandacht gevestigd op een ander verzoek om troepenversterkingen, dat tijdens alle overleg over het hoofd was gezien. Het verzoek betrof 4.500 'voorbereiders' – mankrachten voor de logistiek en communicatie en medisch personeel – en was al in de zomer ingediend. Voor zover hij dat wist, was een aantal van deze ondersteunende functies ook opgenomen in het veelomvattender verzoek om de brigades. Ik geloof niet dat ze goede redenen hebben gegeven waarom deze 4.500 man nodig zijn voor die brigades, zei Donilon.

'Komt de troepensterkte zo eigenlijk toch op 40.000?' vroeg de president.

'Ja.'

'Ik ben hier helemaal klaar mee!' zei Obama, die uiteindelijk toch tot een uitbarsting kwam. 'Iedereen heeft ingestemd met een plan. Aan dat plan gaat iedereen zich houden. Daarmee heb ik ingestemd en met niks anders.'

Die 30.000 was de 'uiterste limiet', zei hij met stemverheffing. 'Ik wil niet dat deze hulptroepen gebruikt worden om dat op te rekken. Politiek gezien is het voor mij het makkelijkst om gewoon "nee" te zeggen' tegen die 30.000. Toen wees hij door het raam van het Oval Office en over de Potomac in de richting van het Pentagon. Verwijzend naar Gates en het leger zei hij: 'Zij denken het tegendeel. Dat ik meer dan blij zou zijn...' Hij brak zijn zin af. 'Rahm zou maar al te blij zijn als ik nee zei tegen die 30.000.'

Er klonk ingehouden gelach op.

'Volgens Rahm kan ik veel makkelijker doen wat ik graag wil doen als ik nee zeg,' zei de president. Obama zou zich kunnen richten op zijn binnenlandse plannen, die hij tot de kern van zijn presidentschap wilde maken. Het leger begreep het niet. 'Wat die kerels niet begrijpen, is dat het politiek gezien voor mij veel makkelijker is hier uit te stappen en dan een toespraak te geven waarin ik zeg: "Luister eens: het Amerikaanse volk heeft genoeg van deze oorlog. We sturen er 10.000 instructeurs heen en daarna zijn we er vanaf."'

'Dat zal het leger absoluut niet leuk vinden,' voegde de president eraan toe.

Het was duidelijk dat Obama deels – of misschien wel in hoofdzaak – de wens koesterde zo'n toespraak te houden. Hij leek een proefballonnetje op te laten.

Donilon zei dat Gates wellicht zou aftreden als de beslissing uitdraaide op alleen die 10.000 instructeurs.

'Dat is het moeilijke ervan,' zei Obama. 'Bob Gates is... van het nationaleveiligheidsteam is hij het beste lid.'

Daarna zei niemand meer iets over deze mogelijkheid.

'Ik zet gewoon alles op een rijtje,' zei de president waarmee hij terugkeerde naar het onderwerp van de 30.000 man, waarvan werd aangenomen dat iedereen daarmee instemde. Al met al, zei hij, waren er vijf punten die van belang waren bij het naar buiten brengen van het besluit.

'We moeten benadrukken dat dit een internationale inspanning betreft,' zei hij. 'We moeten benadrukken dat we de troepen er sneller naartoe verschepen en die ook weer sneller terughalen. We moeten benadrukken dat we de Afghanen gaan opleiden. We moeten benadrukken dat we de Taliban tegenhouden en terugdringen, en we moeten benadrukken dat we hiermee bijdragen aan een beter Afghaans bestuur.'

De speech 'diende heel beheerst maar niet depressief van toon te zijn'. Hij zei nogmaals dat hij het woord 'verzetsbestrijding' niet wilde gebruiken, maar slechts wilde reppen over veiligheid in de dichtstbevolkte gebieden. De woorden 'verzetsbestrijding' en 'terreurbestrijding' hadden naar zijn idee een bepaalde lading gekregen, waren synoniem geworden met het creëren van veiligheid in het hele land in plaats van het zich terugtrekken en vanaf schepen raketten afvuren en onbewapende vliegtuigjes op pad te sturen.

Een volledige verzetsbestrijding was een onmogelijkheid, maar was toch een heilig gebod van de Republikeinen geworden. 'Voor wat het volgende betreft ben ik het ermee eens,' zei hij. 'Om hun veiligheidstroepen succesvol op te leiden en de Taliban terug te dringen, moet je de dichtbevolkte gebieden voldoende hebben gevrijwaard van terrorisme om de opleidingsmissie tot een goed einde te kunnen brengen.'

Hij herhaalde dat hij een memo wilde met de beslissing, dat iedereen diende te volgen.

'We beginnen er niet aan tenzij iedereen er letterlijk voor tekent, mij recht in de ogen durft te kijken en ondertussen zegt dat hij of zij er helemaal achter staat.' De meerderheid in het vertrek had de president niet eerder zo bevlogen gezien. 'Ik wil niet dat iemand de volgende dag ergens gaat beweren dat hij het er niet mee eens is.' Geen herenakkoorden meer. De jurist in Obama wilde door middel van een geschreven document eventuele opstandigheid in de kiem smoren.

Hij richtte het woord tot Rhodes en schetste de punten die hij in zijn speech aan de orde wilde laten komen.

'We moeten in herinnering brengen waarom we überhaupt ooit naar Afghanistan zijn gegaan,' zei hij. 'We moeten uitleggen hoe we op het punt zijn beland waar we nu zijn. Ik wil vermelden dat het land het epicentrum van het gewelddadig extremisme is.' Ook dat hij overtuigd was van deze missie en van de noodzaak van de troepenversterking diende in de toespraak vermeld te worden.

'Sommige mensen denken dat het alleen om de getallen draait,' zei de president. Hij herhaalde wat hij twee weken eerder tijdens een herzieningsbespreking had gezegd. 'Als ik hiervan niet overtuigd zou zijn,' zei hij, 'zou naar luchtmachtbasis Dover gaan, nog één avond op Dover doorbrengen, genoeg voor me zijn om te kunnen zeggen: het is afgelopen en we trekken ons terug'. Dit diende in een of andere vorm in zijn toespraak terug te keren, zei Obama, om duidelijk te maken hoe moeilijk deze beslissing was geweest en hoezeer hij overtuigd was van de missie.

De president wilde ook beklemtoond hebben dat deze oorlog door een internationale coalitie werd gevoerd. Het was niet slechts een Amerikaanse oorlog. Elke troepenversterking van de kant van de VS ging gepaard met een troepenversterking bij de NAVO-bondgenoten. Hij zei ook dat hij wilde onderstrepen dat juli 2011 het moment was waarop de troepenterugtrekking zou beginnen.

Biden had voorgesteld ook uitgebreid in te gaan op Pakistan, maar daarmee moesten ze voorzichtig zijn. Dat zou grotendeels in het verborgene plaatsvinden en bovendien waren er geheime strijdkrachten bij betrokken. Het zou een enorme beroering geven als de president nu aankondigde niet langer de toevluchtsoorden van de terroristen te tolereren en dat hij ze wilde uitroeien met Amerikaanse grondtroepen, met de speciale strijdkrachten of met paramilitaire eenheden van de CIA. Grensoverschrijdingen, zelfs met instemming van de Pakistani, waren riskante ondernemingen.

'Weet je wat?' zei Obama. Hij had het probleem met Pakistan al eens in maart geschetst. 'Daar hebben we het de eerste keer over gehad. Dat hebben we iedereen toen duidelijk gemaakt. Men legt zelf het verband wel, maar deze toespraak gaat over Afghanistan. Het Amerikaans volk is begaan met onze troepen en wil daar iets over horen.'

De president herhaalde dat hij besloten had tot de optie van 30.000 manschappen, wat diende terug te keren in de het concept van zijn toespraak, zei hij, maar voegde ook een waarschuwing toe: 'Er is een kans dat de beslissing anders uitpakt. Dan hebben we een nieuwe toespraak nodig.'

Vlak na de vergadering riep Obama Rhodes weer bij zich in het Oval Office.

'Nog één ding,' zei de president. 'Ik wil in mijn speech uitleggen waarom dit geen tweede Vietnam is, geen tweede Irak.' Hij wilde gezegd hebben dat de Amerikanen in het geval van Afghanistan, in tegenstelling tot bij de Vietnam-oorlog, de steun hadden van 41 coalitiepartners. En het zou geen kwaad kunnen om iedereen eraan te herinneren dat de aanslagen van 11 september het werk waren geweest van Al-Qaida, dat toevlucht had gevonden in Afghanistan. Vertel het hele verhaal van 11 september. Dit is iets anders dan Irak, want vanuit dat land zijn we nooit aangevallen en worden we ook niet bedreigd op vaderlandse bodem. Toch, zei hij, wilde hij even vermelden dat de veiligheidssituatie en de stabiliteit in Irak waren verbeterd.

Over zowel Vietnam als Irak zei hij: 'Over deze onderwerpen hebben wij als land moeilijke discussies gevoerd. Maar het gaat er niet om die discussies weer op te rakelen. We moeten de heldhaftigheid en moed van onze troepen prijzen zonder de oorlog te verheerlijken.'

'We moeten duidelijk maken hoe groot de dreiging is en zeggen dat het gevaar nog altijd niet geweken is,' gaf hij aan. De toon zou 'scherpzinnig en resoluut moeten zijn, waarbij duidelijk wordt gemaakt dat we ons alleen op onze belangen richten en geen andere doelen nastreven'.

'Geef het geheel nog een zetje door te zeggen dat er sinds Roosevelt een speciale taak op ons rust. Dat is ons niet altijd in dank afgenomen. We hebben fouten gemaakt, maar we zijn altijd blijven streven naar een veilige natie met behulp van de diensten en offers van de jonge mannen en vrouwen van ons land en de belastingbetalers.'

'De strijd tegen het extremisme zal lang en moeilijk zijn,' zei hij. 'In allerlei opzichten is die veel ingewikkelder dan gewoon de strijd aanbinden met een land, omdat extremistische terroristen zich vaak in ordeloze regio's schuilhouden.

Onze beweegredenen zijn dezelfde als ze de afgelopen zestig jaar zijn geweest, wat betekent dat wij niet uit zijn op bezetting of een overheersing van de wereld.' Hij zei dat in zijn visie onze kinderen en kleinkinderen een gelukkiger leven zullen hebben wanneer ook de kinderen en kleinkinderen van andere volkeren een gelukkiger leven leidden.

Hij gaf enigszins lucht aan zijn frustratie door op te merken: 'Ons hele beleid kan niet louter op het terrorisme gericht zijn.' Op de hele wereld leefden zes miljard mensen die allemaal hun eigen belangen hadden, maar we dienden ons vooral ook op de eigen economie te richten, omdat die de basis vormde voor de dominante positie van de vs in de wereld. 'Dat mogen we niet uit het oog verliezen. De laatste jaren is dat te vaak gebeurd.'

Ten slotte voegde de president toe: 'Het Amerikaanse volk is idealistisch, maar wil dat zijn leiders realistisch te werk gaan. Mijn toespraak moet ook dat bevatten.'

Obama had die week een afspraak gehad met Nancy Pelosi, de voorzitter van het Huis van Afgevaardigden.[1] Zij werd later geciteerd in *The Washington Post* aangezien ze gezegd had dat de Democraten 'hevig verontrust waren' omdat ze een voorstel voorgelegd zouden krijgen waarin om nog eens miljarden voor de oorlog in Afghanistan werd gevraagd. Niet eerder had ze het zo moeilijk gevonden haar collega-Democraten te vragen hun steun uit te spreken. Tijdens een sessie met bloggers schreef Pelosi: 'We willen weten wat de missie inhoudt, in welke mate dit bijdraagt aan de bescherming van het Amerikaanse volk en of dit het juiste middel is, vooral omdat de huidige economische situatie in de vs veel aandacht vraagt.'[2]

Later die woensdag had Obama in het Oval Office zijn wekelijkse bijeenkomst met Gates. Het vertrek is goed verlicht – helder en zonder schaduwen – zodat er een strenge sfeer van uitgaat. Het is ontegenzeggelijk een omgeving om zaken te doen.

Thanksgiving zat eraan te komen en dat bepaalde de stemming. Ze hadden er negen, vaak uitputtende besprekingen over de strategiewijziging op zitten. Iedereen, ook Obama, was ervan doordongen dat Gates snel de uiteindelijke beslissingen diende te vernemen. Aangezien Mullen onderweg was naar Genève voor een onaangekondigde vergadering over de reductie van strategische wapens, was vicevoorzitter Cartwright in zijn plaats aanwezig. Jones voegde zich er ook bij.

De president zei dat hij een beslissing had genomen over het aantal. Zoals de formulering van de missie nu luidt, kan ik niet verder gaan dan 30.000.

Dit aantal verbaasde Cartwright niet. Het was het volmaakte compromis: precies tussen de 40.000 van McChrystal en de 20.000 van de gemengde optie. Maar het hield ook het midden tussen de 35.000 waarnaar Gates de laatste keer had gestreefd en de 25.000 waarvan Cartwright had gedacht dat dit ongeveer het juiste aantal was.

Dit zijn mijn redenen voor de 30.000, voegde de president toe. Het waren in economisch opzicht zware tijden, zoals iedereen wist. Obama zei dat hij geen steun wilde verlenen aan een missie met een open einde. Bovendien wilde hij zich niet een wederopbouw van het land of het nastreven van een volledige verzetsbestrijding tot doel stellen. Hij en Bush samen hadden al eens binnen één jaar getekend voor 33.000 man meer.

Jones was er nog altijd verbaasd over dat het leger nooit een goede rapportage had gemaakt over wat die 33.000 in hemelsnaam voor elkaar hadden gekregen, maar toch wilden ze nog 40.000 man erbij. Een cynicus zou vragen: 'Dat is zeker een grapje?' Een cynicus, dacht Jones, zou zeggen: 'Whiskey Tango Foxtrot.'

Het volk zou voor Afghanistan niet akkoord gaan met de gebruikelijke benadering, zei Obama. 'Hiervoor wil ik de politieke verantwoordelijkheid dragen.' Hij kon niet verder gaan dan 30.000, herhaalde hij.

Gates had voor zeven verschillende presidenten gewerkt. Elk had zijn manier van beslissen gehad. Een bewering of besluit was vaak allesbehalve eenduidig geweest, werd soms met nadruk uitgesproken en dan juist aarzelend. Het was niet duidelijk wat Obama hiermee bedoelde.

'Ik heb nog een verzoek om 4.500 hulptroepen op mijn bureau liggen,' zei Gates. De verzoeken om manschappen hadden zich opgestapeld sinds in september de herziening was begonnen. 'En ik zou nog graag 10 procent extra willen sturen, hulptroepen of soldaten, mocht ik die nodig hebben. Dat kunnen mijnenruimers zijn, extra medisch personeel, ondersteunende diensten.'

'Bob,' zei de president, '30.000 plus 4500 plus tien procent van 30.000 is' – hij had het al uitgerekend – '37.500'. Als een veilingmeester voegde hij eraan toe: 'Ik zit op 30.000.'

Het was een bijzonder moment. Niet eerder had hij tegenover Gates zo beslist en kortaf gedaan. Op de momenten dat Obama tijdens de vergaderingen het woord had genomen, had hij meestal vragen gesteld of een resumé gegeven. 'Ik zit op 30.000.'

'Je krijgt van mij een beperkte vrijheid binnen die 10 procent van je in verband met zaken die straks misschien nodig zijn', maar alleen onder uitzonderlijke omstandigheden. 'Ik ga naar niet naar 37.500,' zei Obama met klem. 'Dat kan ik net zo goed op 40.000 gaan zitten.'

'Kun je hiermee instemmen?' vroeg Obama. 'Als je nu nee zegt, begrijp ik wat mij te doen staat. Dan vind ik het niet erg om mijn handtekening te zetten onder maar 10.000 manschappen en dan gaan we gewoon op dezelfde voet verder, leiden we het Afghaanse leger op en hopen we er het beste van.'

Hopen we er het beste van. Deze laatdunkende woorden bleven een tijdje hangen.

Gates zei dat hij zijn steun wel wilde uitspreken voor 30.000. Daarmee kon hij akkoord gaan.

Cartwright stemde er ook mee in. Hij besefte dat de president een schot voor de boeg had gegeven. Het was graag of helemaal niet. Het was duidelijk, zo luidde de conclusie van de vicevoorzitter van de verenigde chefs van staven, dat de president zijn keuze op 30.000 had laten vallen omdat iedereen daarmee kon leven.

De veilingmeester sloot de bieding af. De president had besloten.

Zoals altijd met Thanksgiving had Biden met zijn gezin een huis in Nantucket gehuurd.

Het had ontbroken aan een optie die een garantie was geweest voor succes, zei de president hem via het beveiligde telefooncircuit. 'Ze gaven ons alleen maar slechte kaarten in handen,' klaagde de president nogmaals.

Biden zei dat het niet slecht zou uitkomen als de regering-Karzai omviel.

Nee, zei Obama, daarvan waren de nadelen groter dan de voordelen, en hij was akkoord gegaan met 30.000.

Biden stuurde de president een handgeschreven memo. 'Het draait niet om de aantallen, maar om de strategie,' schreef hij en verstuurde zijn memo via een beveiligde faxlijn. In de loop van Thanksgiving stuurde hij de president een stuk of vijf handgeschreven memo's waarin hij dat steeds weer benadrukte en er bij de president op aandrong om in zijn uiteindelijke beslissing vijf punten op te nemen:

Geen volledige verzetsbestrijding;

Geen nation building;

Al-Qaida als voornaamste doelwit;

Het leger dient slechts zoveel gebied bezet te houden als overgedragen kan worden aan de Afghanen; en

Met een uiteindelijke hereniging in het achterhoofd is het doel het 'terugdringen' van de Taliban.

Hij drukte Obama ook op het hart niet in te stemmen met het buitenissige doel van de opbouw van een leger van 400.000 Afghaanse veiligheidstroepen.

26

Op de ochtend van 27 november vroeg Obama Colin Powell weer naar het Oval Office te komen voor een gesprek onder vier ogen. De president zei dat hij moeite had met de uiteenlopende zienswijzen. Het leger schaarde zich unaniem achter McChrystal voor 40.000 man extra. Zijn politieke adviseurs waren meer dan sceptisch. Hij vroeg een nieuwe insteek, het enige wat hij kreeg was steeds maar weer dezelfde oude opties.

'U hoeft hier geen rekening mee te houden,' zei Powell, voormalig voorzitter van de chefs van staven. 'U bent de opperbevelhebber. Die mensen werken voor u. Dat ze unaniem zijn in hun advies rechtvaardigt het nog niet. Er zijn andere generaals. Maar er is maar één opperbevelhebber.'

Toen ik de president vroeg wat hij van dit advies vond, zei hij: 'Generaal Powell en ik praten. Ik beschouw hem als een vriend. En nu hij uit dat gebouw weg is [het Pentagon], ga ik hem af en toe eens opzoeken. Daar laat ik het bij.'[1]

'Waarom vergaderen we nog eens hierover?' vroeg de president diezelfde dag na Thanksgiving, toen het nationale veiligheidsteam van het Witte Huis het Oval Office binnenkwam – Jones, Donilon, Emanuel, McDonough, Lute en kolonel John Tien, een Irak-veteraan en voormalig Rhodes Scholar in de staf van de Nationale Veiligheidsraad. 'Ik dacht dat dit woensdag al was afgehandeld.'

Donilon en Lute zeiden dat er nog wat vragen waren vanuit het Pentagon. Waren de hulptroepen al toegewezen?

Nee.

Waar slaat die 10 procent op?

'Op 30.000,' zei een geërgerde president, en dat is het. 'Waarom moeten we alsmaar blijven vergaderen terwijl we het eens zijn?'

Nou ja, we zitten nog steeds met het leger op die vragen te broeden.

De president zei dat hij tot een overeenkomst was gekomen met de minister van Defensie – waarom was er dan nog een debat? Dat was toch afdoende geweest. Maar het Pentagon was niet gewend aan en zat in zijn buik met zo'n precieze standaard.

Het Pentagon leek elke vraag opnieuw op tafel te willen leggen. Donilon begon ze af te vinken. De meeste kwamen per telefoon van Mullen of de verenigde chefs van staven, hoewel Donilon en Lute ook generaal Cartwright en Michèle Flournoy, Defensie-onderminister voor beleid, aan de lijn kregen.

Wat voor vragen?

Nou ja, de schatting dat zij 30.000 manschappen in de zomer naar Afghanistan zouden kunnen krijgen.

'Dat was niet ons idee,' zei de president. 'Dat heeft Petraeus ons verteld.'

Maar nu zei het Pentagon dat ze het niet zeker wisten.

'Wij hebben dat niet bedacht...' zei de president.

Het Pentagon zette ook vraagtekens bij de terugtrekkingsdatum van juli 2011. Op een eerder punt had Gates gezegd dat hij aan een half jaar de voorkeur zou geven – eind 2011.

'Ik vind dit klote,' zei Obama, maar verhief zijn stem niet. 'Dat was toch ook hun datum,' zei hij. Die werd ook genoemd in het stuk dat ze ons hebben voorgelegd – dat met het langere traject. Wij gaven dat aan als het punt waarop de Afghanen in staat zouden zijn leiding en verantwoordelijkheid op sommige gebieden te nemen. Was dit een onderhandelingstrucje of wat?

Het leek wel alsof elk punt weer ter bespreking, onderhandeling of verduidelijking kon worden gesteld. Obama zei dat hij bereid was opnieuw te beginnen en ze 10.000 instructeurs te geven. En daarmee zou het af zijn.

Dit was een wedstrijd waarin de president moest uitkomen tegen de gevestigde militaire belangen. Donilon stond versteld van de politieke macht die het leger had. Maar, zo redeneerde hij, het Witte Huis moest het bij deze wedstrijd van de lange afstand hebben. Door het bestuderen van Vietnam en de Irakese oorlog van George W. Bush, wist hij dat de overeenkomst was gelegen in het maken van de ene blunder na de andere. Presidenten werden verrast, presidenten kregen niet voldoende details, presidenten wisten niet duidelijk wat ze wilden, presidenten begrepen de implicaties niet van ogenschijnlijk eenvoudige beslissingen.

Jones verliet de vergadering en sprak met Mullen, die inderdaad zei dat 30.000 man daarheen brengen langer zou duren dan tot het eind van de zomer. McChrystal had gehoord dat hij kon besluiten uit welke eenheden die 30.000 zouden bestaan. Zoals te verwachten was wilde hij eenheden van de legendarische 101ste Airborne Division, de 'Screaming Eagles', die Petraeus in 2003 bij de invasie van Irak had aangevoerd. De eenheden zouden in september pas gereed zijn.

Nee, zei Jones, het zou geen goed idee zijn om nu terug te gaan naar de president en te zeggen dat het niet door kon gaan. Het was allemaal bevestigd. De president wilde dat iedereen zijn woord zou houden. In feite was dit militair advies waar Obama niet om verlegen zat.

'Gesnopen,' zei Mullen, teleurgesteld dat Jones, een gepensioneerde vierster, het niet leek te snappen.

In het Oval Office ging Obama verder met Donilon, Lute en de rest. De vergadering duurde uren, bijna de hele dag, waarbij constant pogingen werden ondernomen om de bevelen van de president nader te omschrijven. Allemaal hadden ze *Lessons in Disaster* gelezen. Een van de conclusies luidde dat Johnson nagelaten had zijn besluiten met betrekking tot Vietnam om te zetten in specifieke bevelen voor het leger.

Obama begon precies te dicteren wat hij wilde en zette wat Donilon een 'terms sheet'* noemde op, dat eruitzag als een wettig document dat gebruikt wordt bij zakelijke overeenkomsten. Hij nam Gates' memo over en stemde ermee in dat dit het strategisch concept zou zijn om de Taliban 'terug te dringen' – niet ontmantelen, niet verslaan, niet vernietigen. Hij nam de zes militaire missies van Gates' memo over in zijn eigen bevelen. De zes militaire missies behelsden een poging de stootkracht van de Taliban te doen omslaan om ze vervolgens uit te sluiten, te negeren, ze te ontwrichten en terug te dringen.

---

* 'terms sheet': bedrijfsjuridische term, bijvoorbeeld gebruikt bij fusies/overnames – lijst met kerndoelen of -voorwaarden waaraan ten minste moet worden voldaan voordat een deal kan worden gesloten. – red.

Terwijl deze wedstrijd de middag begon te kosten, huldigden de burgerstaf van het Pentagon en de verenigde chefs van staven een steeds weidsere opvatting van de strategie, en probeerden die nog te verbreden.

'Dat kun je de president niet aandoen,' bleef Donilon maar zeggen. Dit was niet wat Obama wilde. Hij wilde een beperktere missie.

Maar de druk ging niet van de ketel.

'Bouw beperkingen in,' beval Obama.

Donilon probeerde het, maar dan kwam het meteen weer terug van het Pentagon met meer en niet minder kanttekeningen. Eén toevoeging betrof boodschappen aan Al-Qaida sturen.

'Dat gaan wij niet doen,' zei de president toen hij daarvan hoorde.

Donilon kreeg de indruk alsof hij de bevelen tien keer moest herschrijven en ten slotte vertelde hij zijn contactpersonen bij het leger dat de president alleen zaken wilden die rechtstreeks met het doel samenhingen. 'Als jullie een hoop andere shit hebben die je wilt doen,' zei hij, 'dan zal de president dat niet accepteren.'

Zeg het onomwonden, dicteerde Obama. Uiteindelijk behelsden zijn bevelen dat de militaire missie 'in omvang en schaal beperkt zal worden tot alleen dat wat nodig is om het doel van de Verenigde Staten te bereiken'. Punt uit. Duidelijker kon niet. Toen alle woorden waren gefilterd en herkauwd, had hij twee doelen – Al-Qaida verslaan en de Taliban terugdringen.

Maar denkbeelden over uitgebreide verzetsbestrijding met bescherming van de burgerbevolking en daarmee samenhangende missies bleven uit het Pentagon komen.

Nee, zei Obama. Nogmaals, hij zei het onomwonden, dicteerde het: 'Deze benadering is er niet een van volledig toegeruste verzetsbestrijding of nation building.' Duidelijker kon niet en het kon ook niet krachtiger.

Toch hielden sommigen vast aan het oorspronkelijke verzoek van McChrystal om 40.000 man. Het was alsof niemand ze ooit had geconfronteerd met een weigering.

Nee, zei Obama. Voor het aantal manschappen hanteerde hij de lagere waarde van optie 2 aan, het voorstel voor 35 tot 30.000. Het werd 30.000. Laten we duidelijk zijn, zei hij. Hij koos optie 2A met 'de beperktere missie en het opzettelijk strakkere tijdschema'. Hij hield zich aan juli 2011. En dat was geen datum waarop slechts begonnen moest worden met het terugtrekken van de Amerikaanse strijdkrachten, maar op die datum 'beginnen wij de voornaamste verantwoordelijkheden over te dragen van onze strijdkrachten aan de NVA,' dicteerde hij.

Voor het geval iemand die grote verandering niet zou begrijpen, stelde hij in het termijnenschema: 'In juli 2011 zullen wij de vooruitgang over de hele breedte peilen en dan zal de president het tijdstip bepalen waarop de militaire missie zal worden gewijzigd.' De missie zou niet uitgroeien. Zij zou slechts krimpen.

Rond etenstijd – na bijna acht uur worstelen met en verduidelijken aan het Pentagon – corrigeerde Obama een laatste klad, dicteerde en scherpte de woordkeus aan.

'Misschien ben ik hier iets te pietluttig, maar ik voel me ertoe verplicht,' zei hij. De president poetste aan het document tot 21.15 uur.

Toen hij klaar was werden de bevelen uitgeschreven, op zes velletjes met regelafstand één. Dat ging hij naar buiten brengen, zei hij. Zijn besluit was niet de zoveelste speech of een vrijblijvende mening over het cijferspelletje rond 30.000. Dit zou het bevel worden. Iedereen moest dit lezen en ondertekenen. Dat was de prijs die hij zou eisen, de manier waarop hij de wedstrijd zou beëindigen – althans voor dit momen. Want, zoals ze allemaal wel wisten, de wedstrijd, net als de oorlog, zou waarschijnlijk nooit afgelopen zijn en de strijd zou voortduren.

Tot de allergeheimste elementen behoorden niet alleen het opvoeren van de aanvallen met CIA-drones en andere aanvalsacties tegen Al-Qaida in Pakistan, maar ook de richtlijn van de president dat McChrystal het tempo van de antiterroristische aanvallen op de Taliban in Afghanistan moest opvoeren.

In sommige opzichten was McChrystal de perfecte wolf in schaapskleren. Na jaren als commandant van de speciale strijdkrachten (JSOC) in Irak, wist niemand van het Amerikaanse leger meer over zulke operaties dan hij. Nu was McChrystal in Afghanistan de commandant die de vriendelijker, aardiger verzetsbestrijding met bescherming van de burgerbevolking ter harte had genomen, en beperkingen oplegde aan gevechtsoperaties om burgerslachtoffers aan Afghaanse kant te beperken en zijn strijdkrachten zelfs opdracht gaf Afghanen in het openbaar met respect te benaderen. Maar buiten beeld had McChrystal zijn eigen wolf, viceadmiraal William H. McRaven, een Navy SEAL, die in juli 2008 het commando van hem had overgenomen van de Joint Special Operations Command. De schaal en de dodelijke doeltreffendheid van McRavens aanvallen in Afghanistan behaalden een voor iedereen die geen toegang had tot het TOP

SECRET CODEWORD een bijna onvoorstelbaar niveau. Het 'jackpotcijfer' – als de aanval het vooropgezette doel treft – was van 35 tot 80 procent gestegen. Terwijl hij bij elk woord op de tafel sloeg, had een hooggeplaatste ambtenaar met zulke toegang gezegd: 'Elke avond geven ze die jongens op hun sodemieter in een tempo en met een woestheid die flink indruk maakt.' Het anderhalf jaar tot juli 2011 zou de speciale operatoren tijd en ruimte geven om de Taliban-opstand te ontwrichten, terug te dringen en wellicht op een aanzienlijke wijze de Taliban te decimeren. Het zou een nieuwe betekenis aan het woord 'terugdringen' kunnen geven.

Obama's strategie was gebaseerd op het idee dat tijd, ruimte, intensiteit en succes de politieke factoren op orde zouden brengen. Dat hoopte hij althans.

In de hoogste regionen van het Pentagon ging het gerucht dat het besluit als een pudding in elkaar ging zakken. Het Pentagon zei dat de minister van Defensie meende dat hij toestemming had gekregen voor de 4.500 plus de 10 procent.

Obama dacht dat hij duidelijk was geweest, dus hij maakte het nog duidelijker en belde Gates rond een uur of zeven. 'Ik dacht dat we dit woensdag geregeld hadden,' zei hij, duidelijk verbijsterd. Hij vond tijdverspilling verschrikkelijk en dit was voor hem zuiver herkauwen. Maar Donilon en Lute wilden volstrekte zekerheid.

Hoeveel keer moest hij het zeggen?

Het getal was 30.000, zei de president, en de algehele overeenkomst was dat 10 procent van die 30.000 alleen bestemd was voor buitengewone omstandigheden. Maar de 4.500 hulptroepen zouden deel moeten uitmaken van die 30.000. Ze zouden op de een of andere manier in die 30.000 moeten worden ingebouwd of eruit gehaald, maar dat stond niet ter discussie. Punt uit. Zijn getal was 30.000. Dat was een harde limiet.

Later op die avond gaf Obama een laatste versie van zijn zes bladzijden vol bevelen. Alsmaar opnieuw procederen en debatteren was voorbij. 'Ik voel me goed bij dit besluit,' zei hij. 'Ik ben blij met de manier waarop het hier gesteld wordt. Ik zal Bob morgen bellen, ik zal Hillary bellen en ik zal ze morgen of zondag hiernaartoe halen en het onder vier ogen met ze doorlopen.'

Donilon vond dat het document een bevestiging was van presidentiële en burgerlijke zeggenschap over het leger. Het leger had de laatste jaren van Bush' presidentschap veel te veel in de melk te brokkelen gehad. De belichaming daarvan was Dave Petraeus, die met zijn team in het Irak van omstreeks 2007 belangrijke en goede beslissingen had genomen. Maar er waren voor die tijd door Bush en anderen zowel in Irak als in Afghanistan ook een hoop slechte beslissingen genomen. Petraeus had zijn handen vol gehad aan het herstellen van de schade. Volgens Donilon probeerde president Obama zich ervan te verzekeren dat zijn regering over vijf jaar niet nog steeds bezig zou zijn met schadebeperking. Landeljke verzetsbestrijding in Afghanistan was niet noodzakelijk om de Verenigde Staten te beschermen.

Het probleem dat Obama had geprobeerd op te lossen was: hoe trek je je terug (zijn uiteindelijke doel) in een duidelijk slechte en verslechterende situatie? Het antwoord was dat ze de impact van de vijand moesten beperken en dan dat resultaat gebruiken om sneller over te gaan tot een 'uitgebreide troepenversterking'.

27

Zaterdag 28 november was weer zo'n dag voor de toegewijden van de staf van de Nationale Veiligheidsraad, onder wie Tom Donilon en Doug Lute. Ze beseften dat ze waarschijnlijk op dit weekend na Thanksgiving ergens buiten bezig zouden moeten zijn, maar herziening van de strategie was het middelpunt van hun universum, dat alle aandacht vergde. Dus zaten ze beiden in het Witte Huis hun frustraties uit te wisselen. Zij en de president werden door het leger beetgenomen, daar waren ze het over eens. Het deed er niet toe wat voor vragen, kapitale of anderszins, de president of wie dan ook stelde, de enige bruikbare optie was 40.000 manschappen.

'Hoeveel van die gozers die nu die optie doordrukken zullen hier zijn om de gevolgen in juli 2011 te zien?' klaagde Lute tegen Donilon.

Ze vinkten de lijst af.

'Er is geen schijn van kans dat Petraeus op het CentCom blijft tot zomer '11,' zei Lute.

Mullens tweede tweejaarlijkse termijn als voorzitter zou bijna afgelopen zijn, dus die zou ook op de uitgang afstevenen.

'McChrystal wordt er waarschijnlijk ook uitgekikkerd,' zei Lute. 'Hij zegt dat hij nog wel drie jaar wil blijven, maar ik denk niet dat dat gebeurt.'

Gates, merkten zij op, was alleen van plan geweest het eerste jaar van de regering te blijven, dus die zou naar alle waarschijnlijkheid verdwenen zijn.

'Dus,' vatte Lute samen, 'het komt hierop neer: jij blijft hier met de president zitten, met wat de jongens aan hem hebben verkocht, die sinds die tijd van het toneel verdwenen zijn.' Hij voegde eraan toe: 'Die anderen hebben hun Witte Huis-functie dan al aan de wilgen gehangen.'

'Mijn God,' zei Donilon, 'waar slepen we die vent in mee?' De president zou degene zijn die in 2012 de rekening moest betalen, het jaar dat hij zou proberen zich te laten herverkiezen. En die rekening werd niet alleen uitgedrukt in geld, maar ook in resultaat. Wat konden zij tegen 2011 of 2012 nog voor elkaar krijgen?

De president werd in dat Thanksgivingweekend nog niet met rust gelaten. Het debat was nog steeds gaande – thuis en in zijn hoofd. Hij sprak die zaterdag in het Oval Office met Emanuel, Donilon, Lute, Brennan en kolonel Tien, in een soort parlementair debat. Clinton, Gates en Jones waren er niet of waren elders uitgenodigd voor het weekend.

Obama leek terug te willen komen op die 30.000 troepen met het begin van de terugtrekking over ongeveer anderhalf jaar, in juli 2011. 'Daar neig ik toe,' zei Obama, maar voegde er vinnig aan toe, 'maar de deur is niet dicht. Ik laat Rhodes twee speeches schrijven. Ik wil nog een keer iets van jullie horen.'

Donilon en Lute zeiden dat de aanhangers van die 40.000 er in juli 2011 niet bij zouden zijn, Obama wel.

De president liet dit op zich inwerken.

Kolonel Tien was de jongste, dus hij sprak het eerst. Er zijn duizenden dienstdoende kolonels in het Amerikaanse leger en het was niet gebruikelijk dat een van hen in staat zou zijn de opperbevelhebber rechtstreeks te adviseren, zeker niet vlak voor een doorslaggevend besluit.

'Meneer de president,' zei Tien, 'ik zie niet helemaal hoe u de militairen kunt trotseren. Wij zijn als het ware waar we zijn. Want als u tegen generaal McChrystal zegt ik heb het allemaal door, ik heb je oordeel, je weet wat je kunt doen, maar ik heb besloten iets anders te doen, dan zult u hem waarschijnlijk moeten vervangen. U kunt niet tegen hem zeggen bedankt voor het harde werken, maar ik doe het op mijn manier. Want waar houdt dat op?'

Dat hoefde de kolonel niet verder uiteen te zetten. Hij bedoelde dat niet alleen McChrystal, maar ook Petraeus, Mullen en zelfs Gates zouden moeten opstappen – een nog nooit voorgekomen omgooiing van het militaire hoge commando. Waarschijnlijk kon geen enkele president zich dat permitteren en zeker niet een achtenveertigjarige met slechts vier jaar in de Amerikaanse Senaat en tien maanden opperbevel achter de rug.

Lute kon zien dat de president op een tweesprong was aanbeland en aarzelde.

'Meneer de president,' zei Lute, 'u hoeft dit niet te doen. Ik weet dat u dat weet, maar laten we nog even kijken waar het hier over gaat. Hoe denken wij dat de zaken er in juli 2011 voor zullen staan?'

Lute vertelde Obama dat hij vier grote risico's zag in de huidige oorlog. Nummer één was Pakistan, de kern van veel van de problemen zonder dat daar voorlopig een oplossing in zicht was. Nummer twee was de regering van en de corruptie in Afghanistan – enorme problemen waar niet één twee drie een oplossing voor te vinden was. Nummer drie, de Afghaanse veiligheidstroepen – leger en politie – konden waarschijnlijk niet op orde worden gebracht met een massaal tienjarenproject dat tientallen miljarden dollars ging kosten. En nummer vier de internationale steun, die op de tocht kwam te staan.

Dit zijn cumulatieve risico's zei hij. Het risico bij het één vergroot dat bij het ander. 'U kunt dit niet stapsgewijs benaderen en zeggen: "Oké, met Pakistan kan ik voorzichtig een paar stapjes doen" om het risico te beperken. Alle vier de risico's overlappen en versterken elkaar. De Afghaanse regering en de corruptie bijvoorbeeld verergeren het probleem van de veiligheidstroepen en vice versa.'

'Dus als je naar de problemen afzonderlijk kijkt,' vervolgde Lute, 'zoals we dat bij de strategieherziening hebben gedaan, meneer de president, dan zou het weleens kunnen zijn dat u de indruk krijgt dat we dit risico in de hand hebben. Maar ik zou u liever een ander model voorstellen. Dat is wat we beschouwen als een samengesteld risico. Bekijk het als een stel, dan begint u volgens mij over te stappen van een berekend risico naar een gok.'

En Lute hoefde er niet aan toe te voegen dat gokken geen manier was om beleid te maken. 'Als je naar al die dingen kijkt die we voor onze kiezen gaan krijgen,' voegde Lute toe, 'kan ik niet vertellen dat het vooruitzicht op succes hier erg groot is. Als je deze risico's optelt en mij vraagt waar wij in juli 2011 zijn, wat jullie zo verschrikkelijk belangrijk lijken te vinden, dan zeg ik dat ik denk dat het niet heel erg veel zal verschillen van waar we nu zijn.'

'En ik weet zeker dat dat politieke consequenties zal hebben die andere mensen beter kunnen inschatten dan ik. Voor mij ruikt het nog steeds naar een gok. U moet zich niet baseren op een soort onverwacht gelukkig toeval.'

Hij had het woord en hij vond het leuk de president slecht nieuws te brengen, dus hij zette door. 'Wij willen van hier naar daar komen, maar mijn God, vergeet de Himalaya niet, vergeet de Hindu Kush niet, die ligt tussen hier en daar. Hoe moeten we dit in godsnaam doen?'

Dit was een belangrijk, doorslaggevend moment. Was de generaal een pessimist? Of een realist?

'Jazeker,' zei de president elegant, waardoor hij aangaf dat hij het er niet oneens mee was. 'Dank je voor je openheid. Het moet voor jou moeilijk zijn geweest hiernaartoe te komen om dat te vertellen. In feite zullen we allemaal ons best moeten doen om dit tot een succes te maken.' De sleutel, zei hij, was de datum: juli 2011.

Zijn nieuwe strategie en benadering verschilden van het 'alles inzetten' van Bush. 'Dit is niet: zoveel als nodig is, zolang het nodig is, maar dat wij hier een keerpunt hebben en dat wordt juli 2011.'

Op grond van zijn frequente privégesprekken met Brennan wist Obama hoe de chef van de terreurbestrijding erover dacht. Brennan was tegen een grote toename van het aantal troepen.

Donilon was het eens met de risico's, noemde ze 'sleutelfactoren' – succes zou afhangen van de vraag of zij allemaal op de een of andere manier werkten.

'We nemen gewoon een hoop risico,' zei Donilon. 'En als je je afvraagt waar we in december 2010 zijn zullen' – een jaar vanaf dan, als de president zou gaan nadenken over het vervolg – 'of neem er nog een half jaar bij, tot juli 2011, dan is het antwoord dat we niet veel verder zullen zijn dan we vandaag zijn.' Met andere woorden, er kon niet zoveel verbeterd worden in twaalf of achttien maanden, volgens hem. De oorlog zou nog steeds onbestendig zijn 'vanwege die vier risicofactoren, die moeilijk te temmen lijken.' Daarop vroeg hij ronduit: 'Hoe gaat u één of elk van die problemen aanpakken?'

Niemand, de president of wie dan ook, had daarop meteen een antwoord.

Donilon zei dat het fundamentele punt de nieuwe strategie was met die 30.000 manschappen. 'En dan is de vraag: waarom hebt u dat gedaan?' vroeg hij. Waarom was er zo'n behoefte aan een grote toename van het aantal manschappen? Het beste antwoord dat Donilon had was dat de Verenigde Staten in een positie moesten komen een flinke dreun te kunnen geven om de Taliban tegen te houden en de regering-Karzai een kans te geven. Het zou meer ruimte creëren voor terrorismebestrijding. Het zou tevens Pakistan onze vastberadenheid tonen, althans dat was het idee.

'Ik ben niet met een schone lei binnengekomen,' zei Obama op een gegeven moment tegen zijn team. Afghanistan had te lang aangesleept, was het slachtoffer van een slechte militaire strategie, met bovendien te weinig middelen. Hij had een oorlog geërfd met een begin en een middelpunt, maar geen duidelijke afloop.

Na de vergadering gingen Lute en Tien samen naar beneden.

'Nou ja,' zei Lute, 'kop op.'

Ze lachten een beetje, gaven toe dat dit op een beslissing leek.

'Dat is waar je voor werkt,' zei de driesterrengeneraal (West Point 1975) tegen de kolonel (West Point 1987). 'Je werkt je suf, krijgt een kans een kleine groepsdiscussie te hebben met de president van de Verenigde Staten aan de vooravond van een grote beslissing, en alles wat je kunt zeggen is: Heb je een kans gekregen om te zeggen wat je wilde zeggen?'

Lute vond dat het militaire establishment de president bij de neus nam, al kon hij daar geen motieven voor bedenken. Wat betrof McChrystal was het niet met opzet. Voor zover Lute kon uitmaken, was McChrystal allesbehalve een samenzweerder. Als er iemand was die probeerde Obama beet te nemen, dan was het Petraeus. Maar hij had dat heel subtiel en met weinig ophef gedaan, vond Lute. Anderzijds had Mullen onderweg zijn integriteit niet kunnen behouden, wat een duidelijk voorstel noodzakelijk maakte van iets anders dan de aanbevolen optie. Hij weigerde koppig overstag te gaan en wantrouwde alternatieven. Volgens Lute was het ook Gates niet gelukt de horizon van alternatieven voor de president te verbreden, wat volgens hem nou juist de opdracht is van een minister van Defensie. De minister had zijn eigen advies en de grenzen van zijn besluitvorming moeten verduidelijken, maar hij werd ook verondersteld het uiteindelijke venster te zijn op een grote wereld van keuzes voor een president. Want een president had keuzes. In dit geval waren ze duidelijk beperkt en wellicht was dat in ieders nadeel.

Lute vond dat Gates te voorzichtig was met de geüniformeerde top. De minister van Defensie is het eerste verlengstuk van de president om civiel-politiek gezag over het leger uit te oefenen. Als de minister op zijn niveau geen burgerlijk gezag kon uitoefenen en ook maar een minuut zou aarzelen, dan kreeg de president dat op zijn bordje. Gates bewees de president daarmee geen goede dienst, vond Lute, en zijn gewoonte geen open kaart te spelen – hoe rustig en onderworpen hij was – kon er niet mee door. Om dan een persoonlijk memo aan de president te schrijven omtrent de vraag of het doel nu was de Taliban te 'verslaan' of ze te 'ontwrichten'. Gates had natuurlijk een nieuwe formulering bedacht, de Taliban 'terugdringen'. Hoewel de president de nieuwe formulering had overgenomen, trad het persoonlijk memo de streng voorgeschreven procedure van strategisch overzicht met voeten en draaide eromheen. En dat was een gang van zaken waarbij Obama op zijn allerminst zijn standpunt en zijn reputatie als opperbevelhebber en uiteindelijk zijn presidentschap op het spel had gezet. En Gates speelde de rol van de nieuwe Cheney – die een onervaren opperbevelhebber vertrouwelijkheden influisterde. Dat verleende hem buitengewoon veel invloed.

Donilon van zijn kant had beslist geen hoge pet op van de geüniformeerde top. McChrystal was bepaald geen doetje. Toen hij in functie kwam, begon hij met een lange, geheime evaluatie te schrijven, waarbij hij zijn gebied afpaalde, om zich vervolgens achter zijn uniform en zijn vlag te verstoppen. Petraeus en Mullen hadden precies hetzelfde gedaan.

'Ik wil zondag een vergadering,' zei de president over de telefoon tegen Biden. Hij wilde het hele nationale veiligheidsteam in het Oval Office om ze zijn termijnschema en bevelen te geven.

'Meneer de president,' zei Biden, 'ik wil u graag spreken voordat we daaraan beginnen.'

'Nee,' antwoordde Obama.

'Ik zie u in de residentie.'

'Nee, nee, hoeft niet.'

28

Biden vertrok zondag 29 november vroeg uit Nantucket naar het Witte Huis, waar hij in de portiek wachtte die de verbinding vormt tussen de residentie en het Oval Office. Voor hem was dat een gok, want de president wilde weleens tegen hem uitvaren als hij te veel aandrong.

Toen Obama uit de residentie kwam en Biden zag staan begon hij te lachen.

'Wat u op het punt staat te gaan doen is een presidentieel bevel geven,' adviseerde Biden. Dit was geen voortzetting van het debat meer. 'Dat is niet wat u denkt. Dit is een bevel.' Als hij zich niet aan die bevelen zou houden was er geen alternatief. Zonder die orders – en dat was zijn hoofdargument – 'zitten we vast in Vietnam'. Het kan weleens niet werken en komende december zal dat duidelijk worden. 'Het kan zijn dat je een punt bereikt waarop je echt een godvergeten hard besluit moet nemen, man.'

'Ik zet mijn naam niet onder een mislukking,' zei Obama. 'Als wat voorgesteld is niet werkt, dan ga ik niet het voorbeeld van die andere presidenten volgen en op basis van mijn ego of mijn politiek eraan vasthouden – mijn politieke veiligheid bedoel ik.'

'Dit is wat ik ga aankondigen,' zei de president en deelde om vijf uur 's middags kopieën uit van het terms sheet van zes pagina's. Afgezien van Biden had Obama zijn militaire team opgeroepen, Gates, Mullen, Cartwright en Petraeus. Jones en Emanuel voegden zich daarbij in het Oval

Office. Een paar leken verrast toen ze merkten dat de president de exacte besluiten al op papier had staan.

Obama gaf iedereen de tijd om een en ander te lezen.

'Er valt niet meer te tornen aan 30.000 manschappen,' zei de president. In december 2010 – over een jaar – zou de Nationale Veiligheidsraad moeten bepalen wat werkte en wat niet. 'In juli 2011 beginnen we uit te dunnen,' zei hij. Er zou troepenvermindering plaatsvinden.

Obama wendde zich tot Gates. 'Ik geef toe dat we niet precies weten wat we in december 2010 moeten doen. Ik wacht echter tot juli 2011 met één ding te bepalen.' En dat zou het tempo van de terugtrekking betreffen. Hij stak zijn hand hoog op en daarmee maakte hij een dalende beweging in een denkbeeldige grafiek.

'In 2010 gaan we niet meer praten over hoe we meer kunnen doen,' voegde Obama eraan toe. Er zou geen herhaling komen van wat er dat jaar was gebeurd. 'Ik hoef niet te horen dat we het goed doen, meneer de president, maar we zouden ons beter voelen als we gewoon meer deden. We zullen geen gesprekken meer houden over hoe we moeten veranderen... tenzij we praten over hoe we ons in 2011 sneller moeten terugtrekken dan verwacht.'

Dit was een herziene missie, zei de president, met een nauwkeuriger doel. 'Dit is geen verzetsbestrijding en ook geen natievorming. Dat is te duur.' De nadruk zou komen te liggen op de ontwikkeling van de Afghaanse regering en de capaciteit van het leger. Dat was bedoeld om Afghanistan een kans te geven, en hulpmiddelen voor McChrystal en wat flexibiliteit te creëren.

'Het kan geen openeindeplan voor nation building, geen onrealistische poging tot natievorming worden,' zei hij. 'Het is geen volledige counterinsurgency-strategie, maar het heeft er duidelijk veel elementen van.'

Ze zouden jaarlijks doelstellingen opzetten voor de groei van het Afghaanse leger en de politie, niet met de doelstelling van 400.000 in 2013 die McChrystal had gevraagd. De president zei dat hij die 400.000 niet zou toestaan.

Zich tot Petraeus wendend zei hij: 'Ga niet zelf vrijmaken en bezetten wat je ook kunt overdragen [aan de Afghanen]. Overbelast ons niet. Dit is een strategische wijziging van wat Stan opstelde op grond van het Riedel-rapport en het strategisch implementatieplan.'

Hij gaf toestemming voor 30.000 Amerikaanse soldaten plus 10 procent meer oftewel 3.000, die Gates in buitengewone omstandigheden kon zenden. 'Je hoeft niet te verwachten dat ze op het Capitool hiervoor zullen staan applaudisseren,' zei hij nog. Iedereen wist dat de Democraten de grootste tegenstanders zouden zijn en de Republikeinen de grootste steun.

'Veel van mijn politieke adviseurs zullen hier niet echt gelukkig mee zijn,' zei hij.

'Er zal nog veel, hard gevochten worden in het voorjaar en in de zomer,' voegde hij eraan toe. 'Wij voorzien een toename van het aantal slachtoffers.'

'Als jullie enige persoonlijke bezwaren of professionele twijfels koesteren over wat we gaan doen moeten jullie het me nu zeggen, want ik wil het horen,' zei hij. 'Als jullie dit niet de juiste benadering vinden moet je het nu zeggen. Het alternatief is alleen maar instructeurs te sturen' – 10.000 tot 11.000, een optie die volgens de militairen het grootste risico met zich meebracht.

'Dit is wat jullie moeten doen,' vervolgde de president. 'Jullie moeten me nu zeggen of je dit kunt accepteren. Zo niet, zeg het dan nu. Zo ja, dan verwacht ik onvoorwaardelijke steun. Dat slaat ook op wat jullie in het openbaar, en tegen het Congres en binnen je eigen organisaties zeggen.'

Daarop wendde Obama zich tot Mullen, die niet lang daarna voor Congres-commissies moest gaan verschijnen. 'Als jij gaat getuigen,' zei de president, 'ben je verplicht te zeggen wat je denkt. Ik vraag niet of je van geloof wilt veranderen, maar als je het niet met mij eens bent dan moet je het nu zeggen.'

Er volgde een pauze.

'Nu dan,' herhaalde de president.

'Ik sta er helemaal achter, meneer,' zei de voorzitter en voegde er nog aan toe dat 'intern overleg intern is geweest. Interne discussie zal zeker geen deel gaan uitmaken van wat in het openbaar komt.' Geen van hen zou erover praten. Hij leek duidelijk te maken dat hij geen informatie had laten lekken over de strategieherziening, en er nu dus ook niet over zou gaan getuigen. 'Mijn getuigenis zal helemaal onderschrijven wat u hier hebt gezegd, meneer de president. Daar hoeft u zich geen zorgen over te maken.' Daarop prees Mullen het besluit. 'Dit geeft ons een kans om het tij te keren.'

Petraeus was tot de conclusie gekomen dat het terms sheet, hoewel een beetje stroef, niet alleen diende om helderheid te scheppen, maar om te laten zien dat de president de baas was. Toen hij er later achter kwam dat de president de orders persoonlijk had gedicteerd, kon hij dat niet geloven. 'Er is nog nooit een president geweest die in zijn hele leven vijf pagina's heeft gedicteerd. Er wordt een staf betaald om dat te doen.'

Niettemin kreeg het leger bijna helemaal zijn zin.

'Wij steunen u,' zei Petraeus. 'Waar het om gaat is het absolute aantal soldaten. We zullen de strijdkrachten herschikken om ervoor te zorgen dat we drie gevechtsklare brigades overhouden,' al zouden enkele van de 4.500 instructeurs uit die 30.000 moeten worden gerekruteerd. 'Daar leggen we ons allemaal op vast. We zullen al het mogelijke doen om de troepen zo snel mogelijk ter plekke te krijgen om het uiteindelijk mogelijk te maken dat de overdracht in juli 2011 kan beginnen.'

Daarop ging de generaal de cheerleader uithangen. 'Wij moeten de handen ineen slaan en voorwaarts gaan.' Hij citeerde een krantenartikel dat op zijn beurt een plaatselijke Afghaanse leider citeerde, die zei dat veiligheid de moeder van alle ontwikkeling was.

Petraeus raadde aan dat de overdracht van veiligheidstaken aan de Afghanen 'gebaseerd moest zijn op voorwaarden' en bepaald door wat er in het veld gebeurde, al voegde hij eraan toe: 'Ik denk wel dat er in juli 2011 al iets over te dragen valt.' Hij zei ook nog: 'We zullen erop aandringen ons zo snel mogelijk in te zetten', en de nieuwe strijdkrachten zo snel mogelijk ter plaatse te krijgen.

Vervolgens wendde Obama zich tot Emanuel, die de oorlog tussen vier muren 'politiek vliegenpapier' had genoemd – als je er eenmaal aan vastzat kwam je er niet meer van los.

De stafchef zei dat hij zich zorgen maakte over de kosten, en merkte op dat hij onlangs vreselijk zijn best had gedaan om slechts een paar honderd miljoen dollar voor een belangrijk programma los te krijgen. 'Dit zou nog eens 30 miljard kunnen gaan kosten,' zei hij. 'U moet weten dat dit echt veel geld is.' Hij beaamde dat ze de rijen gesloten moesten houden. 'Jullie moeten nu wel gewoon vooruit,' zei hij tegen de anderen en maakte duidelijk dat hij in zijn maag zat met het resultaat. 'We hebben nu een besluit en nu moeten we vooruit.'

De volgende van wie de president een antwoord vroeg was Jones, die gewoonweg zei dat hij het besluit steunde.

Daarop zei Gates: 'Het resultaat hiervan stemt ongeveer overeen met wat ik goedvind. Achteraf gezien was wat we eind maart hadden bedacht te ambitieus. Het tijdschema is ongeveer goed, in de zin van de beoordeling' – december 2010 voor een serieuze evaluatie – 'en dan de overdracht beginnen in de zomer van 2011. We hebben een sterke zaak... ik weet zeker dat het Congres ons hierin zal steunen.'

Biden zei: 'In mijn ogen is dit geen onderhandeling. Ik sta er helemaal achter. Ik zie dit als een bevel van de opperbevelhebber.' Dit was een verandering van missie. 'Als dit niet als zodanig wordt gezien, dan kunnen we niet rechtvaardigen waarom we daar maanden aan hebben zitten werken.'

'De context is dat het noodzakelijk is om Al-Qaida te verslaan en de inspanningen in Pakistan te steunen. We kunnen Pakistan en de stabiliteit ter plekke niet uit het oog verliezen. Voor zover ik het kan zien is Afghanistan een manier om onze primaire missie te volbrengen, dat is Al-Qaida de nek omdraaien en de kernwapens van Pakistan veiligstellen. We moeten apart vooruitgang boeken tegen Al-Qaida en in Pakistan.'

Ja, daar was de president het mee eens. De voornaamste pijler van het besluit zou topgeheim zijn en niet openbaar gemaakt worden. Die pijler was dat vrijplaatsen voor Al-Qaida in Pakistan of elders niet langer geaccepteerd zouden worden. Hij breidde die missie tegen de voornaamste vijand al uit en zou die intensiveren met zowel het leger als de CIA. Hij wilde Pakistan een boodschap sturen dat het de Verenigde Staten menens was en het werkelijke gevaar voor het vaderland en Amerikaanse belangen aanpakken.

Na de aanslagen van 11 september had president Bush de zogenaamde Bush-doctrine ontwikkeld, die wilde dat bij reactie op terroristische aanslagen, 'wij geen onderscheid zullen maken tussen degenen die deze daden hebben gepland en degenen die hun onderdak verlenen'.[1] Obama zou niet gaan zitten wachten op een aanval. Zij zouden die vrijplaatsen genadeloos ontmantelen.

'Oké,' zei de president, 'het proces heeft zijn vruchten afgeworpen. Dit is een bevel. En we gaan daar allemaal achter staan.' Hij was van plan de nieuwe strategie op dinsdagavond te onthullen op West Point, zo zei hij.

Waarop Gates zei: 'U geeft op dinsdagavond het trompetsignaal, meneer de president, en Mike' – voorzitter Mullen – 'en ik zullen als eersten de heuvel bestormen.'

Ze liepen allemaal het Oval Office uit. Iedereen leek erachter te staan. Ze gingen mee, maar waren het echt oprechte gelovigen?

In tegenstelling tot Lute vond Donilon dat Gates de kloof tussen Obama en het leger aardig had weten te dichten. De minister van Defensie moest het vertrouwen en de loyaliteit van de militairen behouden en in balans brengen met de visie van de president. Het leek erop dat Gates in staat was geweest eensgezindheid te bereiken en dat Obama niet te maken zou krijgen met militaire leiders die zouden zeggen dat ze het niet konden, of erger nog, hun ontslag zouden indienen.

Daarop ging de president naar beneden, naar de Situation Room, met Biden en Jones om een beveiligde videoconferentie te houden met McChrystal en Eikenberry om het terms sheet door te nemen, dat ze was toegestuurd.

'Heren,' begon Obama, 'ik wil even duidelijkheid over wat we niet zullen doen. Dit is geen nationale counterinsurgency-strategie.' Een dergelijke strategie zou onmogelijk aan het Amerikaanse publiek te verkopen zijn, zei hij, dat zou de begroting op de tocht zetten en het zou de Afghaanse regering afhankelijker van ons maken. De kosten van Stans plan zouden weleens een triljard kunnen bedragen.

'Dat gaat dus niet door,' zei de president.

Wij moeten de stootkracht van de Taliban zien te breken, zei hij. De kernvoorwaarden die in het schema stonden zouden tijd en ruimte scheppen om de Afghaanse strijdkrachten te doen groeien. 'We zullen vastberadenheid moeten uitstralen in deze regio.' Maar bovenal, zei hij, 'zullen we van Afghanistan geen langlopend protectoraat maken. De eerste evaluatie zal plaatsvinden in december 2010. Die zal dan moeten uitlopen op een conclusie over het tempo van terugtrekking van de strijdkrachten het jaar daarop. Deze raming zal niet uitlopen op handhaving van de aantallen die we nu hebben of er aantallen aan toevoegen. Het zal alleen gaan over flexibiliteit in de manier waarop we inkrimpen, niet óf we inkrimpen. En we stevenen niet af op 400.000 manschappen [van het Afghaanse leger], maar leiden er zoveel mogelijk op. Het zal al moeilijk genoeg zijn om dit door het Congres te krijgen.

Alles is erop gericht dat wij ons terugtrekken... Stan, als het 2003 zou zijn, dan zouden we mogelijk een counterinsurgency-strategie kunnen volgen. Dat had ik misschien ook wel willen doen, maar het is nu 2009 en dat is een gepasseerd station. Zelfs met een beperktere missie en minder middelen is er hier nog altijd geen enthousiasme voor te vinden. Ik hoop dat je dat begrijpt. Dus nu geen gekibbel meer tussen jullie, Petraeus, Mullen en Biden, en dat geldt ook jou, Karl.'

Zich tot Eikenberry wendend zei hij: 'En als dat niet het geval is, dan zal ik opteren voor' alleen de 11.000 instructeurs. Hij zei dat hij wilde dat ze precies zouden begrijpen wat hij bedoelde. 'Het overbrengen van deze boodschap zal de komende twee weken cruciaal zijn.'

'Meneer de president,' zei McChrystal, 'volgens mij begrijp ik het. Maar ik moet duidelijkheid hebben wat betreft de omvang van de Afghaanse veiligheidstroepen. Meneer de president, wat is het doel? Ik heb voor de Afghanen meer duidelijkheid nodig. Zij zullen willen weten wat het precieze getal zal zijn.'

'Je geeft jaarlijkse doelstellingen voor twee jaar' zei Obama, 'en je werkt aan het ontwikkelen van de kosten in de volgende tien jaar voor de Afghaanse veiligheidstroepen. Train er zoveel mogelijk, ik ga hier niet op beknibbelen.' Maar er was niet langer een doel van 400.000 man.

Eikenberry zei dat hij de besluiten helemaal ondersteunde maar zag drie risico's: Pakistan, de Afghaanse troepen en de regering. 'Wat voor veiligheidsgaranties kunnen wij na die twee jaar nog bieden?' vroeg de ambassadeur.

De president vroeg de staf van de Nationale Veiligheidsraad de punten van McChrystal en Eikenberry zodanig uit te werken dat hij het geheel op een beveiligde videoconferentie aan Karzai kon voorleggen. Ten slotte gaf hij opdracht dat de principals een aantal ontmoetingen zouden hebben om het strategische kader voor een relatie met Pakistan te ontwikkelen.

Zoals ze allemaal wisten was het Pakistaanse probleem niet slechts een kwestie van bescherming van het vaderland en vernietiging van Al-Qaida. Er was altijd nog de hoofdprijs: Bin Laden. 'Wij hebben het wespennest gevonden,' zei Jones later. 'We prikken erin van alle kanten. De werksters zwermen uit, maar de koningin zit er nog.'

Die maandagochtend vergaderde de president met de nationale veiligheidsstaf van het Witte Huis. Hij had een paar wijzigingen gemaakt in het klad van zijn toespraak en de toon was anders dan die bij zijn geheime bevelen. 'De dagen dat wij een blanco cheque afgaven zijn voorbij,' stond er in de toespraak, maar dat sloeg op Karzai en niet op het leger.[2]

Hij wilde een betoog in drie delen: troepen, organisatie van de burgersamenleving [civilian surge], en Pakistan. Er stond niets expliciets in over beperking van de missie.

Ik heb Eisenhowers beroemde afscheidsrede over de dreiging van het militair-industriële complex nog eens doorgenomen, zei Obama.[3] De speechwriters hadden hem een kopie gegeven toen hij zijn toespraak voor-

347

bereidde bij het in ontvangst nemen van de Nobelprijs.

Hij zei dat iedereen zich richtte op de passages over het militair-industriële complex, maar voor hem was het interessantste citaat Eisenhowers vermelding van de noodzaak een redelijk evenwicht te vinden tussen de behoeften van Defensie en andere vitale functies van de regering: 'Elk voorstel moet worden afgewogen in het licht van een bredere afweging: de noodzaak om evenwicht te handhaven in en tussen de nationale programma's.'

'Ik wil graag dat je dat citaat in de toespraak verwerkt,' zei Obama tegen Rhodes. En hij wilde ook nog zeggen dat het verlies van evenwicht een van de fouten was die in recente jaren waren gemaakt. De militaire macht en de nationale veiligheid hingen af van de economie en die had de meeste aandacht nodig.

Kopieën van het laatste klad werden aan Clinton en Gates gestuurd.

Robert Rangel, de stafchef van Gates' Pentagon, belde Rhodes omdat het ministerie bezorgd was over een al te rigide datum in juli 2011 voor het begin van de terugtrekking. Gates wilde zekerheid dat het besluit tot terugtrekking ergens op gebaseerd was. Hij stelde voor om er een zin aan toe te voegen waarin gesteld werd dat bij terugtrekking rekening zou worden gehouden met 'de situatie in het veld.'

Rhodes ging naar Obama, die akkoord ging met die aanpassing. Zo hadden ze het ook in Irak gedaan en de president leek die flexibiliteit en die tweeslachtigheid op prijs te stellen.

Clinton, die op 19 november naar de inauguratie van Karzai was geweest, wilde dat de speech een blijvende betrokkenheid zou benadrukken ten aanzien van de Afghaanse en Pakistaanse bevolking.

Obama zegde toe die punten toe te voegen.

Op de ochtend van dinsdag 1 december, vóór de toespraak, herhaalde Jones zijn aanhoudende zorg tegenover een assistent op zijn kantoor. Hij was nog steeds bezorgd dat zij de 33.000 die al door Bush en Obama waren gestuurd niet goed hadden geëvalueerd. 'Een van de zwakke punten in het verzoek om meer troepen is volgens mij dat wij er dit jaar 33.000 heen sturen en dat er nog geen echte evaluatie is gemaakt om te weten hoe ze het eraf brengen.'

Dit was een hobbelige weg, vond Jones. 'Het was moeilijk,' zei hij. 'Er waren nogal wat emoties in het spel. Het schuurde. Er zijn mensen hier met een politieke achtergrond, dus die beschouwen alles in politieke termen... het lastige is de politieke interpretatie van alles wat wij besluiten niet te laten domineren, in de zin van als je het politiek niet kunt verkopen dan kun je het niet doen.'

'We gaan er hier een hele poos van langs krijgen,' zei Axelrod zes uur voor de toespraak. 'Er komt een hoop politieke commotie We kunnen onze borst wel nat maken.'

Biden vond dat de president de uitgebreide verzetsbestrijding de doodssteek had toegebracht. In Bidens optiek behelsden zijn bevelen een nieuwe strategie om de Afghaanse bevolkingscentra zoals Kabul en Kandahar te stabiliseren, om de Taliban ervan te weerhouden de regering Karzai omver te werpen. Het leger vond dat het de president te slim af was geweest en gewonnen had, maar hij vond dat de president de overhand had gehouden.

Petraeus keek er anders tegen aan. Counterinsurgency deed het goed. De kern van het besluit was 30.000 manschappen om de bevolking te beschermen. Alle discussie over wat de strategie niet was – geen volledig toegeruste counterinsurgency, geen nation building – waren alleen maar woorden. De inperking van 40.000 naar 30.000 behoedde de president voor gezichtsverlies. Het was niet ideaal, maar McChrystal kon wel 10.000 van de NAVO en andere landen krijgen. Als de president van meet af aan had verteld dat het uit zou lopen op deze strategie en 30.000 manschappen, dan had Petraeus dat meteen geslikt.

Onder vier ogen zei Petraeus: 'U zult ook moeten inzien dat ik vind dat deze oorlog niet te winnen valt. Ik denk dat je blíjft vechten. Het is eigenlijk net zoiets als met Irak. Irak is hier een soort metafoor voor. Ja, er is enorme vooruitgang geboekt in Irak. Maar er zijn nog steeds gruwelijke aanslagen en je moet waakzaam blijven. Je moet een oogje in het zeil houden. Dit is het soort gevecht waar we de rest van ons leven aan vast zullen zitten, en waarschijnlijk onze kinderen ook nog.'

Misschien kwam de meest pessimistische mening nog van Richard Holbrooke. 'Dit gaat nooit lukken,' zei hij.

29

Het Witte Huis ensceneerde de toespraak op West Point en zorgde er-voor dat belangrijke leden van het nationaal veiligheidsteam deel zouden uitmaken van het gehoor. Clinton en Gates moesten de volgende ochtend voor het Armed Services Committee van de Senaat getuigen, maar hun regeringsvliegtuigen zouden niet toegelaten worden op Andrews Air Force Base als de president vertrok of terugkwam. Dus vloog het hele team met Obama in Air Force One, en stapte toen over op een helikopter voor een vlucht van tien minuten naar de campus van West Point.

Toen de veiligheidsbeambten hoorden dat Obama, Clinton, Gates, Mullen en Jones samen op reis waren, klaagden zij dat een gebroken hydraulische leiding de hele regeringstop zou hebben kunnen wegvagen.

Gekleed in een donker pak, een wit overhemd en een rood gestreepte das, stapte Obama op 1 december om 8.01 uur het podium op van het Eisenhower Hall Theatre op de United States Military Academy.[1] Dit was de toespraak waaraan de president en Rhodes dagen hadden gewerkt, lang van historie, kort in retoriek en eindigend in een anticlimax. Hij kondigde aan dat hij nog eens 30.000 manschappen ging sturen.

'Ik neem dit besluit omdat ik ervan overtuigd ben dat het hier gaat om onze veiligheid,' zei Obama. 'Alleen al de laatste maanden hebben wij extremisten binnen onze grenzen gearresteerd die hiernaartoe waren gestuurd vanuit de grensstreken tussen Afghanistan en Pakistan,

350

om nieuwe terroristische aanslagen te plegen. En dit gevaar zal slechts toenemen als de regio achteruitgaat en Al-Qaida ongestraft te werk kan gaan.'

Het plan was dat Afghanistan mettertijd op eigen benen zou komen te staan, zodat de Verenigde Staten 'in juli 2011 konden beginnen met het overbrengen van onze troepen uit Afghanistan', zei hij. Zonder een spoor van ironie hield Obama vol dat wat er in Irak gebeurde een model was. 'Net zoals we in Irak hebben gedaan, zullen we de verantwoordelijkheid overdragen, waarbij wij rekening houden met de situatie in het veld.' Er was geen sprake meer van victorie of winnen.

Hij sloot zijn toespraak van 34 minuten af door de meningsverschillen aangaande de oorlog aan de orde te stellen.

'Er wordt maar al te gemakkelijk vergeten dat toen deze oorlog begon wij eensgezind waren – samengesmeed door de kersverse herinnering aan een gruwelijke aanslag en door de vastberadenheid ons vaderland en de waarden waaraan wij hechten te verdedigen. Ik weiger te accepteren dat wij die eensgezindheid niet weer aan de dag kunnen leggen.'

Hoewel de meeste kranten en nieuwsbladen het hadden over die 30.000 manschappen, luidde de kop in *The New York Times* van de volgende dag: 'Obama stuurt meer troepen, maar bereidt vertrek voor.'[2]

De dag na de toespraak op West Point, verschenen Clinton en Gates voor het Armed Services Committee van de Senaat om over het nieuwe plan te getuigen.[3]

Vele Republikeinen, met name Senator Lindsey Graham, zaten in hun maag met de deadline van de president in juli 2011, om 'te beginnen met het overbrengen van onze troepen uit Afghanistan'. Je moest zowat advocaat zijn om er achter te komen wat dat betekende.

Was dit een absolute deadline? vroeg Graham.

'Ik denk dat de president, als bevelhebber van de troepen,' zei Gates, 'altijd de optie heeft zijn besluit bij te stellen.'

'Dus het ligt niet vast dat wij troepen gaan terugtrekken in 2011?' vroeg Graham. Het tempo van de terugtrekking 'of helemaal niet terugtrekken' zou later kunnen worden beslist? 'Klopt dat?'

'De president heeft altijd de vrijheid zijn besluiten bij te stellen,' antwoordde Gates. 'Dit was een duidelijke verklaring van zijn uitgesproken bedoelingen.'

'Oké,' zei Graham, en wendde zich tot Clinton, die naast Gates in de getuigenbank zat. 'Hebben wij onszelf vastgelegd, minister Clinton, op vertrek in juli 2011?'

'Ik geloof niet dat wij ons hebben vastgelegd op vertrek,' zei ze. De datum van juli 2011 was een 'signaal' dat de Verenigde Staten 'niet geïnteresseerd zijn in een bezetting van Afghanistan... in het regeren van hun land en het bouwen van hun natie'. De overdracht aan de Afghaanse strijdkrachten zou 'gebaseerd zijn op de omstandigheden' in het veld.

Later op die dag ging Graham naar het Oval Office. De president wilde steun van de gematigde Graham voor het sluiten van de gevangenis in Guantánamo.

Graham hield de president voor dat hij dacht dat het besluit om enkele verdachten van 11 september voor een civiele rechtbank te brengen, onder wie het veronderstelde meesterbrein, Khalid Sheik Mohammed, een strategische blunder was. 'Ik weet niet of ik dat kan,' zei Graham. Toen hij vertrok, zei hij nog dat de toespraak van de president voor West Point goed was geweest. 'Maar zegt u eens, over juli 2011? Is het een doelstelling, die ik zou kunnen delen, of is het een datum waarop we sowieso gaan terugtrekken?'

Daar antwoordde Obama niet onmiddellijk op.

'Laat me u voorhouden wat minister Clinton zei,' verklaarde Graham, nog in de deuropening van het Oval Office. 'Zij zei dat het een beleid was, gebaseerd op omstandigheden.'

'Nou ja,' zei de president, 'als u me die vraag zou stellen, dan zou ik zeggen: "We gaan een begin maken met ons vertrek." Ik moet dat zeggen. Ik kan deze oorlog geen open eind laten hebben en ik kan niet de hele Democratische Partij tegen mij in het harnas jagen.'

'Meneer de president,' zei Graham, 'laten we die verklaring niet al te serieus nemen.' De achterliggende overweging van die deadline zou de president dwars kunnen zitten als hij Republikeinse steun wilde.

'Het is moeilijk,' antwoordde Obama en hij herhaalde zijn bezorgdheid. 'Ik kan niet de hele Democratische Partij tegen mij in het harnas jagen. En de mensen thuis willen niet horen dat we daar nog tien jaar langer zitten.'

'U hebt gelijk,' zei Graham, 'maar de vijand luistert mee.'

'Dank u wel,' antwoordde de president.

Later, op de persconferentie van het Witte Huis, vroeg Chip Reid, hoofdcorrespondent van CBS News voor het Witte Huis, aan Gibbs of juli 2011 het begin was van de terugtrekking of alleen maar een doelstelling?[4]

Gibbs had geen afdoend antwoord, dus ging hij naar de president. Zoals Reid vertelde in het CBS-blog *Political Hotsheet*, 'riep Gibbs mij toen naar zijn kantoor om te vertellen wat de president had gezegd. De president zei hem dat het wel degelijk vastligt – er is geen rek. De troepen zullen absoluut in juli 2011 naar huis beginnen te komen. Punt uit. Dat is een wet van Meden en Perzen. Gibbs zei dat hij die had afgekondigd.'

Graham belde generaal Petraeus en nam nog eens door wat er was gebeurd, waaronder ook die rotsvaste verklaring van Gibbs.

'Jeeminee,' zei Petraeus, 'dat had ik nog niet gehoord. Dat is een probleem. Daar moet je iets aan doen.'

'Waarom moet ik daar iets aan doen?' vroeg Graham.

'Ik weet niet zeker of ik daarmee naar voren moet komen,' antwoordde Petraeus. Hij zou 'Gates en Clinton dit laten afhandelen'.

Gates ging naar Afghanistan en verklaarde: 'Wij zijn hier om te winnen.'[5] Het gesprek over juli 2011 leek op de achtergrond te raken, waardoor Obama nog alle kanten op kon. Juli 2011 was een datum van enig belang én van helemaal geen.

Op een regionale veiligheidsconferentie op 13 december, georganiseerd door het International Institute for Strategic Studies in Londen, gaf Petraeus zijn interpretatie van de toespraak van president Obama op West Point.[6] Hij zei: 'In juli 2011 gaan we beginnen – en ik benadruk het woord beginnen – onze strijdkrachten terug te trekken in een proces waarvan het tempo afhangt van de omstandigheden in het veld... Dat betekent niet dat we ons in 2011 ons naar de uitgang zullen spoeden – niets is minder waar.'

Bij hun regelmatige gesprekken zette Lute Petraeus onder druk. De driesterrengeneraal voelde zich op voldoende vertrouwde voet met de viersterren Petraeus om aanvankelijk nog de aanspreektitel 'meneer' te gebruiken, maar die later gewoon te laten schieten.

Lute vond dat de vier risicofactoren oftewel de 'sleutelfactoren' zoals Donilon ze noemde, een grote bedreiging vormden.

'Vanuit ons perspectief,' zei Lute tegen Petraeus, 'ziet dit er zo uit. Wat ontgaat mij? Waarom weet jij zo verdomd zeker dat je dit soort risicofactoren aankunt en toch nog resultaat kunt boeken?'

Petraeus zei dat ze niet alle risicofactoren hoefden aan te pakken. Vooruitgang kon allerlei vormen aannemen. Er was een ander risico – het slagveld. In Irak was dat het meest zichtbare verschil geweest. Zorg voor veiligheid, dan blijven de andere risico's beperkt. Geweld zou afnemen en het land zou stabieler lijken. 'Alles wat we hoeven te doen is vooruitgang tonen,' zei Petraeus, 'dat is voldoende om tijd te winnen en te krijgen wat we nodig hebben.'

'Daar maak je een dramatisch verkeerde inschatting van de president,' zei Lute. Obama had het woord 'counterinsurgency' niet eens in zijn toespraken vermeld en was absoluut tegen het idee van betrokkenheid op lange termijn. 'Ik geloof niet dat hij dat van plan is.'

Lute vroeg zich af hoe de president in dit opzicht met zichzelf in het reine was gekomen. Hij veronderstelde het volgende: de president had vooruit gekeken en berekend dat het er naar alle waarschijnlijkheid na juli 2011 slecht uit zou zien. Obama moest deze extra inzet van anderhalf jaar uitvoeren, juist om te laten zien dat het niet zou lukken. Die exercitie zou duur worden, maar niet zo duur dat het land het niet kon opbrengen. Obama had dan het monolithische leger een eerlijke kans gegeven en de Verenigde Staten zouden niet de indruk wekken van het slagveld te zijn verdreven. De enige manier waarop Lute het uiteindelijke besluit kon verklaren was dat de president het leger had behandeld als de zoveelste politieke achterban die bediend moest worden. 'Want volgens mij is dit besluit geen rechtstreeks gevolg van de strategieherziening,' zei hij.

Lute dacht dat de president in alle redelijkheid tegen Gates had kunnen zeggen: 'Dit jaar houden we het op 33.000 manschappen.' Als je me kunt laten zien dat dat werkt, dan zal ik ze verdubbelen. Zoals ik het lees, is er niets aan de situatie wat zo rechtstreeks vernietigend, zo dramatisch catastrofaal is, dat we geen tijd hebben om te bewijzen dat we weten wat we doen. Dat zou toch een voorzichtiger benadering zijn geweest, vond Lute. En moesten zij niet zoveel mogelijk zekerheid hebben dat zij wisten wat ze deden?

Mullen hoorde via zijn bronnen in het Witte Huis – ook voorzitters van de chefs van staven hebben hun bronnen – dat Lute meende dat de strategie niet zou werken. Omdat zij elkaar frequent zagen vond Mullen dat Lute hem dat weleens had kunnen vertellen.

Dat zat Mullen dwars, en hij deelde zijn teleurstelling tijdens hun vrijdagmiddagse Tandberg-videosessie na de toespraak van West Point.

Lutes relatie met de voorzitter was gespannen geweest. Hij had in 2007 de baan als oorlogstsaar op zich genomen, nadat Gates had beloofd dat ze later voor hem zouden zorgen met een belangrijke opdracht van de voorzitter van de chefs van staven. Toen Pete Pace vertrok en Mullen voorzitter werd, moest die dus voor Lute zorgen. Mullen had Lute een paar functies aangeboden die amper de moeite waard waren, dus Lute had die afgewezen. Hij was van plan zich terug te trekken van zijn post op het Witte Huis.

Lute geloofde dat Mullen wrok koesterde over het feit dat Jones, een gepensioneerde viersterren, en Lute, een nog dienende driesterren, Obama regelmatig van militair advies dienden. Mullen zou de belangrijkste militaire adviseur voor de president moeten zijn.

Lute was er ook van overtuigd dat Mullen blindelings de zaak van de COIN-istas had omhelsd zonder die te begrijpen. Als marineofficier stond Mullens hoofd op de brug van een groot schip koffie te drinken en orders naar de machinekamer van 'meer koffie!' te roepen. Hij maakte geen onafhankelijke, nuchtere, heldere analyse van wat er in de aanbieding was. Hij dacht dat zijn baan bestond uit het werk van zijn ondergeschikten steunen. Mullen deed niet veel huiswerk en was niet diep ingegaan op de details van wat zij aan het doen waren. 'Zo kom je in drijfzand terecht,' zei Lute. 'Dat is in deze aangelegenheden een recept voor een ramp.'

Op de Tandberg die middag waren Mullen en Lute het er over eens dat ze, nu ze een politiek besluit hadden, zich er ook voor moesten inzetten om het de meeste kansen te geven.

Mullen besloot eerlijk te zijn. 'De minister en ik geloven dat jij in de loop van de strategieherziening niet erg behulpzaam bent geweest,' zei hij tegen Lute.

'Ik hoop dat de president er niet net zo over denkt,' antwoordde Lute.

Gates was van plan de president te gaan opzoeken om te zeggen dat hij nu weg wilde. Op een vergadering in december zei de president echter: 'Ik zou graag hebben dat u de volle termijn uitzit, maar ik weet dat dat te veel gevraagd is.'

Dat verraste Gates en het zat hem niet lekker. De volle termijn betekende nog eens drie jaar. Ze begonnen onderhandelingen en Gates vond dat de president een tapijtverkoper leek.

'Ik kan nog eens een jaar dienen,' zei hij ten slotte. Dat betekende dat hij tot januari 2011 zou aanblijven, net een maand na de eerste serieuze herevaluatie van de strategie, maar een half jaar voor het begin van een of andere vorm van terugtrekking, in juli 2011. Gates zei dat hij bereid was om de kwestie volgend jaar nog eens te bekijken, om te zien of hij dan misschien wat langer zou blijven.

Op Eerste Kerstdag 2009 probeerde een drieëntwintigjarige Nigeriaan, Umar Abdulmutallab, een bom te laten afgaan die in zijn ondergoed verstopt zat, op een vlucht van Amsterdam naar Detroit.[7] De bom sputterde, ontbrandde wel, maar explodeerde niet. Het vliegtuig landde veilig met driehonderd mensen aan boord. Obama, op vakantie in Hawaï[8], ging tekeer over wat hij 'systemisch' falen van de inlichtingendiensten noemde.

De president gaf Brennan opdracht na te trekken wat er mis was gegaan en een rapport te schrijven. Als adjunct-adviseur voor nationale veiligheid rapporteerde Brennan rechtstreeks aan de president op het punt van terrorisme. Hij stond bekend als 'de Antwoordman' omdat hij zo hard werkte, inzage had in interceptierapporten en rechtstreeks contact had met buitenlandse inlichtingendiensten en kopstukken. Omdat de mislukte terrorist uit Jemen was gekomen, had Brennan een gesprek met de president van dat land, Ali Abdullah Saleh. Maar Brennans bekendheid met Obama was er ook de oorzaak van dat DNI Blair en anderen in de bureaucratie van de inlichtingendiensten hem als concurrent zagen.

Twee weken na de mislukte bomaanslag met Kerstmis, op donderdag 7 januari 2010 rond elf uur, stelde Brennan Blair een kopie van het rapport ter hand, enkele uren voordat de president van plan was een verklaring af te leggen en het rapport vrij te geven.

'Dit is de eerste keer dat ik het zie,' zei Blair, verbijsterd, 'en de president moet over drie uur "optreden"?' Hij nam het rapport snel door.

'Dit klopt niet,' zei hij. Het concept-rapport legde de schuld veel te veel bij de analisten op lager niveau, waardoor een probleem werd gesimplificeerd dat veel ingewikkelder was. 'Hier sta ik niet achter.'

Hij werd al snel naar het Oval Office gestuurd om met de president te gaan praten.

'Wat is het probleem?' vroeg Obama.

'Dit klopt niet,' zei Blair en wees op een kopie van het rapport. 'Als u mij vraagt of ik het hiermee eens ben, dan zeg ik nee.' In militaire taal betekende dat dat Blair zijn admiraalssterren op tafel legde. Het was een protestdaad die de dreiging inhield van ontslag nemen. Als een Senaatscommissie zou vragen of hij het met het rapport eens was, zei hij, 'dan zeg ik ze nee'.

De schuld bij lager geplaatste analisten leggen was een foefje, zei Blair. Iedereen had fouten gemaakt – DNI, CIA, NSA, FBI, het ministerie van Buitenlandse Zaken, en het nationale antiterrorismecentrum (NCTC), dat al het losse materiaal van de agentschappen en zelfs het Witte Huis bij elkaar moest leggen. Er waren duidelijke, veelvuldige waarschuwingen in hun rapporten, de beveiligingssystemen en de computernetwerken te lezen geweest.

'Nou,' zei Obama, 'volgens mij heb ik hierin aardig achter jullie gestaan. Ik heb jullie niet eens ontslagen.'

Blair kwam in de verleiding om te zeggen: 'Gaat uw gang.' In plaats daarvan zei hij: 'Er ligt verantwoordelijkheid bij de leiding hier en die wil ik best op me nemen.'

'Het is niet alleen de fout van de analisten,' zei hij. De terrorist van Kerstmis was eerst in Jemen geweest, waar hij contact had gehad met een tak van Bin Ladens groepering, Al-Qaida op het Arabisch Schiereiland (AQAP). Eerdere inlichtingen hadden zich alleen gericht op de vraag of die tak binnen Jemen terroristische aanslagen pleegde. 'We hebben onvoldoende aandacht gehad voor de mogelijkheid dat ze weleens een terrorist op ons konden afsturen.'

En toch, een paar maanden geleden, had Blair gezegd, stond er in een belangrijk inlichtingenrapport dat een leider van AQAP – een in Amerika geboren geestelijke, Anwar al-Awlaki – probeerde bekeerlingen te rekruteren en op te leiden voor terroristische aanslagen op westerse doelen buiten Jemen. Jihadistische groeperingen die zich op het eigen land hadden geconcentreerd waren nu bezig actief samen te zweren tegen het Amerikaanse vaderland.

'Niemand heeft daar enige aandacht aan besteed,' zei Blair. 'Dat is dus een onvoldoende voor de leiding, waaronder ik.' Afgezien van deze tekortkomingen stonden er in Brennans rapport veel te veel gevoelige inlichtingen.

Brennan had toegegeven dat hij de president had laten vallen, maar kookte van woede. Hij volgde de bedreigingen van Al-Qaida buiten Jemen. Dat hij nou achteraf kritiek kreeg op zijn eigen rapport maakte hem nijdig.

Obama liet woordvoerder Gibbs komen.

'Dit is niet goed,' zei de president. 'Kunnen we die persconferentie afgelasten?'

'Nee, dat gaat niet,' zei Gibbs. Ze hadden de media verteld dat het rapport om twee uur 's middags uit zou komen.

'Stel het een uur uit,' zei de president, 'en Blair, jij gaat met Brennan aan het werk. Kijk of je het rapport kunt veranderen in iets acceptabels.'

Blair vond het niet leuk dat prioriteit werd gegeven aan het moment van bekendmaking. Niettemin ging hij met Brennan naar de Situation Room om het rapport te redigeren.

Het uiteindelijke resultaat van zes pagina's was vaag, repetitief, slordig en duidelijk in haast in elkaar geflanst.[9]

Toen het werd vrijgegeven en de president sprak, verontschuldigde Gibbs zich voor het uitstel.[10] 'Zoals u weet,' zei hij, 'is het declassificeren van een ingewikkeld document tijdrovend, en wij wilden dat goed doen.'

Op 12 januari trof een verwoestende aardbeving Haïti. De leiding van de Amerikaanse hulpverlening was in handen van luchtmachtgeneraal Douglas Fraser, hoofd van het Southern Command. Al vrij vroeg in de onderneming had Donilon zich naar Jones' kantoor gehaast. Het was een voorbeeld van hoe Donilon impulsieve verklaringen en snelle oordelen vormde.

'We moeten generaal Fraser ontslaan,' zei Donilon. 'Hij is incompetent. Je gelooft het niet hoe langzaam de hulp daar terechtkomt.'

'Houd je rustig,' zei Jones. 'Je moet wel even beseffen dat SouthCom – weet je trouwens wel waar dat zit? SouthCom staat altijd onderaan de lijst voor hulpmiddelen. Zij hebben het kleinste stuk van de militaire taart gekregen. Ze zitten altijd met kastekorten. Ik ken Fraser. Hij is een goeie vent. Hij regelt het wel. Het gaat alleen langer duren dan wij graag zouden willen.'

Fraser, die een commandopost in Miami had, werd niet vervangen. Ruim 20.000 Amerikaanse soldaten waren eind januari in Haïti.

Het Pentagon zat ook met Donilon in zijn maag. Toen de kritiek van Jones het jaar daarvoor de hoogwaterlijn had gehaald, had Gates besloten hem in het openbaar te prijzen. 'Ik geloof dat Jim de lijm is die het team bijeenhoudt,' vertelde Gates tegen David Ignatius van *The Washington Post*, die meteen kopte 'Het team van Jim Jones'.[11]

Gates deed dit deels, vertelde hij een assistent, omdat hij niet geloofde dat Donilon de opvolger van Jones zou moeten zijn. Gates had de indruk dat Donilon het leger niet begreep en het opperste gezag ervan onvoldoende eerbiedig benaderde. De minister vertelde Jones later dat Donilon een 'ramp' zou worden als nationale veiligheidsadviseur van Obama.

In februari, toen hij voldoende tijd had gehad om na te denken over de strategieherziening, vond Donilon dat dit een van de zeldzame gevallen was in de jongste Amerikaanse geschiedenis waarbij een president de grote lijnen van een nationaal veiligheidsbesluit terdege had begrepen.

Obama denkt niet 'over verliezen', hield hij anderen voor. 'Zijn levenservaring heeft hem geleerd dat als je maar je best doet en je bent geduldig en volhardend – en als je gelijk hebt – dat je dan slaagt.'

Maar de professionele frustratie van Donilon over Jones nam toe. Toen Jones duidelijk minder uren draaide dan zijn ondergeschikten, merkten de stafleden van de NSC dat Donilon een driekwart baan erbij deed, lange dagen en weekenden doorwerkte, zijn gezin amper zag en zichzelf fysiek verwaarloosde.

Als Obama na een vergadering iets gedaan wilde hebben, wendde hij zich tot Donilon, niet tot Jones. Donilon was het manusje-van-alles, beantwoordde de telefoontjes die van het Oval Office kwamen. Hij ging 160 kilometer per uur, terwijl Jones amper vijftig reed en regelmatig werd ingehaald. Donilon was zowel slachtoffer als begunstigde van de beperkte kijk die Jones op zijn werk had. Hij was trots op en tegelijkertijd vol wrok over zijn grotere rol, en zei tegen vrienden dat hij nog nooit zo gelukkig was geweest al stond hij van tijd tot tijd stijf van de stress.

Toen hij op een dag naar het memorandum van Holbrooke zat te kijken flapte hij eruit: 'Dit is lagereschoolwerk. Mijn eigen zoontje zou dit beter doen.'

Donilon kende de geschiedenis en herkauwde de hele tijd wat volgens hem de fouten waren geweest in Vietnam en Irak. In geen van beide gevallen was de president duidelijk geweest in zijn instructies. Obama had dat verbeterd met het terms sheet, dat Donilon beschouwde als een historisch document en een model van presidentiële besluitvorming.

De extra troepen maakten deel uit van een herschikking van 's lands middelen, die na de 'vuistslag' in Afghanistan, die twee jaar zou duren, voor iets anders dan oorlog konden worden ingezet. Tegelijkertijd meende Donilon dat de Amerikanen veel harder tegen Al-Qaida optraden dan de regering-Bush had gedaan als het ging om tempo, middelen en wereldwijde aanpak.

Donilon regelde de meeste zaakjes op het niveau van de deputies, terwijl de principals die met Jones samenwerkten elkaar zelden zagen, vaak alleen maar om de maandelijkse overzichten door te nemen als er een vergadering van de NSC met Obama stond aan te komen. Als Jones echter in het buitenland was voor de president, hield Donilon geen stafvergadering in zijn afwezigheid. Hij was dan misschien de feitelijke nationale veiligheidsadviseur, Jones onderhield de relatie met de twee belangrijkste ministers – Clinton en Gates.

Jones, veertig jaar bij de marine, had altijd wel een manier gevonden om in contact met zijn baas te blijven. Dat lukte niet bij Obama, die hij te cerebraal en te afstandelijk vond. Jones had nooit toegang gekregen tot de kring van vertrouwelingen met Emanuel, Axelrod en Gibbs – en nu ook Donilon. Doordat die medewerkers het eigenlijk voor het zeggen hadden, kreeg Jones het idee dat hij zijn gezag niet kon laten gelden. Hij was van plan begin 2011 ontslag te nemen.

Jones had verscheidene bijeenkomsten en diners met de Pakistaanse ambassadeur Haqqani, in de hoop tot een overeenkomst te kunnen komen.
'Wij zijn een land van tapijthandelaren,' zei Haqqani, in een poging zijn land te verklaren zonder het te kleineren. 'Historisch is dat onze oorsprong. Hebt u ooit geprobeerd om een tapijt in Iran of Pakistan te kopen?'
In de loop van de jaren had Jones een hele hoop tapijten gekocht op zijn overzeese reizen.
'Zo'n vent vraagt eerst 10.000 en dan kom je uiteindelijk uit op 1200,' vervolgde Haqqani. 'Jullie hebben helemaal geen oog voor de proporties, begrijpt u? Je moet redelijk zijn, maar je moet een vent nooit de winkel uit laten gaan zonder dat hij iets gekocht heeft. Je moet iets verkopen. Dus oké wat ons betreft, wij hebben veel te veel gevraagd, maar we krijgen vast wel iets. We krijgen onze spullen. We krijgen onze helikopters, die heeft het leger nodig om Noord-Waziristan aan te pakken.'
Bij een andere vergadering, met Donilon en Lute erbij, vroeg Jones: 'Wat is er voor nodig jullie aandacht te krijgen voor wat ons bezighoudt, zonder dat jullie je mogelijke obsessies en zorgen helemaal op hoeven te geven?'
Economische hulp en meer militaire capaciteit, zei de ambassadeur. 'En toon ons wat respect. Verneder ons niet in het openbaar.'
Jones maakte duidelijk dat de Verenigde Staten daadwerkelijke steun wilden bij terrorismebestrijding – meer CIA, meer speciale operaties in Pakistan. Hoe konden de Verenigde Staten dat krijgen?
'Een man die probeert een vrouw het hof te maken,' zei Haqqani, dat

was de beste analogie. 'We weten allemaal wat hij van haar wil. Nietwaar?' De man wil maar één ding: hij wil met haar naar bed. 'Maar zij heeft andere ideeën. Zij wil naar het theater. Zij wil een mooie nieuwe fles parfum. Als je door de knieën gaat en haar de ring aanbiedt, dat is de grote prijs. En tjonge jonge jonge, je weet niet half hoe goed dat werkt.'

Jones wendde zich tot Donilon en Lute en zei: 'We moeten een manier vinden om die jongens de ring aan te bieden.'

'De ring is, dit even terzijde,' zei Haqqani, 'erkenning van het nucleaire programma van Pakistan als legitiem. Dat wordt de ring.'

Maar Pakistan had al kernwapens en erkenning door de vs zou het echt niet van gedrag doen veranderen.

30

Petraeus sprak zaterdag 3 april twee uur lang met Derek Harvey, zijn vertrouwde veiligheidsadviseur en hoofd van het Afghanistan-Pakistan Center of Excellence van CentCom, de organisatie die Petraeus had opgericht om inlichtingen in Afghanistan te verzamelen en te analyseren, met de nauwgezetheid van een rechercheur moordzaken.

Harvey schetste een van de meest pessimistische beelden die je maar van de oorlog kon hebben. 'Onze politieke en diplomatieke strategieën zijn niet verbonden met onze militaire strategie,' waarschuwde hij. 'Dat werkt dus niet. Wij bereiken de doelen niet die we onszelf stellen. We kunnen op een punt komen van een soort tijdelijke stabiliteit, een schijnsucces dat niet zal duren, dat ons de gelegenheid zou bieden ons terug te trekken en de zaak de komende drie of vier jaar stabiel te houden. Maar onvermijdelijk zal het weer neerkomen op het "Grote Spel", de negentiende- en twintigste-eeuwse strijd om invloed in Centraal-Azië.'

Zonder iemand te ontzien gaf Harvey een lijst van de mogelijke resultaten op lange termijn: 'kwaadwillige hoofdrolspelers, ontwrichte, incompetente, inzakkende regering in Kabul, terugkeer van gewelddadige extremistische groeperingen en veilige enclaves.' Met andere woorden, een volledige terugkeer tot het milieu van vóór 11 september.

Was Harvey daar helemaal van overtuigd, vroeg Petraeus.

Harvey zei dat McChrystal geen plan had om het gedrag van president Karzai te matigen, bij te stellen of te veranderen. De Afghaanse regering moest beter functioneren als de campagnes in Marja en Kandahar moesten slagen. Als de strijdkrachten van de coalitie de Taliban uit elke plaats daar konden verjagen, moest daar een competent bestuur zijn om te voorkomen dat ze terug zouden keren. De houding van McChrystal en zijn commando hing af van Karzai en vereenzelvigde de president met de hele Afghaanse regering. En dat was fout.

Wat zijn de opties? vroeg Petraeus.

De strategie van steun aan de regering van Karzai was contraproductief, zei Harvey. Aangaande opties als staakt-het-vuren of verzoening met de Taliban, 'als je dat helemaal analyseert blijft er niets over. En we worden als speelpoppen gebruikt door diverse elementen van diverse secties van de Taliban.' Opstandelingen die hun wapens willen neerleggen en de regering willen helpen konden nergens terecht, er was geen organisatie voor. De richtlijnen van de Amerikaanse strijdkrachten luidden deze mensen over te leveren aan de regering. 'En dat is nou precies waar die mensen voor in de oppositie zitten, zelfs als ze niet daadwerkelijk vechten.' Op de regering van Karzai werd neergekeken.

Harvey zei dat er gemiste kansen waren, doordat de herverkiezing van Karzai de voorafgaande augustusmaand gekenmerkt werd door fraude. Karzai was na afloop grotendeels met rust gelaten door de Verenigde Staten en zijn overwinning werd bezegeld toen zijn tegenstander het opgaf. 'Wij zijn zo afhankelijk van Karzai,' zei Harvey. 'Zijn zwakte wordt zijn kracht. En waar gehakt wordt, vallen spaanders. Er was een echte mogelijkheid om hier de dynamiek in het veld te verleggen. Het zou op korte termijn kostbaar en pijnlijk zijn geweest.'

Doordat hij na de verkiezingen geen verantwoording hoefde af te leggen, 'is wat we gedaan hebben, Karzai gaandeweg nog sterker maken. Hij is een ijzersterke president in een zwak systeem en we zijn er veel te lang van uitgegaan dat hij een zwak leider was in een zwak systeem en dat we verder geen keus hadden. Dat was verkeerd. Hij is een sterke leider, tactisch georiënteerd, maar zijn managertalenten zijn nul.

Het resultaat van de verkiezingen is dat wij hem sterker hebben gemaakt en dat wij zijn neigingen, waar we eigenlijk van verschoond willen blijven, hebben benadrukt... Hij krijgt alles wat hij wil.'

In het veld, zei hij, waren de strijdkrachten van McChrystal nog niet eens klaar met het veroveren van van de voornaamste gebieden. 'De vijand begint zich net aan te passen,' zei Harvey. Moordaanslagen van de Taliban waren vermenigvuldigd en ook aanslagen met bermbommen. De

Taliban bleven andere Afghanen intimideren die probeerden met de VS samen te werken, door briefjes op de voorbank van hun auto te leggen: 'Hou op met dat geld aan te nemen. Ga niet naar die vergaderingen.' Of als een zoon van een Afghaan vier uur te laat uit school komt, staat er op het briefje: 'De volgende keer wordt het zijn hoofd.' Eén incident van die orde wordt honderdvoudig opgeblazen doordat de mensen erover gaan praten, door het verhaal in koffiehuizen en op de markt te herhalen, aldus Harvey.

Hij had 89 inlichtingenanalisten in Afghanistan die hetzelfde soort gedetailleerd methodisch werk deden dat hij persoonlijk voor Petraeus in Irak had gedaan. De harde werkelijkheid was dat de hogere leiding van de Taliban dacht dat ze wel veilig waren, zelfs als er 30.000 Amerikaanse manschappen bij zouden komen.

Bij wijze van concrete maatregel had Harvey een twaalfstappenplan om Ahmed Wali Karzai aan te pakken, de halfbroer van de president, die delen van Kandahar beheerste. Het plan beoogde een halt toe te roepen aan zijn wegversperringen en ontvoeringen en zijn particuliere veiligheidsfirma's aan te pakken. Waar het op neerkwam bij Harvey, was: er moest nu echt iemand een vuist gaan ballen, maar dat gebeurde alsmaar niet.

Op 16 april vergaderde de president met de NSC voor de maandelijkse update over Afghanistan-Pakistan. McChrystal had zijn troepen opdracht gegeven tot vrijmaken-en-behouden-operaties, want de NVA waren niet in staat om zelf het gebied onder controle te houden. Het kwam dus neer op een model van vrijmaken, behouden, opbouwen en overdragen.

De president vroeg inlichtingen over de recente operatie in Marja in Helmand, waar coalitietroepen de stad bezet hielden nadat het offensief in februari was ontketend. 'Zitten wij op schema?'

Ja meneer, zei het leger.

O ja? vroeg Obama, hoe zit dat dan met de gebieden die we in de zomer van 2009 hebben gezuiverd? Lagen die niet ook in Helmand?

Ja meneer.

Hoe zit dat dan met dat vrijmaken, behouden, opbouwen en overdragen in plaatsen ten zuiden van Marja? Dat waren de districten Nawa en Garmsir.

We houden stand, zei het leger, onze strijdmachten hebben zich daar gevestigd.

En hoe zit dat dan met die 25.000 Amerikaanse soldaten in het oosten?

vroeg de president. Die zitten daar al jaren. Waar kan ik ze terugvinden in dat model van zuiveren, behouden, opbouwen en overdragen?

Ze zijn nog steeds aan het behouden, meneer.

Is er eentje op het punt om over te worden gedragen?

Geen enkele, meneer.

Het model was geworden zuiveren, behouden, behouden, behouden en behouden. Jarenlang behouden. Er was geen opbouw, geen overdracht.

Petraeus zei dat zij het concept van begin van een overdracht verkeerd interpreteerden. Ten eerste lag juli 2011 ruim een jaar in toekomst. 'Het idee is niet doorgeven, het is afbouwen,' zei hij. De missie 'adviseer en assisteer', die vorig jaar door de president was gelanceerd, betekende een partnerschap met de Afghaanse strijdkrachten, samenwerking, nauwe samenwerking. Dat hield een geleidelijke overgang in, waarbij mettertijd het voortouw zou worden genomen door Afghaanse strijdkrachten in plaats van Amerikaanse. 'Dan trekken we ons terug en dan bouwen we onze aantallen af.'

Ze stonden nog helemaal bij het begin, zei Petraeus, die vond dat de situatie ontnuchterend, maar zoals altijd niet wanhopig was.

Niemand op die vergadering ging daar verder op in en vroeg: Wanneer kan de overdracht dan beginnen? Waar en wanneer zouden Amerikaanse strijdkrachten in staat zijn zich volledig terug te trekken? Hoe kon iemand denken dat de Verenigde Staten een aanval konden doen op het kerngebied van de Taliban in het zuiden en daarbij een ander resultaat zouden boeken dan in het oosten?

Voor de beveiligde videoconferentie van de president op donderdag 6 mei met McChrystal, voor het maandelijkse overzicht van anderhalf uur, hadden Donilon en Lute samengespannen om Kandahar beter op de kaart te krijgen, want zij hadden de indruk dat de counterinsurgency-missie daar op het punt van mislukken stond. De operatie om volledige zeggenschap over de stad te krijgen begon die maand.

Het was onmogelijk aan de conclusie te ontkomen dat Kandahar de lakmoesproef voor de oorlog zou worden. De stad was het traditionele centrum van de Taliban. Mullah Omar had van daaruit geregeerd. Als Pasjtoenistan een land zou zijn, zou Kandahar de hoofdstad zijn.

Donilon en Lute hadden vragen voor de president opgesteld om zodoende de vergadering over Kandahar te laten gaan. Omdat het de testcase van 2010 zou worden behelsden de vragen: Hoe doen we dat? In hoeverre gaat Kandahar de oorlog de komende zes maanden vergemakkelijken of ingewikkelder maken?

McChrystal toonde een kaart van Kandahar met voorsteden en probeerde daarbij de stammendynamiek duidelijk te maken. Het was een waanzinnige lappendeken van over elkaar vallende kleuren die aan een modern kunstwerk deden denken. De verklarende lijst van de twintig stammen was net zo groot als de kaart zelf. Het vereiste haast een studie Afghaanse cultuur om een Amerikaan dit alles te laten begrijpen. De Taliban wáren Afghaanse cultuur, waardoor de Verenigde Staten strategisch in het nadeel waren.

Er werden ook foto's getoond van een veertigtal politieke manipulatoren in Kandahar, in een poging om het huidig machtsevenwicht te verduidelijken. De aanwezige medewerkers kenden er een paar – de gouverneur van de provincie, Tooryalai Wesa, en Ahmed Wali Karzai, de halfbroer van de president. De meesten waren onbekend. Een spaghetti van stippellijnen, stippel-streeplijnen en dubbel gestippelde lijnen gaf aan waar de relaties en de tribale loyaliteiten lagen. Sommigen waren Barakzais, anderen, zoals Karzai, waren Popalzais, en ga zo maar door. Enkelen van de narcoticabaronnen stonden ook op de lijst.

De lichaamstaal van de president leek net een flikkerend neonlicht. Hij sloeg zijn armen over elkaar, sloeg zijn benen over elkaar en duwde zich van de tafel af, nam afstand van wat er aan de muur hing. Hij nam zijn papieren door, vol beladen vragen van Donilon, Lute en de staf van de NSC. Eén onderwerp was: 'Ik heb de diagnose van het probleem en ik zie wat jullie als geneesmiddel voorschrijven, maar die twee hebben niks met elkaar te maken. De twee hebben geen verband met elkaar.' Waarom niet?

Misschien was dit te erg en te confronterend. Hij vroeg het niet.

De president dacht na over de kaart van Kandahar en over die met de politieke machthebbers.

'Dit doet me denken aan de politiek in Chicago,' vervolgde Obama. 'Jullie willen dus dat ik de interne relaties en verbindingen begrijp tussen afdelingshoofden en districtschefs en de stammen van Chicago als de stammen van Kandahar. En ik moet je zeggen, ik heb een hele poos in Chicago gewoond, en ik begrijp ze nog niet.'

Waarop McChrystal grapte: 'Als we naar Chicago moeten hebben we veel meer troepen nodig.' Er werd hard gelachen. Toen iedereen weer kalm was voegde hij eraan toe: 'Wij gaan van Kandahar geen modelstad maken.'

McChrystal had foto's laten zien van de belangrijke figuren in Kandahar. Er waren geen afdoende antwoorden op vragen als: Wie staat bij wie in het krijt? Wie gehoorzaamt wie? Wie is in een vendetta verwikkeld? Hoe liggen de werkelijke bondgenootschappen? Waar is er over en weer getrouwd? Wat kan veranderd worden? En wanneer?

Petraeus was net terug uit Zuid-Afghanistan. 'Wij hebben in Marja dingen gedaan die je twee of drie maanden geleden niet had kunnen doen,' zei hij. 'We hebben over de markt gelopen met de districtsgouverneur, we zijn blijven staan, we hebben brood gegeten, temidden van de Afghanen.' Hij zei dat ze hetzelfde deden in Nad Ali en in Kandahar.

Hoewel Petraeus een hoop veiligheidsagenten in dienst had, liep hij zonder kogelvrij vest, zonder persoonlijk wapen of zelfs een helm in Marja rond. Hij zei dat hij zich veiliger voelde dan wanneer hij op de markt in Bagdad liep, een paar jaar eerder. Wat hij maar duidelijk wilde maken was: 'Vooruitgang ongetwijfeld, maar talloze uitdagingen.'

Er waren sommige belangrijke stammen niet in de tent bij de VS en de Afghaanse regering, grotendeels door dreigingen en intimidaties van de Taliban, zei Petraeus.

De president vroeg hoe zij het succes wilden meten. Hij zei dat hij duurzame ontwikkeling wilde en hij dacht nog steeds aan de overdracht. 'Maar wees voorzichtig, we mogen niet iets beginnen wat we niet ook kunnen afmaken.'

'Blijf er over nadenken hoe wij weten of we succes hebben,' zei de president, 'en wanneer we dat weten.'

Na afloop gaf de president aan enkele naaste medewerkers te kennen dat de briefing een verhelderend effect op hem had. 'Waarom denken wij,' vroeg hij, 'dat we, als je het probleem zo beschrijft, er ook een oplossing voor zullen hebben?'

Donilon en Lute hadden het tegen de president gezegd: Als u niet geheel tevreden bent met de beschrijving van generaal McChrystal hier, dan zit hij volgende week in Washington. U moet hem uitnodigen voor een vergadering, deze discussie in een kleinere, intiemere omgeving voortzetten.

In honkbaltermen: als de vergadering was uitgelopen op één slag voor de bevelhebbende generaal, dan moest de president McChrystal nog een kans geven raak te slaan.

Hij stemde ermee in.

Aan het eind van een van de vergaderingen met de leiding van de NSC zonder de president erbij, ging het gesprek over de uitdaging die werd gevormd door de Afghaanse president Hamid Karzai. CIA-directeur Panetta vond dat Karzai zo'n vent was die dicht zou klappen als hij zich geïsoleerd zou voelen. Zou dat gebeuren, dan zouden de Verenigde Staten nooit weten waar hij van plan was naartoe te gaan of wat hij ging doen.

'Het is van het grootste belang dat wij in staat zijn een beroep te doen op iemand die met Karzai kan praten, die hij vertrouwt,' zei Panetta, die daarvoor de ideale kandidaat in zijn hoofd had. Het nieuwe plaatselijk hoofd van de CIA in Kabul was dezelfde agent die Karzai's leven in 2001 had gered door als menselijk schild op te treden toen er een bom vlakbij werd gegooid. Maar ambassadeur Eikenberry weigerde het hoofd met Karzai onder vier ogen te laten praten.

'Ons plaatselijk hoofd daar is iemand die zijn leven heeft gered, een relatie met hem heeft, met hem spreekt,' zei Panetta. 'Karzai wil met hem spreken. Het is heel belangrijk om hem die toegang te geven.'

Minister Clinton was het daarmee eens. Zij had Eikenberry opdracht gegeven die ontmoetingen te organiseren maar hij had geweigerd een vinger uit te steken, al geloofde hij dat alles goed was als Karzai maar in de juiste richting werd geduwd.

'Dan doen we dat,' zei Jones. 'Dat moet gebeuren.'

Eikenberry kreeg opdracht zich in te houden. De CIA kon nu privé-ontmoetingen met Karzai organiseren waarbij niemand anders aanwezig was.

Op 10 mei, tijdens het bezoek van Karzai aan Washington, hadden McChrystal en Holbrooke een gesprek van drie kwartier met elkaar.

'Stan, ben jij het echt eens met juli 2011?' vroeg Holbrooke.

'Ik denk dat we dat wel kunnen,' antwoordde de bevelhebbend generaal, die nu uit noodzaak professioneel optimist was. 'Het hangt ervan af wat we moeten terugtrekken.'

'Maar,' zei Holbrooke, 'het ging er niet alleen om de strijdkrachten van de Verenigde Staten en de NAVO terug te trekken, maar ook om de verantwoordelijkheid voor de veiligheid aan de Afghanen over te dragen.'

Daar was McChrystal het mee eens, hoewel hij zijn eigen vraag had voor de speciaal gezant. 'Waarom doet iedereen zo sceptisch over Kandahar?' Het is de grote aanstaande operatie, en zou het keerpunt kunnen zijn. Maar hij trof in Washington niets dan twijfel.

Holbrooke had juist gesproken met Biden, die pessimistisch was en er meer dan ooit van overtuigd dat Afghanistan een versie van Vietnam was. Holbrooke, zelf in niet al te beste stemming, vroeg of er een Afghaans voorbeeld was van 'zuiveren, behouden, opbouwen en overdragen' dat werkelijk plaatshad.

Nog niet, zei McChrystal.

Was er dan eigenlijk wel een mogelijkheid om daadwerkelijk een overdracht te doen plaatsvinden? vroeg Holbrooke. Neem nu de operatie Marja van drie maanden eerder, waarbij 15.000 Amerikaanse, Britse en Afghaanse troepen betrokken waren, zou het mogelijk zijn om pakweg één Amerikaanse compagnie van een paar honderd soldaten weg te nemen en hun verantwoordelijkheden over te dragen aan de Afghanen? 'Dat zou het concept bewijzen,' zei Holbrooke. 'Het zou bewijzen dat we niet vastzitten.'

'Goed idee,' antwoordde McChrystal. Hij pauseerde en dacht even heel hard na. 'Nee, daar zijn we nog niet klaar voor.'

Holbrooke zonk de moed in de schoenen. 'Overdracht' was de afgelopen zes maanden een kernidee geweest bij de strategieherziening van de president. Het was een mogelijke uitgang. En nu konden ze niet eens een compagnie overdragen? Marja was een gezamenlijke operatie, wat inhield dat elke Amerikaanse eenheid verondersteld werd samen te werken met een Afghaanse evenknie. Een hooggeplaatste Amerikaanse commandant werkte in het commandocentrum zij aan zij met een Afghaanse generaal.

Marja was een boerenstad, 400 km², 80.000 inwoners, en na al het werk en de vuurkracht zei McChrystal dat ze niet eens klaar waren verantwoordelijkheid aan één enkele Afghaans compagnie over te dragen.

Die avond gaf minister Clinton een diner in Blair House, tegenover het Witte Huis, voor president Karzai en verscheidene van zijn ministers. Gates, Jones, McChrystal, Lute en Holbrooke waren aanwezig. Al met al zaten er slechts een man of twaalf rond de tafel.

Er waren de gebruikelijke spanningen, goede en slechte momenten.

Hoe ver gaat uw betrokkenheid? vroeg Karzai op een gegeven moment.

Zoals gebruikelijk had Gates zich tijdens het grootste deel van het eten ingehouden. Maar hij herinnerde iedereen eraan dat hij zich nog steeds schuldig voelde voor zijn rol tijdens de regering van Bush senior in 1989, toen de Verenigde Staten zich hadden teruggetrokken nadat de Sovjets waren verdwenen.

'Wij vertrekken niet voortijdig uit Afghanistan,' zei Gates ten slotte. 'Eigenlijk gaan we helemaal nooit meer weg.'

Ten minste één stomverbaasde disgenoot legde zijn vork neer. Een ander legde het gezegde letterlijk vast in zijn aantekeningen.

Hoewel Gates het had over betrokkenheid bij veiligheid op lange termijn, niet over blijvende militaire aanwezigheid, was zijn commentaar precies het soort van kalmerende verzekering die Karzai ertoe kon brengen de veiligheidskwesties maar over te laten aan de Verenigde Staten.

Op 11 mei kwam de president bij Donilon en Lute terug op het voorstel om McChrystal uit te nodigen de discussie voort te zetten. Obama verzamelde een groepje in het Oval Office om de Afghaanse commandant aan te horen. Onder hen waren Biden, Gates, Mullen, Jones, Donilon en kolonel John Tien, de Afghanistan-directeur voor de NSC die in feite een voet in beide kampen had. Tien was in zijn hart een COIN-ista vanwege zijn ervaring in Ramadi in Irak, maar hij zag ook redenen voor scepsis.

Na de zitting richtte Lute, die de vergadering in het Witte Huis had gemist omdat hij met Clinton en Karzai op het ministerie van Buitenlandse Zaken had gezeten, het woord tot kolonel Tien.

'John,' vroeg Lute, 'hoe heeft Stan het eraf gebracht?'

'Opnieuw slag,' zei Tien.

Bij de ontmoeting van Clinton met de Afghaanse president, een soort van informele theeceremonie, verwoordde Karzai de overtuiging dat de Pakistaanse ISI een overheersende rol speelde bij de leiding van de Taliban. De Pakistanen klaagden vaak dat zij nooit bruikbare informaties kregen over de verblijfplaats van Mullah Omar. Sommige CIA-experts grapten dat de Pakistanen dat maar aan de dienstdoende officieren van de ISI moesten vragen, die de Taliban leidden. 'Dat hebben ze van ons niet nodig,' zei een inlichtingenexpert. 'Ze kunnen betere informatie krijgen van hun officieren.'

'Denkt u echt dat de ISI Mullah Omar zou kunnen oppakken als ze dat wilden?' vroeg Clinton.

Karzai stak zijn hand uit en pakte een chocoladekoekje van de schaal. 'Ze zouden Mullah Omar kunnen oppakken zoals ik dit koekje oppak,' zei hij.

In de loop van die week nodigde Biden ambassadeur Eikenberry en generaal Lute uit voor een bezoek aan het kantoor van de vicepresident, waar Tony Blinken zich bij hen voegde.

Biden, Blinken en Lute hadden met Donilon, McDonough en Brennan tijdens de strategieherziening geprobeerd hun poot stijf te houden tegen een grote troepenaanwas. De zes waren op dreef geweest tijdens het overzicht van Biden. Obama had de vicepresident buitengewone vrijheid en middelen gegeven om een poging te doen de terrorismebestrijdingsoptie te ontwikkelen. Ze hadden nog nooit een geheel militaire analyse van die optie gekregen, maar in het halfjaar dat de herziening duurde, merkten zij dat de Biden-pijler – het terrorismebestrijdingsdeel van het besluit – het enige was wat echt werkte.

McChrystal had het aantal teams bij de verenigde chefs van staven verdubbeld en de Counterterrorism Pursuit Teams van de CIA, een sterke Afghaanse paramilitaire organisatie van 3.000 man, boekten daarbij prachtige resultaten – elke avond rond Kandahar talloze verrassingsaanvallen, ondanks het gebrek aan voldoende troepen waarvan Petraeus had beweerd dat ze noodzakelijk zouden zijn voor succesrijke terrorismebestrijding.

Ik ben bezig geweest met Irak en andere aangelegenheden, zei de vicepresident. En aangezien het een half jaar geleden was dat de president het besluit had genomen betreffende Afghanistan vroeg hij: 'Hoever zijn we?'

Eikenberry had natuurlijk gewoon kunnen zeggen: Lees mijn telegrammen over de risico's maar. In plaats daarvan herinnerde hij de vice-president aan wat voor onbetrouwbare partner Karzai was.

'Jantje lacht en Jantje huilt,' zei Eikenberry, in de zoveelste poging Karzais onlogische gedrag aan de kaak te stellen. 'Dat is niet regeren wat ze in Marja doen. En dan hebben we nog het moeilijkste probleem, Kandahar, niet aangesneden. En nu zeggen we in feite dat Karzai een politieke oplossing voor Kandahar gaat geven. Het is volslagen onverantwoordelijk om dat te suggereren,' zei hij, 'dus in feite hebben ze ons te grazen genomen.'

Was er een politieke oplossing waardoor ze eruit konden komen? Ze hadden een grote doorbraak nodig, een strategische. Zou Pakistan de joker kunnen zijn? Kon de vos zijn streken verliezen?

Lute vond dat hun wanhoop goed bleek uit het feit dat zij ook maar in de richting van Pakistan durfden te kijken voor succes.

Kon Karzai veranderen? Konden we een punt zetten achter het tijdperk van de Taliban en veranderen?

Uit inlichtingen bleek dat de leiding van de Taliban de druk voelde van een oorlog van acht jaar, van het leven in feitelijke ballingschap in Pakistan, en dat onder de niet zo gemakkelijke duim van de ISI. Dat raakte sleets. Ze kwamen aan alle kanten in het nauw te zitten, zoals door de arrestatie van de militaire leider van de Quetta-Shura Taliban, Abdul Ghani Baradar, en van schaduwgouverneurs.[1] De families van de Taliban leefden ook onder druk van de ISI. Het was duidelijk dat een verblijf in een vrijplaats niet zo fantastisch was als zou kunnen lijken. Uit inlichtingen bleek dat de Taliban en hun families in feite vroegen: moeten we altijd aan de leiband van de ISI blijven lopen? Dat is niet onze visie van waar het eigenlijk om zou moeten gaan. Ondertussen was er geen enkele manier waarop de leiding van de Taliban, althans niet de jongens die het echt voor het zeggen hadden, de grens naar Afghanistan zouden oversteken – of er ook maar een voet in zouden zetten – waar de woeste JSOC-teams op de loer lagen. De JSOC legde de gewone Taliban-soldaten in Afghanistan het vuur na aan de schenen. Dus was er voor de Taliban een alternatief?

Misschien lag de oplossing toch niet in het COIN-istas-model van vrijmaken, behouden, opbouwen en overdragen? vroeg iemand. Misschien was dat een doodlopende steeg, misschien moesten we de Taliban tot verzoening brengen, om met Al-Qaida te breken en een brug te bouwen naar Afghanistan. Maar dat kon niet door de Verenigde Staten worden aangezwengeld. Ze moesten een soort filosoof-koning vinden, maar wie? Bestond zo iemand?

Holbrooke schreven ze af. Die wilde veel te graag voor het voetlicht treden en had het vertrouwen van Obama verspeeld.

Een mogelijke kandidaat was Lakhdar Brahimi, een wat oudere Amerikaanse diplomaat die na de Amerikaanse invasie in 2001 Karzais klim naar de macht had helpen regisseren. Kon hij hiervoor zorgen? Brahimi was zesenzeventig, misschien wat te oud voor zo'n zware diplomatieke missie.

Hoe nader zij het bekeken, des te ingewikkelder het werd. Hoe meer zij naar het probleem staarden en de elementen ervan op een rijtje zetten, des te duidelijker werd het dat Pakistan ongewoon veel invloed had op het algehele resultaat. Pakistan was de baas van de Taliban. Dus de Taliban zouden niet zomaar uit zichzelf overlopen.

31

Op vrijdagmiddag 14 mei bezocht brigadegeneraal Lawrence Nichol-son, die een jaar lang het bevel had gevoerd over 10.000 mariniers in de provincie Helmand, Jones en Lute op het Witte Huis. Hij zou militair assistent worden bij de onderminister van Defensie Bill Lynn.

Jones zei dat de laatste keer dat hij Nicholson had gezien in Helmand was, bij het afleveren van de Whiskey Tango Foxtrot-waarschuwing tegen meer troepen. En nu, merkte hij met enige ironie op, had de WTF-vaccinatie niet alleen niet gewerkt, maar het tegenovergestelde effect gehad – de patiënt had de ziekte gekregen en, merkte Jones ironisch op, er werden nog eens 30.000 troepen in Afghanistan gepompt.

Lute hield Nicholson een model voor van 'vrijmaken, behouden, opbouwen en overdragen' en de belangrijke plaats die het had in de bevelen van de president voor de nieuwe strategie.

Nicholson gaf aan dat hij dat begreep.

'Larry,' zei Lute, 'vergeet Marja. Dat is het avontuur van dit jaar. We moeten naar het avontuur van vorig jaar. We zijn dus nu bij de meet van twaalf maanden. Vertel op.' De operatie in de stad Nawa, het meest hoopgevende punt, dat de beste vooruitzichten leek te hebben om veiliggesteld te worden, was in juli 2009 gestart.[1] 'Waar zijn we in Nawa als het gaat om dit vierstappenmodel dat leidt naar overdracht?'

'Nou,' zei Nicholson, 'we zijn in de behoud/opbouwfase.'

Hmm, zei Lute. 'Dus na twaalf maanden, Larry, ben jij bij het behouden en opbouwen. Kijk dan eens in de kristallen bol en vertel me wanneer je bij overdracht terechtkomt?'

Ze waren het met elkaar eens dat dat afhing van de Afghanen, die het leger, de politie en de regering moesten ophoesten om de zaak over te nemen.

Dus, vroeg Lute, wanneer zouden de mariniers beschikbaar komen om iets anders te gaan doen? 'Zoals bijvoorbeeld Kandahar? Of naar huis gaan? Bij de bende van juli 2011 horen?'

'Nou, nou,' zei Nicholson. 'Minstens nog twaalf maanden.' En dat gold dan voor het beste district.

'Larry,' zei Lute, 'we proberen de verwachtingen van Washington af te stemmen. Vrijmaken tot overdracht duurt dus minstens vierentwintig maanden? De twaalf maanden die je hebt gehad plus nog eens twaalf? Dat is niet de belofte waar het hier om gaat. We staan nog niet eens in de buitenwijken van Kandahar, dat trouwens veel belangrijker is dan waar jullie zaten.' Kandahar was veel gevaarlijker. Dat was de plaats waar de Taliban weerstand zouden gaan bieden. 'Nawa kan ze niks schelen. Oké? Het gaat hun om hun centrum, en dat is Kandahar.'

In Nawa, vervolgde Lute, 'zie je wat ervan komt. Als dat vierentwintig maanden moet duren, dan moeten we dat voor lief nemen, maar dan kunnen we de eindjes niet aan elkaar knopen.'

Nicholson zei dat hij ook grote vraagtekens zette bij vierentwintig maanden. 'Misschien kun je er in vierentwintig maanden zijn,' zei hij, 'als je het papaverprobleem in de buurt de baas kunt, want dat voedt de opstand.'

'Hoe moeten we dat in godsnaam doen?' vroeg Lute. Hoewel een droogte onlangs 33 procent van de papaveroogst had verwoest, waren de vooruitzichten om de geldstroom naar de opstandelingen droog te leggen miniem.[2] Ondanks Afghaanse samenzweringstheorieën had de CIA helaas nog echt geen insect dat papaver helemaal opvrat.

Nicholson zei dat de andere voorzorgsmaatregel was dat zij Taliban-opstandelingen ervan moesten weerhouden vanuit Pakistan binnen te komen. 'Als je de grens kunt bewaken,' zei hij.

De Afghaans-Pakistaanse grens was een soort Arizona. In beide richtingen was er over honderdvijftig kilometer geen enkele controle in de vorm van een reguliere grenspost en geen enkele troepenmacht van de Verenigde Staten of de coalitie bewaakte die grens. In de praktijk konden de Taliban er overal overheen.

'Als Nawa – in het beste geval – vierentwintig maanden nodig heeft,' zei Lute, 'gaan we eraan. Dit jaar kunnen we op geen enkele vooruitgang wijzen.'

Lute polste Nicholson over de troepenmachtverhoudingen. 'Toen je Garmsir en Nawa innam, wat was toen de verhouding tussen de Amerikaanse en de Afghaanse troepen?'

Nicholson zei dat het ongeveer tien Amerikanen waren op één Afghaan, waardoor het in feite een geheel Amerikaanse operatie was.

Nou, zei Lute, voor de versie van Marja dit jaar toonde McChrystal vooruitgang – slechts twee Amerikaanse bataljons op één Afghaans, bijvoorbeeld. Maar Lute zei dat als je de cijfers goed bekeek, de werkelijkheid totaal verschilde. Afghaanse eenheden bestonden uit aanzienlijk minder soldaten dan Amerikaanse. En McChrystal telde de Afghaanse politie mee, waardoor de verhouding beter werd. Maar er werd vreselijk veel verstoppertje gespeeld. Ze hervormden de Afghaanse marechaussee (ANCOP), die iets meer was dan de gewone politie. De ANCOP verplaatste zich van gevaarlijke vuurhaard naar gevaarlijke vuurhaard. Maar diezelfde ANCOP zei nu in feite: Ik heb getekend als politieagent en in feite ben ik bij elke inval de eerste die naar binnen gaat. De marechaussee poetste de plaat, het natuurlijk verloop was jaarlijks 75 procent. Volgens het model had dat niet meer dan 15 mogen zijn.

Het andere probleem was dat de ANCOP in Marja zat en dat ze nu naar Kandahar moesten. Wie bewaarde dan de orde in Marja?

Verbazingwekkend genoeg zei Jones na afloop van deze urenlange vergadering: 'Dit klinkt als fikse vooruitgang.'

Godverdomme, dacht Lute. Hadden hij en Jones dezelfde vergadering bijgewoond?

Jones zei later dat niet al het nieuws uit Afghanistan goed was, en dat de oorlog niet een soort lichtknopje was dat je om kon zetten. 'Maar McChrystal is optimistisch,' zei hij.

Na de vergadering met Nicholson ging Lute terug naar kolonel Tien en de rest van zijn team. 'Laten we het strategisch overzicht dat op het menu staat gaan maken,' zei hij. 'Het heeft geen zin dat in november te doen.' Dat was amper een maand voordat het nodig zou zijn. Ze konden nu al de details voorbereiden voor het overzicht van december. 'Ik kan met vrij grote zekerheid voorspellen dat Kandahar er ongeveer net zo uit zal zien als vandaag de dag. Er is geen reden om in november de weekenden door te werken. We kunnen het net zo goed doen tijdens de werkdagen in mei en juli,' benadrukte hij, 'we kunnen het net zo goed kalmpjes aan doen want ik kan jullie precies zeggen wat het resultaat zal zijn.' De president had het leger opgedragen nergens heen te gaan tenzij het in achttien tot vierentwintig maanden kon overdragen, hield hij ze voor. Hij vertelde ze van de vergadering met Nicholson. 'Nou ja, in het beste geval, met heel veel armslag, zegt de man in het veld vierentwintig maanden.'

'Dit is een kaartenhuis,' voegde hij eraan toe.

Een paar dagen later kwam Petraeus teruggevlogen van een van zijn vele eindeloze verplaatsingen, en ging naar de achterkant van het vliegtuig om nog even te spreken met zijn eerste officier en met kolonel Gunhus, zijn woordvoerder. Dat was ongebruikelijk. Normaal gesproken zat Petraeus de hele tijd vóór in het vliegtuig te werken – of te slapen. Vanavond had hij ook al een 'beetje druif' gehad, zoals Gunhus dat noemde, een glas witte wijn.

Enkele dagen daarvoor had Petraeus Associated Press verteld dat de terrorist van Times Square, Faisal Shahzad, een einzelgänger was geweest.[3] Shahzad had geprobeerd een zelf in elkaar geflanste bom te laten ontploffen in zijn SUV, die hij had geparkeerd in het toeristengebied van centrum Manhattan, op de avond van 1 mei. De bom begon te roken maar explodeerde niet. Door Shahzad een einzelgänger te noemen, had Petraeus bedoeld dat hij in de Verenigde Staten zonder enige hulp had geopereerd. Maar tussen de regels door viel te lezen dat Petraeus de beweringen ontkrachtte van anderen in de regering Obama, dat Shahzad was opgeleid door de Pakistaanse Taliban (de TTP).

Petraeus en Gunhus hadden een kort persbericht opgesteld om deze miscommunicatie glad te strijken. Maar de generaal had Gunhus eerst gevraagd contact op te nemen met Denis McDonough in het Witte Huis, om zijn advies te vragen. McDonough had gezegd niets te doen, laat het overwaaien, het sop is de kool niet waard. Dit was zoveel als een bevel, dus het bericht werd niet opgesteld. Maar weer leek het erop alsof Petraeus het aan de stok had met het Witte Huis. Terwijl het vliegtuig naar zijn nieuwe bestemming vloog, noteerde Gunhus dat het Witte Huis nog steeds de neiging had Petraeus in het onzekere te houden.

Ze vloeren je als ze de kans ertoe krijgen, zei Gunhus.

'Ze zitten met de verkeerde te klooien,' zei Petraeus.

Om de zorgen over een terroristische nucleaire aanslag op de Verenigde Staten te sussen, hield Brennan een algehele geheime oefening op dinsdag

18 mei, om te testen hoe inlichtingendiensten en federale regeringen zouden reageren. De oefening werd genoemd COOPEX 2010 (Continuity of Operations Exercise 2010) en was eigenlijk een soort op papier gezet oorlogsspelletje waarbij terroristen een klein, primitief nucleair wapen af lieten gaan in Indianapolis, waardoor een deel van de stad verwoest werd en er duizenden slachtoffers vielen.

In het scenario hadden de terroristen de hand weten te leggen op zeventien kilo splijtmateriaal. Na de ontploffing in Indianapolis was er nog genoeg over voor een tweede bom, die de terroristen van plan waren te laten afgaan in Los Angeles.

Obama zelf deed eraan mee, verscheen op de veiligheidsvideo met een reeks vragen. Hoe kon dit gebeuren? Wie was de waarschijnlijke dader? Zat hier een staat achter? Hoe kunnen we terugslaan?

Als onderdeel van het spel was het nucleaire materiaal deels afkomstig van een land dat erg op Pakistan leek, maar de aanslag was niet door die staat gesteund omdat dat land – net zoals Pakistan in sommige gevallen – juist had gevochten tegen de terroristische groepering die er verantwoordelijk voor was. Er werd geen onmiddellijke vergelding tegen het land noodzakelijk geacht.

Elke federale regering en agentschap moest een steentje bijdragen met evaluaties en aanbevelingen. Het ministerie van Landbouw merkte op dat de voedselprijzen de pan uit zouden rijzen. Sommige discussies gingen over de vraag naar diensten en behandeling in de ziekenhuizen van Indianapolis, maar niemand had het over de kwestie van schoon water, een van de belangrijkste behoeften na nucleaire fall-out. Zo'n aanslag zou massale paniek veroorzaken en bijna onvoorstelbare verstoringen in de economie en het transport, in vergelijking waarmee 11 september zou verbleken. Maar COOPEX 2010 behelsde geen discussie over wat het Congres, de media of driehonderd miljoen Amerikanen zouden doen. De aanslag werd gepresenteerd in een vacuüm, alsof al die mensen aan de zijlijn bleven staan toekijken.

Michael Morell, een maand daarvoor benoemd tot onderdirecteur van de CIA, kwam met een ander probleem aanlopen. Volgens zijn berekeningen was er waarschijnlijk voldoende splijtmateriaal voor nog een bom. 'We hebben de derde bom niet gevonden,' zei Morell.

'Brennan ging door het lint,' herinnerde een vooraanstaand medewerker zich. 'Dit was bedoeld als een scenario voor twee bommen, niet drie.' En hij probeerde het netjes glad af te werken maar Morell bleef zich afvragen of er geen derde bom was. Hoe zat het met die derde bom? En dat konden ze niet zeggen. Deze medewerker zei dat de hele oefening 'verbijsterend' en 'surrealistisch' was en dat eruit bleek dat de regering zorgwekkend onvoorbereid was om zo'n aanslag aan te kunnen.

Tijdens mijn onderhoud met de president in het Oval Office, kwam Obama uit zichzelf aanzetten met enkele bredere ideeën over terrorisme: 'Ik heb het al eerder gezegd, als Senator, en ik blijf het geloven als presidentskandidaat en nu als president, dat wij een terroristische aanslag het hoofd kunnen bieden.'[4]

Ik was verbaasd.

'We zullen alles doen wat we kunnen om hem te voorkomen, maar zelfs een 11 september, zelfs de grootste aanslag die ooit heeft plaatsgegrepen op ons grondgebied, hebben we verwerkt en we zijn er sterker uitgekomen. Dit is een sterk, machtig land waarin wij leven en onze mensen hebben een geweldige veerkracht.'

En toen uitte hij zijn grootste zorg. 'Een mogelijke verandering in het spel zou een nucleair wapen zijn in de handen van terroristen, dat afgaat in een grote Amerikaanse stad. Of een massavernietigingswapen. Dus als ik de lijst van zaken afloop waar ik me continu zorgen om moet maken, dan staat dat bovenaan, want dat is een terrein waarop je geen fouten mag maken. En dus meteen toen ik aantrad, heb ik gezegd, hoe gaan we ons nu sterk maken en dat centraal stellen in onze nationale veiligheidsdiscussie? Door ervoor te zorgen dat dat scenario, hoe onwaarschijnlijk ook, nooit verwerkelijkt zal worden.'

Obama stuurde Jones, Panetta en Lute voor de zoveelste keer naar Pakistan, om op 19 mei de leiders van dat land te spreken. De terrorist van Times Square, Faisal Shahzad, een dertigjarige Amerikaans burger geboren in Pakistan, was opgeleid door de Tehrik-e-Taliban (TTP), de tak van de Taliban die tegen de Pakistaanse regering vocht.

Jones en Panetta waren op zoek naar een doorbraak, in de hoop dat het dit keer anders zou gaan. Het leek nu waarschijnlijker dan ooit dat een terrorist opgeleid in Pakistan een dodelijke aanslag op Amerikaans grondgebied zou gaan plegen. Bij andere gelegenheden hadden zij er bij Pakistan op aangedrongen meer te doen aan de vrijplaatsen die gebruikt werden door Al-Qaida, de Quetta Shura Taliban, het netwerk van Haqqani en LeT. De Pakistanen hadden het afgelopen jaar aangevoerd dat hun grootste prioriteit de TTP was. Nu moesten Jones en Panetta proberen ze over te halen meer aan die groepering te doen.

'We komen in tijdnood,' zei Jones op de vergadering met Zardari en andere hooggeplaatste Pakistaanse ambtenaren. 'Wij beschouwen de terroristische aanslagpoging op Times Square als een succesvol scenario omdat noch de Amerikaanse noch de Pakistaanse inlichtingendiensten hem hebben kunnen onderscheppen en tegenhouden.' Een catastrofe bleef alleen uit door puur geluk.

Jones zei dat president Obama vier dingen wilde: volledige uitwisseling van inlichtingen, meer samenwerking bij terrorismebestrijding, snellere afgifte van visa voor Amerikaans personeel en ondanks weigering in het verleden, de passagierslijsten van de vluchten delen.

'God verhoede het, maar als Shahzads suv op Times Square was ontploft, dan zouden we dit gesprek helemaal niet hebben,' waarschuwde Jones. De president zou gedwongen zijn geweest dingen te doen die Pakistan niet leuk vindt.

'De president wil graag dat iedereen in Pakistan begrijpt dat als zo'n aanslag herleid kan worden tot een Pakistaanse groepering, en succes heeft, er een paar dingen zullen gebeuren die ook hij niet kan tegenhouden. Evenzogoed als er politieke werkelijkheden in Pakistan bestaan, zijn die er ook in de Verenigde Staten.

Niemand zal in staat zijn de reacties en de gevolgen tegen te houden. Dit is geen bedreiging, dit is gewoon de vaststelling van een politiek feit.'

Wacht even, antwoordde Zardari, als wij strategische samenwerking hebben, waarom zouden we dan, geconfronteerd met een crisis zoals u beschrijft, niet eerder nauwer gaan samenwerken dan het tot een splijtzwam te laten uitgroeien?

De enige keus van president Obama zou zijn te reageren, zei Jones. Er zou geen alternatief zijn. De Verenigde Staten kunnen niet langer de à-la-carte-benadering van Pakistan tolereren, om een paar terroristische groeperingen aan te pakken en andere te steunen zo niet te beheren. Jullie zijn bezig met een spelletje Russisch roulette. Het magazijn bleek de afgelopen paar keer leeg, maar ooit zal er een kogel in de patroonkamer zitten.

Jones vertelde niet dat een Amerikaanse reactie een bombardementscampagne zou ontketenen op honderdvijftig bekende terroristische vrijplaatsen in Pakistan.

'Jullie kunnen iets doen wat jullie geen geld kost,' zei Jones. 'Het kan politiek moeilijk liggen, maar het is het enige juiste om te doen als je echt de toekomst van je land voor ogen hebt. En dat is alle vormen van terrorisme als een werkbaar instrument voor nationale politiek binnen jullie eigen grenzen afwijzen.'

'Dat hebben we gedaan,' zei Zardari.

Jones was zo vrij het hiermee oneens te zijn. Hij citeerde bewijs van Pakistaanse steun aan of tolerantie van de Quetta Shura van Mullah Omar en het Haqqani-netwerk, de twee vooraanstaande Taliban-groeperingen die Amerikaanse soldaten in Afghanistan het leven plachten te kosten.

Als gevolg van in de Verenigde Staten afgenomen FBI-interviews en andere inlichtingen, zei Panetta dat ze een vrij goed idee hadden van het TTP-netwerk, dat banden bleek te hebben met de terrorist van Times Square, Faisal Shahzad. Hij kwam tevoorschijn met een zogenaamde verbindingskaart waarop de verbindingen stonden. 'Kijk, hier heb je het,' verklaarde de CIA-directeur. 'Dit is het netwerk en het leidt hiernaartoe.' Hij ging met zijn vinger naar de Pakistaanse leiders. 'En we krijgen de hele tijd weer inlichtingen die erop wijzen dat de TTP andere aanslagen binnen de Verenigde Staten gaat plegen.'

Dit was een zaak van betrouwbare inlichtingen, zei hij, geen speculatie.

'En voor alle duidelijkheid,' voegde de CIA-directeur er nog aan toe, 'de terrorist van Times Square is godzijdank onvoldoende opgeleid gebleken.' Zijn opleiding in het bommen maken was te kort geweest. 'Maar als dat ding was afgegaan, dan hadden er honderden zo niet duizenden Amerikanen het leven kunnen laten.' Verder, zei hij nog, daarbij Jones' mening bevestigend: 'En als dat gebeurt is het hek van de dam.'

'Als dat gebeurt,' zei Zardari in de verdediging, 'dan betekent dat nog niet dat wij opeens een slecht volk zijn of zoiets. We zijn nog steeds partners.'

'Nee,' zei zowel Jones als Panetta. Er zou dan geen kans meer zijn een strategisch partnerschap te redden.

Jones en Panetta waren zeer specifiek over de alarmerende inlichtingen die zij hadden gekregen.

De LeT-commandant van de aanslag in 2008 in Mumbai, Zakiur Rehman Lakhvi, was in handen van de Pakistaanse autoriteiten, maar werd niet voldoende aan de tand gevoeld en 'blijft LeT-operaties leiden vanuit de gevangenis', zei Jones.

De LeT is actief in Afghanistan en de groep heeft een recente aanslag op een pension daar op haar geweten. Uit inlichtingen blijkt ook dat de

LeT dreigt met aanslagen in de Verenigde Staten en dat de mogelijkheid 'dagelijks toeneemt', aldus Jones.

De recente aanslag op een vliegveld in Bagram in Afghanistan, was gecoördineerd met het netwerk van Haqqani in Miram Shah, de hoofdstad van Noord-Waziristan. 'We hebben gesprekken afgeluisterd die dat bewijzen.'

Zardari leek het niet te begrijpen.

'Meneer de president,' zei zijn minister van Buitenlandse Zaken, Shah Mehmood Qureshi, 'wat zij beweren is het volgende: zij beweren dat de TTP betrokken was bij die aanslag op Times Square. Zij beweren dat als er echt een succesvolle aanslag wordt gepleegd in de Verenigde Staten, zij stappen zullen ondernemen om daarop te reageren, en dat wij een verantwoordelijkheid hebben om nu met de Verenigde Staten samen te werken.'

Achteraf zagen de Amerikanen generaal Kayani onder vier ogen. Hoewel Kayani had gestudeerd aan het U.S. Command and General Staff College in Fort Leavenworth, was hij duidelijk een product van het Pakistaanse militaire systeem – bijna veertig jaar in oostelijke richting staren naar de door India gevormde dreiging. Zijn opleiding, zijn oefeningen, zijn kaarten, de aandacht voor inlichtingenwerk en het grootste deel van de Pakistaanse troepen waren op India gericht. Dat zat de Pakistaanse officier in het bloed. Het was moeilijk en misschien wel onmogelijk een Pakistaanse generaal zover te krijgen dat hij zijn verrekijker zou neerleggen en over zijn schouder zou kijken, in westelijke richting naar Afghanistan.

Jones vertelde Kayani dat de teller nu begon te lopen voor alle vier de verzoeken. Obama wilde binnen een maand vooruitgang zien.

Maar Kayani gaf amper toe. Hij had andere zorgen. 'Ik zal de eerste zijn om het toe te geven, maar ik ben geheel gespitst op India,' zei hij.

Bij de vergadering met Kayani presenteerde Panetta een reeks supplementaire verzoeken voor CIA-operaties. Hij was tot de overtuiging gekomen dat de Predator en de andere onbemande vliegtuigen de meest precieze wapens waren in de geschiedenis van de oorlogvoering. Hij wilde er meer van inzetten.

Pakistan stond dronevluchten met Predators toe in bepaalde geografische gebieden die 'boxen' werden genoemd. Aangezien de Pakistanen grote aantallen soldaten in het zuiden op de grond hadden, konden zij in dat gebied geen 'box' toelaten.

'We moeten die box hebben,' zei Panetta. 'We moeten in staat zijn om onze operaties uit te voeren.'

Kayani zei dat hij ervoor zou zorgen dat zij beperkte toegang zouden krijgen.

De Amerikanen zetten het Haqqani-netwerk onder druk. De Pakistanen hadden hun Zevende Infanteriedivisie met hoofdkwartier in de buurt. Waarom kwam daar zo weinig inlichtingenmateriaal vandaan?

Dat kon of wilde Kayani niet uitleggen.

Jones en Panetta kregen uiteindelijk het gevoel dat ze amper gevorderd waren. 'Hoe kun je nou een oorlog voeren en vrijplaatsen over de grens hebben?' vroeg Panetta gefrustreerd. Uit de laatste berichten bleek dat er vrachtwagens de grens overstaken, vol met Taliban-krijgers en allerlei soorten wapens in de laadbak. Zij werden Afghanistan binnengelaten om Amerikanen te vermoorden bij controleposten die door Pakistanen werden bemand. 'Het is een krankzinnige oorlog,' zei Panetta.

De Amerikanen hadden een of andere vorm van grondstrijdkrachten nodig, concludeerde hij. 'We kunnen dit niet doen zonder een paar laarzen op de grond. Dat mogen Pakistaanse laarzen zijn, of die van ons, maar we moeten wat laarzen op de grond hebben.' De JSOC -eenheden, die snel konden toeslaan, waren te zichtbaar. Het voornaamste alternatief was een enorme uitbreiding van de heimelijke oorlog. De Counterterrorism Pursuit Teams (CTPT) bestaande uit 3.000 man, voerden nu operaties over de grens uit tot in Pakistan.

Lute kreeg de leidende hand bij het schrijven van een reisverslag van drie pagina's voor de president, getekend door Jones. Het behelsde een pessimistische samenvatting en begon met te wijzen op de kloof tussen burgerlijk en militair gezag in Pakistan. De Verenigde Staten konden met geen mogelijkheid met die jongens opschieten, en spraken met Zardari, die nergens voor kon zorgen. Anderzijds had Kayani de macht iets te doen, maar weigerde hij veel te doen. Niemand kon hem daartoe overhalen. De uiteindelijke conclusie was deprimerend. Dit was een schertsvertoning. Jones zei dat hij weer gealarmeerd was omdat succes in Afghanistan afhankelijk werd van wat de Pakistanen al dan niet deden. Het Witte Huis was bijna op hetzelfde punt waar het in 2009 met Pakistan was begonnen.

Vervolgens stond in het rapport dat de Pakistanen hetzelfde gevoel van urgentie hadden als de Amerikanen. Zou er weer een terroristische aanslag worden gepleegd binnen de Verenigde Staten, zo suggereerden de Pakistanen, dan zou nadien wel iets kunnen worden uitgewerkt. Er waren regelmatig terroristische aanslagen in Pakistan, dus zij begrepen niet helemaal de traumatische impact van één enkele kleine aanslag op Amerikaans grondgebied. De Pakistanen maakten nog weer een andere fout door dezelfde logica ook op India toe te passen. Zij begrepen niet dat India zich niet in zou houden als de LeT, de groep achter de aanslag op Mumbai in 2008, weer zou toeslaan. De Indiase premier Singh, die Mumbai politiek gezien amper had overleefd, moest wel reageren.

Maar de Pakistanen verschaften de Verenigde Staten ook een enorme uitvalsbasis, omdat zij stilzwijgend aanvallen met drones toestonden. Verder wees de inlichtingendienst erop dat de Pakistanen meenden dat de Verenigde Staten hun relatie niet op de tocht zouden zetten omdat 70 tot 80 procent van de Amerikaanse en Europese oorlogvoorraden in Afghanistan via Pakistan kwam en er absoluut geen manier was een en ander per luchtbrug aan te voeren. De Pakistanen zouden niet eens de aanvoerroutes hoeven te sluiten, ze hoefden slechts enkele extremisten bruggen en passen te laten aanvallen.

De opties voor Obama zouden aanzienlijk worden beperkt in de nasleep van een aanslag die vanuit Pakistan zou komen. Voordat zo'n aanslag echter zou plaatsgrijpen had hij meer opties, zeker als er voor Pakistan een manier was om zijn vier verzoeken op de een of andere manier in te willigen. Zo'n honderdvijftig visumaanvragen voor Amerikaanse militairen en geheim agenten, die al van zes weken geleden dateerden, werden aangehouden en het Amerikaans ambassadepersoneel werd nu gevraagd zijn visa om de negentig dagen te vernieuwen. De Pakistanen hielden een langzaamaanactie in visa voor het Amerikaanse personeel dat de doorstroom en de overdracht van materieel aan het Pakistaanse leger moest uitvoeren. Krankzinnig, vond Jones.

Wat de Pakistanen het gemakkelijkst zouden kunnen doen, was de namen van alle burgerluchtvaartpassagiers die naar en van Pakistan kwamen mee te delen. Uit onderzoek naar twee bomaanslagen in New York door Zazi en Shahzad bleek dat allebei naar Pakistan waren gegaan om zich te laten opleiden, maar de Amerikaanse regering had geen enkel spoor van hun verplaatsingen.

De Pakistanen hadden daar in het verleden tegen aangevoerd dat inzage in de burgerluchtvaartgegevens hun soevereiniteit zou schenden. Ze waren ook bang dat het de Amerikanen inzicht zou verstrekken in waar hun eigen inlichtingenofficieren naartoe gingen. De meeste ISI-agenten vlogen oostwaarts naar India of Bangladesh, dus de Amerikanen hadden voorgesteld alleen gegevens uit te wisselen van de vluchten die westwaarts gingen, naar de Perzische Golf, Europa en de Verenigde Staten. Maar de Pakistanen hadden dat tot nog toe koppig geweigerd.

In het geval van een terroristische aanslag maakte Lute zich zorgen dat het voor Obama moeilijk zou worden Pakistan nog verder te verdedigen, omdat zijn leiders hadden geweigerd te doen wat voor de hand lag en gemakkelijk was, zeker als het ging om die lijsten van visa en passagiers. Als deze missers typerend waren voor een trend, wat was er dan nodig om de Pakistanen wakker te schudden?

Toen ik president Obama twee maanden later interviewde, na de mislukte bomaanslag op Times Square, benadrukte hij weer de inspanningen van de Pakistanen bij het bestrijden van het terrorisme.[5] Ze hadden daarbij ook hun samenwerking opgevoerd, zodat Al-Qaida de afgelopen anderhalf jaar was beperkt op een manier die merkbaar is, zei hij.

'Maar nog steeds onvoldoende,' suggereerde ik.

'Nou ja, precies.'

32

Het waren zestien moeilijke maanden geweest voor Dennis Blair. De DNI was er niet in geslaagd de belangrijkste geheim agent in elke buitenlandse hoofdstad te benoemen. De CIA had gewonnen en die wedstrijd was naar buiten gekomen.[1] Blair had ook nog een oorlog achter de schermen gevoerd tegen twee andere machtsbronnen voor de CIA. In zijn ogen gebruikte de CIA de dagelijkse briefing van de president als een soort interne nieuwsbrief om Obama op de hoogte te stellen van hun overwinningen – zelfs onbelangrijke, zoals een operatie met drie jongens en een pick-up. Hij haalde deze verhalen over de oorlogen van de CIA eruit en zei: 'Ik ga zoiets niet aan de president geven.'

Ook spoorde hij de geheime actieprogramma's van de CIA op, probeerde ze te beperken en ze meer in overeenstemming te brengen zijn met de Amerikaanse politiek. 'Programma's voor geheime acties moeten steeds worden getest op mogelijke overschakeling naar de openbaarheid,' schreef hij in een geheim voorstel, dat door het Witte Huis werd afgewezen.[2]

Blair raakte zo gefrustreerd dat hij op een gegeven moment verklaarde: 'Ik geloof dat de CIA eigenlijk een organisatie is die te vergelijken valt met een heel goed afgericht, maar niet erg slim, gevaarlijk beest dat zeer nauwlettend door volwassenen in de gaten moet worden gehouden.'

In mei 2010 zei president Obama tegen Jones en anderen: 'Wordt het geen tijd ons van Blair te ontdoen?' Er waren te veel conflicten met de CIA geweest. En Blair had te zeer aangedrongen op een non-spionageverdrag met de Fransen, waar Obama en de rest van het kabinet tegen waren.

Zonder Blair op de hoogte te stellen begonnen leden van Obama's staf te kijken wie in aanmerking zou komen voor zijn baan en spraken erover met onderminister van Buitenlandse Zaken Jim Steinberg, Chuck Hagel, een voormalige Republikeinse Senator uit Nebraska, en John McLaughlin, voormalig onderdirecteur van de CIA. Toen Blair dat hoorde deed hij zijn beklag en kreeg dus al snel een vergadering met Obama.

De president noemde zijn redenen waarom de gepensioneerde admiraal niet goed kon functioneren als DNI. Blair antwoordde hem schriftelijk, verdedigde zichzelf en wees op zijn verworvenheden.

Toen Obama het antwoord van Blair had gelezen, belde hij hem op donderdag 20 mei. 'Ik heb besloten dat ik die verandering ga doorvoeren,' zei de president.

Waarop hij Blair wel een mogelijkheid bood om gezichtsverlies te voorkomen. Neem je tijd, het mag weken, zelfs maanden duren, zei Obama. Bedenk een of andere persoonlijke reden of een andere verklaring. Hij zou elk verhaal dat Blair wilde aanvoeren, steunen, zei de president. Een soepele overgang was in het belang van iedereen. Tenslotte was er een oorlog gaande.

Blair was zwaar beledigd. Hij was niet ziek. Het ging uitstekend met zijn familie. Hij had mensen gezegd dat hij vier jaar aan wilde blijven omdat een deel van het probleem met die baan nou juist het voortdurende personeelsverloop was geweest.

'Dus u wilt dat ik ga liegen?' vroeg Blair.

Nee, zei Obama, dat bedoelde hij helemaal niet.

Ontsla me dan, zei Blair.

Dat deed Obama dan ook maar.

Binnen enkele minuten na het gesprek kon Jake Tapper van ABC News op de website van het netwerk melden dat Blair vertrok.[3]

Op 21 juni, om vijf uur 's middags, belde Gates Jones. 'Er staat een artikel aan te komen in *Rolling Stone* dat niet gunstig is voor McChrystal,' zei hij. Er stonden wat kleinerende en spottende commentaren in van McChrystal en zijn staf over andere hoge ambtenaren.[4] Een niet nader genoemde assistent van McChrystal noemde Jones een 'clown', die 'in 1985 is blijven steken'. McChrystal zelf werd geciteerd, toen hij zei dat Obama's strategieherziening 'pijnlijk' was en 'ik een onverkoopbare positie moest verkopen'. Het artikel, dat een verblijf van McChrystal in Parijs vermeldde, waaronder een avond met veel alcohol met zijn vrouw en zijn stafleden, onthulde dat de bevelhebbend generaal anti-Frans was. Gates zei dat hij van plan was een verklaring te doen uitgaan waarin McChrystal werd berispt, in de hoop de situatie te redden en negatieve invloed op de oorlogsstrategie te vermijden.

'Ik weet niet helemaal zeker of dat ver genoeg gaat,' zei Jones. 'Dit is nogal sensationeel.' In het artikel werden ook medewerkers van McChrystal geciteerd die Biden, Holbrooke en Eikenberry op de korrel namen.

McChrystal belde Biden over wat er gezegd was. 'Ik heb de missie in gevaar gebracht,' zei hij. Hij bood ook zijn excuses aan aan Holbrooke en zei dat hij zijn ontslag had aangeboden aan Gates.

Later op die avond had de president een ontmoeting met Emanuel en Jones, die adviseerden dat Obama McChrystal terug naar Washington zou halen. Niets doen nu, suggereerde Jones, slaap er een nachtje over.

Obama was het daarmee eens en de volgende ochtend werd McChrystal teruggeroepen naar Washington – op zich spectaculair genoeg. Jones zei tegen Gates dat het een nobele daad was om McChrystal te beschermen. 'Maar je moet jezelf niet tussen hem en de president stellen.'

Gates stelde voor dat hij de twee eerste paragrafen van zijn verklaring negatief zou laten zijn voor McChrystal en Jones was het daarmee eens. 'Ik denk dat generaal McChrystal een ernstige fout heeft gemaakt en blijk heeft gegeven van gebrek aan inzicht,' stelde Gates in zijn verklaring.[5]

Op het Pentagon was Geoff Morrell, Gates' woordvoerder en vertrouweling, in alle staten. Het was alsof hij een tornado op Gates en het hele militaire establishment af zag komen. Het artikel zou voor de zoveelste keer de rotzooi en het wantrouwen tussen Witte Huis en leger naar buiten brengen. De opdracht van Morrell was in de kiem te smoren wat hij de 'familievete' noemde, het belang ervan relativeren, reageren om het leger te beschermen zonder ontrouw te lijken aan de regering. In details ingaan op het conflict zou slechts de kloof onthullen die naar zijn overtuiging gedeeltelijk het gevolg was van de langdurige AfPak-strategieherziening. Feit was dat het Witte Huis zijn eigen versie had, beweerde dat de president op spectaculaire wijze het burgergezag had bevestigd, terwijl de militaire versie was dat het leger in feite had gekregen wat het wilde. De spanningen waren uiterlijk geluwd en sinds die tijd ondergronds gebleven. En nu dreigden ze weer naar boven te komen. Hij stemde die middag af op de persconferentie van Gibbs, wetende dat de perschef instructies van de president zou hebben.

'Is het ontslag van de generaal een optie die de president overweegt?' vroeg een van de verslaggevers.[6]

'Ik denk dat alle opties op tafel liggen,' antwoordde Gibbs.

Oké, dat is redelijk, dacht Morrell.

'Volgens mij zijn de omvang en de ernst van de fout aanzienlijk,' zei Gibbs vervolgens, waarmee hij verder ging dan Gates' commentaar dat het een fout en gebrekkig inzicht was.

Gibbs vertelde dat Obama 'boos' was toen hij het artikel had gezien en McChrystal terugriep 'om te zien wat hij nu eigenlijk dacht'.

'Dus u plaatst vraagtekens bij generaal McChrystal, of hij eigenlijk wel capabel en rijp genoeg is voor de baan?'

'Dat is juist geformuleerd,' zei Gibbs.

Morrell voelde zich niet lekker worden. Gibbs genoot er te veel van, als een varken in de drek, zoals hij later aan anderen vertelde.

De volgende dag accepteerde Obama McChrystals ontslag en stelde voor dat Petraeus het zou overnemen. Hoewel dat technisch een degradatie zou zijn doordat Petraeus als opperbevelhebber de baas was, was het een idee dat zowel de militaire als de politieke problemen zou oplossen. De held van Irak zou Afghanistan te hulp schieten.

Obama had een onderhoud onder vier ogen met Petraeus, het duurde drie kwartier. Obama zei tegen mij: 'Dave Petraeus was de enige die in aanmerking kwam.'[7]

Ik merkte op dat het degradatie was.

'Hij beschouwt het beslist niet als zodanig,' zei de president. 'Volgens mij berijpt Dave Petraeus dat dit de belangrijkste baan is die iemand in ons leger momenteel kan hebben.'

Om kwart voor twee op woensdagmiddag 23 juni kondigde hij de wisseling aan in de rozentuin.[8] Hij zei dat hij McChrystals 'lange staat van dienst' bewonderde, zijn 'opmerkelijke carrière' en 'zijn enorme bijdragen'. Toen trok de president alle registers open en zei nog: 'Het spijt me echt te moeten afzien van de diensten van een soldaat die ik ben gaan respecteren en bewonderen.'

Hij zei dat Petraeus 'de aanvalskracht en het leiderschap dat we nodig hebben om te slagen zou handhaven'.

'Hij stelt een buitengewoon voorbeeld van dienstbaarheid en patriottisme door deze moeilijke post te aanvaarden.' Obama, noemde Afghanistan een 'heel taaie strijd' en zei: 'Debat in mijn team stel ik op prijs, maar verdeeldheid accepteer ik niet.'

33

In het interview dat ik op 10 juli 2010 met Obama had[1], bood hij me een inkijkje in zijn gedachten over de aard van de oorlog en zijn pogingen de Amerikaanse rol als strijdmacht in Afghanistan te beperken en uiteindelijk te beëindigen.

Waar zou u een boek – of een film – over de manier waarop u de Afghaanse oorlog hebt aangepakt willen laten beginnen? vroeg ik. Wat zou de eerste scène zijn?

'Weet u,' antwoordde hij, 'ik zou die waarschijnlijk in 2002 laten beginnen, toen het debat ging over de oplopende spanning in Irak. Dat was waarschijnlijk de eerste toespraak die ik hield over buitenlandse politiek, die veel aandacht kreeg.'

Dat was de toespraak die hij als Senator van Illinois gaf op een bijeenkomst in Chicago, waarbij hij zichzelf tot een van de vroegste tegenstanders van het plan van president Bush voor een oorlog in Irak verklaarde. De toespraak kreeg grote bekendheid tijdens de presidentscampagne. Hij zei dat zo'n oorlog zou leiden tot een 'Amerikaanse bezetting van onbepaalde duur, tegen onbepaalde kosten, met onbepaalde gevolgen'.[2]

Maar zijn onbepaalde kosten, tijd en gevolgen, vroeg ik, 'niet de aard van elke oorlog?'[3]

'U hebt absoluut gelijk,' zei Obama. 'Om een beroemde Amerikaan te citeren: "Oorlog is hel",' vervolgde hij, verwijzend naar een zinsnede van generaal William Tecumseh Sherman uit de Burgeroorlog. 'En als de gesel van de oorlog eenmaal ontketend is, weet je niet waar dat heen zal voeren. Toen ik aantrad, waren er twee oorlogen gaande. En als je er eenmaal in zit, dan probeer je orde te scheppen in chaos.'

Ik was getroffen door zulke ferme taal – 'hel' en 'gesel van de oorlog' en 'chaos'. Hij zag duidelijk de donkere en onpeilbare kant van oorlog.

'Je bent verplicht,' vervolgde hij, 'om je doelstellingen, je missie en je vooruitgang steeds maar weer te bezien. Blijven wij bij de les? Voorkomen we missieverschuiving? Weten we duidelijk hoe het af gaat lopen? Beleidsmakers moeten in oorlogstijd buitengewoon gedisciplineerd zijn,' voegde hij eraan toe. 'Er wordt zo'n zwaar beroep gedaan op de middelen van het land, zoveel bloed en zoveel geld, en er wordt zoveel hartstocht losgemaakt.' Hij maakte zich zorgen over 'het gemak waarmee zoiets [oorlog] een eigen vaart kreeg'.

'En u kunt een oorlog niet verliezen of lijken te verliezen, wel?' vroeg ik.

'Ik bekijk dat niet op de geijkte manier, in de trant van verlies je of win je een oorlog tijdens je mandaat? Ik denk er meer aan in termen van kun je met succes een strategie volgen die erop uitloopt dat het land aan het eind van het proces sterker in plaats van zwakker is? Hij merkte op dat er geen formele overgave zou zijn, niet in Irak en niet in Afghanistan.

'Het is heel gemakkelijk je een situatie voor te stellen waarin wij, bij gebrek aan een duidelijke strategie,' zo zei hij, 'uiteindelijk nog vijf, of nog acht of nog tien jaar in Afghanistan zouden blijven. En we zouden dat niet doen met duidelijke bedoelingen maar gewoon uit inertie. Of omdat we niet bereid zijn lastige vragen te stellen.'

Hij bevestigde nog eens zijn tijdschema – dat hij in juli 2011 zou beginnen de Amerikaanse strijdkrachten terug te trekken. 'Ergens volgend jaar zitten we er tien jaar,' vertelde Obama. 'Een decennium. De langste oorlog die we ooit hebben gehad. En ik denk dat ik als president de verantwoordelijkheid heb om te kijken naar wat we in Afghanistan hebben gepresteerd, in de context van alle andere onderwerpen die met dit land en onze eigen nationale veiligheid op de lange termijn samenhangen.' Dus herinnerde zijn tijdschema iedereen eraan 'dat hier sprake was van een urgentie', dat de internationale strijdkrachten daar niet eeuwig zouden zitten. 'Volgens mij heeft het ons leger gedwongen niet meer in termen van eindeloze tijd en onbeperkte middelen te denken.'

De president zei dat zijn boodschap aan de Afghaanse bevolking luidde: 'Onze betrokkenheid bij uw veiligheid en stabiliteit op de lange termijn zal een hele lange tijd duren, op dezelfde manier als onze betrokkenheid bij Irak onze daadwerkelijke strijdende rol daar zal overstijgen. Maar we moeten zo langzamerhand beginnen te denken in termen van hoe jullie in staat zullen zijn om op eigen benen te staan.'

Tegen het eind van het interview zei de president dat hij dacht dat hij zijn inzichten bekend moest maken, omdat een groot deel van het verhaal samenhing met de relatie tussen burgerlijke en militaire leiding.[4]

'Ik ben vanwege mijn leeftijd waarschijnlijk de eerste president voor wie de Vietnam-oorlog niet bepalend was voor zijn [politieke] ontwikkeling,' zei hij. Hij was dertien in 1975, toen de Verenigde Staten zich uiteindelijk uit Vietnam terugtrokken.

'Dus ik ben niet opgegroeid met de bagage die voortkomt uit de geschillen over de oorlog in Vietnam. Ik had denk ik ook veel vertrouwen, omdat bij ons systeem van regeren burgers politieke beslissingen moeten nemen. Waarop het leger ze dan uitvoert. Ik zie dit dus niet als een situatie van het leger tegen de burgers, op de manier waarop ik denk dat veel mensen uit de Vietnam-tijd dat doen. Ik zie het ook niet als haviken tegen duiven.

Dus veel van de politieke kaders waarbinnen deze debatten worden bekeken gaat mijn generatie niets aan. Ik ben niet geïntimideerd door ons leger en ik heb ook niet de indruk dat zij mijn rol als opperbevelhebber op de een of andere manier ondermijnen.'

Aan het begin van het interview, dat een uur zou duren, zei de president tegen mij: 'De klok loopt.' Na een uur en een kwartier maakte hij er een eind aan. 'Zo is het genoeg, ik moet verder, oké?'

'Oké,' zei ik. 'Er zijn nog vragen onbeantwoord.'

'Natuurlijk,' zei hij en stond op uit zijn stoel in het Oval Office.

'Dank u wel, meneer.'

Terwijl we samen naar buiten liepen zei Obama: 'Het lijkt alsof u betere bronnen hebt dan ik.'

'Nee meneer.'

'Hebt u er ooit over nagedacht DNI te worden,' vroeg hij, zachtjes lachend. 'Hè? Of hoofd van de CIA?'

Ik moest ook lachen. We gaven elkaar een hand toen we de kleine wachtkamer van het Oval Office betraden. Hij droeg informele zaterdagse kleren – een donkere olijfgroene broek en een blauwgeruit hemd met een open kraag.

Ik zei dat ik nog één vraag had en gaf hem een citaat uit het geschiedenisboek over de Tweede Wereldoorlog *The Day of Battle*, van Rick Atkinson, een voormalige collega bij *The Washington Post*. Thuis in mijn werkkamer heb ik een fotokopie van die passage hangen.

Obama bleef staan en las: 'Want oorlog was niet alleen een militaire campagne, maar ook een allegorie.[5] Er waren lessen van kameraadschap en plicht en het niet te vatten noodlot. Er waren lessen van eer en moed, van medelijden en opoffering. En dan was er nog de meeste trieste les, die steeds maar weer geleerd moest worden: (...) dat oorlog corrumpeert, dat hij de ziel verderft en de geest bezoedelt en dat zelfs de voortreffelijken en de voornaamsten en bovengemiddeld begaafden kunnen verloederen en dat geen enkel hart onbevlekt blijft.'

Ik wilde vragen: heeft oorlog iedereen gecorrumpeerd? Is geen enkel hart onbevlekt gebleven? Maar de president had duidelijk haast.

'Ik vind dat goed geformuleerd,' zei hij en gaf mij het citaat terug.[6] 'Kijk maar naar de toespraak die ik heb gehouden bij het accepteren van de Nobelprijs.' De president verdween weer in het Oval Office. Geen vragen meer.

Ik ging naar huis en viste de toespraak op die hij op 10 december 2009 had gehouden in het raadhuis van Oslo.

Daar was het: 'Het instrument oorlog heeft zijn rol te spelen bij het behoud van de vrede. En toch moet deze waarheid samenleven met een andere – dat oorlog, hoe gerechtvaardigd ook, onherroepelijk menselijke tragedie tot gevolg heeft. De moed en de opofferingsgezindheid van de soldaat is vol glorie, spreekt van toegewijdheid aan het land, aan een zaak, aan medestrijders. Maar op zichzelf is oorlog nooit glorieus en wij mogen hem ook nooit als zodanig verheerlijken. Een deel van onze uitdaging is deze schijnbaar onverzoenlijke waarheden met elkaar te verzoenen – dat oorlog soms noodzakelijk is en dat oorlog op een gegeven moment nog slechts de uitdrukking is van menselijke waanzin.'[7]

De Afghaanse oorlog lag nu in handen van generaal Petraeus. Jones wist hoe slecht het ervoor stond en dacht dat Petraeus waarschijnlijk bij zichzelf zei: 'Wat heb ik mezelf op de hals gehaald?'

Als Jones de nieuwe opperbevelhebber was, dan zou hij precies hebben geweten wat hij tegen Obama zou zeggen na zijn inschatting te hebben gemaakt: 'Meneer de president, volgens mij is de strategie juist. Maar zij ging uit van de veronderstelling dat Pakistan gedwongen zou worden meer te doen dan het heeft gedaan, vooral met betrekking tot het netwerk van Haqqani en de Quetta-Shura.' De Taliban-oorlog in Afghanistan werd geleid vanuit die vrijplaatsen. En honderden, zo niet duizenden strijders staken de grens over. De Taliban maakten volop gebruik van de vrijplaatsen om strijders te laten uitrusten en op te leiden voordat ze ze weer naar Afghanistan stuurden om te vechten. Onder die omstandigheden, 'kun je niet winnen. Kun je niet aan verzetsbestrijding doen. Dat is de rotte plek in het plan.'

Ook Petraeus maakte zich zorgen over de vrijplaatsen in Afghanistan, maar hij zag ze meer als een uitdaging dan als een onoverkomelijk obstakel. 'Dit is traag, moeilijk en frustrerend,' gaf hij zijn staf toe. Hij zei dat het 'een bestaan was in een achtbaan'. Hij wees erop dat president Obama bij een van de strategieherzieningssessies had opgemerkt: 'Ik heb een politiek kapitaal dat ik kan investeren. Dat ga ik ook doen. Maar ik kan het geen twee keer uitgeven.'

De generaal was het daar niet mee eens. Hij dacht dat politiek kapitaal op de een of andere manier wel te hernieuwen viel. Het hing er allemaal van af of je vooruitgang boekte en dat iedereen, de Amerikanen, de NAVO-bondgenoten, de Afghanen – de indruk kreeg dat de missie haalbaar was. 'Daar gaat het om.' Volhouden en doorzetten, luidde het motto.

'Het gaat om resultaten, jongens,' zei hij tegen een van zijn kolonels. 'Blijf rechtop lopen, blijf je linkervoet voor je rechter zetten.'

Maar geschiedenis kent cycli en ironie, dat wist hij maar al te goed. Hij moest denken aan bijna vier jaar eerder, de herfst van 2006, toen Rumsfeld hem had gevraagd zijn toekomst te bespreken. Petraeus had toen aan het hoofd gestaan van de 101ste Divisie tijdens de invasie van Irak in 2003 en nam in 2004 het trainingscommando over.

Waar wilde Rumsfeld het over hebben? Niet over Irak, maar over Afghanistan. Destijds dachten velen dat dat de oorlog was die de Verenigde Staten aan het winnen waren. Als Petraeus daar nou eens commandant werd?

Petraeus wilde niet en ze drongen niet aan. Een paar maanden later, begin 2007, was hij, natuurlijk, commandant van Irak. Toen hij daar kwam schrok hij van het geweld en de instabiliteit. Dat waren de donkerste, ergste dagen, waarbij Irak aan de rand van een burgeroorlog stond. Hij patrouilleerde in de wijken van Bagdad. Het waren spooksteden. Het was zo erg dat hij, als hij terugkwam in zijn hoofdkwartier, als er niemand keek, op zijn bureau van wanhoop in elkaar zakte. Wat is hier gaande? dacht hij bij zichzelf op die dag van 2007 en nog een aantal keren later ook. 'Waarom heb ik die baan in Afghanistan niet gewoon genomen?'

AfPak
Afghanistan-Pakistan, een term die gebruikt wordt om aan te geven dat de oorlog in Afghanistan en de aanwezigheid van Al-Qaida en de Taliban in Pakistan met hetzelfde beleid moeten worden aangepakt.

ANA
Afghaans Nationaal Leger, het Afghaanse leger.

AQAP
Al-Qaida op het Arabisch Schiereiland, een tak van Al-Qaida waarvan de leden ook de actieve terroristen in Jemen omvatten.

CentCom
Het Centrale Commando van de Verenigde Staten, het strijdcommando dat is gevestigd in het Tampa, Florida; verantwoordelijk voor de oorlogen in Afghanistan en Irak.

COIN
CO*unter*IN*surgency*, of verzetsbestrijding: de doctrine voor het gebruik van militaire macht om een plaatselijke bevolking te beschermen.

CT
Counterterrorism, of terrorismebestrijding, de operaties om terroristen te vangen en te doden, vaak met kleine snelle eenheden van het leger of van de inlichtingendiensten.

CTPT
Counterterrorism Pursuit Teams, een 3.000 man sterke paramilitaire strijdmacht van zeer ervaren en talentvolle Afghanen, betaald, opgeleid en geleid door de CIA.

DNI
Director of National Intelligence, houdt toezicht op alle Amerikaanse inlichtingendiensten.

FBS
Federaal Bestuurde Stamgbieden, zeven Pakistaanse provincies langs de Pakistaans-Afghaanse grens, geregeerd door stamhoofden en extremistische groeperingen die een vrijplaats voor Al-Qaida en Taliban-extremisten vormen.

Haqqani-netwerk
Een belangrijke opstandelingengroep van de Taliban, actief in Zuidoost-Afghanistan.

IED, *Improvised explosive device* of bermbom
Een geïmproviseerde bom, dikwijls langs wegen gebruikt door opstandelingen.

ISAF
International Security Assistance Force, coalitie van strijdkrachten in Afghanistan, bestaande uit 42 naties onder leiding van de Verenigde Staten.

ISI
Inter-Services Intelligence, invloedrijke Pakistaanse inlichtingendienst die tegelijkertijd de Verenigde Staten helpt bij het bestrijden van extreme Taliban, én enkele andere Talibangroeperingen steunt en onderhoudt.

ISR
Intelligence, Surveillance and Reconnaissance; inlichtingen, toezicht en verkenning.

JCS
Joint Chiefs of Staff, verenigde chefs van staven, de hoogste militaire autoriteiten van de Verenigde Staten, waaronder de voorzitter, de vicevoorzitter en de hoofden van het leger, de marine, de luchtmacht en de mariniers.

JSOC

Joint Special Operations Command, strijdmacht ter bestrijding van terrorisme, verantwoordelijk voor het voorbereiden en uitvoeren van snelle, doelgerichte missies om belangrijke doelen uit te schakelen of gevangen te nemen.

LeT

Lashkar-e-Taiba (Leger der Zuiveren), terroristische groepering, banden met Al-Qaida, verantwoordelijk voor de aanslagen van 26 november 2008 in Mumbai. Werd opgezet door de Pakistaanse ISI en wordt er nog steeds door gesteund.

NSC

National Security Council, Nationale Veiligheidsraad, bestaande uit de president en zijn buitenlandseveiligheidsadviseurs, waaronder de vicepresident, de ministers van Buitenlandse Zaken en van Defensie, de voorzitter van de verenigde chefs van staven, de directeur van de nationale inlichtingendiensten en soms ook de directeur van de CIA. De staf van de Nationale Veiligheidsraad wordt geleid door de nationale veiligheidsadviseur.

NVA

Nationale Veiligheidstroepen van Afghanistan, een vergaarterm voor het Afghaanse Nationale Leger en de Afghaanse Nationale Politie.

PDB

President's Daily Brief, een briefing die de president elke ochtend krijgt, topgeheim en voorzien van een codewoord.

POTUS

President of the United States, President van de Verenigde Staten

Quetta-Shura

De belangrijkste opstandelingengroep van de Taliban, onder leiding van Mullah Omar, gebaseerd in de Pakistaanse stad Quetta.

RC

Regionaal Commando (bijvoorbeeld RC Zuid, RC Oost), delen van Afghanistan onder militaire verantwoordelijkheid van de diverse naties binnen de ISAF.

RDI

Rendition, Detention and Interrogation, overbrengen, opsluiten en ondervragen, controversiële geheime antiterroristische programma's, door de CIA opgesteld, waaronder het overbrengen van terreurverdachten naar de Verenigde Staten en ander landen, hechtenis van terroristen en ondervragingsmethodes die door de CIA worden toegepast.

SCIF

Sensitive Compartmented Information Facility, een beveiligd gebied of een geïsoleerde ruimte in een gebouw, bestemd om afluisteren tijdens gevoelige discussies te voorkomen.

SIP

Strategic Implementation Plan, een geheim document van 40 pagina's, op 17 juli 2009 door het Witte Huis naar het Pentagon gestuurd, waarin stond dat een sleutelelement van de Amerikaanse missie in Afghanistan was 'de extremistische opstand te verslaan'.

TTP

Tehrik-e-Taliban, Pakistaanse tak van de Taliban die de Pakistaanse regering en de veiligheid van het atoomarsenaal bedreigt. Uit inlichtingen is gebleken dat de zogenoemde terrorist van Times Square, Faisal Shahzad, door de TTP was opgeleid.

DE DEFINITIEVE BEVELEN VAN PRESIDENT OBAMA BETREFFENDE DE STRATEGIE VOOR AFGHANISTAN EN PAKISTAN, OFTEWEL 'TERMS SHEET', LIJST VAN KERNDOELEN.

GEHEIM/NIET VERSPREIDEN
29 november 2009

MEMORANDUM AAN DE PRINCIPALS
Van: Adviseur Nationale Veiligheid

STRATEGIE VOOR AFGHANISTAN EN PAKISTAN

In dit memorandum wordt de Afghaanse optie samengevat, die onder de hoofden en met de president is besproken, voor het zenden van aanzienlijke aantallen extra Amerikaanse manschappen begin 2010 teneinde de Taliban terug te dringen en voorwaarden te scheppen voor een versnelde overdracht aan de Afghaanse autoriteiten, te beginnen juli 2011.

Nieuwe implementatierichtlijnen voor Afghanistan
Ter ondersteuning van ons hoofddoel, volgen hier nieuwe implementatierichtlijnen voor Afghanistan:
Het doel van de Verenigde Staten in Afghanistan is Al-Qaida vrijplaat-

sen te ontzeggen en de Taliban de mogelijkheid de Afghaanse regering omver te werpen te ontnemen.

Het strategisch concept voor de Verenigde Staten, met onze internationale partners en de Afghanen, is de Taliban-opstand terug te dringen door voldoende Afghaanse capaciteit op te bouwen om het eigen land te beveiligen en te regeren, de voorwaarden die nodig zijn opdat de Verenigde Staten in juli 2011 kunnen beginnen hun troepen te beperken.

De militaire missie in Afghanistan zal gericht zijn op zes operationele doelstellingen en zal in omvang en schaal beperkt blijven tot hetgeen strikt noodzakelijk is om het doel van de Verenigde Staten te bereiken. Deze kerndoelen zijn:

De Taliban een halt toe te roepen en terugdringen.

De Taliban toegang tot en beheersing van bevolkings- en productiecentra en communicatielijnen te ontzeggen.

De Taliban te ontwrichten in streken buiten het beveiligd gebied en Al-Qaida te verhinderen een vrijplaats in Afghanistan te krijgen.

De Taliban terug te dringen tot niveaus die door de Afghaanse Nationale Veiligheidstroepen kunnen worden beheerst.

De omvang van de NVA vergroten en de capaciteit van plaatselijke veiligheidstroepen versterken, zodat wij de verantwoordelijkheid voor de veiligheid aan de Afghaanse regering kunnen overdragen met een tijdschema dat ons in staat zal stellen te beginnen onze troepenaanwezigheid in juli 2011 te verminderen.

Selectief de capaciteit van de Afghaanse regering opbouwen met het leger, gericht op de ministeries van Defensie en Binnenlandse Zaken.

Civiele ondersteuning

- Onze militaire inspanningen en civiele ondersteuning moeten nauw worden gecoördineerd.
- Gegeven de grote problemen van legitimiteit en doeltreffendheid met de regering-Karzai, moeten wij ons richten op wat haalbaar is. Ons plan omvat verdere voortzetting van onderhandelingen met de regering-Karzai en bestaat uit vier elementen: met Karzai samenwerken waar we kunnen, hem omzeilen als we moeten, regionale autonomie bevorderen, inspanningen stimuleren om corruptie in te perken en afspraken maken voor na de verkiezingen.

- De Afghaanse reïntegratie en verzoening zijn essentiële onderdelen van onze strategie.
- De principals zullen voor passend gezag, programma's en hulpmiddelen zorgen om een allesomvattende benadering te bevorderen.
- Wij moeten coördinatie en internationale politieke en economische steun verbeteren om de Afghanen onafhankelijk te maken.
- Reïntegratie door de Afghanen. We moeten de coördinatie verbeteren.

Deze benadering is niet hetzelfde als volledig toegeruste counterinsurgency of nation building, maar een beperktere benadering, eerder gericht op het kerndoel van ontwrichten, terugdringen en mettertijd verslaan van Al-Qaida, en te voorkomen dat Al-Qaida weer een vrijplaats in Afghanistan of Pakistan creëert.

Het implementeren van deze richtlijnen in Afghanistan

Gebaseerd op Defensie-optie 2A en onze discussie met de president, beschrijven wij hieronder een benadering waardoor generaal McChrystal en de ISAF in staat zullen zijn onze implementatierichtlijnen te volgen en voorwaarden te scheppen voor een versnelde overdracht aan de Afghaanse autoriteiten.

De sleutelelementen van deze optie, meer gedetailleerd hieronder beschreven, zijn:
- Een extra 30.000 Amerikaanse manschappen zullen ingezet worden in een troepenversterking over de komende achttien tot vierentwintig maanden, en zullen in de eerste helft van 2010 in Afghanistan aankomen, samen met het bijbehorende burgerpersoneel en financiering.
- De minister van Defensie is gemachtigd zo nodig een beperkt aantal extra hulptroepen in te zetten, om eventuele behoeften te dekken, tot 10 procent boven de 30.000 Amerikaanse manschappen.
- In december 2010 volgt een rapportage voor de Nationale Veiligheidsraad over de veiligheidssituatie en andere omstandigheden, waaronder verbeteringen in het Afghaanse bestuur, de ontwikkeling van de NVA, Pakistaanse acties en internationale steun.
- In juli 2011 zullen de Amerikaanse strijdkrachten beginnen de veiligheidsverantwoordelijkheid over te dragen van onze strijdkrachten aan de NVA en een begin maken met het inkrimpen van Amerikaanse strijdkrachten. Gebaseerd op vooruitgang in het veld zal de president het

tijdschema voor een overgang van gevechtsoperaties naar advies en bij-standsmissies bepalen, en vaststellen op welk niveau onze militaire en civiele steun zal worden voortgezet.

December 2010 is uitgekozen als het volgende evaluatiepunt omdat dat één jaar is nadat de extra 33.000 Amerikaanse manschappen, in 2009 ge-stuurd, in Afghanistan zijn aangekomen, waardoor voldoende tijd is gege-ven om voortgang en bewijs voor het operationele concept te leveren.

Concept

In elk gebied dat veiliggesteld wordt door de Amerikaanse strijdkrachten, bestaat het overeengekomen doel uit versnellen van de overdracht aan de Afghaanse autoriteiten binnen achttien tot vierentwintig maanden vanaf juli 2009, om vervolgens de missie bij te stellen en de Amerikaanse strijd-krachten in dat gebied te reduceren.

In juli 2011 zullen wij de voortgang in het hele land evalueren en de pre-sident zal het tijdschema bezien voor het wijzigen van de militaire mis-sie.

In juli 2011 zullen de 68.000 Amerikaanse strijdkrachten die in 2009 zijn ingezet bijna vierentwintig maanden in dienst zijn geweest, in sommige gevallen jaren langer.

Tegen die tijd verwachten wij te beginnen met het overdragen van de eerste veiligheidsverantwoordelijkheden van deze strijdkrachten aan de NVA en te beginnen met het beperken van de Amerikaanse strijdkrachten tot het niveau van vóór de troepenversterking.

Het fundamentele verschil in benadering tussen optie 2 en optie 2A is de beperktere missie en het uitgesproken strakkere tijdschema waarin vooruitgang moet worden geboekt en verantwoordelijkheid overgedra-gen.

Internationale en Afghaanse bijdragen

In deze benadering krijgt generaal McChrystal meer én vroeger troepen, dan in zijn eigen aanbevolen optie.

In 2010 beoogt het Afghaanse leger zijn eenheden in de hoofdstad en in de zuidelijke en oostelijke regio's te versterken met 44 infanteriecompag-nieën tot meer dan 4.400.

Evaluatiecriteria
De Nationale Veiligheidsraad zal de vooruitgang op maandbasis volgen.

Afghaans beheer:
- Heeft Karzai vooruitgang geboekt bij het implementeren van het verdrag en het inwilligen van onze speciale verzoeken in privéboodschappen? Met name, heeft hij mensen, op grond van hun verdiensten, benoemd op de ministeries, en in provincies en districten die het meest cruciaal zijn voor onze missie?
- Hebben wij laten zien dat wij de Afghanen kunnen steunen bij het bevorderen van doeltreffend regionaal bestuur, gebaseerd op ons civiel en militair campagneplan ondanks de beperkingen van een nationale regering? Meer specifiek, hebben wij en de Afghanen voldoende burgercapaciteit gemobiliseerd om als partner te kunnen optreden met onze militaire strijdkrachten in de fase van het behouden, opbouwen en overdragen? En zijn deze middelen doeltreffend?
- Is de Afghaanse regering begonnen met doeltreffende reïntegratie en een verzoeningsprogramma te implementeren?

Pakistan:
- Zijn er indicatoren dat we begonnen zijn de strategische benadering van Pakistan om te buigen zodat ze mettertijd hun actieve en passieve steun voor extremisten beëindigen?
- Heeft Pakistan ons specifieke verzoek om bijstand tegen Al-Qaida en andere extremisten waaronder de Afghaanse Taliban en het Haqqaninetwerk ingewilligd?

Ontwikkeling NVA:
- Zijn wij op schema voor een versnelde groei van de NVA, waarbij ook de kwaliteit verbetert? Is het programma voor 2010 om de ANA te versterken met 44 compagnieën op schema?
- Hebben wij met de regering van Afghanistan een programma uitgewerkt om de verantwoordelijkheid voor de veiligheid provincie voor provincie over te dragen van de ISAF aan de NVA?

Internationale steun:
- Hebben de internationale partners substantiële steun aan de Afghaanse missie verleend? Meer specifiek, is de NAVO de lopende verdragen nage-

komen en heeft zij in 2010 gezorgd voor extra troepen en instructeurs (ongeveer 5.000) en in voldoende mate voor beschikbare gelden? Hebben de internationale partners belangrijke extra burgerlijke financiering verzorgd?

· Hebben wij ter plaatse een civiele tegenhanger van generaal McChrystal, die verantwoordelijk is voor het coördineren van de bijstand door de ISAF?

Van deze vier voorwaarden is die waarbij wij objectief de komende maanden de meeste vooruitgang kunnen boeken, het verwerven van internationale steun. Om voor onmiddellijke steun te zorgen (wanneer 3 en 4 december de NAVO-ministers vergaderen), moeten de principals hun [internationale] collega's aan het werk hebben gezet. De president heeft dan gesproken met Berlusconi en moet dan nog met belangrijke leiders van coalitielanden spreken, onder wie Brown, Sarkozy en Merkel, voordat hij zijn toespraak gaat houden. De leiders moeten besluiten nemen om de president te steunen op dit belangrijke moment en slechts zij kunnen een oproep doen om extra troepen te sturen. Minimaal verwachten wij een sterke politieke verklaring als steun voor het besluit van de president op die ministerconferentie.

Kosten
De totale kosten voor deze Afghaanse optie bedragen ongeveer 113 miljard dollar per jaar voor de jaren waarin wij bijna 100.000 manschappen in Afghanistan hebben. De belangrijkste jaarlijkse kostenfactoren omvatten: 100 miljard voor militaire operaties en onderhoud; 8 miljard voor de NVA, afhankelijk van de jaarlijkse doelstellingen en de bijdragen van de geallieerden; 5,2 miljard voor civiele operaties en bijstand.

DANKWOORD

Dit boek is vrijwel uitsluitend gebaseerd op eigen journalistiek werk, interviews, overzichten van documenten en aantekeningen bij vergaderingen. Ik ben veel dank verschuldigd aan verslaggevers en schrijvers die de oorlog in Afghanistan en de regering-Obama hebben beschreven. Zij hebben voor mij de weg gebaand. Hun werk en hun inzichten hebben een belangrijk en essentieel fundament gevormd.

Ik wil alle bronnen bedanken, genoemd en ongenoemd. Deze mensen hebben dikwijls tijd uitgetrokken om al mijn vragen te beantwoorden, mij te voorzien van geschreven materiaal en de context geleverd voor de taferelen die in het boek worden geschilderd. Zonder hun hulp zou de inspanning om dit serieuze en gezaghebbende verhaal te maken onmogelijk zijn geweest. Ik ben hun dus dank verschuldigd.

Alice Mayhew, al achtendertig jaar en zestien boeken mijn redacteur bij Simon & Schuster, blijft haar wijsheid met mij delen, die groot, eerlijk en altijd actueel is. Niemand kan eleganter redigeren dan Alice. Haar toewijding bij het blootleggen van een verhaal op een duidelijke, boeiende manier is een gave. Ik bewonder haar en ben aan haar verknocht.

Jonathan Karp is met veel enthousiasme zijn nieuwe baan als uitgever bij Simon & Schuster begonnen. Hij heeft talloze concrete suggesties en ideeën aan de hand gedaan die dit boek verbeterd hebben. Simon & Schuster en de schrijvers zijn blij een uitgever aan het roer te hebben die zich bemoeit met details van een manuscript. De directeur van Simon &

Schuster, Carolyn K. Reidy, blijft een soort bondgenoot die alle schrijvers zouden moeten hebben. Mijn diepste bewondering gaat ook uit naar Roger Labrie, hoofdredacteur, Elisa Rivlin, eerste adjunct-directeur en algemeen raadsvrouwe, Victoria Meyer, onderdirecteur publiciteit, Tracey Guest, directeur publiciteit, Jackie Seow, designer en omslagontwerper, Irene Kheradi van de afdeling productie, Tristan Child, haar assistent, Karen Thompson, assistente van de redactie, Paul Dippolito, ontwerper, Lisa Healy, hoofd van de productieafdeling, Nancy Inglis, hoofd van de persklaarmakers, John Wahler, productieassistent.

Josh Boak, Evelyn Duffy en ik zijn heel dankbaar voor eindredacteur Fred Chase, die uit Texas is overgevlogen om zich bij ons team te voegen en samen met mij aan zijn zesde boek werkte. Fred is iemand met geweldig veel ervaring en gezond verstand. Zijn gezelschap, zijn goede humeur, zijn oog voor details en zijn typografische hoogstandjes maken zijn hulp onontbeerlijk.

Veel dank voor Barbara DeGennaro, die in zo'n korte tijd een register op dit boek heeft weten te maken.

De hoofdredacteur van *The Washington Post*, Marcus Brauchli, heeft het instituut dat ik bemin intelligent en dapper geleid. Hij weet wanneer er een primeur is, hij weet de concurrentie vol te houden en hij is er altijd, dat is noodzakelijk in deze woelige tijden in onze bedrijfstak. Veel dank ook voor uitgeefster Katharine Weymouth, wier trots op het werk, de missie en de toekomst van de krant van essentieel belang zijn.

De directeur van de *Post*, Don Graham, is een oude vriend. Niemand in dat vak is een groter voorvechter van de journalistiek en de journalisten. Hij weet hoe belangrijk het is dat onafhankelijke stemmen kunnen blijven klinken.

Mijn vriend Steve Luxenberg, assistent-redacteur, stelde zijn genie en zijn scherpe oordeel ter beschikking om uittreksels van dit boek te maken voor de *The Washington Post*, waarvoor ik hem eeuwig dankbaar zal zijn.

Verslaggevers en redacteuren van *The Washington Post* die op Afghanistan en Pakistan hebben gezeten hebben enorm geholpen, ik noem: Karen DeYoung, Rajiv Chandrasekaran, David Ignatius, Joby Warrick, Greg Jaffe, Joshua Partlow, Al Kamen, Walter Pincus, Scott Wilson, Anne E. Kornblut, Ann Scott Tyson, Pamela Constable, Griff Witte, Rama Lakshmi, Emily Wax, Karin Brulliard, Cameron Barr, Carlos Lozada en vele anderen. Veel belangrijke achtergrond en begrip kwamen van anderen op de afdeling buitenland en nationaal van de *Post*, met bijzonder dank aan Rick Atkinson, Steve Coll en David Marniss.

Eveneens heb ik veel waardering voor Michel du Cille, Wendy Galietta en de rest van de onvergelijkelijke fotostaf van de *Post* die bijna al de foto's voor dit boek hebben geleverd.

Voor eeuwig in het krijt sta ik bij mijn vriend en mentor Ben Bradlee, wiens hoge eisen en vaste beginselen een erfgoed zijn voor allen die in de nieuwskamer van de *Post* hebben gewerkt.

Speciale dank aan Carl Bernstein, vriend, collega en bron van eindeloze ideeën en inzicht.

Ik werd ook in onvergelijkelijke mate geholpen door het journalistieke werk en de analyses in *The New York Times, The Wall Street Journal, The Chicago Tribune,* de *Los Angeles Times, The New Yorker, Politico, Dawn* (Pakistan), *The Nation* (Pakistan), Associated Press en talloze andere nieuwsorganisaties, in het buitenland en hier.

De volgende boeken waren nuttige referenties en zouden uitstekend een vervolg op het voorliggende kunnen vormen: *The Accidental Guerrilla* van David Kilcullen; *Counterinsurgency Warfare: Theory and Practice* van David Galula; *Decoding the Taliban: Insights from the Afghan Field,* uitgegeven door Antonio Giustozzi; *Descent into Chaos* van Ahmed Rashid; *Game Change* van John Heilemann en Mark Halperin; *Koran, Kalashnikov and Laptop: The Neo-Taliban Insurgency in Afghanistan* van Antonio Giustozzi; *Lessons in Disaster* van Gordon M. Goldstein; *My Life with the Taliban* van Abdul Salam Zaeef; *Pakistan: Between Mosque and Military* van Husain Haqqani; *The Promise* van Jonathan Alter en *The Search for Al Qaeda* van Bruce Riedel.

Mijn assistenten en ik hebben ook veel plezier gehad van de volgende blogs: *Abu Muqawama* (http://www.cnas.org/blogs/abumuqawama); *The Af-Pak Channel* (http://afpak.foreignpolicy.com/); *At War* (http://atwar.blogs. nytimes.com/); *The Cable* (http://thecable.foreignpolicy.com/) en *Mike Allen's Playbook* (http://www.politico.com/playbook/).

Robert B. Barnett, mijn agent, advocaat en vriend, is weer eens onmisbaar gebleken. Zijn raad is altijd welkom en doorwrocht. Bob zorgt goed voor zijn schrijvers en hun belangen, op onvergelijkelijke wijze. Omdat hij ook president Obama, minister van Buitenlandse Zaken Clinton en andere politieke figuren vertegenwoordigt, werd hij niet geraadpleegd over de inhoud van dit boek, en zag hij het pas toen het al gedrukt was.

Josh, Evelyn en ik zijn blij met de aanwezigheid van Rosa Criollo en Jackie Crowe in ons leven. Lange dagen worden kort en uitdagingen worden door hun vakkundige bijstand gemakkelijk overwonnen.

Mijn oudste dochter Tali heeft een week in Washington het manuscript zitten doornemen. Haar slimme aanbevelingen hebben ingewikkelde onderwerpen vaak begrijpelijker gemaakt. Tali heeft een natuurlijk gevoel voor het geschreven woord. Mijn jongste dochter Diana is hard op weg een geestrijke en zorgzame jonge vrouw te worden en een zeer leesbaar schrijfster bovendien. Beiden zijn lichten in mijn leven.

Elsa Walsh, mijn vrouw, heeft dit boek van de eerste interviews tot de laatste drukproeven meebeleefd. Haar advies is altijd verhelderend gebleken, haar gezelschap altijd van veel troost geweest. Ze heeft een intense week besteed aan het corrigeren van drukproeven. Dit boek – en al mijn andere – is dankzij haar beter geworden. Elsa is het ankerpunt van onze familie, de bron van de liefde die er zoveel toe doet.

NOTEN

HOOFDSTUK 1

De informatie in dit hoofdstuk is voornamelijk afkomstig uit achtergrondinterviews met zeven direct betrokkenen.

1 *American Morning*, CNN, 6 november 2008, http://transcripts.cnn.com/TRANSCRIPTS.

2 'Government, Militants "Ink" NWA Peace Pact', *The Nation* (Pakistan), 2 september 2006.

3 Candace Rondeaux, 'U.S. Airstrikes Creating Tension, Pakistan Warns', *The Washington Post*, 4 november 2008, p. A10.

4 Abdul Waheed Wafa en Alan Cowell, 'Bomber Strikes Afghan Capital; At Least 41 Die', *The New York Times*, 8 juli 2008, p. A1.

5 Ron Moreau en Mark Hosenball, 'Pakistan's Dangerous Double Game', *Newsweek*, 22 september 2008, p. 44.

6 Pamela Hess en Matthew Lee, 'US officials: Yemen Poses Growing Terror Threat', Associated Press Online, 17 september 2008.

7 Evan Thomas, 'Center Stage; Obama's Aides Worried the Clintons Might Steal the Show', *Newsweek*, 17 november 2008, p. 87.

8 Interview met president Barack H. Obama, 10 juli 2010.

HOOFDSTUK 2

De informatie in dit hoofdstuk is voornamelijk afkomstig uit achtergrondinterviews met vijftien direct betrokkenen.

1 Anne E. Kornblut en Karen DeYoung, 'Emanuel to Be Chief of Staff', *The Washington Post*, 7 november 2008, p. A1.

2 Interview met president Barack H. Obama, 10 juli 2010.

3 In het *Counterinsurgency Field Manual* (veldhandboek verzetsbestrijding), samengesteld door Petraeus, werden de verschillen met conventionele oorlogsvoering opgesomd in een paragraaf die begon op bladzijde 47, met de titel 'paradoxen in de verzetsbestrijding':

'Soms ben je minder veilig naarmate je je troepen beter beschermt.

Soms heeft geweld minder effect naarmate je er meer gebruik van maakt.

Hoe meer succes de verzetsbestrijding heeft, hoe minder geweld je kan gebruiken en hoe meer risico je voor lief moet nemen.

Soms is niets doen de beste reactie.

De beste wapenen voor verzetsbestrijders zijn vaak degene waarmee je niet schiet.

Het is vaak beter als het gastland iets doet wat ermee door kan, dan dat wij het goed doen.

Als een tactiek de ene week werkt, is dat de volgende week niet per se zo; als ze in de ene provincie werkt, doet ze dat misschien niet in een andere.

Tactische successen zijn geen enkele garantie.

Veel belangrijke beslissingen worden niet genomen door generaals.'

4 Lisa DePaulo, 'Leader of the Year: Right Man, Right Time', GQ, december 2008.

5 David Ignatius, '20 Months in Baghdad', *The Washington Post*, 17 september 2008, p. A19.

6 Robert Gates, 'Multi-National Force-Iraq Change of Command (Iraq)', 16 september 2008, http://www.defense.gov/speeches.

7 Robert Gates, 'U.S. Central Command Change-of-Command Ceremony (Tampa, FL)', 31 oktober 2008, http://www.defense.gov/speeches.

8 Les Carpenter, 'NFL Orders Retreat from War Metaphors', *The Washington Post*, 1 februari 2009, p. D1.

9 Steve Coll, 'The General's Dilemma', *The New Yorker*, 8 september 2008, http://www.newyorker.com/reporting/2008/09/08/080908fa_fact_coll.

10 Sheryl Gay Stolberg, 'As the Handoff Begins, a Visit Both Historic and Perhaps Awkward', *The New York Times*, 10 november 2008, p. A16; Dan Eggen en Michael D. Shear, 'Obamas Make Symbolic Visit to Future Home: White House', *The Washington Post*, 11 november 2008, p. A4.

11 *Anderson Cooper 360°*, CNN, 10 november 2008, http://transcripts.cnn.com/TRANSCRIPTS.

12 Robert M. Gates, *From the Shadows* (New York: Simon & Schuster, 1996), p. 419.

13 Transcriptie van het ministerie van Defensie, interview minister Gates met Tavis Smiley, 11 maart 2009, http://www.defense.gov/transcripts; Robert Gates, opmerkingen bij de Army War College, Carlisle, PA, 16 april 2009; Robert Gates, op afstudeerdag van U.S. Military Academy, 23 mei 2009, http://www.defense.gov/speeches.

14 Peter Eisler, Blake Morrison en Tom Vanden Brook, 'Pentagon Balked at Pleas from Officers in Field for Safer Vehicles', USA Today, 16 juli 2007, p. 1A; Tom Vanden Brook en Peter Eisler, 'Letter: Add-on Armor Too Heavy for New Vehicles', USA Today, 17 juli 2007, p. 5A; Tom Vanden Brook en Peter Eisler, 'Military Says Troops in Iraq to Get 3,500 Safer MRAP Vehicles', USA Today, 19 juli 2007, p. 10A; Peter Eisler, 'The Vehicle the Pentagon Wants and a Small S.C. Company's Rush to Make It', USA Today, 2 augustus 2007, p. 1A; Blake Morrison, Tom Vanden Brook en Peter Eisler, 'When the Pentagon Failed to Buy Enough Body Armor, Electronic Jammers and Hardened Vehicles to Protect U.S. Troops from Roadside Bombs in Iraq, Congress Stepped In', USA Today, 4 september 2007, p. 1A.

15 Emelie Rutherford, 'Defense Secretary Approves "DX" Rating for MRAP Vehicle Program', *Inside the Pentagon*, 7 juni, 2007, dl. 23, nr. 23.

16 Tegen juli 2009 waren alle 16.000 voertuigen gebouwd. MRAP's beschermen inderdaad militairen, maar zijn niet volledig afdoende tegen bermbommen.

17 interview met president Barack H. Obama, 10 juli 2010.

18 Idem

19 Robert Gates, rondetafelgesprek met de media vanuit de briefingruimte van het Pentagon, Arlington, VA, 2 december 2008, http://www.defense.gov/transcripts.

HOOFDSTUK 3

De informatie in dit hoofdstuk is voornamelijk afkomstig uit achtergrondinterviews met acht direct betrokkenen.

1 Grant Pick, 'Hatchet Man: The Rise of David Axelrod', *Chicago*, december 1987, http://www.chicagomag.com/Chicago-Magazine/December-1987/Hatchet-Man-The-Rise-of-David-Axelrod/.
2 Perry Bacon jr. en Alec MacGillis, 'Clinton Takes Strong Exception to Tactics of Obama Campaign', *The Washington Post*, 24 februari 2008, p. A11.
3 Abdon M. Pallasch, 'Hillary in Mystery Motorcade?' *Chicago Sun Times*, 14 november 2008, p. 3.
4 Darryl Fears, 'Black America Feels the Sting of Ex-President's Comments', *The Washington Post*, 25 januari 2008, p. A8.
5 Peter Baker en Helene Cooper, 'Bill Clinton Said to Accept Terms of Obama Team', *The New York Times*, 20 november 2008, p. A1.
6 John Heilemann en Mark Halperin, *Game Change* (New York: HarperCollins, 2010).
7 Transcriptie CNN van het eerste presidentiële debat, 26 september 2008, http://www.cnn.com/ 2008/. POLITICS/09/26/debate.mississippi.transcript/.
8 Barbara Starr, 'Emerging Players in Obama's National Security Team', cnn.com, 24 november 2008, http://www.cnn.com.
9 Ann Scott Tyson, 'Pentagon Critical of NATO Allies', *The Washington Post*, 12 december 2007, p. A1.
10 Interview met president Barack H. Obama, 10 juli 2010.

HOOFDSTUK 4

De informatie in dit hoofdstuk is voornamelijk afkomstig uit achtergrondinterviews met negen direct betrokkenen.

1 Bob Woodward, *Staat van ontkenning* (Amsterdam: Balans, 2007), p. 401.
2 'Executive Branch Personnel Public Financial Disclosure Report, James L. Jones', 17 januari 2009, http://s3.amazonaws.com/propublica/assets/financial_disclosures/Jones_James_278.pdf.
3 *The Charlie Rose Show*, 'A Conversation with Major General Douglas Lute', 23 januari 2006, http://www.charlierose.com/view/interview/573.
4 Het rapport werd door twee goed ingelichte bronnen tegenover de auteur beschreven.
5 Rama Lakshmi, 'Dozens Die in Mumbai Attacks', *The Washington Post*, 27 november 2008, p. A1; Somini Sengupta, 'Terror Attacks Kill Scores in India', *The New York Times*, 27 november 2008, p. A1.
6 Presidentiële documenten, 11 september 2001, pp. 1301–1302 (Vol. 37, No. 37), http://www.gpoaccess.gov/wcomp/v37n037.html.
7 Interview met president George W. Bush, 20 december 2001.
8 Op basis van aantekeningen en achtergrondinterviews met diverse goed ingelichte bronnen. Zie ook 'Expert: Open Internet Best Terrorist Asset', *New Straits Times* (Maleisië), 12 november 2009, p. 13; Jeremy Kahn, 'Terrorists Used Technology in Planning and Execution', *The New York Times*, 9 december 2008, p. A14.

HOOFDSTUK 5

De informatie in dit hoofdstuk is voornamelijk afkomstig uit achtergrondinterviews met negen direct betrokkenen.

1   Jacques Steinberg, 'At Funeral, Russert's Son Sounds a Theme of Unity', *The New York Times*, 19 juni 2008, p. B7.
2   Sara A. Carter, 'Obama Huddles with CIA Director on Security', *The Washington Times*, 13 december 2008, p. A5.
3   Bob Woodward, *Dekmantel: de geheime oorlogen van de CIA* (Houten: De Haan, 1987).
4   Carrie Johnson, 'FBI Says Illinois Governor Tried to Sell Senate Seat', *The Washington Post*, 10 december 2008, p. A1.
5   De dertien voormalige ondervragingstechnieken, waarvan sommige nog steeds worden gebruikt, zijn:

1   Manipulatie voeding. Verminderen voeding tot niet meer dan duizend calorieën per dag, of één enkele fles van de dieetdrank Ensure per gedetineerde.
2   Geen kleren aan in ruimten van minstens 20 graden Celsius. Het was toegestaan de angst voor naaktheid van gevangenen uit te buiten, ook wanneer vrouwelijke ondervragers werden gebruikt.
3   Aandachtsgreep. Het met een snelle, gecontroleerde beweging vastpakken van de kraag van een hemd om de gedetineerde naar voren te trekken.
4   *Walling.* Twintig, dertig keer een gevangene met kracht tegen een meegevende, valse muur aan duwen.
5   Gezichtsgreep. De ondervrager gebruikt beide handpalmen om het gezicht van de gedetineerde vast te houden.
6   Gezichtsklap, beledigende klap. Een klap tegen de onderhelft van het gezicht tussen kin en oorlel.
7   Klap tegen borst. Een klap met de achterkant van de geopende hand, en niet met de vuist, tussen navel en borstbeen.
8   Krappe opsluiting. Meestal in het donker. Nooit langer dan acht uur achtereen, of achttien uur per dag. In zeer kleine ruimten nooit langer dan twee uur. Ongevaarlijke insecten zouden in de ruimte kunnen worden geplaatst om de gedetineerde bang te maken, maar die techniek werd nooit toegepast.
9   Tegen de muur staan. De gedetineerde een stuk van de muur af laten staan, met de armen uitgestrekt, zodat de vingers de muur raken. De gevangene mag niet bewegen, wat tijdelijk spiermoeheid veroorzaakt.
10 Drie ongemakkelijke houdingen: 1. Op de grond zitten met gestrekte benen en opgeheven armen; 2. Op de grond knielen met het lichaam in een hoek van 45 graden; en 3. Met de polsen voor of achter het lichaam geboeid wordt de gedetineerde op negentig centimeter van een muur neergezet zodat hij alleen met zijn hoofd tegen de muur kan leunen. Net als bij tegen de muur staan leiden deze houdingen tot tijdelijke spiermoeheid.
11 Doordrenken. De gevangene wordt met koud water overgoten of bespoten. De maximale tijd dat een gevangene doornat mag zijn, is twee derde van de tijd die het zou kosten voordat onderkoeling intreedt.
12 Slaaponthouding gedurende langer dan 48 uur. De gedetineerde staat, zijn handen zitten met kettingen vast aan het plafond, zijn voeten zijn aan de grond gekluisterd. De handen bevinden zich tussen hart en kin. Hij mag niet langer dan twee uur lang zijn handen boven zijn hoofd heffen. De gedetineerde kan zijn gewicht niet van zijn voeten

halen door aan het plafond te gaan hangen, maar hij kan wel aan een klein krukje worden vastgeketend. De gedetineerde kan naakt zijn en een luier dragen. Dit is uit hygiënische overwegingen en 'niet bedoeld om de gedetineerde te vernederen'. De maximaal toegestane duur is 180 uur, ruim een week. Daarna is acht uur ononderbroken slaap verplicht.

13 Waterboarding. De gedetineerde wordt vastgebonden op een plank, met zijn voeten omhoog. Hij krijgt een doek over zijn gezicht, en maximaal veertig seconden lang wordt er water over de lap gegoten. Dit doet geen pijn, maar 'meestal veroorzaakt dit wel angst en paniek', doordat de gevangene het gevoel krijgt dat hij verdrinkt. Waterboarding mag alleen worden gebruikt als er geloofwaardige inlichtingen zijn dat een terroristische aanval dreigt en de gedetineerde wellicht over informatie beschikt op grond waarvan de aanval kan worden voorkomen. Een gedetineerde mocht slechts aan twee duidelijk van elkaar gescheiden waterboarding-sessies per dag worden onderworpen gedurende een periode van niet meer dan vijf dagen, met een maximum van twaalf minuten waterboarding per 24 uur. (Het meesterbrein achter de aanslagen van 11 september, Khalid Sheik Mohammed, werd 183 maal aan waterboarding onderworpen.)

6 Presidentieel decreet 13491 – Ensuring Lawful Interrogations, op 22 januari 2009 ondertekend door president Barack H. Obama, http://www.gpoaccess.gov/presdocs/2009/DCPD200900007.htm.

7 Interview met president Barack H. Obama, 10 juli 2010.

8 'Intelligence Reform and Terrorism Prevention Act of 2004', 17 december 2004, http://www.nctc.gov/docs/pl108_458.pdf.

9 Toespraak van Dennis Blair bij de Amerikaanse kamer van koophandel, 22 juli 2009, BNET, http://findarticles.com/p/articles/mi_8167/is_20090722/ai_n50901376/.

10 Leon E. Panetta, 'No Torture. No Exceptions', The Washington Monthly, januari/februari/maart 2008, p. 40, http://www.washingtonmonthly.com/features/2008/0801.torture.pdf; Leon E. Panetta, 'Americans Reject Fear Tactics', Monterey County Herald, 9 maart 2008.

11 De tekst van de memo's van het ministerie van Justitie zijn te vinden op: http://documents.nytimes.com/justice-department-memos-on-interrogation-techniques.

HOOFDSTUK 6
De informatie in dit hoofdstuk is voornamelijk afkomstig uit achtergrondinterviews met zes direct betrokkenen.

1 Pamela Constable, 'Bomb Kills 3 U.S. Soldiers in Afghanistan', The Washington Post, 10 januari 2009, p. A10.

2 In zijn memoires uit 2007, At the Center of the Storm, vertelt voormalig CIA-directeur George Tenet hoe eind 2001 Karzais leven werd gered toen hij de leider van Afghanistan werd (p. 219-220).

3 Dexter Filkins, Mark Mazzetti en James Risen, 'Brother of Afghan Leader Said to Be Paid by C.I.A.', The New York Times, 28 oktober 2009, p. A1.

4 Dexter Filkins, 'Afghan Leader Finds Himself Hero No More', The New York Times, 8 februari, 2009, p. A1.

5 'Obama to Dems: Give Me the Money', The Situation Room, transcriptie CNN-uitzending, 13 januari 2009; Farah Stockman, 'Bill Clinton's Policies May Echo at Hearing', The Boston Globe, 13 januari 2009, p. A1; 'No Stumbling Block Expected at Clinton Hearing', Morning Edition, NPR, 13 januari 2009.

6 'Remarks by President-Elect Obama and Vice President–Elect Joe Biden', Federal News Service, 14 januari 2009.

HOOFDSTUK 7

De informatie in dit hoofdstuk is voornamelijk afkomstig uit achtergrondinterviews met zeven direct betrokkenen.

1 Axelrod was te zien in Fox News, NBC's *Today* en CBS's *Early Show*.
2 Peter Baker, 'Inside Obama's War on Terrorism', *The New York Times on the Web*, Magazine Preview, 5 januari 2010, http://www.nytimes.com.
3 Dagelijkse compilatie van presidentiële documenten, 20 januari 2009, inaugurele rede, http://www.gpoaccess.gov/presdocs/2009/DCPD200900001.htm.
4 Zie Bob Woodward, *The War Within* (New York, Simon & Schuster, 2008).

HOOFDSTUK 8

De informatie in dit hoofdstuk is voornamelijk afkomstig uit achtergrondinterviews met zes direct betrokkenen.

1 Zie Bob Woodward, *The War Within* (New York, Simon & Schuster), 2008.
2 Zie George Packer, 'The Last Mission', *The New Yorker*, 28 september 2009, p. 39.
3 David Martin, 'McChrystal's Frank Talk on Afghanistan', *60 Minutes*, CBS, 27 september 2009.
4 John F. Burns, 'After Long Hunt, U.S. Bombs Kill al Qaeda Leader in Iraq', *The New York Times*, 9 juni 2006, p. A1; Sean D. Naylor, 'Inside the Zarqawi Takedown', *Defense News*, 12 juni 2006, p. 1; Joshua Partlow en Michael Abramowitz, 'Officials Detail Zarqawi's Last Hour', *The Washington Post*, 13 juni, 2006, p. A1.
5 Husain Haqqani, *Pakistan: Between Mosque and Military*, (Washington DC, Carnegie Endowment for International Peace, 2005).
6 http://www.hayadams.com.
7 Bruce Riedel, *The Search for al Qaeda* (Washington DC: Brookings Institution Press, 2008), p. 12.
8 Ibid, p. 140.
9 William Colby, *Honorable Men: My Life in the CIA* (New York, Simon & Schuster, 1978).

HOOFDSTUK 9

De informatie in dit hoofdstuk is voornamelijk afkomstig uit achtergrondinterviews met zeven direct betrokkenen.

1 Federal News Service, Hearing of the Senate Select Committee on Intelligence, Subject: The Nomination of Leon Panetta to Be Director of the Central Intelligence Agency, 5 februari 2009.
2 Voor de invasie van Irak vertelde de toenmalige CIA-directeur George Tenet tegen president Bush dat de uitspraak dat Irak in het bezit zou zijn van massavernietigingswapens een 'slam dunk' was. Er zijn na de invasie van 2003 geen mvw's gevonden in Irak.
3 Federal News Service, Hearing of the Senate Select Committee on Intelligence, Subject: The Nomination of Leon Panetta to Be Director of the Central Intelligence Agency (Part Two), 6 februari 2009.
4 General David Petraeus, 'Notities van een commandant, op de 45ste Veiligheidsconferentie in München', 8 februari 2009, http://www.centcom.mil/from-the-commander/commanders-remarks-at-45th-munich-security-conference.

5   Interview van de auteur met president Barack Obama, 10 juli 2010.
6   Persbericht van het Witte Huis, 'Statement on United States Troop Levels in Afghanistan', 17 februari 2009, http://www.gpoaccess.gov/presdocs/2009/DCPD200900089.htm.
7   Persbericht van het ministerie van Defensie, 'DOD Announces Afghanistan Force Deployment', 17 februari 2009, http://www.defense.gov.

HOOFDSTUK 10

De informatie in dit hoofdstuk is voornamelijk afkomstig uit achtergrondinterviews met zeven direct betrokkenen.

1   Scott Wilson, 'Obama, in Calif., Says He Hopes to Return 'Balance' to Economy', *The Washington Post*, 19 maart 2009, p. A6.
2   Dagelijkse compilatie van presidentiële documenten, 19 maart 2009, Interview met Jay Leno van *The Tonight Show* in Burbank, California, http://www.gpoaccess.gov/presdocs/2009/DCPD200900173.htm.
3   Interview van de auteur met president Barack Obama, 10 juli 2010.

HOOFDSTUK 11

De informatie in dit hoofdstuk is voornamelijk afkomstig uit achtergrondinterviews met zeventien direct betrokkenen.

1   Interview van de auteur met Helen Thomas, januari 2010.
2   Dagelijkse compilatie van presidentiële documenten, 27 maart 2009, 'Remarks on United States Military and Diplomatic Strategies for Afghanistan and Pakistan', http://www.gpoaccess.gov/presdocs/2009/DCPD-200900196.htm.
3   'The Price of Realism', *The Washington Post*, 29 maart 2008, p. A12.
4   'The Remembered War', *The New York Times*, 28 maart 2009, p. A20.
5   Miniser Robert Gates Interview in Fox News, FOX *News Sunday*, 29 maart 2009, http://www.defense.gov/transcripts.
6   Interview van de auteur met president Barack H. Obama, 10 juli 2010.
7   Fisnik Abrashi, 'Top Pentagon Commander in Afghanistan', AP Worldstream, 22 april 2009; Rajiv Chandrasekaran, 'Pentagon Worries Led to Command Change', *The Washington Post*, 17 augustus 2009, p. A1.
8   Interview van de auteur met kolonel Julian 'Dale' Alford, 1 december 2009.
9   Persconferentie met minister Gates en admiraal Mullen over wijzigingen in de legertop in Afghanistan, 11 mei 2009, http://www.defense.gov/transcripts.
10 Interview van de auteur met president Barack H. Obama, 10 juli 2010.
11 De aan de auteur gedicteerde informatie uit een Top Secret-document dateert van 26 mei 2009.
12 Al Baker en Karen Zraick, 'F.B.I. Searches Colorado Home of Man in Terror Inquiry That Reached Queens', *The New York Times*, 17 september 2009; Anne E. Kornblut, 'Obama Team Says Zazi Case Illustrates Balanced Approach to Terror Threat', *The Washington Post*, 6 oktober 2009, p. A8.
13 David Johnston, '2 in Chicago Held in Plot to Attack in Denmark', *The New York Times*, 28 oktober 2009, p. A18; Ginger Thompson, 'A Terror Suspect with Feet in East and West', *The New York Times*, november 22 2009, p. A1.
14 Interview van de auteur met president Barack H. Obama, 10 juli 2010.
15 Federal News Service, Hearing of the Senate Armed Services Committee, Subject: Nomi-

nation of... Lieutenant General Stanley McChrystal, USA, to be General and Commander, International Security Assistance Force, and Commander, U.S. Forces, Afghanistan, 2 juni 2009.

16 Scott Wilson, 'History... Has Always Been Up to Us', *The Washington Post*, 7 juni 2009, p. A1.

17 Nieuwsbriefing met Geoff Morrell, 8 juni 2009, http://www.defense.gov/transcripts.

HOOFDSTUK 12

De informatie in dit hoofdstuk is voornamelijk afkomstig uit achtergrondinterviews met negen direct betrokkenen.

1 Interview Woodward met generaal buiten dienst Jim Jones, 21 juni 2009.

2 Interview Woodward met president Hamid Karzai, 23 juni 2009.

3 Gordon M. Goldstein, *Lessons in Disaster* (New York: Times Books, 2008), p. 97.

4 Zie Chris Brummitt, 'Stalemate in Afghan Ghost Town Shows Task Ahead', Associated Press Worldstream, 1 juli 2009; Julie Sullivan, zie: 'Family Keeps Faith, as Marine Would Want', *The Oregonian*, 8 juli 2009.

5 Zie William Cole, 'Marine Dies of Injuries in Afghan Roadside Blast', *The Honolulu Advertiser*, 1 juli 2009.

6 Persbericht van het kantoor van de gouverneur van Orgeon, 'Governor Orders Flags at Half-Staff in Memory of Oregon Soldier', 16 juli 2009.

7 Telefoongesprek van Josh Boak met Anna Richter Taylor, perschef van de gouverneur van Oregon, Ted Kulongoski, 27 juli 2010.

8 Nicholson, officiële briefing, bijgewoond door de schrijver. Zie ook: Bob Woodward, 'Key in Afghanistan: Economy, Not Military', *The Washington Post*, 1 juli 2009, p. A1.

9 Vergadering bijgewoond door de schrijver.

10 Persconferentie, door Woodward bijgewoond.

11 Interview Woodward met president Asif Ali Zardari.

12 Barbara Slavin, 'Zinni Says Iraq Ambassador Job Offer Was Retracted', *The Washington Times*, 4 februari 2009, p. A13; Eric Schmitt en Mark Landler, 'General Says Iraq Envoy Job Was Offered, Then Retracted', *The New York Times*, 6 februari 2009, p. A8.

13 Bob Woodward, 'Key in Afghanistan: Economy, Not Military', *The Washington Post*, 1 juli 2009, p. A1.

14 Ann Scott Tyson, 'No Limit in Place for Pending Request on Troops in Afghanistan', *The Washington Post*, 2 juli 2009, p. A10.

15 Briefing voor de pers op het Witte Huis door Robert Gibbs, 1 juli, 2009, http://www.whitehouse.gov.

16 William Kristol, 'A Whiskey Tango Foxtrot Presidency?', in *The Weekly Standard*, 21 september 2009 (dl. 15, nr. 1).

HOOFDSTUK 13

De informatie in dit hoofdstuk is voornamelijk afkomstig uit achtergrondinterviews met dertien direct betrokkenen.

1 Recensie Woodward en gedicteerde notities van het SIP, 17 juli 2009.

2 Richard Holbrooke, speciale briefing op de trip naar Pakistan, Afghanistan en Brussel, 29 juli 2009, http://www.state.gov/p/sca/rls/rmks/2009/126669.htm.

3 Leden van McChrystal rapportageteam: generaal Stanley McChrystal; kolonel Chris Ko-

lenda, rapportcoördinator; kolonel Daniel Pick, assistent-rapportcoördinator; Stephen Biddle, Council on Foreign Relations; Anthony Cordesman, Center for Strategic and International Studies; Catherine Dale, Congressional Research Service; Étienne de Durand, Institut Français des Relations Internationales; Andrew Exum, Center for a New American Security; Fred Kagan, American Enterprise Institute; Kimberly Kagan, Institute for the Study of War; Whitney Kassel, Kantoor van de minister van Defensie; Terry Kelly, The RAND Corporation; Luis Peral, European Union Institute for Strategic Studies; luitenant-kolonel Aaron Prupas, U.S. Air Force, Centraal Commando.

4 Dexter Filkins, 'His Long War', *The New York Times Magazine*, 18 oktober 2009, p. 36.

5 Ann Scott Tyson, 'General: Afghan Situation "Serious"', *The Washington Post*, 1 september 2009, p. A1.

6 Peter Baker en Dexter Filkins, 'Obama to Weigh Buildup Option in Afghan War', *The New York Times*, 1 september 2009, p. A1.

7 Ann Scott Tyson, '9 Officers Blamed in Tillman Death, but No Coverup Found', *The Washington Post*, 27 maart 2007, p. A2.

8 Federal News Service, Hoorzitting van de Senaatscommissie voor de Strijdkrachten, Onderwerp: De benoeming van... luitenant-generaal Stanley McChrystal, VS, om opperbevelhebber van de ISAF te worden, en commandant van de Amerikaanse strijdmacht in Afghanistan, 2 juni 2009.

9 Nahal Toosi, 'McCain Calls for More US Troops in Afghanistan', Associated Press, 18 augustus 2009.

HOOFDSTUK 14

De informatie in dit hoofdstuk is voornamelijk afkomstig uit achtergrondinterviews met negen direct betrokkenen.

1 David Ignatius, 'A Middle Way on Afghanistan?' *The Washington Post*, 2 september 2009, p. A17.

2 Michael Gerson, 'In Afghanistan, No Choice but to Try, *The Washington Post*, 4 september 2009, p. A23.

3 Michael Finnegan, 'Biden Helps Boxer Raise Reelection Funds', *Los Angeles Times*, 3 september 2009, p. A42; Thomas Hines, 'Memorial at Dodger Stadium Honors FallenFirefighters', *San Gabriel Valley Tribune*, 12 september 2009.

4 Interview met president Barack H. Obama, 10 juli 2010.

5 Bespreking door de auteur van het geheime rapport.

6 Zie http://www.nfl.com.

7 Lindsey Graham, Joseph I. Lieberman en John McCain, 'Only Decisive Force Can Prevail in Afghanistan', *The Wall Street Journal*, 14 december 2009, p. A15.

HOOFDSTUK 15

De informatie in dit hoofdstuk is voornamelijk afkomstig uit achtergrondinterviews met acht direct betrokkenen.

1 Hoorzitting van de Senaatscommissie voor de Strijdkrachten, met als onderwerp de benoeming van admiraal Michael Mullen voor een tweede termijn als voorzitter van de verenigde chefs van staven, 15 september 2009.

2 Ibidem.

3 Zie http://www.facebook.com/admiralmikemullen; http://twitter.com/thejointstaff; http://

www.youtube.com/view_play_list?p=EC6B9257769B13D0; en http://www.defense.govhome/features/2008/0708_mullen1/.

4 Ann Scott Tyson, 'Mullen: More Troops "Probably" Needed', *The Washington Post*, 16 september 2009, p. A1.

5 Bespreking door Woodward van het rapport van McChrystal. Een toegankelijk exemplaar dat door het ministerie van Defensie op 20 september 2009 is geredigeerd, is beschikbaar op http://www.washingtonpost.com/wp-dyn/content/article/2009/09/21/AR2009092100110.html?sid=ST2009092003140.

6 Ibid. De niet-geredigeerde zin luidt: 'De opstandelingen controleren of betwisten grote delen van het land, hoewel het moeilijk is vast te stellen om hoeveel land het precies gaat, vanwege afwezigheid van ISAF-troepen en het *gebrek aan goede inlichtingen*.' (cursivering toegevoegd.)

7 R.W. Apple, Jr., 'Times Topics: Pentagon Papers', *The New York Times*, 23 juni 1996, http://topics.nytimes.com/top/reference/timestopics/subjects/p/pentagon_papers/index.html.

8 Telefoontje Woodward met generaal Jim Jones, 19 september 2009.

9 Groepstelefoongesprek met Marcus Brauchli, een advocaat van *The Washington Post*, minister van Defensie Gates, generaal Jones, Tom Donilon en generaal James E. Cartwright, 19 september 2009.

10 Persconferentie met minister Gates en admiraal Mullen, 3 september 2009, http://www.defense.gov/transcripts.

11 'Highlights', *The Washington Post*, 19 september, 2009, p. C8.

12 Bijeenkomst om 11.00 uur op het Pentagon. Aanwezigen: Woodward, Marcus Brauchli, Rajiv Chandrasekaran, generaal Cartwright, Geoff Morrell en Michèle Flournoy, 20 september 2009.

13 Federal News Service, hoorzitting van het Defense Subcommittee of the Senate Appropriations Committee, met als onderwerp het federale budget voor het fiscale jaar 2010. Aanwezig: Robert Gates, minister van Defensie, en admiraal Michael Mullen, voorzitter van de verenigde chefs van staven, 9 juni 2009.

14 Zowel een pdf-versie (http://media.washingtonpost.com/wp-srv/politics/documents/Assessment_Redacted_092109.pdf?sid=ST2009092003140) en een te raadplegen html-versie (http://www.washingtonpost.com/wp-dyn/content/article/2009/09/21/AR2009092100110.html?sid=ST2009092003140) van het rapport is beschikbaar op de website van *The Washington Post*.

15 Bob Woodward, 'McChrystal: More Forces or "Mission Failure"', *The Washington Post*, 21 september 2009, p. A1.

16 Eric Schmitt en Thom Shanker, 'General Calls for More Troops to Avoid Afghanistan Failure', *The New York Times*, 21 september 2009, p. A1.

17 Pat Lang, 'An Interesting Monday', *Sic Semper Tyrannis* (blog), 21 september 2009, http://turcopolier.typepad.com/sic_semper_tyrannis/2009/09/an-interesting-monday.html.

18 Peter Feaver, 'Bob Woodward Strikes Again!' (publicatie rapport McChrystal), *Shadow Government* (blog), September 21 2009, http://shadow.foreignpolicy.com/posts/2009/09/21/bob_woodward_strikes_again_mcchrystalassessment_edition.

19 Air Force One-perspraatje door Robert Gibbs, 21 september 2009, http://www.whitehouse.gov.

20 Interview met president Barack H. Obama, 10 juli 2010.

HOOFDSTUK 16

De informatie in dit hoofdstuk is voornamelijk afkomstig uit achtergrondinterviews met veertien direct betrokkenen.

1 Brad Knickerbocker, 'Obama Faces Critical Decision on How to Proceed in Afghanistan', *Christian Science Monitor*, 26 september 2009, p. 10; Elisabeth Bumiller, 'Top Officers Weigh Need to Increase Troop Levels', *The New York Times*, 26 september 2009, p. A4.

2 Peter Baker, 'Inside the Situation Room: How a War Plan Evolved', *The New York Times*, 6 december 2009, p. A1.

3 Bespreking van de auteur van en aantekeningen over 'Resourcing the ISAF implementation strategy', generaal McChrystals troepenaanvraag (SECRET/NOFORM), 24 september 2009.

4 Bespreking van de auteur van en aantekeningen over 'Resourcing the ISAF implementation strategy', generaal McChrystals troepenaanvraag (SECRET/NOFORM), 24 september 2009.

5 Ibid.

6 David Martin, 'McChrystal's Frank Talk on Afghanistan', *60 Minutes*, CBS, 27 september 2009.

7 Peter Baker, 'From General's Mouth to Obama's Ear', *The New York Times*, 30 september 2009, p. A12.

8 Peter Slevin, 'Obama's Personal Bid for the Olympics', *The Washington Post*, 20 september 2009, p. A1.

9 Generaal Stanley McChrystal, speciale speech over Afghanistan voor het International Institute for Strategic Studies (IISS), 1 oktober 2009, http://www.iiss.org/recent-key-addresses/general-stanley-mcchrystal-address/.

10 John F. Burns, 'Top U.S. Commander in Afghanistan Rejects Scaling Down Military Objectives', *The Washington Post*, 2 oktober, 2009, p. A12.

11 Michael D. Shear, 'McChrystal Flown to Denmark to Discuss War with Obama', *The Washington Post*, 3 oktober 2009, p. A4; Peter Baker, 'Obama Meets Top Afghan Commander as He Mulls Change in War Strategy', *The New York Times*, 3 oktober 2009, p. A6.

12 Robert S. McNamara, *In Retrospect*, Vintage, New York, 1996, p. 187-88.

13 Karen DeYoung, 'In Frenetic White House, a Low-Key "Outsider"', *The Washington Post*, 7 mei 2009, p. A1; Helene Cooper, 'National Security Adviser Takes Less Visible Approach to His Job', *The New York Times*, 7 mei 2009, p. A10.

14 'Jones on the Outs with Obama?' Fox News, 11 juni 2009, http://www.foxnews.com/politics/2009/06/11/jones-outs-obama-gates-defends-national-security-adviser/.

15 Persbericht Witte Huis: Deputy National Security Adviser, NSC Chief of Staff Mark Lippert Returning to Active Duty in the US Navy, oktober 1, 2009, http://www.whitehouse.gov.

16 Ibid.

17 'Combating Terrorism: Increased Oversight and Accountability Needed over Pakistan Reimbursement Claims for Coalition Support Funds', U.S. Government Accountability Office (Amerikaanse financiële toezichthouder overheid), http://www.gao.gov/products/GOA-08-806.

HOOFDSTUK 17

De informatie in dit hoofdstuk is voornamelijk afkomstig uit achtergrondinterviews met dertien direct betrokkenen.

1 Rondetafelgesprek met ministers Gates en Clinton, Christiane Amanpour en Frank Sesno, 5 oktober 2009, http://www.gwu.edu/explore/aboutgw/thegwexperience/secretariesgates clintondiscussdefenseanddiplomacy.

2 Zie Scott Wilson, 'Afghan Strategy Divides Lawmakers', *The Washington Post*, 7 oktober 2009, p. A1.

3 Senator Lindsey Graham, geïnterviewd door Fox News, *Fox News Sunday*, 6 oktober 2009, http://www.foxnews.com/story/0,2933,560000,00.html.

4 *Meet the Press*, NBC, 11 oktober 2009.

5 Zie 'Today Siachen Is Weeping, Tomorrow the World Will Cry', *The News* (Pakistan), 30 december 2006, http://www.thenews.com.pk/top_story_detail.asp?Id=5021.

HOOFDSTUK 18

De informatie in dit hoofdstuk is voornamelijk afkomstig uit achtergrondinterviews met tien direct betrokkenen.

1 Scott Wilson, 'Nobel for Obama Brings Praise, Ire', *The Washington Post*, 10 oktober 2008, p. A1.

2 Ben Rhodes, 'The Goldfish Smiles, You Smile Back', *Beloit Fiction Journal*, deel 15, voorjaar 2002.

3 Daily Compilation of Presidential Documents, 9 oktober 2009, Remarks on Winning the Nobel Peace Prize, http://www.gpoaccess.gov/presdocs/2009/DCPD-200900793.htm.

HOOFDSTUK 19

De informatie in dit hoofdstuk is voornamelijk afkomstig uit achtergrondinterviews met tien direct betrokkenen.

1 Zie 'Vietnam, Not Afghanistan, Still Longest War: Holbrooke', *The Two-Way* (blog), NPR, 7 juni 2010, http://www.npr.org/blogs/thetwoway/2010/06/vietnam_not_afghanistan_still.html.

HOOFDSTUK 20

De informatie in dit hoofdstuk is voornamelijk afkomstig uit achtergrondinterviews met elf direct betrokkenen.

1 De inhoud werd door een welingelichte bron aan de auteur beschreven.

2 Zie U.S. Code, Title 10, Subtitle A, Part I, Chapter 5, 151, Subsection d, http://www.law.cornell.edu/uscode/ html/uscode10/usc_sec_10_00000151--000-.html.

3 Ibid.

HOOFDSTUK 21

1 De informatie in dit hoofdstuk is voornamelijk afkomstig uit achtergrondinterviews met dertien direct betrokkenen.

2 Opiniepeiling Afghanistan ABC News/*Washington Post*: 'Drop for Obama on Afghanistan; Few See a Clear Plan for the War', 21 oktober 2009, http://abcnews.go.com/images/Polling Unit/1095a3Afghanistan.pdf.

3 'We kunnen dit land niet beschermen door aan politiek de voorkeur te geven boven onze veiligheid en door de wapenen op onze jongens te richten', voormalig vicepresident Dick Cheney, 21 oktober 2009, http://www.centerforsecuritypolicy.org/p18209.xml.

4 De persbijeenkomst van het Witte Huis onder leiding van Robert Gibbs, 22 oktober 2009, http://www.whitehouse.gov.

5 'District Assessment: Kandaharcity, Kandahar Province', in opdracht van het Canadese ministerie van Buitenlandse Zaken en Internationale Handel, november 2009, p. 23.

6 Generaal-majoor Michael T. Flynn, USA, kapitein Matt Pottinger, USMC, en Paul D. Batche-

lor, DIA: 'Fixing Intel: A Blueprint for Making Intelligence Relevant in Afghanistan', Center for a New American Security, januari 2010, p. 25, voetnoot 10, http://www.cnas.org/files/documents/publications/AfghanIntel_Flynn_Jan2010_code507_voices.pdf

7 Michael Fletcher en Ann Gerhart: 'In Pre-Dawn Darkness, Obama Salutes Victims of War', *The Washington Post*, 30 oktober 2009, p. A2; Jeff Zeleny: 'Obama Visits Air Base to Honor Returning Dead', *The New York Times*, 30 oktober 2009, p. A16.

HOOFDSTUK 22

De informatie in dit hoofdstuk is voornamelijk afkomstig uit achtergrondinterviews met twaalf direct betrokkenen.

1 Analyse door de auteur van het memo van minister Gates en de aantekeningen daarbij d.d. 30 oktober 2009.

2 De telegrammen van Eikenberry zijn in documentvorm ter inzage op http://documents. nytimes.com/eikenberry-s-memos-on-the-strategy-in-afghanistan. Zie ook Elisabeth Bumiller en Mark Landler: 'Envoy Expresses Doubt on Forces for Afghanistan', *The New York Times*, 12 november 2009, p. A1; en Eric Schmitt: 'Cables Detail Envoy's Worry on Karzai Role', *The New York Times*, 26 januari 2010, p. A1.

3 Omslagverhaal van Rod Nordland: 'Iraq's Repairman', *Newsweek*, 5 juli 2004, p. 22.

4 Central Intelligence Agency: 'Afghanistan', *The World Factbook* 2009, https://www.cia.gov/library/publications/the-world-factbook/geos/af.html.

5 Ibid.

HOOFDSTUK 23

De informatie in dit hoofdstuk is voornamelijk afkomstig uit achtergrondinterviews met tien direct betrokkenen.

1 Jeff Zeleny: 'Obama Salutes Fallen Americans on Veterans Day', internetartikel *The New York Times*, 12 november 2009, http://www.nytimes.com/2009/11/12/us/12obama.html; James Gordon Meek: 'My Solemn Surprise Meeting with the President at My Friend's Resting Place', *The Daily News*, 12 november 2009, p. 4. Zie ook de dagelijkse bloemlezing van presidentiële documenten van 11 november 2009, 'Remarks at a Veterans Day Ceremony in Arlington, Virginia', http://www.gpoaccess.gov/presdocs/2009/DCPD-200900902.htm.

2 Rick Atkinson, 'Where Valor Rests', Washington, D.C.: *National Geographic* 2009, p. 21.

3 CNN *Newsroom*, CNN, 11 november 2009, http://transcripts.cnn.com/TRANSCRIPTS.

4 Peter Spiegel: 'Obama Receives New Afghan Option', *The Wall Street Journal*, 11 november 2009, p. A10.

5 De telegrammen van Eikenberry zijn in documentvorm ter inzage op http://documents. nytimes.com/eikenberry-s-memos-on-the-strategy-in-afghanistan. Zie ook: Elisabeth Bumiller en Mark Landler: 'Envoy Expresses Doubt on Forces for Afghanistan', *The New York Times*, 12 november 2009, p. A1; en Eric Schmitt: 'Cables Detail Envoy's Worry on Karzai Role', *The New York Times*, 26 januari 2010, p. A1.

6 Interview met president Barack H. Obama, 10 juli 2010.

7 Gordon M. Goldstein, *Lessons in Disaster* (New York, Times Books, 2008), p. 69.

8 Interview met president Barack H. Obama, 10 juli 2010.

9 Deze vrije interpretatie van de betekenis van 'hooah' wordt vaak aangehaald, maar zelden nader verklaard door militairen. Volgens een humoristische beschrijving op usmilitary. about.com kan 'hooah' verwijzen naar en de betekenis hebben van van alles en nog wat

met uitzondering van 'nee', zoals 'Ik heb hier geen woorden voor', 'Boodschap begrepen', 'Welkom', 'Op deze vraag heb ik geen antwoord, maar ik zal het opzoeken', 'Ik heb geen flauw benul', 'Dank u wel', 'Graag de volgende dia', 'Ik heb geen idee wat u daar zegt, maar ik schaam ervoor u om opheldering te vragen' en 'Amen!' Zie Rod Powers: 'Dictionary Definition of Hooah', Military Jokes and Humor, http://usmilitary.about.com/od/military humor/a/hooahdef.htm. Zie ook Martha Brant: 'West Wing Story: You're in the Army Now', internetartikel *Newsweek*, 19 december 2002.

10 Analyse door de auteur van het schema 'Alternatieve missie in Afghanistan', 14 november 2009.

11 Interview met president Barack H. Obama, 10 juli 2010.

HOOFDSTUK 24

De informatie in dit hoofdstuk is voornamelijk afkomstig uit achtergrondinterviews met veertien direct betrokkenen.

1 Jenna Jordan, die promotieonderzoek verricht aan de universiteit van Chicago, publiceerde eind 2009 een onderzoek waarin naar voren kwam dat het gericht doden van de leiders van terroristische groeperingen over het algemeen geen effect had voor het uitschakelen van die groeperingen. In haar onderzoek 'When Heads Roll: Assessing the Effectiveness of Leadership Decapitation' onderzocht ze 298 gevallen die zich tussen 1945 en 2004 hadden voorgedaan. Het bleek dat grote, al langer bestaande en op religieuze grondslagen opererende groeperingen zich niet of nauwelijks lieten weerhouden door dergelijke gerichte executies. 'Het vermoorden van de leiders is in het algemeen niet alleen zonder invloed op religieuze, langer bestaande of grote groeperingen, het werkt bij de meeste van de terroristische organisaties die nu het doelwit zijn zelfs contraproductief. In veel gevallen stopt door het vermoorden van de leiders zelfs de neergang van de organisatie [...]. Meer nog: als de leiders opgejaagd worden, kan een groepering winnen aan vastberadenheid, kunnen vergeldingsaanslagen het gevolg zijn, stijgt mogelijk de sympathie van het volk voor de groepering of gaan zij over tot meer gewelddadigere aanslagen.' Zie Jenna Jordan: 'When Heads Roll: Assessing the Effectiveness of Leadership Decapitation', http://cpost.uchicago.edu/pdf/Jordan.pdf. Zie ook Andrew Exum: 'Two Documents of Note: The Ridiculous and the Sublime', blog Abu Muqawama, 14 april 2010, http://www.cnas.org/blogs/abumuqawama/2010/04/two-documents-note-ridiculous-and-sublime.html.

2 Analyse door de auteur van president Obama's brief aan president Zardari, 11 november 2009.

3 Analyse door de auteur van president Zardari's antwoord aan president Obama, 25 november 2009.

4 Interview met president Barack H. Obama, 10 juli 2010.

HOOFDSTUK 25

De informatie in dit hoofdstuk is voornamelijk afkomstig uit achtergrondinterviews met negen direct betrokkenen.

1 Michael D. Shear and Paul Kane: 'President vs. Party on Troop Increase', *The Washington Post*, 26 november 2009, p. A1.

2 Ibid.

HOOFDSTUK 26

De informatie in dit hoofdstuk is voornamelijk afkomstig uit achtergrondinterviews met acht direct betrokkenen.

1   interview met president Barack H. Obama, 10 juli 2010.

HOOFDSTUK 27

De informatie in dit hoofdstuk is voornamelijk afkomstig uit achtergrondinterviews met acht direct betrokkenen.

HOOFDSTUK 28

De informatie in dit hoofdstuk is voornamelijk afkomstig uit achtergrondinterviews met negen direct betrokkenen.

1   Bob Woodward, *Bush at War* (New York: Simon & Schuster, 2002), p. 30.
2   President Obama, Address to the Nation on the Way Forward in Afghanistan and Pakistan, 1 december 2009, http://www.whitehouse.gov.
3   President Dwight Eisenhower, Farewell Address, 17 januari 1961, http://millercenter.org/scripps/archive/speeches/detail/3361.

HOOFDSTUK 29

De informatie in dit hoofdstuk is voornamelijk afkomstig uit achtergrondinterviews met tien direct betrokkenen.

1   President Obama, Remarks at the U.S. Military Academy at West Point, New York, 1 december 2009, http://www.gpoaccess.gov/presdocs/2009/DCPD-200900962.htm.
2   Sheryl Gay Stolberg en Helene Cooper, 'Obama Adds Troops, but Maps Exit Plan', *The New York Times*, 2 december 2009, http://www.nytimes.com/2009/12/02/world/asia/02prexy.html.
3   Federal News Service, Hearing of the Senate Armed Services Committee, Subject: Afghanistan, 2 december 2009.
4   Chip Reid, 'White House: July 2011 Is Locked In for Afghanistan Withdrawal', *Political Hotsheet* (blog), 2 december 2009, http://www.cbsnews.com/8301-503544_162-5868282-503544.html.
5   Media availability with Secretary Gates en route to Afghanistan, 8 december, 2009, http://www.defense.gov/transcripts.
6   Address by General Petraeus, Panel on Regional Security Architecture, IISS Manama Dialogue, IISS Regional Security Summit, December 12, 2009, http://www.iiss.org/conferences/the-iiss-regional-security-summit/manama-dialogue-2009/plenary-sessions-and-speeches-2009/fifth-plenary-session/fifth-plenary-session-general-david-petraeus/.
7   Dan Eggen, Karen DeYoung en Spencer S. Hsu, 'Plane Suspect Was Listed in Terror Database', *The Washington Post*, 27 december 2009, p. A1; Elisabeth Bumiller, 'Napolitano Says No Evidence of Wider Terrorist Plot', *The New York Times*, 28 december 2009, http://www.nytimes.com.
8   Daily Compilation of Presidential Documents, 29 december 2009, Remarks on Improving Homeland Security in Kaneohe, Hawaii, http://www.gpoaccess.gov/presdocs/2009/DCPD-200901019.htm.
9   Memorandum on the Attempted Terrorist Attack on December 25, 2009: Intelligence, Screening, and Watchlisting System Corrective Actions, 7 january 2010, http://www.gpoaccess.gov/presdocs/2010/DCPD-201000009.htm.
10 Press briefing, 7 january 2010, http://www.whitehouse.gov/briefing-room.

11   David Ignatius, 'Jim Jones's Team', *The Washington Post*, 7 juni 2009, p. A17.

HOOFDSTUK 30
De informatie in dit hoofdstuk is voornamelijk afkomstig uit achtergrondinterviews met acht direct betrokkenen.
1   Mark Mazzetti en Dexter Filkins, 'Secret Joint Raid Captures Taliban's Top Commander', *The New York Times*, 16 februari 2010, p. A1.

HOOFDSTUK 31
De informatie in dit hoofdstuk is voornamelijk afkomstig uit achtergrondinterviews met tien direct betrokkenen.
1   Rajiv Chandrasekaran, 'In Helmand, a Model for Success?', *The Washington Post*, 22 oktober 2009, p. A1.
2   Richard A. Oppel, Jr., 'Mysterious Blight Destroys Large Portion of Afghan Poppy Harvest', *The New York Times*, 13 mei 2010, A12.
3   Kimberly Dozier, 'Petraeus: Times Square Bomber Likely Acted Alone', Associated Press, 7 mei 2010.
4   Interview met president Barack H. Obama, 10 juli 2010.
5   Ibid.

HOOFDSTUK 32
De informatie in dit hoofdstuk is voornamelijk afkomstig uit achtergrondinterviews met zes direct betrokkenen.
1   Walter Pincus, 'Senate Panel Backs DNI in Turf Battle with CIA', *The Washington Post*, 23 juli 2009, p. A3; *Washington Post* editorial, 'Settling an Intelligence Turf War', *The Washington Post*, 17 november 2009.
2   De beginselen van de DNI voor geheime actie:
Geheime actie kan alleen worden uitgevoerd als ondersteuning van een alomvattende reeks duidelijk bepaalde en goed doordachte Amerikaanse beleidsdoelen.
Geheime actie kan niet worden uitgevoerd met het doel een gebrek aan Amerikaanse openbare steun voor een of andere bijzonder openlijk beleid te omzeilen.
Het geheim en de flexibiliteit van geheime actie maken haar niet tot substituut van openlijke diplomatieke inspanning, strategische communicatie, economische sancties of stimulansen, of militaire actie. Ze mag alleen worden gebruikt als aanvulling op duidelijke openlijke beleidsobjectieven en activiteiten.
Geheime actie om politieke actie en zulke van andere regeringen op de korte termijn te beïnvloeden moet routinematig worden geëvalueerd om ervoor te zorgen dat ze niet de ontwikkeling van stabiele, niet corrupte en representatieve regeringen zal ondermijnen die de mensenrechten van hun burgers respecteren, gezag uitoefenen op hun hele grondgebied en hun grenzen, en die agressie van buren kunnen afslaan.
Niet elke clandestiene activiteit die door de Amerikaanse regering wordt uitgevoerd is of moet een erkende geheime actie zijn. Zo kunnen het ministerie van Defensie, de Drug Enforcement Administration, de FBI en andere instellingen acties uitvoeren die worden ondernomen op een manier die bedoeld is de mogelijkheid van ontdekking te minimaliseren, maar deze activiteiten zijn niet noodzakelijkerwijs geheime activiteiten.
Geheime-actieprogramma's moeten voortdurend worden bekeken in het licht van over-

gang naar niet-geheime activiteiten of ze nu geclassificeerd zijn of niet.

3   Jake Tapper, 'Exclusive: President Obama to Replace Director of National Intelligence Dennis Blair', *Political Punch* (blog), ABC News, http://blogs.abcnews.com/politicalpunch/2010/05/exclusive-president-obama-to-replace-director-of-national-intelligence-dennis-blair.html.

4   Michael Hastings, 'The Runaway General', *Rolling Stone*, 25 juni 2010, http://www.rollingstone.com/politics/news/17390/119236.

5   Defense Secretary Gates Statement on McChrystal Profile, 22 juni 2010, http://www.defense.gov/releases/.

6   White House press briefing by Robert Gibbs, 22 juni 2010, http://www.whitehouse.gov.

7   Interview met president Barack H. Obama, 10 juli 2010.

8   President Obama, Remarks on the Resignation of General Stanley A. McChrystal as Commander of the NATO International Security Assistance Force in Afghanistan, 23 juni 2010, http://www.gpoaccess.gov/presdocs/2010/DCPD-201000525.htm.

HOOFDSTUK 33

Informatie in dit hoofdstuk komt voornamelijk van een interview met president Obama.

1   Interview met president Barack H. Obama, 10 juli 2010.

2   State Senator Barack Obama, 'Against Going to War in Iraq', 2 oktober 2002, http://www.asksam.com/ebooks/releases.asp?file=Obama-Speeches.ask&dn=Against%20Going%20to%20War%20with%20Iraq.

3   Interview met president Barack H. Obama, 10 juli 2010.

4   Ibid.

5   Rick Atkinson, *The Day of Battle: The War in Sicily and Italy, 1943-1944* (New York: Henry Holt, 2007), p. 121.

6   Interview met president Barack H. Obama, 10 juli 2010.

7   President Obama, Remarks on Accepting the Nobel Peace Prize in Oslo, Norway, 10 december 2010, http://www.gpoaccess.gov/presdocs/2009/DCPD-200900985.htm.

FOTOVERANTWOORDING

Linda Davidson (*The Washington Post*): 4, 6, 16, 29
Day Walters Photography: 12
Lorie Jewell (U.S. Air Force): 20
Marvin Joseph (*The Washington Post*): 8, 10, 31
Nikki Kahn (*The Washington Post*): 1, 23
Melina Mara (*The Washington Post*): 2, 7, 17, 18, 21, 24, 26
Anjum Naveed (Associated Press): 28
Bill O'Leary (*The Washington Post*): 3, 5, 22, 27
Robert A. Reeder (*The Washington Post*): 15
Brendan Smialowski (Getty Images News): 11
Chip Somodevilla (Getty Images News): 25
Pete Souza (Official White House photographer): 9, 13, 14, 30
Adam M. Stump (U.S. Air Force): 19

PERSONENREGISTER

Abdullah, Abdullah 181, 255
Abdullah, koning van Saoedi-Arabië 207
Abdulmutallab, Umar 356
Abizaid, John 134
al-Awlaki, Anwar 357
al-Maliki, Nouri 54, 58
al-Zarqawi, Abu 102, 207
al-Zawahiri, Ayman 32, 123
Amanpour, Christiane 221
Atkinson, Rick 391, 392
Atmar, Mohammad Hanif 84
Austin III, Lloyd 102
Axelrod, David M. 11, 41, 42, 91, 121, 125, 126,
   153, 156, 157, 159, 175, 208, 211, 212, 216, 222,
   239, 262, 263, 266, 309, 312, 349, 360

Ball, George 187
Baradar, Abdul Ghani 372
Barber, Samuel 144
Berlusconi, Silvio 403
Bhutto, Benazir 79-81, 103, 131, 132, 152, 301
Biden, Beau 81
Biden, Jill 56
Biden, Joseph R. 11, 44-46, 56, 68, 71, 79-90,
   97, 98, 118-120, 124, 126, 154, 175-177, 179, 182,
   183, 187, 202, 204-207, 221, 226, 234, 237, 238,
   246, 248, 251-254, 271, 274, 276, 279, 286-290,

292, 307, 315, 316, 322, 326, 327, 340, 341, 345,
   346, 349, 369-371, 387
Bin Laden, Osama 17, 32, 105, 120, 122, 123,
   137, 178, 179, 202, 319, 347, 357
Blagojevich, Rod 68
Blair, Dennis C. 13, 76, 78, 94, 118, 121, 134,
   136-138, 178, 179, 203, 204, 219, 241, 244, 255,
   256, 260, 261, 281, 291, 303-305, 356-358, 385,
   386
Blinken, Anthony J. 12, 88, 175, 252, 253, 271,
   302, 371
Boak, Josh 163, 164, 168
Bond, Kit 109, 110
Boxer, Barbara 175
Brahimi, Lakhdar 372
Brauchli, Marcus 195-199
Brennan, Brian 283
Brennan, John O. 12, 244-246, 253, 271, 300,
   301, 305, 313, 336, 338, 356-358, 371, 376, 377
Brown, Gordon 403
Brown, Harold 101
Bundy, McGeorge 145, 295
Bush, George H.W. 34, 69, 369
Bush, George W. 15, 16, 18-23, 25, 29-33, 40, 43,
   48-51, 53, 54, 57, 60-63, 66, 69, 70, 72, 74, 76,
   83, 84, 87, 90-93, 99, 107, 117, 120, 123, 124, 129,
   131, 132, 137, 150, 151, 154, 174, 177, 184, 186, 214,

225, 226, 249, 265, 268, 273, 288, 297, 319, 325, 330, 333, 334, 338, 345, 348, 359, 389

Cantor, Eric 221
Carter, Jimmy 50, 56
Cartwright, James E. 'Hoss' 13, 111, 197-199, 252-254, 260, 261, 289-291, 311, 312, 315-317, 325, 326, 329, 341
Casey, George 134, 275, 276
Casey, William J. 33, 143
Castellano, Rosario 167
Chandrasekaran, Rajiv 198
Cheney, Dick 31, 123, 186, 263, 264, 340
Christopher, Warren 56
Clinton, Bill 15, 27, 28, 42, 44-46, 56, 66, 71, 88, 105, 241, 263
Clinton, Chelsea 44, 45
Clinton, Hillary Rodham 12, 41-47, 55, 74, 89, 99-102, 113, 119, 121, 147, 154, 159, 163, 180, 185, 200, 208, 220, 221, 224, 226, 230, 233, 239, 240, 255, 256, 264, 266, 268, 270, 271, 277, 307-309, 312, 319, 333, 336, 348, 350-353, 360, 368-370
Cohen, William S. 53
Colby, William 106
Collins, Susan 170
Conway, James 274, 276
Craig, Greg 68, 70, 72

Donilon, Thomas E. 11, 56, 57, 111-113, 154, 157, 161, 186, 190, 191, 197, 205, 208, 211, 212, 215, 216, 220, 227, 252, 256, 263, 270, 271, 277, 278, 280, 288, 293, 297, 304, 305, 313-315, 318-321, 328-331, 333-336, 338, 340, 345, 353, 358-361, 365-367, 370, 371
Dowd, Ken 296

Eikenberry, Karl W. 12, 143, 162, 163, 181, 220, 234, 235, 237, 238, 256, 277, 278, 288, 289, 307, 313, 315, 319, 346, 347, 368, 371, 387
Eisenhower, Dwight D. 29, 135, 347, 348
Emanuel, Rahm I. 11, 28, 45, 56, 75, 76, 79, 91, 92, 97, 98, 110, 120, 121, 136, 137, 153-155, 157, 159, 175, 186, 190, 191, 211, 212, 215, 216, 224, 249, 263, 300, 305, 309, 314, 320, 321, 328, 336, 341, 344, 360

Feaver, Peter 200
Flournoy, Michèle 12, 107, 198, 199, 329
Flynn, Michael 265
Fraser, Douglas 358

Gates, Betty 35, 39
Gates, Robert M. 12, 30, 33-39, 47, 50, 74, 75, 92, 102, 112, 113, 116-121, 126, 130, 134, 135, 139, 140, 147, 154, 158, 160, 161, 169, 171, 172, 175, 179, 181, 182, 185, 186, 188, 194, 197-200, 206, 207, 209, 211-213, 216-222, 224, 233, 235-238, 240, 251, 254, 256, 258, 265-271, 274, 276, 277, 279, 281, 285-289, 291, 292, 294, 296, 305-309, 317-321, 324-326, 329, 330, 333, 335, 336, 339-342, 344-346, 348, 350, 351, 353-356, 358, 360, 369, 370, 386-388
Gerson, Michael 173-175
Gibbs, Robert L. 11, 153, 158, 200, 211, 239, 240, 249, 262-264, 266, 352, 353, 357, 358, 360, 387, 388
Goldstein, Gordon 144, 145, 270, 295
Graham, Lindsey 79-90, 170, 171, 175, 188, 222-224, 351-353
Gunhus, Erik 13, 174, 284, 376

Hadley, Stephen 49, 78, 214
Hagel, Chuck 386
Haqqani, Hussain 14, 19, 41, 63, 103-105, 216-218, 302, 303, 360, 361
Harvey, Derek 13, 93-96, 362-364
Hasan, Nidal Malik 281
Hayden, Jeanine 66
Hayden, Michael V. 13, 32, 40, 41, 62, 63, 65-74, 76, 77, 108-110
Headley, David Coleman 137, 301
Helms, Richard 67
Henry, Ed 33
Hill, Chris 154
Hoessein, Saddam 47
Holbrooke, Richard C. 12, 89, 101, 103-105, 107, 114, 121, 128, 161-163, 181, 186, 187, 202, 227, 228, 230, 233, 239, 240, 242-244, 247, 248, 250, 255-257, 259, 266, 277, 278, 312, 349, 359, 368, 369, 372, 387

Ignatius, David 173, 174

428